FRIEDHELM KRUMMACHER

**Johann Sebastian Bach
Die Kantaten und Passionen**

Band 1

FRIEDHELM KRUMMACHER

Johann Sebastian Bach
Die Kantaten und Passionen

Band 1
Vom Frühwerk zur Johannes-Passion (1708–1724)

Bärenreiter
Metzler

Für Aina Maria, Annika und Lennart

Auch als eBook erhältlich (ISBN 978-3-7618-7068-6)

Bibliografische Information der Deutschen Nationalbibliothek
Die Deutsche Nationalbibliothek verzeichnet diese Publikation
in der Deutschen Nationalbibliografie; detaillierte bibliografische Daten
sind im Internet über www.dnb.de abrufbar.

© 2018 Bärenreiter-Verlag Karl Vötterle GmbH & Co. KG, Kassel
Gemeinschaftsausgabe der Verlage Bärenreiter, Kassel, und
J. B. Metzler, ein Teil von Springer Nature, Stuttgart
Umschlaggestaltung: +CHRISTOWZIK SCHEUCH DESIGN
Lektorat und Korrektur: Daniel Lettgen / Christiana Nobach
Notensatz: Kara Rick, Eberbach
Innengestaltung und Satz: textformart, Daniela Weiland, Göttingen
Druck und Bindung: Beltz Bad Langensalza GmbH, Bad Langensalza
ISBN 978-3-7618-2409-2 (Bärenreiter) · 978-3-476-04588-1 (Metzler)
www.baerenreiter.com · www.metzlerverlag.de

Inhalt

Vorwort 9

Abkürzungen 10

Einleitung 11

Teil I
Prämissen der Tradition: Die frühen Vokalwerke (1707/08)

1. Texte und Anlässe 16
2. Instrumentale Einleitungen 20
3. Chorische Satzkomplexe 25
4. Fuge und Permutation 33
5. Choralbearbeitung und Choralkombination 42
6. Solistische und geringstimmige Sätze 46
7. Resümee 48

Teil II
Erster Turnus: Die Weimarer Kantaten (1713–1716)

1. Bestand und Zeitfolge 53
2. Vorgaben und Vorlagen 61
3. Sonata und Sinfonia 67
4. Chorsätze 73
   - a. Relikte der Permutation 73
   - b. Konzertante Sätze 76
   - c. Motettische Sätze 81
   - d. Zur chorischen Aria 84
   - e. Fuge versus Concerto 86
5. Chorische Choralbearbeitungen 91
6. Struktur und Besetzung der Arien 96
   - a. Arien vor 1714 97
   - b. Palmarum bis Weihnachten 1714 99
   - c. Arien aus Francks Jahrgang 1715 107

d. Arien und Duette mit Choralzitaten	117
e. Arioso und Accompagnato	121
f. Arien der Adventszeit 1716	124

7. Die Solokantaten BWV 199 und BWV 54 135

8. BWV 143 – zwischen Mühlhausen und Weimar? 140

9. Resümee 145

Teil III
Strategien im Füllhorn: Der erste Leipziger Jahrgang (1723/24)

1. Quellen und Datierung 149

2. Textgruppen und Satzfolgen 153

3. Chorsätze 160

   a. Prämissen 160

   b. Fuge versus Concerto (I) 165

   c. Spruch und Choralzitat 175

   d. Choral und Rezitativ 184

   e. Instrumentale Modelle 187

   f. Motettische Eingangschöre 190

   g. Fuge versus Concerto (II) 196

4. Solistische Spruchvertonungen 209

5. Chorische und solistische Choralsätze 215

6. Die Instrumentalsätze aus BWV 75 und 76 222

7. Köthen versus Leipzig: Vorlagen und Parodien 224

8. Gruppen und Arten der Arie 237

   a. Von Estomihi bis Johannis 238
      Continuo-Arie 239 | Sätze mit einem Soloinstrument 239 | Arien mit zwei obligaten
      Instrumentalstimmen 241 | Sätze mit größerem Instrumentalensemble 242

   b. Vom 8. bis zum 25. Sonntag nach Trinitatis 246
      Continuo-Arien 249 | Arien senza basso 249 | Geringstimmige Arien 251 | Arien mit
      zwei Instrumenten gleicher Lage 252 | Arien für größeres Ensemble 254

   c. Von Weihnachten bis Sexagesimae 260
      Sätze mit einem Soloinstrument 262 | Sätze mit zweistimmigem Instrumental-
      part 263 | Arien mit akkordischem Streichersatz 264 | Arien mit konzertierender
      Oberstimme 266 | Arien mit Bläserstimmen 267

   d. Zwischen Ostern und Pfingsten 270
      Arien mit einem Soloinstrument 271 | Sätze mit zwei Instrumenten gleicher
      Lage 273 | Ensemblesätze 273

   e. Schlussbemerkung 278

9. Akkordisches und motivisches Accompagnato 279

10. Sanctus und Magnificat 282

    a. Quellen und Fassungen 282

    b. Chorsätze 285

    c. Arien 294

    d. Ensemblesätze 299

    e. Einlagesätze 301

11. Zu BWV 50 »Nun ist das Heil und die Kraft« 303

12. Resümee 309

Teil IV
Erster Rückblick: Die Johannes-Passion (1724/25)

1. Quellenlage und Textbasis 315

2. Symmetrie oder Drama? 319

3. System der Turbae 322

4. Bericht und Rede 327

5. Bericht und Betrachtung 332

6. Arien und Ariosi 335

7. Arien der zweiten Fassung 349

8. Zur »Weimarer Passion« 354

9. Chorische Rahmensätze 359

10. Resümee 366

Vorwort

Ohne die Hilfe, die mir von vielen Seiten zuteilwurde, hätte das vorliegende Buch nicht geschrieben werden können. An erster Stelle danke ich Peter Wollny für seine stete Bereitschaft, mich mit Auskünften und Informationen zu unterstützen. Ebenso dankbar bin ich den Mitarbeitern des Leipziger Bach-Archivs, die mir bereitwillig Kopien der Autographe zur Verfügung stellten. Siegfried Oechsle verdanke ich manche Hinweise, die mir eine wichtige Hilfe waren. Zugleich danke ich den Mitarbeitern des Musikwissenschaftlichen Instituts der Kieler Christian-Albrechts-Universität, die stets dazu bereit waren, mir die erforderlichen Bücher und Quellen zu beschaffen. Der Staatsbibliothek Preußischer Kulturbesitz danke ich für die Genehmigung der Wiedergabe von Abbildungen aus den Autographen Bachs. Dem Bärenreiter-Verlag, besonders Christiana Nobach und Jutta Schmoll-Barthel, gilt mein Dank für die Übernahme der Publikation. Für die überaus sorgfältige Korrektur des Manuskripts bin ich Daniel Lettgen zu größtem Dank verpflichtet. Vor allem aber danke ich meiner Frau für ihre unermüdliche Hilfe.

Kiel, im Frühjahr 2018 F. K.

Abkürzungen

a. Sachbegriffe

c. f.	Cantus firmus	Bc.	Basso continuo
norm.	normal	c. p.	colla parte
augm.	augmentiert	imit.	imitierend
Z.	Zeile	kontrapkt.	kontrapunktisch
Jg.	Jahrgang	konz.	konzertant, konzertierend
1. p. Epiph.	1. Sonntag nach Epiphanias	motett.	motettisch
Instr., instr.	Instrumente, instrumental	motiv.	motivisch
vok.	vokal	Ost., ost.	Ostinato, ostinat
S.	Sopran	polyph.	polyphon
A.	Alt	selbst.	selbstständig
T.	Tenor	Conc.	Concerto
B.	Bass	Kant.(s.)	Kantional(satz)
Fl. trav.	Flauto traverso	Ouv.	Ouvertüre
Ob.	Oboe	Mot.	Motette
Ob. d'am.	Oboe d'amore	motett.	motettisch
Trb., Trp.	Tromba, Trompete	pol., Pol.	polyphon, Polyphonie
V.	Violine	Str.	Streicher
Va., Ve.	Viola, Violen	Vokals.	Vokalsatz

b. Literaturangaben

BC	Bach-Compendium
FS	Festschrift
BGA	J. S. Bach, Gesamtausgabe der Bachgesellschaft, Leipzig 1851–1899
KB	Neue Bach-Ausgabe, Kritischer Bericht
Kgr.-Ber.	Kongressbericht
BJ	Bach-Jahrbuch
MGG, MGG[2]	Die Musik in Geschichte und Gegenwart, hrsg. von Friedrich Blume, Bd. 1–17, Kassel 1949–1986; zweite, neubearbeitete Auflage, hrsg. von Ludwig Finscher, Kassel 1994–2008
BuxWV	Georg Karstädt (Hrsg.), Thematisch-systematisches Verzeichnis der musikalischen Werke von Dietrich Buxtehude, Wiesbaden [2]1985
BWV, BWV[2]	Wolfgang Schmieder, Thematisch-systematisches Verzeichnis der musikalischen Werke von Johann Sebastian Bach, Leipzig 1950, Wiesbaden [2]1985
BWV[2a]	Alfred Dürr (Hrsg.), Bach-Werke-Verzeichnis, Kleine Ausgabe, Wiesbaden 1998
Spitta I–II	Philipp Spitta, J. S. Bach, Bd. I–II, Leipzig 1873–1880, [6]1964

Weitere Abkürzungen – insbesondere in Tabellen – werden an den betreffenden Stellen angegeben. Die sonstigen Abkürzungen entsprechen den Gepflogenheiten in MGG bzw. MGG[2].

Einleitung

Es scheint kein Mangel an Arbeiten zu bestehen, die sich mit Bachs Kantaten und Passionen beschäftigen und zugleich die chronologische Folge der Werke berücksichtigen, die 1957 von Alfred Dürr erstmals dargelegt wurde.[1] In seinem grundlegenden Buch über Bachs Kantaten hatte Dürr die Werke in der Reihenfolge des Kirchenjahrs behandelt.[2] Dagegen entschied sich Konrad Küster für eine Kombination chronologischer und systematischer Aspekte,[3] während Hans-Joachim Schulze zur chronologischen Gliederung Dürrs zurückkehrte.[4]

Als Werner Neumann 1938 Bachs Chorfugen untersuchte, stand ihm noch nicht die auf Dürr zurückgehende Chronologie der Werke zur Verfügung.[5] Dagegen fehlen bis heute entsprechende Arbeiten über Bachs Arien und Choralbearbeitungen. Die vorliegende Arbeit unternimmt deshalb den Versuch, die Chronologie mit einer systematischen Gruppierung der Werke zu verbinden. Dass nicht alle Sätze in gleicher Ausführlichkeit behandelt werden konnten, dürfte sich von selbst verstehen. Um den Umfang in vertretbaren Grenzen zu halten, erwies es sich als notwendig, einige exemplarische Sätze näher zu untersuchen und anschließend auf weitere Beispiele hinzuweisen. Die Untersuchung richtet sich weniger auf die Ausdeutung der Texte als auf die kompositorischen Verfahren, die Bach verwandte. Das setzt freilich die Einsicht voraus, dass die Kompositionen von der Form und Struktur der Textvorlagen nicht zu trennen sind.

Da das Vorhaben zu äußerster Konzentration nötigte, konnten nicht alle Details des sogenannten Wort-Ton-Verhältnisses zur Sprache kommen. Darauf ließ sich desto eher verzichten, als die Fragen der Textausdeutung in den bisherigen Darstellungen schon hinreichend zur Geltung kamen. Stattdessen soll es hier darum gehen, die Struktur der Werke zu untersuchen. Denn was gemeinhin als »Ausdruck« der Musik bezeichnet wird, ist nichts anderes als die Kehrseite einer Kunst, die in der Struktur der Werke begründet ist.

Die Gliederung in acht Teile ergab sich zwanglos aus der chronologischen Gruppierung der Werke. In den ersten vier Teilen werden die Frühwerke, die Wei-

---

1   Alfred Dürr, Zur Chronologie der Leipziger Vokalwerke J. S. Bachs, in: BJ 1957, S. 5–162; ders., Zur Chronologie der Leipziger Vokalwerke J. S. Bachs. Mit Anmerkungen und Nachträgen versehener Nachdruck aus Bach-Jahrbuch 1975, Kassel [2]1976.

2   Alfred Dürr, Die Kantaten von Johann Sebastian Bach, Kassel und München 1971, [2]1975.

3   Konrad Küster, Geistliche Kantaten, in: ders. (Hrsg.), Bach-Handbuch, Kassel u. a. 1999, S. 95–391.

4   Hans-Joachim Schulze, Die Bach-Kantaten. Einführungen zu sämtlichen Kantaten Johann Sebastian Bachs, Leipzig und Stuttgart 2006.

5   Werner Neumann, J. S. Bachs Chorfuge. Ein Beitrag zur Kompositionstechnik, Leipzig 1938 (Schriftenreihe des Staatlichen Instituts für Deutsche Musikforschung, Bd. 4), ebd. [2]1950, [3]1963 (Bach-Studien, Bd. 3).

marer Kantaten, der erste Leipziger Jahrgang und die Johannes-Passion behandelt, während der zweite und dritte Jahrgang, der sogenannte »Picander-Jahrgang« und die Matthäus-Passion in den vier folgenden Teilen zur Sprache kommen. Dabei ist hinzunehmen, dass es gelegentlich zu Überschneidungen kommt. Einerseits werden die letzten Choralkantaten im Zusammenhang mit dem zweiten Jahrgang genannt, andererseits wird die Matthäus-Passion am Ende behandelt, obwohl sie vor den späten Choralkantaten entstand. Die systematische Gruppierung der Arien richtet sich nicht nach den Formen, die vielfach durch die Texte bedingt waren, sondern nach den instrumentalen Besetzungen, die sich als entscheidende Voraussetzung der Satzstruktur erweisen. Dagegen konnten die Rezitative und Kantionalsätze nur insoweit berücksichtigt werden, als sie über obligate Instrumentalstimmen verfügen. Für die Rezitative lässt sich auf zwei frühere Studien verweisen,[6] während die Kantionalsätze in einem grundlegenden Beitrag von Werner Breig untersucht wurden.[7]

Einer weiteren Arbeit muss es überlassen bleiben, in entsprechender Weise auch die h-Moll-Messe und die Lutherischen Messen zu untersuchen. Ohnehin zählen die Messen nicht in gleichem Maß wie die Kantaten und Passionen zum engeren Bereich der Werke, die Bach 1729 als »wohlbestallte Kirchen *Music*« bezeichnete.[8] Als er diese Eingabe schrieb, lag die h-Moll-Messe noch in weiter Ferne. Bis heute ist ungewiss, zu welchem Anlass dieses Werk entstand, das als vollständige Messe im Leipziger Gottesdienst nicht verwendbar war. Zwar wurde sonntags ein mehrstimmiges Kyrie und Gloria aufgeführt, doch wurde dabei nicht mit Kompositionen des amtierenden Thomaskantors gerechnet. Während nur wenige Messen früherer Thomaskantoren nachweisbar sind,[9] entstanden Bachs eigene Vertonungen des Kyrie und Gloria erst in den Jahren nach 1735.[10] Dagegen komponierte er seine Kantaten in den ersten Leipziger Amtsjahren zwischen 1723 und 1727. Offenbar zählten diese Werke zu den Aufgaben des Thomaskantors, wogegen für die Messen auf Werke anderer, meist älterer Komponisten zurückgegriffen wurde. Die folgenden Untersuchungen konzentrieren sich daher auf Bachs Kantaten und Passionen.

---

6 Vgl. Hermann Melchert, Das Rezitativ der Kirchenkantaten J.S. Bachs, in: BJ 1958, S. 5–83; Wolfgang Spindler, Das Verhältnis zwischen Wort und Ton in den Kantaten Johann Sebastian Bachs. Die musikalische Umsetzung der Rezitativtexte, Diss. Erlangen 1973.

7 Werner Breig, Grundzüge einer Geschichte von Bachs vierstimmigem Choralsatz, in: AfMw 1988, S. 165–185 und 300–319.

8 Vgl. »Kurtzer, iedoch höchstnöthiger Entwurff einer wohlbestallten Kirchen *Music*«, in: Schriftstücke von der Hand Johann Sebastian Bachs (Bach-Dokumente, Bd. 1), hrsg. von Werner Neumann und Hans-Joachim Schulze, Leipzig und Kassel 1963, S. 60.

9 Michael Maul, Art. Sebastian Knüpfer, in: MGG², Personenteil, Bd. 10, Sp. 355–358; Clemens Harasim, Art. Johann Kuhnau, in: MGG², Personenteil, Bd. 10, Sp. 824–833; Peter Wollny, Art. Johann Schelle, in MGG², Personenteil, Bd. 14, Sp. 1267–1270. Vgl. auch Emilie Schild, Geschichte der protestantischen Messenkomposition im 17. und 18. Jahrhundert, Diss. Gießen 1934.

10 Vgl. Christoph Wolff, Johann Sebastian Bach, Messe in h-Moll, Kassel u. a. 2009, S. 25 und 31 f.; ders., Der stile antico in der Musik Johann Sebastian Bachs. Studien zu Bachs Spätwerk, Beihefte zum Archiv für Musikwissenschaft, Bd. VI, Wiesbaden 1968, S. 9.

Teil I
Prämissen der Tradition:
Die frühen Vokalwerke (1707/08)

Früher als andere Vokalwerke trat der sogenannte »Actus tragicus« (BWV 106) in den Blick der ersten Bach-Rezeption. Von Adolf Bernhard Marx schon 1830 ediert,[1] wurde das Werk durch den Einsatz Mendelssohns zum Favoritstück des 19. Jahrhunderts. »Übrigens ist es sehr eigen mit dieser Musik, sie muß sehr früh oder sehr spät fallen, denn sie weicht ganz von seiner mittleren gewöhnlichen Schreibart ab.«[2] Zwar könne man die ersten und letzten Sätze »für irgend einen anderen aus der Zeit« halten, doch könne niemand als Bach die »mittleren Stücke gemacht haben«, in deren Verbindung von Bibeltext und Choral »etwas sehr Erhabenes und Tiefsinniges« liege. Und den Thomaskantor Moritz Hauptmann entschädigte die »wundervolle Innerlichkeit« der Musik dafür, dass das Werk eigentlich nur »ein curioses Monstrum von übereinander geschobenen, ineinander gewachsenen Sätzen« sei.[3]

Die Vorliebe für BWV 106 übertrug sich auf die anderen Frühwerke und ist bis heute wirksam geblieben. Wiewohl Spitta nur drei dieser Werke kannte, beschrieb er sie mit einer Wärme, der man seine innere Anteilnahme anmerkt. Zwar hielt er Bachs Weg zur späteren Kantate für zwingend, doch galten ihm die frühen Stücke nicht nur als »Vorstufen«, sondern als »vollendete Kunstwerke«, deren Texte den »Vorzug« haben, »aus gehaltreichen Bibelsprüchen und Kirchenliedern zu bestehen«.[4] Albert Schweitzer bedauerte, dass Bach dem späteren »Kantatenschema« zuliebe »den künstlerischen Reichtum aufgab, mit dem er in seinen ersten Kantaten so meisterhaft geschaltet hatte«.[5] Und Dürr nannte BWV 106 ein »Geniewerk«, das die Werke aller Zeitgenossen »weit hinter sich« lasse.[6]

Die Präferenz für Bachs Frühwerke ist deshalb so erstaunlich, weil sie sich auf sechs Werke bezieht, die zumeist Gelegenheitsstücke waren und für Bachs Œuvre keineswegs repräsentativ sind. Von den späteren Kantaten unterscheiden sie sich bereits dadurch, dass nur eines von ihnen dem Kirchenjahr zugehört. Eine Übersicht über die Quellen und Texte mag den Versuch erleichtern, die Eigenart dieser Werke im Verhältnis zu der Tradition einsichtig zu machen.[7]

---

1   Kirchen-Music von Joh. Seb. Bach, hrsg. von Adolf Bernhard Marx, Berlin 1830. Die Ausgabe war eine Frucht des intensiven Austausches zwischen Marx und Mendelssohn.

2   Felix Mendelssohn Bartholdy, Sämtliche Briefe, Bd. 4, August 1834 bis Juni 1836, hrsg. von Lucian Schiwietz und Sebastian Schmideler, Kassel u. a. 2011, S. 196 f. (an Abraham Mendelssohn Bartholdy, 20. März 1835).

3   Briefe von Moritz Hauptmann, Kantor an der Thomasschule zu Leipzig, an Ludwig Spohr und andere, hrsg. von Ferdinand Hiller, Leipzig 1876, S. 107 (an Otto Jahn, 17. Dezember 1857).

4   Philipp Spitta, Johann Sebastian Bach, Wiesbaden [6]1964, Bd. I, S. 460.

5   Albert Schweitzer, J. S. Bach, Leipzig 1908, Neuausgabe ebd. 1948, S. 512 ff. Schweitzer meinte gar, man würde gern »die zweihundert Kirchenkantaten für hundert in der Art« der frühen Werke opfern.

6   Alfred Dürr, Die Kantaten von Johann Sebastian Bach, Kassel u. a. [2]1975, S. 611 f.

7   Zum Folgenden vgl. Verf., Bachs frühe Kantaten im Kontext der Tradition, in: Mf 44, 1991, S. 9–32 (Nachdruck in: Johann Sebastian Bachs historischer Ort, Bach-Studien 10, hrsg. von Reinhard Szeskus, Leipzig 1991, S. 171–201. Dagegen widmete sich die Arbeit von Hans-Jörg Nieden, Die frühen Kantaten von Johann Sebastian Bach. Analyse – Rezeption, München und Salzburg 2005, primär theologischen Aspekten.

1. Texte und Anlässe

Wie wenig homogen die Gruppe der sechs Frühwerke ist, wird erst dann sichtbar, wenn man die Fragen ihrer Verwendung und Datierung erfasst, die mit dem Problem ihrer Zuordnung zu tradierten Gattungen zusammenhängen. Wie der »Actus tragicus« sind auch die Kantaten BWV 150 und 196 nur in Abschriften überliefert.[8] Während Christian Friedrich Penzel 1755 die Kopie von BWV 150 schrieb, kopierte Johann Ludwig Dietel um 1735 die Partitur von BWV 196. Stammen demnach beide Quellen aus Bachs Umkreis, so wurde die früheste Abschrift des »Actus tragicus« erst in der zweiten Hälfte des 18. Jahrhunderts von unbekannter Hand angefertigt. Im Unterschied dazu ist für BWV 131 Bachs autographe Partitur erhalten, während BWV 71 nicht nur in autographer Partitur samt Stimmen, sondern überdies – als einziges Vokalwerk Bachs – in einem zeitgenössischen Druck vorliegt. Wieder anders steht es mit der Choralkantate BWV 4, die dem Text zufolge zum Osterfest gehört, aber nur in Stimmen überliefert ist, die für eine Leipziger Wiederaufführung 1724 entstanden.[9]

BWV 71 Gott ist mein König – Druck Mühlhausen (4. 2. 1708), autographe Partitur und originale Stimmen	Satz 1: Ps. 74:12; Satz 2: 2. Sam. 19:35 und 37, Strophe 4 aus »O Gott, du frommer Gott«; Satz 3: 5. Mose 33:25, 1. Mose 21:22b; Satz 4: Ps. 74:16–17; Satz 6: Ps. 74:19; Sätze 5 und 7 mit Texten unbekannter Autoren	S., A., T., B. (Soli, Ripienchor); Tr. I–III, Fl. I–II, Vc., Ob. I–II, Fag., V. I–II, Va., Violone, Bc. – C-Dur
BWV 106 Gottes Zeit ist die allerbeste Zeit – Partitur von unbekannter Hand (2. Hälfte 18. Jh.)	Satz 1: Sonatina; Satz 2a: freier Text, Apg. 17:28; Satz 2b: Ps. 90:12; Satz 2c: Jes. 38:1; Satz 2d: Sir. 14:18, Offb. 22:20, instrumentaler c. f. (»Ich hab mein Sach' Gott heimgestellt«); Satz 3a: Ps. 31:6; Satz 3b: Lk. 23:43, Strophe 1 aus »Mit Fried und Freud ich fahr dahin«; Satz 4: »In dich hab ich gehoffet, Herr«, Strophe 7	S., A., T., B.; Fl. I–II, Va. da gamba I–II, Bc. – F-Dur
BWV 4 Christ lag in Todes Banden – Stimmen, Leipzig 1724	Text und Melodie: Martin Luther (Versus I–VII)	S., A., T., B.; Cornetto, Trombone I–III, V. I–II, Va. I–II, Bc. – e-Moll
BWV 131 Aus der Tiefe rufe ich, Herr, zu dir – autographe Partitur »Joh: Seb: Bach Org: Molhusino«	Ps. 130:1–8 (ganz), Sätze 2–5: Sätze 2 und 4 mit Strophen 2 bzw. 5 aus »Herr Jesu Christ, du höchstes Gut«	S., A., T., B.; Ob., Fag., V., Va. I–II, Bc. – a-Moll
BWV 196 Der Herr denket an uns – Partitur kopiert von C. F. Penzel, 1755	Satz 1: Sonatina; Sätze 2–5: Ps. 115:12–15	S., A., T., B.; V. I–II, Va., Bc. – C-Dur
BWV 150 Nach dir, Herr, verlanget mich – Partitur kopiert von J. L. Dietel, um 1735	Sätze 2, 4, 6: Ps. 25:1, 2, 5, 15; Sätze 3, 5, 7: Texte unbekannter Autoren	S., A., T., B.; V. I–II, Fag., Bc. – h-Moll

---

8 Die weiteren Hinweise folgen den Angaben des BWV und des BC (A 54, B 1, B 11, 18 und B 24–25).

9 Zum biographischen Kontext der Werke vgl. Christoph Wolff, Johann Sebastian Bach, Frankfurt a. M. 2000, S. 110–114 und 114–118. Zu BWV 71 und 196 vgl. Spitta I, S. 340 ff. und 369 ff., zu BWV 150, 131 und 106 ebd., S. 438 ff., 444 ff. und 451 ff.

Eine andere Gruppierung ergibt sich, wenn man die Werke aufgrund ihrer Bestimmung unterscheidet, die sich zumeist nur den Texten entnehmen lässt. Der Osterkantate BWV 4, die als einzige dem De tempore zugehört, steht in BWV 71 (bezeichnet als »Motetto«) das einzige Werk gegenüber, dessen Anlass und Datierung aus den Quellen hervorgeht. Dass BWV 131 in Bachs Mühlhäuser Jahren 1707/08 entstand, geht aus einem Vermerk am Ende des Autographs hervor (»Auff begehren Tit. Herrn Dr. Christ. Eilmars in die Music gebracht von Joh: Seb. Bach Org: Molhusino«). Spitta verband das Werk mit den Auseinandersetzungen zwischen dem Mühlhäuser Pastor Georg Christian Eilmar und dem Superintendenten Johann Adam Frohne, doch dürfte es dann weniger während dieses Streits als nach dessen Beilegung am 3. Mai 1708 anzusetzen sein.[10] Für die drei übrigen Werke lassen sich nur aufgrund der Texte mehr oder minder plausible Indizien ermitteln.[11] Da der Text der Kantate BWV 196 auf eine Trauung hinweist, verband Spitta das Werk mit der Hochzeit des Pfarrers Johann Lorenz Stauder, der am 5. Juni 1708 in Arnstadt mit Regina Wedemann getraut wurde.[12] Den Anlass der Trauermusik BWV 106 sah man im Tod des Tobias Lämmerhirt, Bachs Onkel mütterlicherseits, der am 10. August 1707 verstarb.[13] Während die Textvorlage zu BWV 150 durch ein Akrostichon auf den Mühlhäuser Bürgermeister »Doktor Conrad Meckbach« auf Bachs dortige Tätigkeit deutet, belegen die Quellen für BWV 4 lediglich eine Leipziger Aufführung im Jahr 1724, ohne eine frühere Datierung zu beweisen.[14]

Weitere Hypothesen, die zur Sache wenig beitragen, können hier übergangen werden. Als gesichert kann gelten, dass drei Werke in die Mühlhäuser Jahre fallen, während alle anderen Daten auf Annahmen beruhen, die kaum zu beweisen sind. Welche Alternativen wären aber denkbar? Obwohl Bach in Arnstadt Organist war, wurde ihm im August 1705 vorgehalten, »daß mit denen Schühlern er sich nicht vertrüge vnd vorgebe, er sey nur auff *Choral* nicht aber *musicalische* stücke bestellet, welches doch falsch, denn er müßte alles mit *musiciren* helffen«.[15] Gemäß dem Hinweis, »er weigere sich nicht, wann nur ein *Director musices* da wehre«, sah Bach

---

10   Vgl. Spitta I, S. 355–360. Während Frohne als Superintendent an Divi Blasii wirkte, war Eilmar Archidiaconus an der Kirche B. M. V. Spitta brachte den Streit zwischen den Pfarrern mit den Auseinandersetzungen zwischen dem Pietismus und der Orthodoxie in Verbindung. Indes vertrat Frohne weniger den Pietismus (der in einer lutherischen Reichsstadt verpönt war) als die lutherische Reformorthodoxie, vgl. Christian Bunners, Kirchenmusik und Seelenmusik. Studien zu Frömmigkeit und Musik im Luthertum des 17. Jahrhunderts, Berlin und Göttingen 1966, passim.

11   Vgl. Markus Rathey, Zur Datierung einiger Vokalwerke Bachs in den Jahren 1707 und 1708, in: BJ 2006, S. 65–92.

12   Spitta I, S. 369.

13   So bei André Pirro, Bach. Sein Leben und seine Werke, Deutsche Ausgabe von Bernhard Engelke, Berlin und Leipzig 1910, S. 75. Vgl. dagegen Hermann Schmalfuß, Johann Sebastian Bachs »Actus tragicus« (BWV 106). Ein Beitrag zu seiner Entstehungsgeschichte, in: BJ 1970, S. 36–43.

14   Da Spitta meinte, BWV 4 sei erst in Leipzig entstanden, nannte er die Kantate nicht unter Bachs Frühwerken. Zu BWV 150 vgl. Hans-Joachim Schulze, Rätselhafte Auftragswerke Johann Sebastian Bachs. Anmerkungen zu einigen Kantatentexten, in: BJ 2010, S. 69–93, hier S. 69–74; zur Datierung ders., Die Bach-Kantate »Nach dir, Herr, verlanget mich« und ihr Meckbach-Akrostichon, in: BJ 2011, S. 255–257, wo eine Aufführung zu Meckbachs 70. Geburtstag am 19. April 1707 – noch vor Bachs Berufung nach Mühlhausen – erwogen wird. Vgl. auch Markus Rathey, Zur Datierung einiger Vokalwerke Bachs in den Jahren 1707 und 1708, in: BJ 2006, S. 65–94.

15   Dok. II, Nr. 14, hier S. 17 (19. August 1705).

1. Texte und Anlässe   **17**

sich nur zum Generalbassspiel und nicht zur Leitung der Figuralmusik verpflichtet. Trotz des abschließenden Vermerks, man müsse »mit imperfectis« leben, beharrte er offenbar auf seinem Standpunkt, sodass die Mahnung zweimal wiederholt werden musste.[16] Aufgrund der Nachweise Schulzes erübrigen sich frühere Vermutungen, BWV 150 könne schon in Arnstadt entstanden sein.[17] Da nichts darauf hindeutet, dass man von ihm eigene Werke verlangte, bleibt zu folgern, dass Bach sich jeder Verpflichtung zur Figuralmusik entzog.

Etwas klarer sind die Verhältnisse in Mühlhausen, wo man vom Organisten an Divi Blasii traditionsgemäß auch Figuralmusik erwartete, wie die Werke der Amtsvorgänger Johann Rudolf und Johann Georg Ahle belegen.[18] Wolff verwies auf einen Brief von Johann Gottfried Walther, der bei seiner Bewerbung in Mühlhausen »zwei Kirchen-Stücke« vorgelegt habe.[19] Doch beweist der Wortlaut nicht, dass auch Bach zwei Probestücke vorweisen musste und BWV 4 zu Ostern 1707 verwenden konnte.[20] In seinem Entlassungsgesuch liest man aber: »Wenn auch ich stets den Endzweck, nemlich eine *regulirte* kirchen *music* zu Gottes Ehren, und Ihren Willen nach, gerne aufführen mögen, und sonst nach meinem geringen vermögen der [...] kirchen music [...] möglichst aufgeholffen hätte [...] so hat sich's doch ohne wiedrigkeit nicht fügen wollen.«[21] Ergänzend heißt es: »darümb weit u. breit, nicht sonder kosten, einen guten apparat der auerlesensten kirchen Stücken mir angeschaffet [...].«[22] Wieweit der »Endzweck« durch den »Willen« der Obrigkeit bedingt war, bleibt ebenso offen wie die Art der »wiedrigkeiten« und die Frage, ob Bachs »apparat« eigene Werke einschloss. Da drei Werke nach Mühlhausen weisen, lässt sich vermuten, dass in dieser Zeit weitere Werke entstanden sein könnten. Dem Umstand, dass es nicht zu »regulirter« Figuralmusik kam, entspricht es, dass nur in BWV 4 ein Werk vorliegt, das sich in das Kirchenjahr einfügt. Mit dem letzten Arnstädter Jahr und der kurzen Mühlhäuser Zeit kommen für die frühen Vokalwerke ohnehin kaum mehr als zwei Jahre in Betracht, sodass Datierungsfragen in dieser kurzen Spanne zweitrangig werden.

Hilfreicher ist es, innerhalb einer begrenzten Phase mit einem Spektrum wechselnder Möglichkeiten zu rechnen, die nebeneinander galten. Nicht anders stand es mit dem zeitgenössischen Repertoire, das Bach vertraut gewesen sein dürfte. Da es zumeist nur in Kopien überliefert ist, die in der Regel keine Entstehungsdaten zeigen,

---

16 Ebd., Nr. 16–17, S. 20 und 21 (21. Februar bzw. 11. November 1706).

17 Vgl. Wolff, a. a. O., S. 110 f. und 112. Ähnlich argumentierte Andreas Glöckner, Zur Echtheit und Datierung der Kantate BWV 150 »Nach dir, Herr, verlanget mich«, in: BJ 1988, S. 195–203. Arnold Schering, Die Kantate Nr. 150 »Nach dir, Herr, verlanget mich«, in: BJ 1913, S. 39–52, hatte die Echtheit des Werks bezweifelt.

18 Vgl. Markus Rathey, Johann Rudolf Ahle 1625–1673: Lebensweg und Schaffen, Eisenach 1999.

19 Johann Gottfried Walther, Briefe, hrsg. von Klaus Beckmann und Hans-Joachim Schulze, Leipzig 1987, S. 219 f.

20 Wolff, a. a. O., S. 114 f. mit Anm. 55 auf S. 526. Peter Wollny danke ich für freundliche Hinweise.

21 Dok. I, Nr. 1, S. 19 f. (25. Juni 1708). Vgl. Martin Geck, Bachs künstlerischer »Endzweck«, in: Festschrift für Walter Wiora, hrsg. von Ludwig Finscher und Christoph-Hellmut Mahling, Kassel u. a. 1967, S. 319–328; Wiederabdruck in: J. S. Bach, hrsg. von Walter Blankenburg, Darmstadt 1970 (Wege der Forschung 170), S. 552–567.

22 Peter Wollny, Vom »apparat der außerlesensten kirchen Stücke« zum »Vorrath an Musicalien, von J. S. Bach und andern berühmten Musicis« – Quellenkundliche Ermittlungen zur frühen Thüringer Bach-Überlieferung und zu einigen Weimarer Schülern und Kollegen Bachs, in: BJ 2015, S. 99–154, hier S. 100–108 und 127–138.

lässt es sich als Fundus verschiedener Gattungen, Besetzungen und Formtypen auffassen, die innerhalb begrenzter Bereiche und Zeitphasen verwendet wurden.[23] Desto bedauerlicher ist es, dass die mitteldeutsche Kirchenmusik aus Bachs Umkreis erst ansatzweise durch Ausgaben erschlossen ist. Während die Werke norddeutscher Organisten wie Tunder, Weckmann, Buxtehude und Bruhns in repräsentativen Editionen vorliegen, ist man für die Figuralmusik von Händels Lehrer Zachow, von den Thomaskantoren vor Bach oder von Kapellmeistern wie Philipp Heinrich Erlebach und Johann Philipp Krieger nach wie vor auf schmale Auswahlbände angewiesen.

Dass Bachs Frühwerke zumeist Gelegenheitsstücke sind, verleiht ihnen einen Sonderstatus, der ihre Zuordnung zu Gattungstraditionen erschwert. Eine Ausnahme ist die Choralkantate BWV 4, für die in Pachelbels Bearbeitung derselben Vorlage ein konkretes Muster vorliegt. Auch die Psalmkantate BWV 131 geht auf Traditionen des 17. Jahrhunderts zurück, die durch die Kombination mit zusätzlichen Choralstrophen modifiziert werden. Als Psalmkantate wäre ebenso BWV 196 zu bezeichnen, wiese das Werk nicht über alles Herkommen hinaus. Und BWV 150 könnte als Psalmkantate »con Aria« gelten, wenn den Solosätzen nicht metrisch verschiedene Texte statt analoger Strophen zugrunde lägen, während sich der Schlusssatz als »Ciacona« jeder Konvention entzieht. Dagegen bilden die Textmischungen in BWV 71 und 106 Sonderfälle, die durch besondere Anlässe begründet sein dürften.

Deutlichere Hinweise geben die Besetzungen, die an mitteldeutsche Traditionen anschließen. Alle Werke rechnen mit »Chor« und zudem nicht nur mit Streichern, sondern in BWV 71, 106 und 131 auch mit Holz- bzw. Blechbläsern. Sie unterscheiden sich damit von der Musik norddeutscher Organisten, für die solistische oder geringstimmige Besetzungen charakteristisch sind. Solche Werke dürfte Bach in Lüneburg oder in Lübeck kennengelernt haben, und dass ihre Besetzungen keine erkennbaren Spuren hinterließen, schließt nicht aus, dass ihn andere Eigenarten beeindrucken konnten. Sein Verhältnis zur Tradition lässt sich vorerst nur im Blick auf die Choralbearbeitungen bestimmen, deren Repertoire schon hinreichend erschlossen worden ist.[24] Eine Voraussetzung weiterer Studien wäre die Kenntnis des Repertoires, das in den zeitgenössischen Sammlungen überliefert ist.[25] Von der Einsicht in diese Bestände gehen die folgenden Hinweise aus, die nur vereinzelt belegt werden können.

Bachs frühe Kantaten waren Gelegenheitswerke, die weder in seine spätere Praxis noch in das zeitgenössische Repertoire eingingen. Überdies fielen sie in eine Zeit, in der sich der Übergang zur madrigalischen Kantate vollzog. Seit 1700 waren Erdmann Neumeisters Textjahrgänge erschienen und bald danach von Johann

---

23 Neben einer kleinen Sammlung aus der Erfurter Michaeliskirche ist an die Sammlung aus der Fürstenschule Grimma und an die mitteldeutschen Werke aus der Gottorfer Sammlung Bokemeyer zu denken. Die Lüneburger Michaelisschule, die Bach 1700 bis 1702 besuchte, besaß eine umfangreiche Sammlung, von der ein 1696 datiertes Inventar zeugt, vgl. Verf., Die Überlieferung der Choralbearbeitung in der frühen evangelischen Kantate. Untersuchungen zum Handschriftenrepertoire evangelischer Kirchenmusik im späten 17. und beginnenden 18. Jahrhundert, Berlin 1965 (Berliner Studien zur Musikwissenschaft 10, fortan zitiert: Die Überlieferung).

24 Ders., Die Choralbearbeitung in der protestantischen Figuralmusik zwischen Praetorius und Bach, Kassel u. a. 1978 (Kieler Schriften zur Musikwissenschaft 22, fortan zitiert: Die Choralbearbeitung).

25 Vgl. dazu die Hinweise in Anm. 22.

Philipp Krieger, Philipp Heinrich Erlebach und Georg Philipp Telemann vertont worden.[26] Dennoch lässt sich eher von einem schrittweisen Übergang als von einem abrupten Wechsel der Formtypen sprechen. Wie der Terminus »Rezitativ« mitunter schon früher begegnet, so finden sich zuvor auch knappe Da-capo-Formen, neben denen verschiedenste Mischformen nebeneinander möglich waren. Erst später trat an die Stelle des vormaligen Repertoires die Produktion und Verbreitung geschlossener Jahrgänge, die eine wachsende Standardisierung zur Folge hatten. Die älteren »Kirchenstücke« dagegen, für die sich seit Spitta die Bezeichnung »ältere Kantate« eingebürgert hat,[27] waren durch ihre Abkunft vom geistlichen Konzert geprägt, sodass sich nicht immer klar getrennte Sätze erwarten lassen (was noch für BWV 71 und 106 gilt). BWV 4 ist der Choralbearbeitung per omnes versus verpflichtet, die in Pachelbels Kantate über dasselbe Lied vorgeprägt ist. Dagegen lassen sich die übrigen Werke aufgrund ihrer Texte und Besetzungen kaum mit älteren Modellen vergleichen, weshalb sie bisher zumeist gesondert erörtert wurden. Dürrs Untersuchungen folgten einer typologischen Gruppierung, in der die frühen Werke nicht von den Weimarer Kantaten getrennt wurden.[28] Demgegenüber lässt sich der Versuch machen, die Struktur der Sätze vor der Folie der Traditionen zu erörtern, die ihre historischen Voraussetzungen bilden. Denn in dem Maß, in dem Bachs frühe Werke traditionellen Modellen folgten, konnten sie ihren historischen Kontext zugleich hinter sich lassen.

2. Instrumentale Einleitungen

Während die Ratswahlkantate BWV 71 mit einem festlichen Tuttisatz beginnt, verfügen die übrigen fünf Kantaten über mehr oder minder umfängliche Einleitungssätze. Instrumentale Einleitungssätze waren im geistlichen Konzert seit dem mittleren 17. Jahrhundert zur Regel geworden. Zweitrangig wie die Bezeichnungen »Sinfonia« und »Sonata«, die nebeneinander vorkommen, ist auch die Unterscheidung zwischen abgeschlossenen Sätzen (wie in BWV 4, 106 und 196) und mit den Folgesätzen verbundenen Vorspielen (wie in BWV 131).[29] Was Bachs Sätze vom Standard der Zeit unterscheidet, sind weniger die Formen und Besetzungen als die satztechnischen Differenzen.

Die Sinfonia aus BWV 150 wirkt wie ein schlichter Triosatz über ein Thema, dessen chromatisch gefüllter Quartfall sechsmal auf dem Grundton oder der Quinte die beiden Violinen und den Generalbass durchläuft. Obwohl sie einen abgeschlossenen Satz bildet, wurde sie von Dürr im Zusammenhang mit dem folgenden Vokalsatz behandelt, da sie das gleiche Thema und eine analoge Konstruktion aufweist.[30] Der Satz basiert auf drei Kontrapunkten, die drei Takte ausfüllen und die Stimmen in zwei fünftaktigen Phasen durchlaufen, um anschließend mit Stimmtausch und

---

26 Ute Poetzsch-Seban, Art. Ermann Neumeister, MGG², Personenteil, Bd. 12, Sp. 1021–1023.
27 Spitta I, S. 291
28 Dürr, Studien 2, S. 89 ff.
29 Vgl. Dürr, Studien 2, S. 92 ff., 97 und 195 f.
30 Ebd., S. 195.

20 Teil I · Prämissen der Tradition: Die frühen Vokalwerke (1707/08)

Notenbeispiel 1a

anderer Einsatzfolge wiederholt zu werden (T. 5–7 und 7–9 sowie T. 11–13 und 13–5, Notenbeispiel 1a). Dass der Stimmtausch nicht klarer hervortritt, liegt an drei Maßnahmen. Die vier ersten und letzten Takte sind von der Konstruktion ausgenommen, deren Beginn in Takt 5 dadurch verschleiert wird, dass das Thema in der Oberstimme schon einen Takt früher auftritt. In der Mitte wird dagegen ein verkürztes Themenzitat der Oberstimme eingeschaltet (T. 10), während sich das Ende der letzten Phase mit dem Beginn der viertaktigen Schlussgruppe kreuzt. Mit dem traditionellen Thema paart sich eine Konstruktion, deren Strenge durch die Varianten verdeckt wird.

Mit zwei Violinen und Generalbass besetzt, gründet die Sinfonia aus BWV 196 auf einem dreistimmigen Modell, das durch Viola und Violoncello ausgefüllt wird. Es besteht aus einer Viertaktgruppe, die am Ende wiederholt und um einen Kadenztakt verlängert wird (T. 1–4 bzw. 17–21, Notenbeispiel 1b).[31] Ihre thematische Funktion tritt erst dort hervor, wo sie auf der Tonika- und auf der Dominantparallele wiederholt und zugleich auf drei bzw. zwei Takte verkürzt wird (T. 7–9 und 12–13). Zwischen die umrahmenden Viertakter und die verkürzten Varianten treten modulierende Takte, in denen das motivische Material so ausgesponnen wird, dass die Differenzen zwischen den Satzgruppen überspielt werden. Wichtiger als die Formanlage ist es, dass der Satz durchweg durch die punktierte Rhythmik geprägt wird, die in einer zweitaktigen Zwischengruppe durch Triolen modifiziert wird. Zugleich liegt ihm ein harmonischer Plan zugrunde, der über die Tonika- und Dominantparallele zur

---

[31] Ebd., S. 94, wird der Satz als »Bogenform« bezeichnet.

Notenbeispiel 1b

Dominante führt und in eine erweiterte Kadenzgruppe einmündet. Die motivischen Konturen gehen unter Fortfall der punktierten Rhythmik in den Vokalpart des anschließenden Chorsatzes ein.

Wiewohl die Konstruktion nicht so streng wie die der Sinfonia aus BWV 150 ist, zeichnen sich beide Sätze durch kontrapunktische Verfahren aus, die in den Sätzen aus BWV 4 und 131 zurücktreten. Die Sinfonia aus BWV 4 weist weniger auf die »venezianische Opernsinfonie« als auf die ältere Kantate zurück, der vielfach eine »Sonata« in akkordischem Satz voranging.[32] Davon unterscheidet sich Bachs Sinfonia in zweifacher Hinsicht. Zum einen setzt sie mit eintaktigen Gruppen an, deren Quintsext- bzw. Sekundakkorde zur Tonika bzw. zur Dominante aufgelöst werden. Zum anderen erweist sich der zweimalige Halbtonschritt, der als quasi doppeldomi-

---

32 Vgl. dagegen Dürr, ebd., S. 92.

Notenbeispiel 1c

nantischer Sekundakkord die Kadenz einleitet, als Vorgriff auf die erste Choralzeile, die anschließend auf der fünften Stufe eingeführt und danach frei fortgesponnen wird (Notenbeispiel 1c). Die Differenz zum Herkommen gründet in dem Satzverband, in den die Choralzeile integriert wird, ohne ostentativ hervorgehoben zu werden.

Obwohl die Einleitung zu BWV 131 mit 24 Takten länger ist, bildet sie keinen abgeschlossenen Satz, sondern wird mit dem Eingangschor verbunden (und demgemäß nicht als »Sinfonia« bezeichnet). Dass sie gleichwohl nicht nur als Vorspiel fungiert, liegt an ihrer motivischen und harmonischen Anlage. Während sich die Unterstimmen auf die harmonische Füllung in Vierteln und Viertelpausen beschränken, lösen sich erste Violine und Oboe mit zwei Varianten eines Motivs ab, das von der Quinte zum Grundton der Tonika fällt und auf der Dominante endet, von der aus die Beantwortung zur Tonika zurückführt (Notenbeispiel 1d). Statt eines kontrapunktischen Gerüsts ergibt sich ein konzertierender Wechsel der Oberstimmen, der die gesamte Einleitung prägt. Obwohl die Instrumentalstimmen noch nicht wie

Notenbeispiel 1d

2. Instrumentale Einleitungen 23

in späteren Werken als obligate Schicht fungieren, dürfte sich vor Bach kein Werk finden, das in gleicher Weise vom Instrumentalpart geprägt ist.

Zu den Eigenarten des »Actus tragicus« (BWV 106) zählt der Spaltklang, der in der »Sonatina« durch die Kombination von je zwei Blockflöten und Gamben geprägt wird. Zwar gehörten die Gamben zu den Kennzeichen der norddeutschen Tradition, und eine eigene Tradition hatte auch der Typus eines Satzes mit einer figurativen Oberstimme und dem in Tonrepetitionen aufgelösten Fundament. Eine Generation früher entstand das in der Dübensammlung überlieferte Concerto »Unser keiner lebt ihm selber« von dem in Reval und Riga tätigen Johann Valentin Meder (1649–1719).[33] Die als »Lamento« überschriebene Einleitung verbindet – ähnlich wie in BWV 106 – zwei Gamben und Generalbass zu einem akkordischen Gerüstsatz, der in repetierte Achtel aufgelöst und in den Quellen mitunter als »Tremolo« bezeichnet wird. Darüber intoniert die Violine ein Initium, das anschließend figurierend ausgesponnen wird (Notenbeispiel 2a). Der Vergleich lässt zugleich die Eigenart der Sonatina Bachs erkennen. Im Einklang ansetzend, werden die punktierten Achtel

Notenbeispiel 2a: Johann Valentin Meder, »Unser keiner lebt ihm selber«

---

[33] Uppsala Universitetsbibliotek, vok. mus. i hs. 61:8; vgl. dazu die Beispiele bei Verf., Musik des Ostseeraums im Spiegel der Dübensammlung, in: Europa in Scandinavia. Kulturelle und soziale Dialoge in der frühen Neuzeit, hrsg. von Robert Bohn (studia septemtrionalia 2), Frankfurt a. M. u. a. 1994, S. 155–172.

der Flöten gegeneinander verschoben, sodass mehrfach Einklänge im Abstand einer Sechzehntel mit kleinen bzw. großen Sekunden wechseln (T. 7–8, 10–12 und 16–17). Die Klangfolgen werden zugleich in einen Satzverlauf integriert, der keinem Schema verpflichtet ist.[34]

Lenken die Modulationen zur Molldominante bzw. Subdominantparallele (T. 4–10 bzw. 10–13), so werden die Stufen durch erhöhte Terzen bereichert, die Bestandteile von Septakkorden bilden. Wenn man die Verkettung der Klänge beschreiben will, lässt sich der anachronistische Begriff »Zwischendominante« kaum vermeiden. Die terminologische Verlegenheit verweist auf Sachverhalte, in denen Bach die Konventionen seiner Zeit hinter sich ließ. Mit den umspielten Tönen der Flöten werden die Klangfolgen erprobt, die durch Paarung einer liegenden Oberstimme mit einem schreitenden Bassgang entstehen. Die Konstellation bildet ein Gegenbild zum Satz über einem Orgelpunkt, in dem dissonierende Akkorde als Lizenzen erscheinen. Zwar waren solche Verfahren in den Vokalwerken Buxtehudes und seiner Zeitgenossen angelegt, doch treten sie in Bachs Frühwerk kaum noch einmal so deutlich hervor wie in der Sonatina aus BWV 106, die damit zugleich auf die Weimarer Kantaten hinführt.

Ähnlich wie die kontrapunktischen Konstruktionen aus BWV 150 und 196 erproben die akkordischen Einleitungen aus BWV 4 und 131 mit Choraleinbau und konzertanten Verfahren zwei verschiedene Möglichkeiten, von denen sich desto mehr die Sonatina aus BWV 106 abhebt. Zusammengenommen bilden die Einleitungen der frühen Kantaten keine geschlossene Gruppe. Vielmehr erscheinen sie als individuelle Lösungen, die nebeneinanderstehen, ohne eine chronologische Folge nahezulegen.

3. Chorische Satzkomplexe

An die instrumentalen Einleitungen schließen sich Tuttisätze an, die mehrfach abgestufte Satzkomplexe bilden. Sie finden ihr Zentrum in fugierten Sätzen, die in vier Fällen Permutationsfugen darstellen, sodass auf sie gesondert zurückzukommen ist. Gemischte Textvorlagen mit dialogischen Zügen hatten in der mitteldeutschen Figuralmusik eine Tradition, die auf die Evangeliendialoge von Andreas Hammerschmidt und Wolfgang Carl Briegel zurückgeht.[35] Da solche Werke vor 1700 von der Concerto-Aria-Kantate abgelöst wurden, dürfte es an den Anlässen und Auftraggebern gelegen haben, dass Bach in BWV 71 und 106 derart reiche Textmischungen vertonte.

Dass der Chor nur im Eingangssatz und im Schlusschoral des »Actus tragicus« eingesetzt wird, mag an den begrenzten Möglichkeiten bei der Trauerfeier liegen, für die das Werk entstand. Die ersten Worte, die einen freien Zusatz bilden, werden in homorhythmischer Deklamation gestrafft und durch eine C-Dur-Kadenz abgeschlossen. Größeres Gewicht erhält der anschließende Spruchtext, der ein Allegro im ¾-Takt (T. 7–40 »In ihm leben wir«) mit einem geradtaktigen »adagio assai« ver-

---

34 Vgl. dagegen Dürr, a. a. O., S. 92.
35 Vgl. Die Choralbearbeitung, S. 89–114 und 303–328.

Notenbeispiel 2b: Johann Valentin Meder, »Unser keiner lebt ihm selber«

bindet (T. 41–47 »In ihm sterben wir«).[36] Dass der Satz an die erwähnte Komposition von Meder erinnert, dürfte an der sprachlichen Analogie der Texte liegen (bei Meder Röm. 14:7, bei Bach nach Apg. 17:28). Indes belässt es Meder bei der Imitation einer steigenden Figur, die im Wechsel von Dux und Comes die Stimmen durchläuft (»leben wir dem Herrn …«), während dem nächsten Textglied (»sterben wir, so sterben wir dem Herrn«) ein fallendes Motiv entspricht, das imitiert und durch eine chromatisch sinkende Linie verlängert wird (Notenbeispiel 2b). Dass die Quintketten, die eingeschalteten Mollvarianten und die »neapolitanisch« gefärbten Klauseln an Bach erinnern, bedeutet natürlich nicht, dass Bach Meders Werk gekannt habe. Trotzdem verweisen die Analogien auf Affinitäten, die in gemeinsamen historischen Voraussetzungen gründen.

In Bachs Fassung wird das erste Textglied zu einem Fugato mit drei paarigen Einsätzen erweitert, die zweimal als Dux und Comes eintreten. Zugleich wird der Satz nicht nur durch freie Themeneinsätze ergänzt, sondern von der Ausspinnung des Kopfmotivs überlagert, deren wiegende Achtelketten an stilisierte Triller denken lassen. In sequenzierender Verlängerung prägen sie auch die Instrumentalstimmen, die in dem – freilich recht lockeren Fugato – als obligate Partner des Vokalparts fungieren. In Haltetönen laufen auch die Flötenstimmen aus, sobald der Satz am Ende akkordisch gerafft wird. Nach der harmonischen Beschränkung auf Tonika und Dominante tritt desto nachdrücklicher das »adagio assai« mit einem verminderten Septakkord (über *e*) ein, der über einen Sekundakkord aufgelöst wird. Solche Ketten

---

36   Vgl. die Beschreibung bei Dürr, a. a. O., S. 98.

verminderter Septakkorde zählen zwar zur späteren Satzweise Bachs; dass sie hier aber derart pointiert hervortreten, dürfte auf Eindrücke durch die Orgelmusik Buxtehudes zurückgehen. Etwas konventioneller ist die Folge zweier Quintschritte, deren Stufen im Wechsel von Dur- und Mollvarianten verkettet und mit »phrygischer« Klausel in A-Dur beschlossen werden.[37]

Wie das Beispiel Meders zeigt, war Mendelssohn nicht ganz im Unrecht, wenn er meinte, die Rahmensätze aus BWV 106 könne man auch »irgend einem anderen« zutrauen. Das gilt freilich nur so lange, wie man nur die Formanlage und die Motivik im Blick hat. Dagegen ist die Ausarbeitung des Materials ebenso bezeichnend für Bach wie die Fortsetzung des ersten Komplexes, die nach zwei solistischen Sätzen (2a/b) von der dialogischen Paarung zwischen fugierten Unterstimmen und solistischem Sopran geprägt und durch ein Choralzitat ausgezeichnet wird. Obwohl die Unterstimmen in der Vorlage die Angabe »Tutti« zeigen, darf man den Satz zu den geringstimmigen Sätzen zählen.

Im Unterschied zum intimen Klang des »Actus tragicus« zielt der Eingangschor aus BWV 71 darauf ab, die mehrchörige Besetzung möglichst effektvoll zur Geltung zu bringen. Neben Solo- und Ripienstimmen sowie Streichern werden nicht nur drei Trompeten und Pauken, sondern überdies noch zwei Oboen mit Fagott sowie zwei Blockflöten und ein obligates Violoncello eingesetzt. So reich der Satz abgestuft ist, so bescheiden ist der satztechnische Aufwand. Von einer »Rondoform« lässt sich nur insofern sprechen, als zwei vokale Binnenteile in a-Moll von einem blockhaften Tutti in C-Dur umrahmt und durch ein kurzes Tutti getrennt werden.[38] Während im ersten Binnenteil ein zweimal versetzter Halteton im Wechsel von Tonika und Dominante umspielt wird (T. 8–13), besteht der zweite aus einem doppelten Imitationsgeflecht, das stufenweise aufwärts sequenziert und akkordisch erweitert wird (T. 15–30). Ähnlich schlicht wie der Eingangschor ist die akkordische Umrahmung des Schlusschors, dessen syllabische Deklamation durch das Metrum der Dichtung geprägt wird (worauf sich die Angabe »Arioso« beziehen dürfte). Im Zentrum steht jedoch die Permutationsfuge, die noch gesondert zu erörtern ist.

Bemerkenswerter als die Ecksätze, die dem festlichen Anlass Tribut zollen, sind die Binnensätze. Scheinbar schlicht akkordisch, basiert der Chorsatz »Du wollest dem Feinde nicht geben« (Ps. 74:19) auf einem ebenso eigenartigen wie wirkungsvollen Modell, das in dem kurzen Vorspiel eingeführt wird.[39] In der »dorisch« notierten Rahmentonart c-Moll begegnen im A-Teil mehrfach Sextakkorde, die zu quasi phrygischen Klauseln führen.[40] Nach ihrer vokalen Wiederholung wird die Gruppe im dritten Ansatz transponiert, bevor sie mit dem ergänzenden Textglied zur Durparallele lenkt (T. 10, »die Seele deiner Turteltauben«). Nach einem dreitaktigen Zwischenspiel wird das Modell im Mittelteil (T. 13–25) durch Transposition nach

---

37 Im Schluss des B-Teils aus der Weimarer Kantate BWV 12:2 sollte das Verfahren erweitert werden.

38 Vgl. dazu Dürr, a. a. O., S. 111 f.

39 Ohne auf das satztechnische Modell einzugehen, rechnete Dürr (ebd. S. 109) den Satz zu den »freien Dacapoformen« mit »Chaconnecharakter«.

40 Nach der zeitgenössischen Terminologie wäre von einer Clausula perfecta dissecta in einem transponierten Phrygius zu reden, vgl. Johann Gottfried Walther, Praecepta der Musicalischen Composition, hrsg. von Peter Benary (Jenaer Beiträge zur Musikforschung 2), Leipzig 1955, S. 173.

Notenbeispiel 3

f- und g-Moll erweitert. Bei der Rückkehr nach c-Moll wird die Kadenzierung durch ein Melisma der Oberstimme vorbereitet (T. 25–32) und durch einen Anhang ergänzt (Notenbeispiel 3). Der Grundton *c*, der als Achse zum quasi psalmodierenden Unisono des Chores fungiert, wird von den Instrumenten umspielt und durch eine »phrygische« Klausel ergänzt (T. 41). Indem sich die Konstruktion als Quintversetzung des Satzbeginns erweist, erweist sich rückblickend f-Moll als tonales Zentrum des Satzes.

Bachs Gliederung des 130. Psalms findet eine Parallele in der Vertonung desselben Textes von Johann Schelle (1648–1701). Während die Besetzung mit vierstimmigem Chor und Streichern beidemal der Norm entspricht, wird in BWV 131 neben vier Vokalstimmen und Streichern eine Solooboe eingesetzt. Bilden die Verse 1–2, 5 und 7–8 in Schelles Fassung akkordische Tuttisätze, so werden die übrigen Verse durch solistische Abschnitte zu freier Dichtung ersetzt. In Bachs Werk dagegen erscheinen die Verse 1–2, 5 und 7–8 als Tuttisätze, während die Verse 3–4 und 6 mit Choralstrophen kombiniert werden. Wiewohl sich beide Werke in der Gliederung ähneln, sind die Differenzen größer als der Zeitabstand. Sie würden auch dann nicht geringer, wenn man das Psalmkonzert »Gott sei mir gnädig« (Ps. 51:3–10) von Johann Kuhnau (1660–1722) heranzöge, das neben fugierten Tuttisätzen auch liedhafte Solosätze enthält.[41] Obwohl die Komposition auf 1705 datiert ist und kaum viel früher als BWV 131 entstanden sein dürfte, vertritt sie eine Tradition, von der Bach ausging, ohne jedoch an konkrete Vorbilder anzuschließen.

Vom konzertanten Verfahren, das die Sinfonia prägt, zehrt auch das anschließende Tutti, das den ersten Psalmvers in primär akkordischem Chorsatz mit instrumentalen Zitaten des Vorspiels kombiniert (T. 24–57). Das folgende »vivace« wird durch blockweise Einwürfe des Tutti gegliedert, während die Ergänzung des Verses mit einem Thema gekoppelt wird, das solistisch eingeführt und anschließend im Tutti entfaltet wird. Da die Themeneinsätze vom syllabisch deklamierten Tutti abgefangen werden, in dem die Instrumente colla parte mitwirken, ist kaum von einer »sehr frei gebauten Fuge« zu reden.[42] An die kurze akkordische Eröffnung des Mittelsatzes (T. 1–5, »adagio«, zu Vers 5a »Ich harre des Herrn«) schließt eine »locker gebaute Fuge« an (T. 6–42, »largo«, zu Vers 5b »meine Seele harret«), die in den ersten zehn Takten dem Permutationsprinzip gehorcht.[43] Dass die Fortsetzung weniger streng ausfällt, wird durch die mehrfache Engführung des Themenkopfes kompensiert. Zugleich wird der Vokalpart von einem Instrumentalsatz überlagert, in dem eine Formel in komplementärer Rhythmik ausgesponnen wird. Obwohl keine prägnante Motivik vorliegt, drängt sich der Eindruck auf, der kontrapunktische Satz werde mit einem eigenständigen Instrumentalpart gepaart. Dass dieses Prinzip, an dem Bach weiterhin arbeiten sollte, in der Permutationsfuge des Schlusssatzes beibehalten wird, übersieht man leicht, wenn man nur die Form des Satzes im Blick hat. Insgesamt wird eine Strategie sichtbar, die nach konzertantem Beginn vom scheinbaren Fugato des Eingangssatzes über die freie Fuge des Mittelteils bis zur Anlage des Schlusssatzes führt.

Statt des vollständigen Psalmtextes werden in BWV 196 lediglich die Verse 12–15 aus Ps. 115 vertont. Der Text, der das Werk als Hochzeitsmusik ausweist, wendet sich in den Binnenversen an »Kleine und Große« (Vers 13) bzw. »euch und eure Kinder« (Vers 14). Demgemäß werden diese Worte als Solosätze vertont, während die Segenswünsche der Rahmenverse dem Tutti zufallen (»Der Herr denkt an uns« bzw. »Ihr seid die Gesegneten des Herrn«). Beide Tuttisätze münden nach akkordischem Beginn in einen fugierten Hauptteil ein, der im ersten Satz eine strenge Permutationsfuge bildet, während im abschließenden »Amen« das Permutationsverfahren weit freier gehandhabt wird. Belangvoller als die formalen Unterschiede ist jedoch die strukturelle Differenzierung der Abschnitte.[44]

Der erste Chorsatz knüpft an das paarige Imitationsmodell der Sinfonia an, deren Kopfmotiv von zwei Stimmpaaren übernommen wird. Während es anfangs

---

41　Kuhnaus Psalmkonzert »Gott, sei mir gnädig nach deiner Güte« liegt in einem Neudruck vor, vgl. DDT 58–59, hrsg. von Arnold Schering, Leipzig 1918, S. 224–243. Das Tenorsolo zu Ps. 51:5 (T. 88–93) ist als »Recit.« bezeichnet, während der letzte Vers auf Solisten verteilt und nach Art einer Aria von instrumentalen Ritornellen unterbrochen wird (T. 212–257), bevor er in einem Tutti mündet.

42　Vgl. dagegen das Formschema bei Dürr, a. a. O., S. 97.

43　Ebd., S. 97.

44　Da Dürr die Eröffnung des Schlusschors zu den »Steigerungsformen« und die des Eingangschors zu den »freien Dacapoformen« zählte, behandelte er beide Sätze gesondert (vgl. ebd., S. 101 und 110).

auf einen Quart- bzw. Quintsprung gestaucht wird, entspricht der zweite Einsatz mit Quint- bzw. Sextrahmen dem Beginn der Sinfonia (T. 1–3 bzw. 4–6). Beidemal wird die Fortspinnung vom Tutti mit instrumentaler Figuration abgefangen, bis eine vierstimmige Engführung mit der Quart-Quint-Variante ansetzt und zum Beginn der Fuge führt (T. 11). Indem das Fugenthema mit auftaktigem Quartsprung ansetzt, reagieren beide Abschnitte auf die Struktur der Sinfonia. Im Schlusssatz geht dem fugierten »Amen« eine Einleitung voran, in der die Worte in akkordischem Satz syllabisch deklamiert und im dritten Ansatz durch sequenzierte Melismen erweitert werden. Der Instrumentalpart hingegen beschränkt sich auf Skalen- und Drei-klangsfiguren, die auch bei anderen Zeitgenossen begegnen könnten. Soweit die Instrumente nicht nur den Vokalpart verstärken, bescheiden sie sich mit kurzen Zwischenspielen. Gegenüber BWV 131 oder 106 wird der Anteil der Instrumente demnach deutlich reduziert. Dem entspricht die auffällige Beschränkung der Har-monik, die sich durchweg auf die Grundstufen begrenzt. Wollte man solche Ein-schränkungen als Indizien für eine frühe Datierung von BWV 196 verstehen, so müsste das auch für die kontrapunktische Sinfonia gelten. Dann aber müsste die Permutationsfuge als Eigenheit der frühen Werke gelten, während freiere Lösungen erst späteren Werken vorbehalten waren. Doch lässt sich auf die Frage erst nach der Erörterung der anderen Sätze zurückkommen.

Wie das erwähnte Psalmkonzert von Schelle zeigte, bildet die Mischung von Bibeltext und freier Dichtung kein Kriterium für die Datierung. Das Verfahren der Tropierung, das auf Hammerschmidt und Briegel zurückging, wurde zur Norm in der Concerto-Aria-Kantate, in der eine auf die Solostimmen verteilte Strophenaria von einem wiederholten Spruchtext umrahmt wird.[45] Von dieser Standardform unter-scheidet sich die Kantate BWV 150 – die ausnahmsweise ohne Choralstrophen aus-kommt – durch gedichtete Texte, die keine analogen Strophen darstellen. Dennoch entspricht die symmetrische Satzfolge in BWV 150 einer zeitgenössischen Norm. Die Chorsätze 2, 4 und 6 basieren auf ausgewählten Versen aus Psalm 25, zwischen die zwei als »Aria« bezeichnete Sätze mit gedichteten Texten eingefügt werden. Die abschließende »Ciacona« in Satz 7, die ein Gegenstück zur einleitenden Sinfonia bildet, beruht hingegen auf freier Dichtung.

Der erste Abschnitt des Eingangschors, der in einer freien Fuge ausläuft, schließt an das chromatische Thema der Sinfonia an, das dreimal in dichter Imitation die Vokalstimmen durchläuft (Notenbeispiel 4a).[46] Zwischen die beiden ersten Ansätze treten kurze Zwischenspiele, die auf die Konstruktion der Sinfonia zurückgreifen, während der dritte Ansatz mit figurierenden Instrumenten verbunden wird. An seine akkordische Raffung schließt sich ein dreitaktiges »allegro« an, dessen von Pausen durchbrochene Deklamation durch ein Melisma des Soprans überbrückt wird. Das anschließende »un poco allegro« wird von einer zweifachen Quintschritt-sequenz getragen, die aus der Imitation eines Quintfallmotivs hervorgeht (T. 25–27

---

45   Das Modell ist seit 1665 in einer Sammlung von David Elias Heydenreich belegt, vgl. Gottfried Gille, Der Kantaten-Textdruck von D. E. Heidenreich, Halle 1665, in den Vertonungen D. Pohles, S. Knüpfers, Joh. Schelles u. a., in: Mf 38, 1985, S. 81–94.

46   Dürr, a. a. O., S. 196, sah darin eine »kanonartige Engführung«, doch werden nur die ersten fünf Töne des chromatischen Themenkopfs übernommen.

Notenbeispiel 4a

und 27–29). Während die Glieder des ersten Durchgangs, der von E- bis G-Dur fällt, durch große Terzen verkettet werden, enden die diatonischen Schritte der zweiten Kette mit einer phrygischen Klausel in A-Dur. In umgekehrter Richtung führen drei chromatisch steigende Bassschritte, die durch Quintsextakkorde akzentuiert werden, nach Fis-Dur (T. 30–33), um den Weg für den fugierten Schlussteil freizumachen. Das Fugenthema erweist sich als Kontraktion der drei Kontrapunkte aus der Sinfonia, doch wechselt schon in der Exposition der Abstand der Einsätze, die frei fortgesponnen und von Figuren der Instrumente begleitet werden. Steht demnach der Permutationsfuge ein freies Fugato gegenüber, so erscheinen beide Lösungen wie in BWV 196 und 131 als gleichberechtigte Alternativen.

Knapper und zugleich einfacher ist Satz 4, in dessen Eröffnung akkordische Blöcke mit einer steigenden Skala gekoppelt und von einem kurzem »allegro« in paariger Imitation abgelöst werden (T. 1–12).[47] Vier weiteren Akkordblöcken im »andante« folgt ein figurativ aufgelockerter Schlussteil, der im Stimmtausch variiert und durch obligate Figuren der Instrumente ergänzt wird (T. 13–29). Auch der Permutationsfuge in Satz 6 geht eine Einleitung voran, die wiederum von instrumentalen Figuren begleitet wird. Ausnahmsweise steht der Satz im 6/8-Takt, dessen Gefälle die Deklamation des Psalmtextes prägt.

Das gilt ähnlich für die im 3/2-Takt stehende Ciacona in Satz 7, deren Gliederung in 22 viertaktige Perioden durch die gedichtete Vorlage begünstigt wird. Gleichmäßiger noch als in den Arien gliedert sich der Text in vier metrisch analoge Zeilenpaare, die zumeist acht und einmal auch sieben Silben umfassen. Um Modelle der Ciacona zu finden, muss man nicht auf instrumentale Sätze zurückgreifen. Vokale

---

[47] Zu den folgenden Sätzen vgl. die Formangaben bei Dürr, ebd., S. 197.

Ostinatosätze begegnen vielmehr ebenso in der protestantischen Kirchenmusik. So liegen von Buxtehude sechs Ostinatosätze vor, die neben Spruchtexten auch mehrfach gedichtete Vorlagen aufweisen. Das Ostinatomodell in BuxWV 61 ist zwar durch die Strophen einer Aria bedingt, doch lassen sich in der Aria BuxWV 70 und in dem Concerto BuxWV 51 (»Jesu dulcis memoria«) die Verfahren verfolgen, mit denen die Zäsuren der Modelle durch die Oberstimmen überbrückt werden.[48] Dabei werden die Soggetti beibehalten, ohne durch Transpositionen oder andere Eingriffe verändert zu werden. Dagegen wird das Ostinatomodell der d-Moll-Chaconne für Orgel BuxWV 161 in jeweils sieben Perioden nach F-Dur und anschließend nach a-Moll versetzt, wobei beide Phasen durch modulierende Takte vom Kontext abgegrenzt werden.[49] Spitta beschrieb die letzten Takte in F-Dur (T. 38–60), in denen die Oberstimme die Quinte des Grundklangs umspielt, um sich danach der Kadenzgruppe anzugleichen (T. 38–60).[50] Eine ähnliche Konstellation begegnet in Bachs Ciacona, wiewohl sie hier nicht mit Transposition verbunden wird. Sie wird fast übermäßig beansprucht, da sie nicht nur nach dem Beginn, sondern auch vor dem Schluss des Satzes erscheint (T. 16–23 und T. 73–80). Die Analogien dürften kein Zufall sein, denn es ist kaum vorstellbar, dass Bach mehr als drei Monate lang in Lübeck war, ohne entsprechende Werke Buxtehudes kennenzulernen.[51]

Allerdings mutet das Ostinatothema aus BWV 150 etwas schlichter als bei Buxtehude an. Das viertaktige Modell beschränkt sich auf die steigende Quinte über dem Grundton, während die Transpositionen durch modulierende Einschübe bewirkt werden (Notenbeispiel 4b). Die Grundform füllt die drei ersten und neun letzten der 22 Perioden aus. Indem der vorletzte Sekund- durch einen Terzschritt ersetzt wird, führt die Kadenz nach D-Dur (Per. 4 ab T. 13), analog wird eine Terz höher fis-Moll erreicht (Per. 7–9 ab T. 25), während ein paar eingefügte Töne nach A- und E-Dur führen (Per. 10–11 in T. 37–44). Einen Sonderfall bildet die Rückleitung nach h-Moll (Per. 13 ab T. 50), die auf der Umkehrung des Skalenausschnitts beruht. Während die ersten Phasen auf figurierende Instrumente und akkordischen Choreinbau verteilt werden, werden die folgenden durch Einzelstimmen mit figurierender Begleitung

Notenbeispiel 4b

---

48   Vgl. dazu Verf., Vokale Variationen. Buxtehudes Werke mit Basso ostinato, in: Dieterich Buxtehude. Text – Kontext – Rezeption. Bericht über das Symposion ... Lübeck 2007, hrsg. von Wolfgang Sandberger und Volker Scherliess, Kassel u. a. 2011, S. 47–60.
49   Vgl. die Perioden 9–21 in T. 31–92. Dazu Bernd Sponheuer, Phantastik und Kalkül. Bemerkungen zu den Ostinatoformen in der Orgelmusik Buxtehudes, in: Dietrich Buxtehude und die europäische Musik seiner Zeit. Bericht über das Lübecker Symposion 1987, hrsg. von Arnfried Edler und Friedhelm Krummacher (Kieler Schriften zur Musikwissenschaft 35), Kassel u. a. 1990, S. 289–309.
50   Spitta I, S. 280 f.
51   Buxtehudes d-Moll-Werk ist im Andreas-Bach-Buch überliefert, sodass Bach es schon früher gekannt haben könnte. Übrigens findet sich eine ähnliche Konstellation im Schlusssatz aus Buxtehudes Choralkantate »Herzlich lieb hab ich dich, o Herr« BuxWV 41, hier zum Wort »ruh'n«.

ausgefüllt, bis alle Stimmen am Ende zusammengeführt und zweimal imitierend gestaffelt werden (T. 62–70 und 84–87). So spricht wenig dagegen, dass BWV 150 früher als andere Werke entstanden sein könnte. Insgesamt jedoch ist festzuhalten, dass Bachs Frühwerke – mit Ausnahme von BWV 4 – durchweg chorische Satzkomplexe aufweisen, die zugleich drei Permutationsfugen einschließen.

4. Fuge und Permutation

In seiner grundlegenden Studie über Bachs Chorfugen verwies Werner Neumann 1938 auf eine Satzart, die er als Permutationsfuge bezeichnete und am Beispiel der Fuge aus Satz 7 der Ratswahlkantate BWV 71 erläuterte.[52] Ausgehend vom Modell der Fuge, verband er die Begriffe Dux und Comes mit den Prämissen der Riemann'schen Funktionstheorie, ohne auf historische Modelle oder die historische Theorie zurückzugreifen. Einleitend sprach er von der »Tatsache des schlagartigen Hervortretens der formvollendeten und charakteristisch geprägten Chorfuge in der frühen Kantate 71«.[53] Obwohl Dürr erst später die chronologischen Verhältnisse klären konnte, unterschied Neumann scharfsinnig zwischen Permutationsfugen, die er mit Bachs frühen Werken verband, und den späteren »Kombinationsformen«, die nach heutiger Kenntnis dem dritten Jahrgang angehören.[54]

Vor weiteren Erörterungen sei daran erinnert, was der Begriff der »Permutationsfuge« meint. Vier von Dahlhaus genannte Merkmale wurden durch Paul Walker um ein fünftes Kriterium ergänzt.[55] Demnach setzen die Stimmen (1.) wie in einer Fuge sukzessiv ein, während die Einsätze (2.) zwischen erster und fünfter Stufe wechseln und die Kontrapunkte (3.) in allen Stimmen in gleicher Reihenfolge erscheinen, wobei (4.) Stimmtausch in mehrfachem Kontrapunkt vorausgesetzt wird, sodass (5.) keine themenfreien Phasen bleiben. In der Permutationsfuge kommen demnach drei Momente zusammen, die in der zeitgenössischen Theorie getrennt erörtert wurden. Christoph Bernhard, der die Fuga als Sonderfall der Imitation ansah, verband mit ihr die Quintbeantwortung, ohne sie zur Regel zu machen. Als Sonderfall nannte er die »Fuga totalis«, der aufgrund ihrer »Inscription« der »Titul« »Canon« zustehe, während er im Anhang die Lehre vom doppelten bis vierfachen Kontrapunkt erwähnte.[56] Johann Gottfried Walther verband die Fuga partialis mit dem

---

52 Werner Neumann, J. S. Bachs Chorfuge. Ein Beitrag zur Kompositionstechnik Bachs, Leipzig 1938 (Schriftenreihe des Staatlichen Instituts für Deutsche Musikforschung 4), ebd. [3]1953 (Bach-Studien 3), S. 14–52, hier S. 14–17.

53 Ebd., S. 3 und S. 5, wo es heißt: »Auf historische Fragestellung wurde grundsätzlich verzichtet«, weil eine »zunächst flüchtige Analyse des bisher veröffentlichten Chorfugenschaffens der Meister um Bach die Eigenprägung des Bachschen Werkes in aller Deutlichkeit herausstellte«.

54 Die Chronologie wurde erst von Dürr geklärt. Zum »Kombinationsverfahren« und zu den »Experimentierformen« vgl. Neumann, S. 53–75 und 76–83.

55 Carl Dahlhaus, Zur Geschichte der Permutationsfuge, in: BJ 1959, S. 95–110; Paul Walker, Die Entstehung der Permutationsfuge, in: BJ 1989, S. 19–41, hier S. 23.

56 Christoph Bernhard, Tractatus compositionis augmentatus, Cap. 57–58 und 68–70, in: Joseph Müller-Blattau (Hrsg.), Die Kompositionslehre Heinrich Schützens in der Fassung seines Schülers Christoph Bernhard, Kassel [2]1963, S. 126–130.

Verhältnis von Dux und Comes, doch bestimmte er wie Bernhard den Kanon als Fuga totalis, während er den mehrfachen Kontrapunkt gesondert lehrte, ohne den Schritt zur Permutationsfuge zu vollziehen.[57]

In seinen Analysen ersetzte Neumann den Terminus »Thema« durch den neutralen Begriff »Kontrapunkt«, obwohl dem ersten »Kontrapunkt« zumeist thematische Funktion zukommt.[58] Bachs früheste Chorfugen begegnen in der Mühlhäuser Ratswahlkantate BWV 71, in der das nachfolgend erörterte Beispiel das vorletzte Glied des Schlusschors bildet:

a) 1–4, ¢ Arioso	b) 5–22, ³⁄₂	c) 23–32, ¢ Andante	d) 33–39, ¢ Vivace	e) 40–87, ³⁄₂	f) 88–103, ¢
akkordisches Tutti	Chor + Str./Ob.	konzertantes Tutti	konzertantes Tutti	Permutation	konzertantes Tutti
Das neue Regiment …	auf jeglichen Wegen …	Friede, Ruh' und Wohlergehen …	Glück, Heil und großer Sieg …	Muß täglich von neuem …	Daß an allen Ort und Landen …
C-Dur	C – a	C – C	A – G – C	C – G – C	C-Dur

Die Thementafeln im Anhang von Neumanns Buch zeigen die Varianten, die erforderlich sind, um die Kontrapunkte auf Tonika und Dominante so anzuordnen, dass aus ihnen die Stimmen zusammengesetzt werden können. In BWV 71:7 ergibt sich demgemäß ein viertaktiger Block mit fünf Kontrapunkten, die wechselnd auf der Tonika und auf der Dominante einsetzen und folgendermaßen auf die Stimmen verteilt werden:[59]

Tromba I											1
V. I					1	2	3	4	5	x	
V. II						1	2	3	4	5	
S.	1	2	3	4			1	2	3	4	
A.		1	2	3	4			1	2	3	
T.			1	2	3	4			1	2	
B.				1	2	3	4			1	
Bc.	2	y	1	1	2	1	4	1	1	1	
Stufen	T – D	D – T	T – D	D – T	T – D	D – T	T – D	D – T	T – D	D – T	
Takte	40	44	48	52	56	60	64	68	72	76	80

---

57 Johann Gottfried Walther, Praecepta (wie Anm. 40), Cap. 10–13, S. 183–194.

58 Neumann, a. a. O., S. 7. Da es Neumann um satztechnische Sachverhalte ging, suchte er »alle ästhetische Spekulation im Sinn der Hermeneutik nach Möglichkeit auszuschalten« (ebd., S. 5).

59 Vgl. ebd., S. 15 ff. In der Wiedergabe werden duplierende Instrumente ausgelassen. Neumanns Abkürzungen A und B, die sich auf die harmonische Richtung der Blöcke beziehen, werden durch die Angaben D-T bzw. D-T ersetzt. Die Abkürzungen x bzw. y bezeichnen freie Kontrapunkte in der ersten Violine bzw. im Generalbass (der sonst der jeweils tiefsten Stimme folgt).

Dass die Kontrapunkte vier Takte beanspruchen, liegt an dem Text, der zwei Reimzeilen mit jeweils sechs Silben umfasst und im ½-Takt einsetzt (»muß täglich von neuem/dich, Joseph, erfreuen«). Der erste Kontrapunkt wendet sich als Quintschrittsequenz von der Tonika zur Dominante und bildet damit das thematische Modell der folgenden Kontrapunkte. Wie dem Schema zu entnehmen ist, wird die zweite Durchführung in den Takten, in denen die Vokalstimmen aussetzen, durch die Violinen überbrückt, die den anschließenden Einsatz des Vokalparts durch einen fünften Kontrapunkt ergänzen. Davon unberührt bleibt die Folge der viertaktigen Blöcke, die sich wechselnd von der Tonika zur Dominante bzw. umgekehrt richten. Das Verfahren beginnt in Takt 41 mit Auftakt, umfasst zwei Durchgänge und bricht in Takt 81 ab, sodass es 40 von insgesamt 103 Takten beherrscht.

Mit Satz 2b aus BWV 196 (»Er segnet das Haus Israel«) und Satz 6b aus BWV 150 (»denn er wird meinen Fuß«) nannte Neumann zwei weitere Abschnitte, die dem Schema mit geringfügigen Varianten entsprechen.[60] Als Sonderfall betrachtete er den dritten Satz aus BWV 71 (»Dein Alter sei wie deine Jugend«), da die Konstruktion hier nur drei Kontrapunkte und ein freies Zusatzglied umfasse.[61] Zugleich läge hier der einzige Satz vor, der durchgehend vom Permutationsverfahren geprägt wäre, während es sich in allen anderen Fällen um Teile größerer Satzkomplexe handle.[62] Zu den »Experimentierformen« zählte Neumann dagegen das abschließende »Amen« in Satz 5 aus BWV 196, das eine durch »Duettcharakter« bestimmte Doppelfuge darstelle. Da das Themenpaar auf vier Vokalstimmen und zwei Violinen verteilt werde und die Einsätze durch eingeschaltete »Sequenzepisoden« getrennt seien, komme es weder zu einer »vollstimmigen Exposition« noch zu einem regulären »Fugenaufbau«.[63] Dagegen folge die Fuge »Laß deine Ohren merken« (BWV 131:1) nur in der Exposition dem Permutationsschema, während der vorangehende Abschnitt »Herr, höre meine Stimme« deshalb eine »Vorstufe« bilde, weil in zwei akkordischen Einschüben »Stimmvertauschung« begegne.[64]

Neumanns Beharren auf der strengen Form der Permutationsfuge hatte zur Folge, dass ihm freiere Fugen als mangelhafte Ausnahmen erschienen. So heißt es zum Mittelsatz aus BWV 131 (»Meine Seele harret«), die Permutationsfuge sinke »nach der Exposition zum freien Imitationssatz« ab.[65] Neumanns Analysen bestechen zwar durch ihre Genauigkeit, da er aber keine Sätze älterer Komponisten heranzog, sah er in der Permutationsfuge eine Erfindung Bachs, die vor allem dem Vokalwerk vorbehalten sei. Als Dahlhaus die »Geschichte der Permutationsfuge« umriss, hob er eine Motette von Hammerschmidt hervor, deren erster Teil die Kennzeichen der Permutationsfuge aufweise.[66] Paul Walker konnte die Zahl der Belege vermehren,

---

60 Vgl. Neumann, a. a. O., S. 17 ff. und 38 f.

61 Ebd., S. 14 ff.

62 In BWV 196:2 läuft das Schema in 22 von insgesamt 42 Takten zweimal ab, in BWV 150:6 handelt es sich um zwei Durchgänge mit 16 von 42 Takten.

63 Vgl. das Schema ebd., S. 80.

64 Ebd., S. 90 und 49.

65 Ebd., S. 88, Anm. 211, wo es heißt: »Die dreifache Vokalthematik rettet sich in einen […] imitativen Bewegungszug über«, während »die instrumentale Doppelfugenthematik« durch »eine ›gestaltlose‹ Reihe von Motiv-Imitationen« ersetzt werde.

66 Dahlhaus, a. a. O. (wie Anm. 55), S. 104 ff. und 107.

indem er die Traktate von Christoph Bernhard und Johann Adam Reinken heranzog. Neben einem Suitensatz Reinkens mit zwei Themen im Wechsel von Dux und Comes nannte er ein 1663 entstandenes Werk von Matthias Weckmann, in dem drei Themen verarbeitet werden.[67] Während Bernhard im sechsstimmigen »Alleluia« des Dialogs »Surrexit Christus, spes mea« um 1664 vier Themen mit freien Kontrapunkten kombiniere, vereine die Sonata XV aus Johann Theiles *Musikalischem Kunstbuch* bereits »alle [...] Merkmale der frühesten Bachschen Permutationsfugen«.[68]

Die bisher genannten Beispiele stammten von norddeutschen Musikern, die eine Generation älter als Bach waren. In Bachs näheren Umkreis führen einige weitere Belege, von denen die Forschung bislang kaum Notiz nahm.[69] Fred Hamel machte 1933 auf die Psalmkonzerte Johann Rosenmüllers aufmerksam, die mehrere Doppelfugen mit zusätzlichen Kontrapunkten und regelmäßigem Wechsel von Comes und Dux enthalten.[70] Als Gerhard Ilgner 1939 auf die Fugati in Weckmanns Vokalmusik hinwies, überging er zwei Werke, die zwar keine Permutationsfugen darstellen, aber durch die simultane Verarbeitung mehrerer Themen in die Vorgeschichte des Verfahrens gehören.[71] Keine andere Arbeit bot aber ähnlich detaillierte Analysen vokaler Fugen wie Heinz Kölsch in seiner Dissertation über Nicolaus Bruhns.[72] Obwohl von Bruhns nur zwölf Vokalwerke erhalten sind, konnte Kölsch zwei vierstimmige Permutationsfugen nachweisen, in denen vier Kontrapunkte die Stimmen im Wechsel von Dux und Comes durchlaufen.[73] In der Vertonung des 100. Psalms findet sich die Fuge »Gehet zu seinen Toren ein« für Tenor, zwei Violinen und Generalbass, in der vier Kontrapunkte auf vier Stimmen verteilt werden (Notenbeispiel 5a).[74] Notiert man die Graphik von Kölsch nach dem Muster der Schemata Neumanns, so ergibt sich das folgende Bild (s. Tabelle S. 37):

Da sich die Kontrapunkte nicht auf weitere Stimmen verteilen lassen, müssten sie sich in gleicher Stimmlage ständig wiederholen. Um das zu vermeiden, werden

---

67　Vgl. Walker, a. a. O., S. 28 ff. und 30 ff. Zu Weckmanns »Herr, wenn ich nur dich habe« vgl. Matthias Weckmann, Four Sacred Concertos, hrsg. von Alexander Silbiger, Recent Researches in the Music of the Baroque Era, Madison 1984, S. 70–87.

68　Walker, a. a. O., S. 33 ff. und 36 f. Der zur Dübensammlung gehörige Stimmensatz (vok. mus i. hs. 4–8) zeigt das Datum 1664; vgl. ferner Johann Theile, Musikalisches Kunstbuch, hrsg. von Carl Dahlhaus, Kassel u. a. 1965 (Denkmäler norddeutscher Musik 1), S. 116–128. Dagegen bilden die fugierten Sätze der Triosonaten von Reinken keine Permutationsfugen, sondern Doppelfugen mit variablen Zusatzthemen, vgl. Jan Adam Reinken, Hortus Musicus, hrsg. von Johann Cornelis Marius van Riemsdijk, Amsterdam und Leipzig (1886).

69　Die 1938 erschienene Erstauflage der Arbeit Neumanns wurde im Krieg vernichtet, während die Nachdrucke (²1950, ³1953) auf Ergänzungen verzichten mussten.

70　Fred Hamel, Die Psalmkompositionen Johann Rosenmüllers, Straßburg 1933, S. 57 ff.

71　Gerhard Ilgner, Matthias Weckmann, ca. 1619–1674. Sein Leben und seine Werke, Wolfenbüttel und Berlin 1939 (Kieler Beiträge zur Musikwissenschaft 6), S. 137. Das Psalmkonzert »Wenn der Herr die Gefangenen« (Ps. 126), das in DDT, Bd. VI, hrsg. von M. Seiffert, Leipzig 1901, S. 79–100, vorliegt, hielt Ilgner (S. 143, Anm. 3) für ein Werk des Sohnes Jakob Weckmann.

72　Heinz Kölsch, Nicolaus Bruhns, Kassel und Basel 1958 (Schriften des Landesinstituts für Musikforschung Kiel, 8), S. 106–144.

73　Ebd., S. 106–110 und 129–138; zum »Amen« aus »Hemmt Euer Tränen Flut«, in dem die zwei ersten Zeilen aus »Christ lag in Todes Banden« mit zwei freien Kontrapunkten verbunden werden, vgl. ebd., S. 121–124.

74　Ebd., S. 111–114; zur Fuge »Gehet zu seinen Thoren ein« aus Ps. 100 vgl. Nicolaus Bruhns, Gesammelte Werke, Erster Teil: Kirchenkantaten Nr. 1–7, hrsg. von Fritz Stein, Landschaftsdenkmale der Musik, Schleswig-Holstein und Hansestädte, Braunschweig 1937, S. 44–46.

Notenbeispiel 5a: Nicolaus Bruhns, »Gehet zu seinen Toren ein«

V. I	1	2	3	4	4	1	2	3	1	2	x
V. II		1	2	3	1	2	3	4	4	4	x
Tenor			1	2	3	4	–	1	2	3	x
Bc.				1	2	3	1	2	x	1	x
Stufen	T–D	D–T	T–D	D–T	T–D	D–T	T–D	D–T	T–D	D–T	T
Takte	122	125	128	131	134	137	140	143	146	149	152

sie zwischen den Stimmen verschoben oder transponiert, ohne das Permutationsprinzip zu beeinträchtigen. Der Sonderfall setzt eine Regel voraus, die Kölsch im Blick auf den Wechsel zwischen Tonika und Dominante als »Permutation der Tonart« bezeichnete.[75] Zudem konnte er zeigen, dass dem »Kyrie« aus Buxtehudes Missa

---

75 Ebd., S. 112, wo Kölsch die Zahl der möglichen Taktgruppen nach der »Permutationsregel« berechnete.

brevis BuxWV 114, die um 1675 entstanden sein dürfte, vier Kontrapunkte zugrunde liegen, die mit weiteren Varianten transponiert werden.[76]

Als Marpurg eine Variante der Doppelfuge beschrieb, die Dahlhaus zufolge auf das Permutationsprinzip vorausdeutet, nannte er neben Bach auch Kuhnau als einen Autor, der »nach dieser Art [...] viele Doppelfugen« geschrieben habe.[77] In den bisher edierten Kantaten von Kuhnau sind dafür nur Ansätze zu finden, doch wären noch 25 weitere Werke zu prüfen.[78] In das thüringische Umfeld Bachs gehören die Vokalwerke von Philipp Heinrich Erlebach, auf deren Permutationsfugen Bernd Baselt hinwies.[79] Zu diesen Werken gehört die Osterkantate »Ich will euch wiedersehen«, deren Schlussfuge »Lob, Ehre, Weisheit, Dank und Kraft« in einem Neudruck vorliegt.[80] Hier lösen sich die Vokalstimmen im Stimmtausch mit vier Kontrapunkten im Wechsel von Tonika und Dominante ab (Notenbeispiel 5b). Im folgenden Schema bleiben die duplierenden Instrumente und der als Basso seguente fungierende Continuo außer Betracht, während thematische Varianten gesondert gekennzeichnet werden.

Clar. I					1^p		3					
Clar. II						1	2^v		1^p			
V. I						2		3^v	4^v			
V. II								4^v				
Va. I												
Va. II												
S.	1	2	3	4	1		1	2	3	4^v	1	
A.		1	2	3	4^v		1	2	3	4		
T.			1	2	3	4^v	2^v		1	2	3	
B.				1	2	3	4^v			1	2	
Takte	1^a	4^b	8^a	11^b	15^a	18^b	22^a	25^b	29^a	32^b	36^a	39^b–44
Blöcke	T	D	T	D	T	D	T	D	T	D	T	T

1^p = Parallelführung, 4^v = Kontrapunkt 4 variiert

76   Ebd., Anhang VII, S. 196 f. Zur Datierung vgl. Kerala J. Snyder, Dieterich Buxtehude. Leben, Werk, Aufführungspraxis, Kassel u. a. 2007, S. 258–261; vgl. ebd., S. 308 f., das als Permutationsfuge angelegte Ritornell der Hochzeitsarie »Gestreuet mit Blumen« BuxWV 118 (1675); dies., Dietrich Buxtehude's Studies in Learned Counterpoint, in: JAMS 33, 1980, S. 544–564.

77   Friedrich Wilhelm Marpurg, Abhandlung von der Fuge, Bd. I, 1753, S. 133: »Wenn die anhebende Stimme ihr Thema vollendet hat: so läßt man sie sobald die folgende Stimme dasselbe wiederholet, [...] ein neues dagegen ergreifen«, vgl. Dahlhaus, a. a. O., S. 102. Marpurg stellte ebd., S. 145, in Aussicht, auch »Fugen mit drey oder vier Subjecten« zu behandeln, ohne sein Versprechen einlösen zu können.

78   In Kuhnaus Psalmkonzert »Gott, hilf mir« (vgl. Anm. 41) beginnt das Tutti zu Ps. 51:9 als Doppelfuge (T. 188–200), die jedoch nach einer Durchführung abbricht.

79   Bernd Baselt, Der Rudolstädter Hofkapellmeister Philipp Heinrich Erlebach (1657–1714). Diss. Halle 1963, masch., S. 457 ff.

80   Hrsg. von Manfred Fensterer, Kassel 1968 (Chor-Archiv BA 693). Vgl. ders., Philipp Heinrich Erlebach, Vorbild für Johann Sebastian Bach: Versuch einer vergleichenden Formalanalyse, in: MuK 59, 1989, S. 23–30. Statt den Satz mit Bachs frühen Permutationsfugen zu vergleichen, sah Fensterer in ihm das »Vorbild« für die freiere Permutationsfuge im Schlusschor der Kantate BWV 21 (deren überlieferte Fassung 1714 entstand).

Notenbeispiel 5b: Philipp Heinrich Erlebach, »Ich will euch wiedersehen«

Die Kontrapunkte sind zwar formelhafter als bei Bach, doch bildet der Themenblock wie in BWV 71:7 eine Sequenzgruppe, und da sich die Durchführungen wie dort unter Beteiligung der Instrumente überlagern, werden in 38 von 44 Takten »alle Merkmale der frühesten Bachschen Permutationsfuge« erfüllt.[81] As Organist in Arnstadt dürfte Bach die Werke des Rudolstädter Kapellmeisters Erlebach kennengelernt haben.[82] Er musste also die Permutationsfuge nicht eigens erfinden,[83] sondern konnte an eine kontinuierliche Tradition anschließen. Die theoretischen Belege deuten darauf hin, dass die Permutationsfuge als ein Spezialfall der mehrthemigen Fuge galt. Charakteristisch für Bach jedoch ist die Systematik, mit der er am Permutationsprinzip arbeitete und weitere Varianten erprobte.

---

81 Walker, a. a. O., S. 36.
82 Das Werk ist in drei Quellen überliefert (vgl. Die Überlieferung, S. 513). Eine Frankfurter Handschrift nennt das Aufführungsjahr 1708, doch lag der Text des Rudolstädter Dichters Christoph Helm schon 1701 vor.
83 So Walker, a. a. O., S. 41.

Das Permutationsverfahren bot die Möglichkeit, längere Texte oder verschiedene Textglieder zu kombinieren, wie es in BWV 71:7 und 71:3 der Fall ist. Das schloss die Möglichkeit nicht aus, in entsprechender Weise auch kürzere Texte zu vertonen. Vor allem implizierte das Verfahren einen Weg, durch Wiederholung einer Taktgruppe größere Formen auszufüllen. Nach der Permutationsregel (N! = 1·2·3·4) ergäbe sich im vierstimmigen Satz mit vier viertaktigen Kontrapunkten ein Umfang von 24 Takten, der sich durch mehrfache Wiederholung erweitern ließe. In BWV 71:7 umfasst die erste Durchführung im Vokalpart 24 Takte, während die zweite nach 16 Takten abbrechen würde (T. 40–64 und 64–80). Wie Neumanns Schema zeigt, kreuzt sich aber mit der ersten Durchführung die zweite, die ab Takt 56 in den Violinen ansetzt, sodass beide Durchführungen quasi ineinandergeschoben werden.[84] So gesehen bildet dieser Musterfall bereits eine Variante, die zugleich auf die Grenzen des Verfahrens verweist. Sein Preis liegt darin, dass es auf den Wechsel zwischen Tonika und Dominante beschränkt ist, der durch die Wiederholungen monoton zu werden droht. Um dieser Gefahr zu begegnen, ist das Schema auf klangliche Varianten angewiesen.

Der ambitionierteste Versuch, das Permutationsprinzip zu modifizieren, ist der Schlusssatz der Psalmkantate BWV 131. Während Spitta meinte, der Text biete »keine Veranlassung« für eine Tripelfuge, war Neumann der Auffassung, die »Themenbildung« entspreche nicht »der Reihenfolge der Textglieder.«[85] Bach jedoch nahm drei Begriffe wahr, die er thematisch zu unterscheiden suchte (Notenbeispiel 6). Während dem ersten Glied eine modifizierte Kadenz zugeordnet wird (Thema 1: »Und er wird Israel«), werden die folgenden Worte auf zwei Stimmzüge verteilt, die als chromatisch steigender Quartgang und als Sequenzkette in Sechzehnteln angeordnet werden (Thema 2: »von allen seinen Sünden«, Thema 3: »erlösen«). Als viertes Glied tritt eine Folge syllabisch textierter Achtel (x) hinzu, die an die thematischen Sequenzen angepasst werden. Neumann sah in diesem »Dreithemen-Verbande« die »Baueinheit für den wiederum äußerst konzentriert gestalteten Satz«.[86] Da die Anlage nicht dem Muster der Permutationsfuge entspricht, verzichtete er auf eine genauere Untersuchung und beschränkte sich darauf, eine »Reihe von unmotivierten Abänderungen und jugendlichen Willkürakten« zu bemängeln.[87] In der Tat weist der Wechsel der Einsätze und Kombinationen darauf hin, dass der Satz keinem gängigen Schema entspricht. Maßgeblich ist die Lage des chromatischen Quartgangs, dessen Schlusston kadenzierend befestigt wird.

Das Thema umgreift zwar in der Regel die Quarte *e-a*, doch wird es am Ende zweimal nach *h-e* und zuvor einmal eine Quinte abwärts versetzt (T. 44, *a-d*), während ein Einsatz zur Quinte erweitert wird (T. 31–33). Das folgende Schema (s. S. 41) nennt die Einsätze der Themen und den Ansatz des Quartgangs, ohne das ergänzende Glied (x) zu erfassen.

---

84   Vgl. Neumann, S. 15.
85   Spitta I, S. 450 f.; Neumann, a. a. O., S. 79.
86   Neumann, ebd., S. 79.
87   Neumann nannte als Beispiele die verkürzten Sequenzen in T. 37 (Bass), T. 46 f. (Tenor), T. 50 (Bass) und den Themeneinsatz in T. 39 f. (Bass), in dem zwei Sequenzglieder entfallen, weil »das frei eingefügte Kadenzschritt-Thema mit diesem Sequenzstück drei fehlerhafte Oktav-Fortschreitungen bilden würde«.

Notenbeispiel 6

2^v = Variante des zweiten Themas

Mit zweitaktigem Abstand und Wechsel zwischen I. und V. Stufe scheinen die Einsätze anfangs dem Permutationsschema zu folgen, das jedoch im weiteren Verlauf zugunsten einer freieren, durch den Psalmtext motivierten Anlage aufgegeben wird. Freiere Fugen wie in BWV 131 haben demnach nicht als rudimentäre Vorformen, sondern als legitime Varianten der Permutationsfuge zu gelten. Umgekehrt bilden die Permutationsfugen keine Beispiele der »formvollendeten und charakteristisch geprägten Chorfuge« Bachs.[88] Vielmehr schließen sie an eine Tradition an, von der

---

[88] Vgl. Neumann, S. 3

sich Bach zunehmend zu lösen suchte. Dem entspricht es, dass die strengen Permutationsfugen (BWV 71, 150 und 196) nicht reifer oder souveräner als die Werke ohne solche Sätze sind (BWV 106 und 131). Es wird sich zeigen, dass Bach in Weimar nur anfangs noch von der Permutationsfuge ausging, auf die er unter anderen Voraussetzungen nochmals im ersten Leipziger Jahrgang zurückkam.

5. Choralbearbeitung und Choralkombination

Obwohl die Osterkantate BWV 4 »Christ lag in Todes Banden« in einem Stimmensatz vorliegt, der erst 1724 von Christian Gottlob Meißner und Johann Heinrich Bach geschrieben wurde, gilt sie aufgrund »stilistische[r] Ähnlichkeit«[89] als eine der frühesten Kantaten Bachs. Zum Vergleich lässt sich Pachelbels Bearbeitung derselben Vorlage, die in einer Berliner Handschrift unbekannter Provenienz überliefert ist, heranziehen. Auf das Verhältnis beider Werke wurde andernorts eingegangen, sodass hier ein paar zusammenfassende Hinweise genügen.[90] Man muss nicht die Vermutung teilen, Pachelbels Werk könne zu Bachs Bibliothek gehört haben, weil die Übereinstimmungen weiter reichen, als »bei der unabhängigen Bearbeitung ein und desselben Liedes« zu erwarten wäre.[91] Die Ähnlichkeiten beider Werke lassen sich beinahe leichter benennen als ihre Unterschiede. Dass die bei Pachelbel in d-Dorisch notierte Weise in BWV 4 nach e versetzt wird, mag an einer nachträglichen Transposition liegen. Neben den analogen Satztypen lässt die Übersicht eine Umstellung erkennen. Pachelbels Vers III für Solobass mit instrumentalem Choralsatz hat ein Gegenstück in Bachs Vers V, während dem Tenorsolo in Vers IV und dem Tuttisatz in BWV 4 die Verse V bzw. III und IV entsprechen.

Dass die einleitende Sinfonia in BWV 4 die erste Choralzeile zitiert, wurde bereits erwähnt. Dagegen beginnt Pachelbels Versus I mit einer instrumentalen Vorimitation der ersten Zeile, der vokale Vorimitationen vor den folgenden Zeilen entsprechen. Auch in Bachs Versus I erscheint der Cantus firmus in Halben, doch wird der Satz durch die komplementäre Rhythmik der Violinen geprägt, während die Streicher bei Pachelbel obligate, aber nicht motivisch profilierte Stimmen bilden. Entsprechend fungieren die Instrumente im Tuttisatz zu Vers V, wogegen sie in Bachs Versus IV pausieren. Noch klarer ist die Analogie der Verse III bzw. V, in denen die Choralzeilen instrumental zitiert werden, während die Initien im Vokalpart ausgesponnen werden. Desto deutlicher unterscheiden sich die anderen Solosätze. Bachs kontrapunktischen Bicinien zu Versus II und VI, in denen die Choralzeilen imitiert und ausgesponnen werden, steht in Pachelbels Versus II ein freies Duett gegenüber, das zu Versus VI wiederholt wird. Das gilt ähnlich für Pachelbels Versus IV, in dem die

---

89   BC I, Bd. 1, S. 237 (A 54a-b).
90   Vgl. Verf., Pachelbel bei Bach. Anmerkungen zu zwei Werkpaaren, in: Bach und die deutsche Tradition des Komponierens. Ideologie und Wirklichkeit. Festschrift für Martin Geck, hrsg. von Reinmar Emans und Wolfram Steinbeck (Dortmunder Bach-Forschungen 9), Dortmund 2009, S. 61–75; ders., Kantate und Konzert im Werk Johann Pachelbels, in: Mf 20, 1967, S. 365–392.
91   Ulrich Leisinger, Kommentar zur Einspielung unter Thomas Hengelbrock, Hänssler Classic 2001, S. 12.

Versus	Pachelbel	Bach
Besetzung	S., A., T., B., 2 V., 3 Ve., Fag., Bc.	S., A., T., B., 2 V., 2 Ve., Trbo. 1–3, Bc.
Vorspiel	instrumentale Vorimitation zu c.-f.-Zeile 1 (T. 1–13)	instrumentale Sinfonia mit Zitat der 1. c.-f.-Zeile (14 Takte, **c**)
I	motettisches Tutti mit Sopran-c.-f. in Halben (T. 13–46, **c**)	motettisches Tutti, Sopran-c.-f. in Halben (67 Takte, **c**), »Halleluja« (27 Takte, Alla breve)
II	freies Bicinium für Sopran und Tenor mit Bc. (22 Takte, **c**)	Sopran, Alt, Bc. (Bläser colla parte), Imitation der c.-f.-Zeilen
III	Basssolo mit Ausspinnung der Incipits, instrumentaler Choral mit gedehntem c. f.	Tenor-c.-f. in Vierteln, in Sechzehnteln figurierende Violinen (42 Takte, **c**)
IV	freies Solo, Zeilen 1–3 Tenor und Streicher, Zeilen 5–8 Alt und Bc., »Halleluja« mit c.-f.-Variante	motettisches Tutti, Alt.-c.-f. in Vierteln, im »Halleluja« in Halben, ohne Instrumente (95 Takte, ½)
V	motettisches Tutti mit Tenor-c.-f. in Halben und obligaten Instrumenten (50 Takte, **c**)	Basssolo mit Fortspinnung der c.-f.-Zeilen, instrumentaler Choralsatz (95 Takte, ¾)
VI	freies Bicinium für Sopran und Tenor mit Bc. = Versus II (22 Takte, **c**)	Sopran, Tenor, Bc. (in punktierter Rhythmik), Imitation und Fortspinnung der c.-f.-Zeilen
VII	Tutti ohne c. f., »Halleluja« mit c.-f.-Varianten und Gegenthema (19 Takte, **c**)	Tutti-Kantionalsatz (16 Takte, **c**)

Zeilen auf wechselnde Solostimmen verteilt werden, während in Bachs Versus III der im Tenor liegende Cantus firmus von figurierenden Violinen begleitet wird. Am markantesten sind die Differenzen im Schlusssatz, der bei Pachelbel ein freies Tutti bildet und erst am Ende auf die Choralweise zurückgreift. Dagegen wurde Bachs Kantionalsatz im Leipziger Stimmensatz erst von Johann Heinrich Bach nachgetragen, sodass er ein späterer Ersatz der ersten Fassung sein dürfte, die vielleicht Pachelbels Modell etwas näherstand.[92]

Unübersehbar sind jedoch die Differenzen der kontrapunktischen Verarbeitung und harmonischen Fassung des Chorals. Während das »Halleluja« in Bachs Versus I als gesondertes Alla breve erscheint, wird bei Pachelbel der gedehnte Cantus firmus beibehalten und nur in der letzten Zeile des Schlusssatzes ausgearbeitet. Wird in Pachelbels Werk die dorische Fassung bewahrt, so wird der zweite Ton der ersten und dritten Zeile in Bachs Versus I erhöht. Genügten am Zeilenende bisher schlichte V-I-Klauseln, so werden die Kadenzen bei Bach durch Quintsextakkorde erweitert, die als »Zwischendominanten« fungieren. Allerdings ist ungewiss, wieweit es sich dabei um Retuschen in der Leipziger Fassung handelt.

Wie diese Choralkantate geht der Schlusschoral aus BWV 106 auf eine Tradition zurück, die durch die Werke von Zachow und Kuhnau vertreten wird. Ein Beispiel ist

---

92 Dem entspricht das Ergebnis der satztechnischen Untersuchungen von Werner Breig, Grundzüge einer Geschichte von Bachs vierstimmigem Choralsatz, in: AfMw 45, 1988, S. 165–185 und 300–319, hier S. 176 f.

Notenbeispiel 7: Johann Kuhnau, »Wie schön leuchtet der Morgenstern«

der Schlusssatz aus Kuhnaus gemischter Kantate »Wie schön leuchtet der Morgenstern«, in dem die Choralzeilen von motivischen Zwischenspielen umrahmt werden (Notenbeispiel 7).[93] Dagegen weist der Kantionalsatz aus BWV 106 in der Melodie und in den Gegenstimmen mehrfach Durchgangstöne auf, ohne schon den späteren Typus des »Bachchorals« auszuprägen.[94] Während das Vorspiel, dessen Beginn das Incipit der Choralweise übernimmt, durch Wiederholung zweier Taktgruppen verlängert wird, kehrt zwischen den Zeilen nur die Kadenzgruppe wieder. Bachs eigene Leistung ist die Ausarbeitung des fugierten Schlussteils, dessen letzte Zeile mit einem Gegenthema verbunden wird. Die Figurenkette dieses Themas entstammt der Auszierung der Choralzeile und prägt auch die Gegenstimmen, die das zweistimmige Gerüst ausfüllen.[95]

Der Anteil der Choralbearbeitung an Bachs Frühwerk wäre nicht so bemerkenswert, wenn nicht weitere Kombinationen hinzukämen, in denen der Choral von zentraler Bedeutung ist. Die Formen dieser Choraltropierung waren in der mitteldeutschen Figuralmusik vorgegeben, wogegen sie in norddeutschen Werken seltener begegnen. Rechnet man die älteren Drucke ein, so liegen in Werken mitteldeutscher Autoren mehr als 50 Belege vor, denen nur zwölf Beispiele aus dem norddeutschen Bestand gegenüberstehen.[96] Dabei handelt es sich zumeist um Choralweisen, die in akkordische Sinfonien und Ritornelle oder zwischen andere Texte eingefügt werden. Seltener als solche Kombinationen begegnen Werke, in denen instrumentale oder vokale Choralweisen zitiert werden. Dominieren solche Verfahren in norddeutschen Beiträgen, so kommen sie weit seltener in Werken sächsisch-thüringischer Autoren vor. Desto auffälliger ist es, dass drei Frühwerke Bachs fünf Choralkombinationen enthalten. Choralzitate wie in BWV 4 und in Pachelbels Musterwerk finden sich bei Bruhns, Meder, Schelle und Emanuel Kegel. Seltener ist die simultane Paarung von Spruch- und Choraltexten, die zuerst bei Rosenmüller und Martin Colerus und später bei Joachim Gerstenbüttel, Christian Andreas Schulze und Christian August Jacobi erscheint. Ausnahmen sind dagegen die Solosätze aus BWV 131, in denen ein Psalmvers mit einer gedehnten Choralstrophe verbunden wird. Erweitert sich damit die simultane Paarung beider Ebenen, so tritt in Satz 2 eine motivisch geprägte Oboenstimme hinzu. Ihre Motivik ist zwar vom Incipit der Bassstimme vorgezeichnet, doch wird sie auch dort noch fortgesponnen, wo die ariose Deklamation im Vokalpart melismatisch erweitert und mit der Choralweise verkettet wird. Während hier die Stollenzeilen verschieden vertont werden, ist die Konstruktion in Satz 4 nicht ganz so aufwendig. Die um eine Quinte versetzte Choralweise fällt dem Alt zu, während der Psalmvers wieder im Bass liegt. Da der Generalbass als obligate Stimme und nicht nur als neutrale Stütze fungiert, wird der gedehnte Cantus firmus durch zwei Stimmen in Basslage kontrapunktiert, die bei analoger Diktion selbstständig geführt

---

93 Vgl. die Ausgabe in DDT 58–59, S. 292–320, sowie Die Choralbearbeitung, S. 358 f. und Bsp. 78 auf S. 530.

94 Vgl. dazu Breig, a. a. O., S. 177 f.

95 Neumann, a. a. O., S. 80, sprach von der »Duettgestaltung« des Satzes.

96 Vgl. Verf., Traditionen der Choraltropierung in Bachs frühem Vokalwerk, in: Das Frühwerk Johann Sebastian Bachs. Kolloquiumsbericht Rostock 1990, hrsg. von Karl Heller und Hans-Joachim Schulze, Köln 1995, S. 217–240. Das Inventar der Lüneburger Michaelisschule nennt für 17 Werke eigens solche zusätzlichen Choräle.

sind. Trotz des Umfangs, den die Sätze den augmentierten Choralweisen verdanken, erreichen sie eine Geschlossenheit, der anzumerken ist, dass Bach mit den Traditionen des Orgelchorals vertraut war. Dass sich die übrigen Choralzitate in BWV 71 und 106 finden, überrascht insofern nicht, als solche Kombinationen besonders in mitteldeutschen Werken vorkommen.[97] Wie dort sind die Zitate auch bei Bach in einen Kontext integriert, ohne den sie unverständlich bleiben müssten.

6. Solistische und geringstimmige Sätze

Obwohl die Teilsätze in BWV 106:2 miteinander verbunden sind, zeigen sie charakteristische Unterschiede.[98] Dem einleitenden Chorsatz, von dem bereits die Rede war, folgt zunächst das Tenorsolo 2b »Herr, lehre uns bedenken«, das von seinem Instrumentalpart geprägt wird.[99] In den dichten Satz mit je zwei Flöten und Gamben fügt sich der Vokalpart in vier Taktgruppen ein, die das Kopfmotiv der Instrumente aufnehmen, aber nur 10 von 23 Takten füllen. Trotz des biblischen Textes wollte Siegbert Rampe in dem Satz mehrere »Ritornelle« und »Episoden« unterscheiden.[100] Doch wäre eher von einem zweitaktigen Bassmodell zu sprechen, das viermal auf der Grundstufe wiederkehrt, um nach modulierenden Zwischengliedern auf der Dominante und am Ende auf der Tonika zu erscheinen. Ähnlich wird das Basssolo 2c »Bestelle dein Haus« von konstanten Sechzehntelfiguren der Flöten geprägt, in die der syllabisch deklamierte Vokalpart integriert ist.[101] Desto mehr dominiert der Vokalpart in Satz 2c (T. 131–185), der das Ziel des Komplexes darstellt. Zu einem dreistimmigen Fugato der Unterstimmen, die wie in einer Doppelfuge mit zwei konträren Themen ansetzen (»Es ist der alte Bund« – »Mensch, du mußt sterben«), tritt ab Takt 146 das Sopransolo »Ja, komm, Herr Jesu, komm«, zu dem die Flöten die Zeilen des Chorals »Ich hab mein Sach' Gott heimgestellt« anstimmen. Eine ähnliche Kombination von Spruchtext in den imitierenden Unterstimmen und gedehntem Cantus firmus mit obligater Violine schrieb der in Wittenberg tätige Christian August Jacobi.[102] Die Parallele – falls man davon sprechen kann – beweist zugleich, dass innerhalb derselben Tradition verschiedene Lösungen entstehen konnten, die gleichermaßen mehrschichtig anmuten. Allerdings komponierte Bach ein doppelmotivisches Fugato, dem sowohl der Spruchtext im Sopran als auch die instrumental zitierten Choralzeilen zugeordnet sind. Dabei wird der Sopran entweder mit dem Fugato oder mit dem Choralzitat gekoppelt, während die kolorierend erweiterte

97   Vgl. Die Choralbearbeitung, S. 312–327, wo zahlreiche Beispiele genannt sind.
98   Vgl. dazu die Formschemata bei Dürr, Studien 2, S. 146, 151 und 117.
99   Ebd., S. 146; doch ist kaum von einer »Chaconne« zu sprechen, da das zweitaktige Bassmodell nur dreimal am Anfang und einmal am Ende wiederkehrt, sonst aber modulierend verändert oder durch Einschübe ersetzt wird.
100   Siegbert Rampe, »Monatliche neüe Stücke«. Zu den musikalischen Voraussetzungen von Bachs Weimarer Konzertmeisteramt, in: BJ 2002, S. 61–104, hier S. 78.
101   Sofern der Begriff des Ritornells die Wiederkehr einer motivischen Gruppe meint, lässt sich kaum schon von »Ritornellen« reden; das Formschema bei Rampe, a. a. O., S. 78, zeigt zwar den wechselnden Umfang der Taktgruppen, ohne aber die unterschiedliche Lage der instrumentalen Figuren zu spiegeln.
102   Vgl. dazu Die Choralbearbeitung, S. 364, mit Notenbeispiel 84 auf S. 536.

Schlusszeile mit den Gegenstimmen gekoppelt wird, die am Ende aussetzen, um den verklingenden Schluss dem Sopran zu überlassen.

Dreifach abgestuft ist auch der dritte Satz aus BWV 106, dessen solistische Abschnitte am Ende mit der Choralstrophe »Mit Fried und Freud ich fahr dahin« verbunden werden. Allerdings wird das Altsolo (Satz 3a) – ähnlich wie der Beginn des Basssolos (Satz 3b) – nur durch den Generalbass kontrapunktiert, während der Choral erst nach 15 Takten hinzutritt.[103] Da erst hier auch die figurierenden Gambenstimmen eingesetzt werden und die Bassstimme zu den letzten Choralzeilen pausiert, ist die Kombination nicht ganz so vielschichtig wie in Satz 2c. Noch schlichter ist der als »Air« bezeichnete Satz 2 aus BWV 71, in dem der Spruchtext im Tenor mit den Zeilen der vom Sopran gesungenen Choralstrophe »Soll ich auf dieser Welt« verbunden wird. Die obligate Orgelstimme, die erst in Takt 8 einsetzt, beschränkt sich zunächst auf knappe Einwürfe und fungiert erst in der letzten Choralzeile als dritte Obligatstimme.[104]

Ähnlich schlicht sind die übrigen Sätze aus BWV 71. Obwohl Satz 4 als »Arioso« bezeichnet ist, wird der Psalmtext in einer dreiteiligen Da-capo-Form vertont, deren Rahmenteile im ³⁄₂-Takt vom Instrumentalpart bestimmt werden, während der Mittelteil zu geradem Takt wechselt und dem Solobass mit quasi ostinatem Generalbass überlassen ist. Ob die Rahmenform als Vorgriff auf die italienische Da-capo-Arie gelten darf, ist allerdings ebenso fraglich wie die Formulierung, im A-Teil sei »die zukünftige Form der ›konzertanten Verarbeitung der Ritornellthematik‹ bereits fertig« ausgebildet.[105] Wie die Tempoangabe »Lente« weist auch die Bezeichnung »Air« (in BWV 71:2 bzw. 5) auf die französische Terminologie zurück. Dem Typus des dreiteiligen Air entspricht die gemessene Rhythmik im ³⁄₂-Takt, die sich mit chorischem Wechsel von Oboen und Blockflöten paart. Dabei beschränkt sich der »Vokaleinbau« auf 8 von 23 Takten, in denen sich der Vokalbass an den Generalbass anlehnt, ohne eine obligate Stimme darzustellen. Statt einer Wiederholung des »Ritornells« werden ihm nur einzelne Takte mit zusätzlichen Varianten entnommen. So weist der Satz weniger auf spätere Arien voraus, sondern zeugt von der Vielfalt der Ansätze, die in Bachs Frühwerk nebeneinanderstehen. Als »Air« ist auch Satz 5 bezeichnet (»Durch mächtige Kraft«), dessen dreiteilige Form durch Fanfaren der Trompeten und Pauken geprägt wird. Vorangestellt ist das vokale Incipit, das auch im Schlussteil nur einmal eingeblendet wird, während der weitere Text dem Vokalpart mit Generalbass zufällt.

Obwohl die Texte der Solosätze aus BWV 150 metrisch differieren, dürfte die Bezeichnung »Aria« weniger auf die italienische Arie als auf die ältere Strophenarie verweisen, in der schon bei Zachow, Johann Philipp Krieger oder Kuhnau Ritornelle und Zwischenspiele vorkamen. Symptomatisch ist in Satz 2 (»Doch bin und bleibe ich vergnügt«) die prinzipiell syllabische Diktion, die nur zu Worten wie »toben«, »ewig« oder »Sturm« durch Koloraturen bereichert wird. Ein Seitenstück ist Satz 5 (»Zedern müssen von den Winden«), in dem die drei Vokalstimmen akkordisch

---

103 Vgl. Dürr, a. a. O., S. 160.

104 Ebd., S. 159 f.

105 Ebd., S. 133 f. Vgl. dazu auch Rampe, a. a. O., S. 81 f. Vergleichbare Abschnitte mit instrumentalen Figuren, die als Zwischenspiele fungieren und mit dem Vokalpart verbunden werden, finden sich im geistlichen Konzert schon vor 1700, ohne als »Ritornelle« von »Episoden« abgegrenzt werden zu können.

zusammengefasst werden, während der Instrumentalpart durch die gleichmäßige Bewegung des Continuo vertreten wird.[106]

Kunstvoller sind die beiden Solosätze aus BWV 196. Mit dem Psalmtext in Satz 3 verbindet sich eine regelrechte Da-capo-Form, in der die zweite von der ersten Vershälfte getrennt wird (»Er segnet, die den Herren fürchten« – »beide Kleine und Große«). Das dreitaktige Vorspiel läuft in Triolen aus, die den instrumentalen Anteil des dreitaktigen Mittelteils vorgeben. Seine beiden ersten Takte werden in der Sopranstimme ornamental variiert und danach mit Varianten des Vorspiels kombiniert. Dagegen bildet Satz 4 ein Duett mit kanonisch imitierenden Vokalstimmen, die erst am Schluss zusammengeführt werden (»Der Herr segne euch«). Die vokalen Abschnitte werden von Varianten des Vorspiels unterbrochen, die kanonisch imitierende Zwischenspiele bilden, ohne mit den Vokalstimmen gekoppelt zu werden. Von ähnlichen Abschnitten früherer Psalmkonzerte unterscheidet sich der Satz vor allem durch den kontrapunktisch gearbeiteten Vokalpart.

Insgesamt fehlen in Bachs Frühwerk noch die Kennzeichen des modernen Rezitativs und die Formen der italienischen Arie, die zu dieser Zeit bereits von älteren Musikern wie Kuhnau, Zachow und Krieger erprobt wurden. Das mag zum Teil an den Anlässen liegen, für die Bachs Werke entstanden. Desto auffälliger ist die Systematik, mit der er die traditionellen Verfahren des motettischen Satzes, der Permutationsfuge und der Choralbearbeitung erweiterte. Weit mehr als vermeintliche Vorgriffe ist es diese systematische Arbeit, die den Abstand zwischen den frühen und späteren Vokalwerken überbrückt.

7. Resümee

Spitta hatte gemeint, »für den Historiker« könne es »keinen größeren Genuß geben, als in der fortschreitenden Betrachtung der älteren Kirchen-Cantate« auf die Werke Bachs zu stoßen, die »vollends unerklärlich und wunderbar« wären, »wenn sich nicht ihre instrumentalen Quellen nachweisen ließen«.[107] Wie sich aber zeigte, ging Bach weniger von »instrumentalen Quellen« als von der Figuralmusik seiner Zeit aus. Dass den wenigen Frühwerken fast mehr Raum zu geben war als den späteren Kantaten, lag nicht nur am Problem der Permutationsfuge. Da erst vor der Folie der Tradition Bachs Leistung kenntlich wird, musste auf solche Modelle eingegangen werden, um deutlich zu machen, was seine Beiträge trotz anderer Texte und Formen mit seinen späteren Werken verband.

Sollen Kriterien wie strukturelle Komplexität, motivische Kohärenz und differenzierte Harmonik als chronologische Indizien gelten, so könnte man versucht sein, Werke wie BWV 71 oder 196 wegen ihrer harmonischen Grenzen und strengen Permutationsfugen früher als so vielschichtige Kompositionen wie BWV 131 und 106 anzusetzen. Dazu passen aber nicht die bislang ermittelten Daten. Wiewohl nur das Aufführungsdatum von BWV 71 feststeht, ist BWV 131 sicher in Mühlhausen und

---

106 Ebd., S. 196 f.
107 Spitta I, S. 443.

dann kaum vor Ende des Pastorenstreits im Mai 1708 entstanden. Dagegen ist die Verbindung von BWV 196 mit einer Hochzeit des Jahres 1708 ebenso ungewiss wie die von BWV 106 mit einer Trauerfeier im Vorjahr. Dasselbe gilt für die Vermutung, BWV 4 sei bereits 1707 und BWV 150 noch in Arnstadt entstanden.

Selbst wenn alle Daten gesichert wären, bliebe die Zeitspanne zwischen 1707 und 1708 zu kurz, um eine zielgerichtete Entwicklung erwarten zu lassen. Ohnehin sind die Werke zu unterschiedlich, um mehr als allgemeine Züge zu teilen. Falls die Chronologie nicht nur ein Gegenstand der Philologie sein soll, lässt sie sich als ein zeitlicher Rahmen auffassen, in dem die schrittweise Entfaltung von Bachs Kunst verständlicher werden könnte, ohne einem teleologischen Schema zu verfallen. Die frühen Kantaten bilden einen Vorrat verschiedener Möglichkeiten, die weder sachlich noch chronologisch auf einen Nenner zu bringen sind. Je genauer man sie verfolgt, desto eher scheint ihnen gemeinsam zu sein, dass sie eine dichte Tradition voraussetzen, von der Bach ausgehen konnte. Hilfreicher als weitere Hypothesen wären deshalb Versuche, das Umfeld des jungen Bach durch Auswahlausgaben zu erschließen, die das Verständnis vertiefen könnten.

Wer die Figuralmusik um 1700 kennt, wird durch Bachs frühe Werke vielfach an ältere Modelle erinnert werden. Dass diese Spuren nicht immer zu konkretisieren sind, liegt nicht nur an der mangelhaften Kenntnis des Repertoires, sondern vor allem an der Individualität, die Bachs Werke von Anfang an auszeichnete. Wer bezweifeln wollte, ob Bach entsprechende Werke anderer Autoren gekannt habe, machte es sich wohl zu einfach. Keineswegs wurde behauptet, ihm seien die hier genannten Beispiele bekannt gewesen. Doch muss man damit rechnen, dass sich entsprechende Werke im Bestand der Lüneburger Michaelisschule befanden, während er in Mühlhausen nach eigenem Zeugnis über einen »guten apparat auserlesener kirchen stücken« verfügte. So wenig die Werke anderer Autoren bloße »Vorformen« bilden, so wenig kann es darum gehen, einzelne »Vorbilder« zu benennen, die Bach ohnedies nicht nötig hatte. Zu zeigen war jedoch, dass das zeitgenössische Repertoire Werke umfasste, die den Stand des Komponierens repräsentierten, von dem Bach ausgehen konnte. Statt die Musikgeschichte als Kette von Meisterwerken aufzufassen, lässt sie sich eher als eine Geschichte kompositorischer Aufgaben verstehen, die zu gleicher Zeit verschiedene Lösungen fanden. In einer Perspektive, die den Stand des Komponierens zu rekonstruieren sucht, bilden Bachs Beiträge Antworten auf übergreifende Fragestellungen. Sie lassen nicht nur das Profil seiner Frühwerke, sondern auch den Status erkennen, von dem seine Weimarer Kantaten ausgingen.

Selbst wenn die erhaltenen Frühwerke nur Teile eines einst größeren Bestands sein sollten, dürfte es kein Zufall sein, dass sie Gelegenheitswerke bilden und entsprechend wechselvolle Verfahren verfolgen. Dass sie – BWV 4 ausgenommen – nicht in Bachs späteres Repertoire eingingen, lag am Abstand der Texte und Formen. Dennoch bekunden sie Konstanten, die für Bach prägend blieben. Neben der Bereitschaft zu Experimenten gehört dazu die systematische Arbeit, die an den Chorfugen und den Choralbearbeitungen zu verfolgen ist. Sie bekundet sich ebenso in der motivischen Durchdringung des Vokalparts wie in der wachsenden Selbstständigkeit des Instrumentalparts. All das bildet die Grundlage einer Musik, die zunächst durch die Intensität des Wort- und Affektausdrucks fasziniert. Dass sie trotzdem nicht nur dem

7. Resümee **49**

Wechsel der Textglieder folgt, zeigen nicht allein die Permutationsfugen, sondern auch die Satzkomplexe, deren Strukturen verschiedene Texte zusammenschließen.

Dass der Preis für die Bildung solcher Formen vorerst in der Begrenzung der Harmonik lag, wird dort desto spürbarer, wo punktuell versucht wird, den harmonischen Radius zu erweitern. Das Verfahren geht von der Nutzung der Nebenstufen aus und reicht über ihre quasi leittönige Erhöhung bis hin zu den Kadenzen, deren Glieder mit Zwischendominanten verkettet werden. Den nächsten Schritt bilden Quintschrittsequenzen, deren Glieder vorerst nur gelegentlich durch Nebenstufen erweitert werden, auch wenn die harmonische Planung mit der kontrapunktischen Stimmführung noch nicht so verkettet wird, dass die Harmonik als Kehrseite des Kontrapunkts erscheint. In ersten Ansätzen begegnen bereits Basismodelle wie die Orgelpunkte zu harmonisch fortschreitenden Oberstimmen oder die Liegestimmen zu schreitender Bassbewegung. Hinzu kommt die teilweise Emanzipation des Instrumentalparts, der aber erst später die Bedeutung einer eigenen Schicht annimmt. Wiewohl solistische Partien noch keine Merkmale des Rezitativs zeigen, erkunden sie die Möglichkeiten einer ariosen Stimmführung, die in der Matthäus-Passion differenziert werden sollten. Dasselbe gilt für die Choralkombinationen, deren erste Modelle in BWV 106 und 71 vorliegen. Weitere Folgerungen daraus sollten die Weimarer Werke ziehen, die vom Ritornellprinzip der italienischen Arie und des Concerto ausgingen.

Teil II
Erster Turnus:
Die Weimarer Kantaten (1713–1716)

1. Bestand und Zeitfolge

Als Alfred Dürr 1950 die frühen Kantaten Bachs untersuchte, war ein beträchtlicher Teil der Quellen infolge des Krieges unzugänglich. Dennoch gelang es Dürr, die Werke einem Kalender zuzuordnen, der bis heute gültig geblieben ist.[1] Den Ausgangspunkt bildete ein Weimarer Dokument vom 2. März 1714, das den Konzertmeister Bach dazu verpflichtete, »Monatlich neüe Stücke« aufzuführen, wobei »zu solchen *proben* die Capell *Musici* uf sein Verlangen zu erscheinen schuldig v. gehalten seyn sollen«.[2]

Demgemäß ging die Forschung davon aus, dass Bach in jeder vierten Woche neue Kantaten geschrieben habe. Die Rede von »monatlich neuen« Stücken ist jedoch nicht ganz so eindeutig, wie sie zunächst wirkt. Zuvor war 1695 verfügt worden, der Vizekapellmeister Georg Christoph Strattner solle den Kapellmeister Johann Samuel Drese wegen »seiner bekannten Leibesbeschwerung« vertreten und »alle Zeit den vierten Sonntag in der fürstlichen Schloßkirche ein Stück von seiner eignen Composition unter seiner Direction aufführen«.[3] Während Strattner Werke »seiner eignen Composition« aufführen sollte, wurden von Bach zwar »neue«, aber nicht unbedingt eigene Werke erwartet.[4] Würde man die Musik zu den mehrtägigen Hauptfesten und den Marien- und Aposteltagen einbeziehen, so ergäbe sich kein vierwöchiger Abstand.[5] Da sich damit aber nicht die Reihenfolge der Werke ändern würde, werden im Folgenden die traditionellen Daten übernommen.

Eine erste Korrektur ergab sich durch Andreas Glöckners Hinweis auf die Landestrauer, die im Herzogtum Sachsen-Weimar zwischen dem 11. August und dem 10. November 1715 angeordnet worden war.[6] Da in dieser Zeit die Figuralmusik in

---

1 Alfred Dürr, Studien über die frühen Kantaten J. S. Bachs, Leipzig 1951, S. 228–239.

2 Dok. II, Nr. 66, S. 53. Aus dem Dokument geht hervor, dass die Ernennung auf Bachs »Ansuchen« hin erfolgte und mit dem Rang nach dem Kapellmeister Johann Samuel Drese und dessen als Vizekapellmeister amtierendem Sohn verbunden war. In einem Zusatz wurde am 23. März 1714 verfügt, »das *probiren* der Musicalischen Stücke« solle statt im eigenen Haus »uf der Kirchen-*Capelle* geschehen«.

3 Spitta kannte noch zwölf »Separatdrucke« für die Zeit zwischen Cantate und Mariä Heimsuchung 1715, in die neben Himmelfahrt die Pfingsttage und der Johannistag fielen. Vgl. Spitta, Bd. I, S. 391, und Dürr, Studien 2, S. 63.

4 Bach hätte mithin auch auf Werke anderer Autoren zurückgreifen können.

5 Spitta I, S. 803 f. Peter Wollny wies mich darauf hin, dass er die Textdrucke 2004 – noch vor dem Brand der Bibliothek – einsehen konnte. Vgl. die Hinweise von Andreas Glöckner, Bachs vor-Leipziger Kantaten – zwei Exkurse, in: »Die Zeit, die Tag und Jahre macht«. Zur Chronologie des Schaffens von Johann Sebastian Bach, hrsg. von Martin Staehelin (Abhandlungen der Akademie der Wissenschaften zu Göttingen, Phil.-Hist. Klasse, Dritte Folge, Nr. 240), Göttingen 2001, S. 47–57, hier S. 49.

6 Am 1. August 1715 war der Weimarer Erbprinz Johann Ernst verstorben, vgl. Andreas Glöckner, Zur Chronologie der Weimarer Kantaten Johann Sebastian Bachs, in: BJ 1985, S. 159–164, sowie Reinmar Emans, Die Weimarer Kantaten, in: Das Bach-Handbuch, Bd. I/1, hrsg. von dems. und Sven Hiemke, Laaber 2012, S. 109–180.

allen Kirchen zu schweigen hatte, konnten die Kantaten BWV 161 »Komm, du süße Todesstunde« und BWV 162 »Ach! ich sehe«, die Dürr dem 16. und 20. Sonntag nach Trinitatis 1715 zugeordnet hatte[7], erst im nächsten Jahr aufgeführt werden. Dieses Datum wurde in Klaus Hofmanns kalendarischer Übersicht berücksichtigt, die den Turnus in einigen weiteren Details modifizierte.[8] Zusätzliche Korrekturen ergaben sich durch die Untersuchungen Yoshitake Kobayashis,[9] der in der Handschrift Bachs und seiner Mitarbeiter wechselnde Noten- und Schlüsselformen beobachtete. Diese Änderungen gingen in die von Andreas Glöckner besorgte Neuausgabe des Bach-Kalendariums ein,[10] an der sich die folgende Übersicht orientiert. Sie verweist auf die Aufführungsdaten und Textautoren und außerdem auf vier Werke, deren autographe Jahresangaben den Ausgangspunkt der chronologischen Untersuchungen bildeten (und hier durch Asteriskus markiert werden). Angaben zu Erst- oder Wiederaufführungen (EA bzw. WA) werden nur bei nicht datierbaren Werken hinzugefügt, während spätere Aufführungen der datierten Kantaten ungenannt bleiben.[11]

Nach heutiger Kenntnis darf die Datierung der Kantaten seit Palmarum 1714 bis zum 20. Sonntag nach Trinitatis 1716 als gesichert gelten, zumal für die meisten Werke – selbst wenn sie für spätere Aufführungen überarbeitet wurden – entweder die autographen Partituren oder Teile des Weimarer Stimmenmaterials erhalten sind. Ausnahmen bilden zwei Werke, deren Texte in Francks Druck von 1715 belegt sind, wogegen die Vertonungen erst in Leipziger Quellen erhalten sind. Während die Kantate BWV 165 »O heil'ges Geist- und Wasserbad« in einer Partiturkopie vorliegt, die 1724 von Johann Christian Köpping geschrieben wurde, lässt sich BWV 80a »Alles, was von Gott geboren« nur aus der erweiterten Leipziger Fassung BWV 80 erschließen, die in einer Abschrift von Johann Christoph Altnickol überliefert ist.[12]

Besonders kompliziert war die Entstehungsgeschichte von BWV 21 »Ich hatte viel Bekümmernis«. Auf dem autographen Titelumschlag steht zwar »Per ogni Tempo«, doch findet sich daneben der Vermerk »den 3ten post Trinit: 1714 / musiciret

---

7   Vgl. Dürr, Studien 1, S. 54 f., sowie Glöckner, a. a. O., S. 164.

8   Klaus Hofmann, Neue Überlegungen zu Bachs Weimarer Kantaten-Kalender, in: BJ 1993, S. 9–29, hier S. 16 ff. und 27 ff.

9   Yoshitake Kobayashi, Quellenkundliche Überlegungen zur Chronologie der Weimarer Vokalwerke Bachs, in: Das Frühwerk Johann Sebastian Bachs, Kolloquiums-Bericht Rostock 1990, hrsg. von Karl Heller und Hans-Joachim Schulze, Köln 1995, S. 290–208.

10   Kalendarium zur Lebensgeschichte Johann Sebastian Bachs, hrsg. von Andreas Glöckner, Leipzig 2008, S. 20–25.

11   Autographe Daten werden durch Asteriskus ausgezeichnet. Die Textangaben beziehen sich auf folgende Quellen:

Lehms: Georg Christian Lehms, Gottgefälliges Kirchen-Opffer, Darmstadt 1711

Neumeister 1711: Erdmann Neumeister, Geistliches Singen und Spielen, Gotha 1711

Neumeister 1714: Erdmann Neumeister, Geistliche Poesien, Frankfurt a. M. 1714

Franck GWP: Salomon Franck, Geist- und Weltlicher Poesien Zweyter Theil, Jena 1716

Franck 1715: Salomon Franck, Evangelisches Andachts-Opffer, Weimar 1715

Franck 1717: Salomon Franck, Evangelische Sonn- und Fest-Tages-Andachten, Weimar und Jena 1717

Franck (?): vermutlich Franck

12   Zu beiden Werken vgl. Dürr, Studien 2, S. 48 und 45 f.

54   Teil II · Erster Turnus: Die Weimarer Kantaten (1713–1716)

1713

19.2.	Sexagesimae	BWV 18	Gleichwie der Regen und Schnee (EA?)	Neumeister 1711
?	?	BWV 199	Mein Herze schwimmt im Blut (EA)	Lehms
23.2.	Weißenfels	BWV 208	Was mir behagt, ist nur die muntre Jagd	Franck GWP
30.10. (5.11.?)	Weimar	BWV 1127	Alles mit Gott (strophische Aria)	J. A. Mylius 1713

1714

25.3.	Palmarum	BWV 182	Himmelskönig, sei willkommen	Franck (?)
22.4.	Jubilate	BWV 12	Weinen, Klagen, Sorgen, Zagen	Franck (?)
20.5.	1. Pfingsttag	BWV 172	Erschallet, ihr Lieder	Franck (?)
17.6.	3. p. Trin.*	BWV 21	Ich hatte viel Bekümmernis (WA?)	Franck (?)
12.8.	11. p. Trin.	BWV 199	Mein Herze schwimmt im Blut (WA?)	s. o.
2.12.	1. Advent*	BWV 61	Nun komm, der Heiden Heiland	Neumeister 1714
25.12.	1. Weihnachtstag	(BWV 63)	(Christen, ätzet diesen Tag?)	(J. M. Heineccius?)
30.12.	Stg. n. W.	BWV 152	Tritt auf die Glaubensbahn	Franck 1715

1715

24.2.	Sexagesimae	BWV 18	Gleichwie der Regen und Schnee (WA)	s. o.
24.3.	Oculi	BWV 80a	Alles, was von Gott geboren	Franck 1715
21.4.	1. Ostertag	BWV 31	Der Himmel lacht, die Erde jubilieret	Franck 1715
16.6.	Trinitatis	BWV 165	O heil'ges Geist- und Wasserbad	Franck 1715
14.7.	4. p. Trin.*	BWV 185	Barmherziges Herze der ewigen Liebe	Franck 1715
24.11.	23. p. Trin.	BWV 163	Nur jedem das Seine!	Franck 1715
22.12.	4. Advent*	BWV 132	Bereitet die Wege, bereitet die Bahn	Franck 1715

1716

19.1.	2. p. Epiph.	BWV 155	Mein Gott, wie lang, ach lange	Franck 1715
27.9.	16. p. Trin.	BWV 161	Komm, du süße Todesstunde	Franck 1715
25.10.	20. p. Trin.	BWV 162	Ach! ich sehe, itzt da ich zur Hochzeit gehe	Franck 1715
6.12.	2. Advent	BWV 70a	Wachet! betet! betet! wachet!	Franck 1717
13.12.	3. Advent	BWV 186a	Ärgre dich, o Seele, nicht	Franck 1717
20.12.	4. Advent	BWV 147a	Herz und Mund und Tat und Leben (?)	Franck 1717
?	Oculi 1714 (?)	BWV 54	Widerstehe doch der Sünde	Lehms

worden«.[13] Zugleich verweisen die Originalstimmen nicht nur auf spätere Aufführungen in Köthen und Leipzig, sondern auch auf Spuren einer früheren Schicht, deren Umfang und Datierung vorerst ungewiss ist. Die kritischen Bemerkungen, mit denen Mattheson 1725 das Werk in seiner *Critica Musica* erwähnte, lassen vermuten, er könne es kennengelernt haben, als Bach sich 1720 um die Organistenstelle an der Hamburger Jakobikirche bewarb.[14] Vager sind die Indizien für eine Hallenser Aufführung im Zusammenhang mit Bachs Interesse am Organistenamt der Liebfrauenkirche im Jahr 1713.[15] Zwar scheint sich die Forschung darin einig zu sein, dass das Werk Sätze verschiedenen Alters vereint und seine erhaltene Form der Weimarer Aufführung verdankt. Während die hypothetische »Urkantate« nach Brainard die Sätze 1–9 »in ihrer jetzigen Reihenfolge« umfasste, enthielt sie dem Bach-Compendium zufolge nur »die Sätze 2–6 und 9«.[16] Das würde bedeuten, dass zu der Frühform neben den drei Chorsätzen bereits ein Rezitativ und eine Arie gehört hätten.[17]

Ähnlich problematisch ist die Quellenlage der drei Kantaten, die in der Adventszeit 1716 entstanden. Da die Figuralmusik in Leipzig während der Adventszeit schwieg, ließen sich die Werke hier nur an anderen Tagen verwenden. Während Francks Druck in den Kantaten BWV 70a, 186a und 147a nur vier Arien enthielt, fügte Bach in Leipzig weitere Sätze ein und überarbeitete zudem einige frühere Sätze. Dürr konnte zeigen, dass die Leipziger Quellen für BWV 70a »Wachet! betet! betet! wachet!« und 186a »Ärgre dich, o Seele, nicht« einzelne Weimarer Stimmen enthalten, die darauf schließen lassen, dass die auf Franck zurückgehenden Sätze keine größeren Eingriffe erfuhren.[18] Heikler ist die Quellenlage für BWV 147a »Herz und Mund und Tat und Leben«, weil der Eingangschor der autographen Partitur eine Reinschrift auf Weimarer Papier darstellt, während die übrigen Sätze erst in Leipzig nachgetragen wurden. Doch hielt es Dürr für möglich, dass bei der Erstaufführung

---

13   Zu den Einzelheiten vgl. Dürr, Studien 2, S. 26 ff., ferner NBA I/16, hrsg. von Paul Brainard, 1981, sowie dazu KB 1984, besonders S. 129–139.

14   Vgl. Dok. II, Nr. 200, S. 153 f.

15   Brainard, KB, S. 134 ff., sowie Dürr, Die Kantaten, Bd. 2, S. 343 f.

16   Brainard, KB, S. 137 f., sowie BC I, A 99a-c, S. 405. Peter Wollny zufolge wurde in Zerbst 1727 eine Kantate aufgeführt, deren Text sich mit den Sätzen 2–5 aus BWV 21 deckte und einen zusätzlichen Schlusschoral enthielt, vgl. Peter Wollny, Aufführungen Bachscher Kirchenkantaten am Zerbster Hof, in: Bach und seine mitteldeutschen Zeitgenossen. Bericht über das Internationale musikwissenschaftliche Kolloquium Erfurt und Arnstadt 2000, hrsg. von Rainer Kaiser, Eisenach 2001, S. 199–217, hier S. 204 ff. mit Abb. 3, S. 216 f.

17   Vgl. Dürr, Die Kantaten, Bd. 2, S. 344 und 347. Vgl. auch Martin Petzoldt, »Die kräfftige Erquickung unter der schweren Angst=Last. Möglicherweise Neues zur Entstehung der Kantate 21, in: BJ 1993, S. 31–46, wonach die »Urfassung« vielleicht als Trauermusik 1713 entstand, sowie Christoph Wolff, »Die betrübte und wieder getröstete Seele«: Zum Dialog-Charakter der Kantate »Ich hatte viel Bekümmernis« BWV 21, in: BJ 1996, S. 139–145; Klaus Hofmann, Anmerkungen zu Bachs Kantate »Ich hatte viel Bekümmernis« (BWV 21), in: BJ 2015, S. 167–176. Für freundliche Hinweise danke ich Peter Wollny.

18   Ebd., S. 37 und 50 f.; ders. und Werner Neumann (Hrsg.), NBA I/1, KB, S. 86–88 und 89–97. Während zu BWV 70a die auf Weimarer Papier geschriebenen Stimmen für Violine I–II und Viola vorliegen, in denen die in Leipzig ergänzten Sätze »nachträglich eingefügt« wurden, ist BWV 186 nur in einer 1723 datierten Kopie von Bachs Schüler Bernhard Christian Kayser erhalten, vgl. Andrew Talle, Neuerkenntnisse zur Bach-Überlieferung des 18. Jahrhunderts, in: BJ 2003, S. 143–172, hier S. 156. In der Kopie zeigt Satz 3 »Messias läßt sich merken« die Überschrift »Hoboe da Caccia« mit der Angabe »Hob: 1. Viol: 1 | Viol. 2«. Gegen die Annahme, die Nennung der Oboe da caccia beziehe sich auf die Weimarer Fassung, dürfte es sprechen, dass das Instrument nicht in Weimar, sondern erst in Leipzig belegt ist (freundlicher Hinweis von Peter Wollny).

eine Entwurfspartitur genügte, während die Reinschrift in Weimar begonnen, aber erst in Leipzig vervollständigt worden sei. Da der Leipziger Text dem metrischen Muster Francks entspreche, müsse die Vertonung schon vorgelegen haben, weil der Librettist sonst nicht Francks Versbau übernommen hätte.[19] Allerdings fügte Dürr später hinzu, BWV 147a sei schon 1716 »komponiert [...], aber anscheinend nicht aufgeführt« worden.[20] Doch wäre es voreilig, in Analogie zu BWV 70a und 186a anzunehmen, die Arien der Leipziger Fassungen von BWV 147 und 80a entsprächen durchweg den Weimarer Urformen. Während Dürr den Weimarer Ursprung der Werke zu belegen suchte, nahm Wolff mit dem Vermerk »Musik verloren« eine Gegenposition ein.[21] Zu prüfen bliebe demnach, wie sich die Arien dieser drei Werke zum Kontext der Leipziger Werke verhalten.

So unklar wie die Quellenlage ist die Datierung der zum 1. Weihnachtstag gehörigen Kantate BWV 63 »Christen, ätzet diesen Tag«, die nach Spitta Bachs erste Leipziger Weihnachtskantate gewesen wäre.[22] Obwohl Dürr zeigen wollte, dass das Werk bereits vor 1717 entstanden sei, nahm er es nicht in seinen Kantatenkalender auf.[23] In ihn würde es in der Tat nicht passen, da am Sonntag nach Weihnachten 1714 im vierwöchigen Turnus die Kantate BWV 152 folgen würde, während am 4. Advent 1715 bzw. 1716 die Kantaten BWV 132 und 147a vorangegangen wären. So wurde die Kantate im Kalender übergangen, bis Dürr aufgrund neuer Überlegungen die Datierung auf die Zeit zwischen 1714 und 1716 eingrenzte.[24] Wiewohl ihm Hofmann darin folgte, wurde das Werk im Bach-Kalendarium dem 25. Dezember 1714 zugewiesen.[25] Damit läge hier ein Fall vor, in dem aus unbekannten Gründen vom vierwöchigen Turnus abgewichen worden wäre. Dagegen hielt Wolff es für denkbar, dass das ungewöhnlich reich besetzte Werk außerhalb der Weimarer Schlosskapelle aufgeführt worden sei.[26]

Andere Umstände gelten für die wenigen Kantaten, die vielleicht noch vor Bachs Ernennung zum Konzertmeister und damit bereits 1713 anzusetzen sind. Zu ihnen zählt zunächst die sogenannte »Jagdkantate« (BWV 208) »Was mir behagt«, die dem Text zufolge zum Geburtstag des Herzogs Christian von Sachsen-Weißenfels entstand. Die Datierung in das Jahr 1713, die Dürr 1964 vertreten hatte, bestätigte sich durch die Studien von Kobayashi, der aufgrund der Schriftzüge der autographen Partitur nicht ausschließen wollte, dass das Werk schon 1712 entstanden sei.[27] Das im

---

19 Vgl. Dürr, Studien 2, S. 37–40, ferner ders. und Werner Neumann (Hrsg.), NBA I/1, KB, S. 110–112. Zur Quellenlage vgl. auch BC, A 174, S. 734, wonach die Reinschrift nicht für die erste Leipziger Aufführung zu Mariä Heimsuchung 1723, sondern erst für eine Wiederaufführung um 1728/31 vollendet wurde.

20 Dürr, Die Kantaten, S. 550. Dagegen meinte Wolff, Johann Sebastian Bach, Frankfurt a. M. 2000, S. 180, in Weimar habe Bach die Arbeit bereits nach dem Eingangschor abgebrochen.

21 Wolff, a. a. O., S. 178.

22 Spitta II, S. 197 f.

23 Dürr, Studien 2, S. 40 ff. und 64 f.; in der tabellarischen Übersicht des Anhangs wurde BWV 63 allen anderen Werken nachgestellt. Vgl. auch ders., NBA I/2, 1957, KB, S. 25 f.

24 Dürr, Studien 2, S. 174 ff.

25 Vgl. Hofmann, BJ 1993, S. 27 ff., sowie Bach-Kalendarium, S. 23, hier mit dem Zusatz »EA (?)«.

26 BC, A 8, S. 71, sowie Wolff, a. a. O., S. 179.

27 Alfred Dürr, NBA I/35, KB, S. 39 ff., sowie Kobayashi, a. a. O., S. 294 f. Der erst 1716 gedruckte Text ist außerdem in einem Manuskript mit Zusätzen Bachs erhalten, vgl. NBA I/35, S. 30–35. Vgl. auch Hans-Joachim Schulze, Wann entstand Bachs »Jagdkantate«?, in: BJ 2000, S. 301–305.

1. Bestand und Zeitfolge   **57**

Kopftitel »Cantata« genannte Werk ist Bachs früheste weltliche Kantate und zugleich sein erstes Vokalwerk mit Rezitativen und Arien zu madrigalischer Dichtung. Ein weiterer Sonderfall ist die Aria BWV 1127 »Alles mit Gott und nichts ohn' ihn«, die den neuesten Fund eines Bach'schen Vokalwerks darstellt.[28] Als Aria für Sopran, zwei Violinen und Generalbass, die zu insgesamt zwölf Textstrophen zu wiederholen ist, bildet es ein Unicum und schließt zudem eine Lücke in der Kenntnis des vokalen Frühwerks. Sicherlich war es ein Ausnahmefall, der durch den Anlass ebenso bedingt war wie durch den knappen Raum, der in der von Bach geschriebenen Partitur vorgesehen ist. Gleichwohl ist das einigermaßen bescheidene Werk im Kontext der weiteren Kantaten nicht ganz bedeutungslos.

Aus anderen Gründen wird vorerst die Kantate BWV 143 »Lobe den Herrn, meine Seele« übergangen. Obwohl sie nur in einer 1762 datierten Kopie von unbekannter Hand vorliegt, galt sie bisher meist als ein authentisches Werk, das vermutlich zwischen 1708 und 1712 entstanden sei. Da die weitere Erörterung die Kenntnis der Weimarer Kantaten voraussetzt, ist auf den Fall erst später zurückzukommen. Nicht ganz eindeutig ist auch die Datierung der Kantate BWV 18 »Gleichwie der Regen und Schnee«, deren Entstehung zwischen 1713 und 1715 angesetzt wurde. Kobayashi zufolge ist die »Datierung unsicher«, da eine Frühform der halben Noten nur in einer von insgesamt 13 Originalstimmen begegne.[29] Vollends ungewiss ist die Entstehungszeit der Solokantate BWV 54 »Widerstehe doch der Sünde«, die nur in einer Partiturabschrift von Johann Gottfried Walther vorliegt. Außer der Bezeichnung »Cantata« zeigt diese Quelle keine weiteren Angaben, doch ist der Text von Georg Christian Lehms für den Sonntag Oculi bestimmt.[30] Während Hofmann das Werk dem Jahre 1715 zuwies und BWV 80a in das folgende Jahr verlegte, reihte das Bach-Kalendarium BWV 80a in das Jahr 1715 ein, ohne aber ein Datum für BWV 54 zu nennen.[31] Für Hofmanns These könnte sprechen, dass das Werk damit in die Nähe seines Gegenstücks BWV 199 rücken würde.

Ähnlich unsicher ist die Datierung der Solokantate BWV 199 »Mein Herze schwimmt im Blut«, obwohl neben der autographen Partitur auch zwei Originalstimmen erhalten sind. Zwar umfasst das Material Bestandteile späterer Fassungen mit entsprechenden Varianten, doch gehören die Stimmen der Oboe und der Streicher der Weimarer Erstfassung an. Seit den Studien Dürrs wurde die Kantate dem 11. Sonntag nach Trinitatis 1714 zugeordnet, bis Kobayashi aufgrund seiner Schriftstudien postulierte, Bach habe die Partitur bereits 1713 geschrieben, sodass das Werk 1714 lediglich wiederholt worden sei.[32] In der Begründung hieß es, die Partitur verwende für ab- und aufwärts gehalste Halbe die Formen eines »Vogelkopfes«

---

28 Michael Maul, »Alles mit Gott und nichts ohn' ihn« – Eine neu aufgefundene Aria von Johann Sebastian Bach, in: BJ 2005, S. 7–34.

29 Kobayashi, a. a. O., S. 304.

30 Dürr, Studien 2, S. 44 f.; laut BC, A 51, S. 228, war an der Abschrift Johann Tobias Krebs beteiligt. Zum Text vgl. Elisabeth Noack, Georg Christian Lehms, ein Textdichter Johann Sebastian Bachs, in: BJ 1970, S. 7–18.

31 Vgl. Hofmann, BJ 1993, S. 27, sowie Bach-Kalendarium 2008, S. 24.

32 Kobayashi, a. a. O., S. 296. Als Kopist gilt der Anonymus Weimar 2, dessen Schriftzüge Kobayashi ebd., S. 293, beschrieb.

und eines »Löffels«, die nur in Autographen aus der Zeit vor 1714 zu belegen seien.[33] Offen bliebe dann nicht nur, warum ein 1713 komponiertes Werk ein Jahr später erneut aufgeführt wurde. Vielmehr wäre mit Hofmann zu fragen, warum schon 1714 neue Stimmen angefertigt werden mussten.[34] Kobayashis Annahme, »der 1713 gefertigte Stimmensatz« habe ein Jahr später »aus unbekannten Gründen nicht mehr zur Verfügung« gestanden, wirkt nicht unbedingt zwingend.[35] Denn das Werk beweist eine so souveräne Beherrschung aller kompositorischen Möglichkeiten, dass es schon 1714 eine erstaunliche Leistung wäre. Desto ungewöhnlicher nähme es sich im Jahre 1713 aus, in dem es nicht nur neben der kleinen Aria BWV 1127 und der vergleichsweise archaischen Kantate BWV 18 stünde. Vielmehr ginge dann nur das weltliche Ausnahmewerk BWV 208 voran, in dem offenbar erstmals die Möglichkeiten erprobt wurden, die sich mit dem Formenrepertoire der »madrigalischen« Kantate ergaben. Kobayashi begnügte sich mit der Bemerkung, »die Entwicklung von der kurzatmigen Melodik« in BWV 208 zu dem »von den reiferen Werken bekannten weiträumigen Stil, der bereits in BWV 199 zum Vorschein kommt«, sei »in diesem kurzen Zeitraum offenbar sprunghaft vonstatten gegangen«.[36] Auf diese Erwägungen wird im Zusammenhang mit BWV 54 zurückzukommen sein, weil beide Solokantaten aus verschiedenen Gründen ebenso schwer zu datieren sind.

Schon ein flüchtiger Blick auf den Kalender macht deutlich, dass bei einem vierwöchigen Turnus zwischen Palmarum 1714 und dem 5. August 1717, an dem Bach als Hofkapellmeister in Köthen verpflichtet wurde, eine beträchtliche Zahl der Weimarer Kantaten fehlen muss. Christoph Wolff zufolge wären 1714 nur sieben Aufführungen belegbar, sodass vier Werke verloren sein müssten. Noch krasser wären die Relationen in den Jahren 1715 und 1716, aus denen nur zwölf Kantaten erhalten seien.[37] Dabei ließ Wolff die Kantaten BWV 80a, 70a, 186a und 147a außer Betracht, da er die Weimarer Fassungen als »verloren« betrachtete. Das Jahr 1717 kann aus dem Spiel bleiben, weil es kein Zufall sein dürfte, dass für diese Zeit keine Werke nachzuweisen sind. Ob Bach gekränkt war, dass nach Dreses Tod nicht er, sondern dessen Sohn zum Nachfolger ernannt wurde, ist ebenso ungewiss wie die Frage, ob er sich andernorts bemüht oder schon in Köthen beworben hatte.[38] Zählt man zu den neun Monaten seit April 1714 die folgenden hinzu (von denen die dreimonatige Landestrauer abzurechnen ist), so wären rund 30 Werke zu erwarten, von denen nur zwei Drittel belegbar sind. Aufschlussreich ist ein Blick auf die belegten Wiederaufführungen der Weimarer Werke in der Leipziger Zeit. Dann nämlich zeigt sich, dass Bach fast alle Weimarer Kantaten, die in Leipzig verwendbar waren, im

---

33   Ebd., S. 296 mit der Abbildung in Anhang IV, S. 303.

34   Hofmann, a. a. O., S. 9, Anm. 10, bezweifelte Kobayashis Annahme, die Stimmen seien vielleicht deshalb neu geschrieben worden, weil frühere Stimmen verloren gegangen seien.

35   Vgl. Klaus Hofmann, Anmerkungen zu Bachs Kantate »Mein Herze schwimmt im Blut« (BWV 199), in: BJ 2013, S. 205–221, besonders S. 211, wo Hofmann Kobayashis »Annahme einer linearen Schriftentwicklung ohne Rückschritte und eines stetig voranschreitenden Wandels« in Frage stellte. Hofmanns Zweifel gründete auf der autographen »Kombinationsstimme«, die neben dem Continuopart der Sätze 1, 3 und 5 die obligate Instrumentalstimme zu Satz 6 und die Oboenstimme der Sätze 2[+] und 8[+] enthält, vgl. ebd., S. 207 f.

36   Kobayashi, a. a. O., S. 297.

37   Wolff, a. a. O., S. 179.

38   Zum Hergang und weiteren Hintergrund vgl. Wolff, ebd., S. 193–203.

1. Bestand und Zeitfolge   59

ersten Jahrgang erneut benutzte. Sonderfälle waren die Werke zu Oculi und Palmarum sowie zum 2. bis 4. Advent, da diese Sonntage in Leipzig in das tempus clausum fielen. Um sie in Leipzig zu anderen Gelegenheiten zu verwenden, musste Bach die Weimarer Fassungen umarbeiten. Im Unterschied zu den erweiterten Fassungen von BWV 70a, 186a und 147a ist offen, ob in Leipzig die zum 4. Advent 1725 entstandene Kantate BWV 132 benutzt wurde. Während die für Oculi bestimmte Kantate BWV 80a »Alles, was von Gott geboren« später zur Reformationskantate BWV 80 »Ein feste Burg« erweitert wurde, ist die Leipziger Verwendung der demselben Sonntag zugehörigen Kantate BWV 54 nicht gesichert. Einen Sonderfall bildet schließlich die für den 23. Sonntag nach Trinitatis bestimmte Kantate BWV 163 »Nur jedem das Seine«, für die eine Leipziger Aufführung zwar nicht belegt, aber auch nicht auszuschließen ist.[39]

Weimar	BWV-Nr. mit Textincipit	Leipzig
Palmarum 1714	182 Himmelskönig, sei willkommen	Mariä Verkündigung 1724
Jubilate 1714	12 Weinen, Klagen, Sorgen, Zagen	Jubilate 1724
1. Pfingsttag 1714	172 Erschallet, ihr Lieder	1. Pfingsttag 1724
3. p. Trin. 1714	21 Ich hatte viel Bekümmernis	3. p. Trin. 1723
11. p. Trin. 1714	199 Mein Herze schwimmt im Blut	11. p. Trin. 1723
1. Advent 1714	61 Nun komm, der Heiden Heiland	1. Advent 1723
1. Weihnachtstag 1714	63 Christen, ätzet diesen Tag	1. Weihnachtstag 1723
Sexagesimae 1715	18 Gleichwie der Regen und Schnee	Sexagesimae 1724
Oculi 1715	80a Alles, was von Gott geboren	(–)
1. Ostertag 1715	31 Der Himmel lacht	1. Ostertag 1724
Trinitatis 1715	165 O heil'ges Geist- und Wasserbad	Trinitatis 1724
4. p. Trin. 1715	185 Barmherziges Herze der ewigen Liebe	4. p. Trin. 1724
23. p. Trin. 1715	153 Nur jedem das Seine	(23. p. Trin. 1724?)
4. Advent 1715	132 Bereitet die Wege	(entfiel in Leipzig)
2. p. Epiph. 1716	155 Mein Gott, wie lang	2. p. Epiph. 1723
16. p. Trin. 1716	161 Komm, du süße Todesstunde	16. p. Trin. 1724
20. p. Trin. 1716	162 Ach! ich sehe	20. p. Trin. 1723
2. Advent 1716	70a Wachet! betet! betet! wachet!	26. p. Trin. 1723
3. Advent 1716	186a Ärgre dich, o Seele, nicht	7. p. Trin. 1723
4. Advent 1716	147a Herz und Mund und Tat und Leben	Mariä Heimsuchung 1723

39 Vgl. Dürr, Studien 2, S. 35 f., sowie ders., Chronologie, S. 62. Da der Text von BWV 163 nicht auf den Reformationstag eingeht, wäre für 1723 eine Neukomposition denkbar. Indes ist auch eine Wiederaufführung von BWV 163 nicht ausgeschlossen, da das Werk nur als autographe Partitur vorliegt, in der eine erneute Verwendung keine Spuren hinterlassen musste. Die Wiederaufführungen von BWV 185, 199, 182 und 165 würden voraussetzen, dass diese Werke zusätzlich zu den Neukompositionen erklangen, die für diese Tage belegt sind, vgl. dazu die skeptischen Überlegungen von Wolf Hobohm, Neue »Texte zur Leipziger Kirchen-Music«, in: BJ 1973, S. 5–32, besonders S. 13 f. Die von Hobohm, ebd., S. 15–22, nachgewiesenen Texthefte des Jahres 1724 enthalten für die fraglichen Tage jeweils nur ein Werk, ohne die Wiederaufführung von BWV 18 zu Sexagesimae und BWV 182 zu Mariä Verkündigung zu belegen.

Auf den ersten Blick wirkt die Reihe der Konkordanzen fast lückenlos, sodass man meinen könnte, Bach habe geplant, den Vorrat der Weimarer Kantaten im ersten Leipziger Jahrgang auszuschöpfen.[40] Man mag einwenden, der Eindruck beruhe auf einem Trugschluss, da die meisten Weimarer Werke erst in ihren Leipziger Fassungen überliefert seien. So richtig das ist, so unübersehbar sind weitere Umstände. Zum einen sind Weimarer Werke wie BWV 54 und 132 erhalten, obwohl keine Leipziger Aufführungen belegt sind. Zum anderen blieb im ersten Leipziger Jahrgang kaum Raum für weitere Weimarer Kantaten, die erst recht nicht zwischen den Choralkantaten des zweiten Jahrgangs in Betracht kamen. Wieso aber griff Bach nicht auf Weimarer Werke zurück, als seit Ostern 1725 der Textdichter der Choralkantaten ausfiel? Nach Dürrs Kalender wären in Weimar Bach die Kantaten zu Cantate 1715 und Quasimodogeniti 1716 und damit zwei Werke zugefallen, die er auch in Leipzig verwenden konnte.[41] Entsprechende Rückgriffe auf verschollene Weimarer Kantaten wären auch später denkbar. Wie plausibel solche Hypothesen sind, mag dahingestellt bleiben. So unvollständig der erhaltene Bestand sein mag, so fruchtlos wären weitere Spekulationen. Jedenfalls tragen sie nichts zum Versuch bei, die Weimarer Kantaten in den Blick zu nehmen.

2. Vorgaben und Vorlagen

Seltener als der Aufführungskalender wurde erörtert, was die Chronologie für das Verständnis der Werke bedeuten könne. Da sich die quellenkritischen Ergebnisse Dürrs als zutreffend erwiesen hatten, schienen seine stilkritischen Studien weitere Analysen entbehrlich zu machen. Allerdings hatte Dürr die »Stilkritik« nur als methodische Stütze der Chronologie verwendet. Um Gefühlsurteile zu vermeiden, konzentrierte er sich auf formale Kriterien, die er einer eigens entworfenen Typologie zuordnete. In ähnlicher Weise suchte er nach melodischen Typen und motivischen Entsprechungen der Werke. Doch fasste er die Weimarer Kantaten mit den früheren Werken zusammen und ordnete sie den gleichen Kategorien zu, während er auf weitere Folgerungen aus der Chronologie verzichtete. Niemand wusste besser als er, dass damit nicht alle Probleme gelöst waren. In der Neuauflage seiner Arbeit berücksichtigte er die »inzwischen angefallenen Neuerkenntnisse«. Obwohl er wahrnahm, dass sich »die Methoden der musikalischen Analyse« inzwischen verändert hatten, sah er sich gezwungen, im »stilkritischen Teil« die »Untersuchungsmethode [...] unverändert« beizubehalten und weitere Fragen »künftigen Forschungen« zu überlassen.[42]

---

40 Vgl. Verf., Weimar versus Leipzig. Zu Weimarer Kantaten Bachs im ersten Leipziger Jahrgang, in: Über Leben, Kunst und Kunstwerke: Aspekte musikalischer Biographie. Johann Sebastian Bach im Zentrum (Festschrift für Hans-Joachim Schulze), hrsg. von Christoph Wolff, Leipzig 1999, S. 173–185.

41 Dürr, Studien 2, S. 64 f. Nach Hofmann, BJ 1993, S. 28 f., wäre allerdings nur der Sonntag Cantate sowohl 1715 wie auch 1716 in Betracht zu ziehen.

42 Dürr, Studien 2, Vorwort, S. 12; dabei werden die Werke nach systematischen Kriterien erfasst, während sie in der tabellarischen Übersicht des Anhangs in chronologischer Folge angeordnet sind.

Der methodische Wandel, den Dürr meinte, gründete im Zweifel an der »Stilkritik«, die Guido Adler im Anschluss an die kunsthistorischen Begriffe Wölfflins formuliert hatte.[43] Er wandte sich gegen die Vorstellung, es könne möglich sein, »einen für alle Musikepochen gültigen Vorrat ›musikgeschichtlicher Grundbegriffe‹ zu finden«.[44] Die herkömmliche Stilkritik war in dem Maß obsolet geworden, in dem die Musiktheorie der Bach-Zeit und damit zugleich die historische Stillehre in den Blick der Forschung trat. Johann Gottfried Walther ging 1708 von höchst traditionellen Kategorien aus, die er in seinen *Praecepta der Musicalischen Composition* zusammenfasste.[45] Mit Bach war er nicht nur verwandt, sondern als Organist der Weimarer Stadtkirche kollegial verbunden, während er seinen Traktat dem Erbprinzen Johann Ernst widmete, dessen Concerti Bach in fünf eigenen Werken bearbeitet hatte.[46] War die Gültigkeit der Harmonie- und Periodenlehre für Dürr und Neumann eine selbstverständliche Voraussetzung, so zeigen Walthers *Praecepta*, dass zur Zeit des jungen Bach noch immer die Grundlagen einer Modus- und Kontrapunktlehre galten, für die der Quintenzirkel ebenso fernlag wie die funktionale Harmonik. Zwar können die Modi musici vielfach transponiert werden, obwohl aber »bey denen heütigen *Musicis* nicht mehr als *Dorius, Aeolius* und *Jonicus* im Gebrauch sind«, werden sie »samt ihren *Ambitu, Clausulis* und *Repercussionibis*« behandelt.[47] Trotz aller Erweiterungen bilden die Modi also noch eigene Genera und Species und nicht schon Bestandteile des Dur-Moll-Systems. Wo Walther über den zweistimmigen Kontrapunkt hinausgeht, heißt es, die »zur Ausfüllung der *Harmonie* gesetzte Stimmen müßen *cantable i. e.* also beschaffen seyn«, dass sie »eine gute modulation oder *Melodey hören laßen.*«[48] Dass sich die Begriffe »*Melodey*«, »*Modulatio*« und »*Harmonie*« auf die kontrapunktische Stimmführung beziehen, zeigt die Begründung: »damit ein Unterscheid zwischen dem *ordinairen* zur Ausfüllung dienenden *Contrapunct,* und *themate* sey«.[49]

Walthers Satzlehre geht von der Stimmführung aus, die die Voraussetzung der »Harmonia« bildet. Die Harmonik bildet nur einen Aspekt des kontrapunktischen Satzes, in dem die Stimmführung und die Klangfolge ähnlich ineinander verschränkt sind. Das bedeutet nicht, dass die Werke Bachs nur als Exempla der historischen Musiktheorie zu verstehen seien. Noch vor Bachs Amtsantritt in Leipzig setzten sich mit Matthesons Begriffen der Dur- und Moll-Tonarten und Heinichens Definition des Quintenzirkels die Grundlagen eines veränderten Denkens durch, das sich schon zuvor

---

43 Alois Riegl, Stilfragen. Grundlegungen zu einer Geschichte der Ornamentik, Berlin 1893; Heinrich Wölfflin, Kunstgeschichtliche Grundbegriffe, München 1915; vgl. dazu Stefan Kunze, Art. Stil, in: Riemann Musiklexikon, Sachteil, Mainz 1967, S. 900 ff.

44 Dürr, Studien 2, S. 89 f.

45 Johann Gottfried Walther, Praecepta der Musicalischen Composition, hrsg. von Peter Benary (Jenaer Beiträge zur Musikforschung 2), Leipzig 1955, S. 164; vgl. Peter Benary, Die deutsche Kompositionslehre des 18. Jahrhunderts (Jenaer Beträge zur Musikforschung 3), Leipzig 1961, S. 30–36.

46 BWV 592, 595, 982, 984 und 987.

47 Walther, a. a. O., S. 307–335 (NA: Neuausgabe, S. 164–179).

48 Ebd., S. 359 f. (NA, S. 185 f.).

49 Ebd., S. 360 (NA, S. 186).

abgezeichnet hatte.[50] Doch kann der Hinweis auf Walthers *Praecepta* dabei helfen, auf Bachs Frühwerk nicht unbedacht die Kategorien einer späteren Zeit zu projizieren.[51] Andernfalls liefe man Gefahr, die Verfahren, die Bach erprobte, für selbstverständlich zu halten. Erst vor der Folie der zeitgenössischen Theorie zeichnen sich die Umrisse dessen ab, was als Bachs Leistung in den Weimarer Jahren gelten darf.[52]

Maßgebliche Prämissen der Weimarer Kantaten waren vor allem die Textvorlagen, die Bach wohl nur so lange selbst wählen konnte, wie er noch nicht auf die Dichtungen des Weimarer Hofdichters Salomon Franck zurückgreifen musste.[53] Ob das daran lag, dass Franck seine Texte verspätet lieferte, ist weniger belangvoll als die Feststellung, dass Bach anfangs Vorlagen verschiedener Autoren und erst seit Ende 1714 die gedruckten Texte von Franck vertonte. Dass die Texte der meisten Werke – anders als für die meisten Leipziger Kantaten – in Drucken vorliegen, erlaubt Vergleiche zwischen den Werken und ihren Vorlagen. Dabei geht es nicht um Textvarianten, die in den Kritischen Berichten der Gesamtausgabe dokumentiert wurden. Vielmehr gehören die Texte zu den Aufgaben, die sich für Bach stellten. Zu ihnen zählen neben den vorangestellten Instrumentalsätzen vor allem die hinzugefügten Choralweisen. In der folgenden Übersicht werden die Kantaten vorangestellt, die vor 1713 anzusetzen oder (wie BWV 54) nicht sicher datierbar sind, während anschließend die Werke der Jahre 1714 bis 1716 in chronologischer Folge genannt werden. Für die Kantaten BWV 182, 12, 172 und 21 sind keine gedruckten Vorlagen verfügbar, sodass die Texte nur aus den Kompositionen zu erschließen sind. Dass sie zumeist Franck zugeschrieben wurden, ging auf eine Vermutung Spittas zurück, die auch Dürr übernahm. Da dafür keine Belege vorliegen, stützte sich die Zuschreibung nur auf sprachliche und formale Analogien zu den Texten von Franck.[54] Die Reihung von Arien ohne vorangehende Rezitative, die in mehreren Werken begegnet, entspricht zwar der Anlage der letzten Kantaten aus dem 1717 gedruckten Jahrgang von Franck. Anders als dort jedoch folgt dem Eingangschor in BWV 182, 12 und 172 ein Rezitativ mit biblischem Text, das vielleicht als Zutat Bachs gelten darf. Die Angaben zu Werken ohne gedruckte Vorlagen werden in der Übersicht kursiv abgehoben, zusätzliche cantus firmi und Instrumentalsätze sowie die als Duette vertonte Arien werden gesondert markiert, während sich die Angaben zu den Da-capo-Formen an den Textvorlagen orientieren.

---

50 Johann Mattheson, Das Neu-Eröffnete Orchestre, Hamburg 1713, S. 231–253; Johann David Heinichen, Neu-erfundene und gründliche Anweisung, Hamburg 1711, S. 261–267. Vgl. Carl Dahlhaus, Die Termini Dur und Moll, in: AfMw 12, 1955, S. 280–296, sowie Werner Braun, Deutsche Musiktheorie des 15. bis 17. Jahrhunderts (Geschichte der Musiktheorie, Bd. 8/II), Darmstadt 1994, S. 155–163.

51 Carl Dahlhaus, Versuch über Bachs Harmonik, in: BJ 1956, S. 73–92. Dahlhaus sah die Fundamenttheorie als »brüchig« an, während er sich für die Geltung der Funktionslehre auf das »Empfinden« berief, vgl. ebd., S. 78 f.

52 Vgl. Werner Breig, Art. Johann Gottfried Walther, in MGG², Personenteil, Bd. 17, Sp. 454, wonach »die gleichen stilistischen Vorgaben«, die Bach »in eine ganz persönlich geprägte musikalische Sprache eingeschmolzen« habe, bei Walther »viel deutlicher als einzelne nebeneinander sichtbar« werden.

53 Wegen ihrer herausgehobenen chronologischen Position wird in der folgenden Übersicht auch die weltliche Kantate BWV 208 berücksichtigt, während der Sonderfall der strophischen Aria BWV 1127 außer Betracht bleiben kann.

54 Spitta I, S. 524 f., sowie II, S. 226 und 284; Dürr, Studien 2, S. 83–86.

vor 1714 (?)

208 Was mir behagt	Franck	R – A – R – A (Dc) – R (*Duett*) – R – A – R – A (Dc) – R – Chor (Dc) – A (*Duett*) – A – A (Dc) – Chor (Dc)
18 Gleich wie der Regen und Schnee	Neumeister	*Sinf.* – R – R (mit Litanei) – A – Choral
199 Mein Herze schwimmt im Blut	Lehms	R – A (Dc) – R – A (Dc) – R – Choral – R – A (Dc)
54 Widerstehe doch der Sünde	Lehms	A (Dc) – R – A (Dc)

1714

182 Himmelskönig, sei willkommen	(Franck?)	*Son. – Chor (Dc) – R (bibl.) – A (var. Dc) – A (Dc) – A (var. Dc) – Choralmotette – Chor (Dc)*
12 Weinen, Klagen, Sorgen, Zagen	(Franck?)	*Sinf. – Chor (Dc) – R (bibl.) – A (Dc) – A – A (+ c.f.) – Choral*
172 Erschallet, ihr Lieder	(Franck?)	*Chor (Dc) – R (bibl.) – A (var. Dc) – A (Dc) – A (Duett + c.f.) – Choral – (Satz 1 repetatur ab initio)*
21 Ich hatte viel Bekümmernis	(Franck?)	*Sinf. – Chor (bibl.) – A – R – A (Dc) – Chor (bibl.) – R – A (Duett var. Dc) – Chor (bibl. + Choral) – A (Dc) – Chor (bibl.)*
199 Mein Herze schwimmt im Blut	s. o.	s. o.
61 Nun komm, der Heiden	Neumeister	Choral – R – A (Dc) – R – A (Dc) – Choral
63 Christen, ätzet diesen Tag	Heineccius?	*Chor (Dc) – R – A (Duett, Dc) – R – A (Duett, var. Dc) – R – Chor (Dc)*
152 Tritt auf die Glaubensbahn	Franck 1715	[*Sinf.*] – A – R – A – R – A (*Duett* »Jesus« – »Seele«)

1715

18 Gleichwie der Regen und Schnee	s. o.	s. o.
80a Alles, was von Gott geboren	Franck 1715	A (+ *c.f.*) – R – A (var. Dc) – R – A – Choral
31 Der Himmel lacht	Franck 1715	A (*Chor*) – R – A – R – A – R – A (+ *c.f.*) – Choral
165 O heil'ges Geist- und Wasserbad	Franck 1715	A – R – A – R – A – Choral
185 Barmherziges Herze	Franck 1715	A (*Duett* + *c.f.*) – R – A – R (Duo) – A – Choral
163 Nur jedem das Seine	Franck 1715	A (Dc) – R – A – R (Duo) – A (*Duett* + *c.f.*) – Choral (nur Bc. notiert)
132 Bereitet die Wege	Franck 1715	A (Dc) – R – A – R – A – Choral (nicht erhalten)

1716

155 Mein Gott, wie lange	Franck 1715	R – A (*Duett*, Dc) – R – A – Choral
161 Komm, du süße Todesstunde	Franck 1715	A (+ *c.f.*) – R – A (Dc) – R – A (*Chor*) – Choral
162 Ach! ich sehe	Franck 1715	A – R – A – R – A (*Duett*) – Choral
70a Wachet! betet! betet! wachet!	Franck 1717	*Chor* – A – A – A – A – Choral
186a Ärgre dich, o Seele, nicht	Franck 1717	*Chor* – A – A – A – A (*Duett*) – Choral (nicht erhalten)
147a Herz und Mund und Tat und Leben	Franck 1717	*Chor* – A – A – A – A – Choral (nicht erhalten)

A = Aria, R = Rezitativ, Dc = Da-capo-Form, var. = variiert, bibl. = Bibeltext
kursiv: Instrumentalsätze, zusätzliche cantus firmi, Duette und Chöre zu Arientexten

Die Übersicht lässt einige Sachverhalte erkennen, die für Bach bedeutsam waren:

1. Am auffälligsten ist die Zäsur zwischen den bis Weihnachten 1714 entstandenen und den folgenden Werken. Während die für Franck gesicherten Texte erst mit dem Sonntag nach Weihnachten 1714 einsetzen, entstanden zuvor und noch nach Bachs Ernennung zum Konzertmeister Werke nach Vorlagen anderer Autoren.
2. Im Unterschied zu den frühen Kantaten finden sich biblische Texte nur in den Rezitativen der Kantaten BWV 182, 12 und 172 sowie in den Chören aus BWV 21 und damit in den ersten vier Kantaten nach Bachs Berufung zum Konzertmeister. Überdies fehlen Bibeltexte auch in den drei letzten Kantaten mit den 1717 gedruckten Texten von Franck.
3. Chorsätze begegnen vor allem in den Kantaten bis Weihnachten 1714. Dagegen hatte Franck im Jahrgang von 1715 keine Chöre vorgesehen und auch die Sätze BWV 131:2 und 161:5, die Bach chorisch vertonte, als »Aria« bezeichnet.[55] Dagegen enthalten Francks Texte für das Kirchenjahr 1716/17 wieder chorische Eingangssätze.
4. Gegenüber den gleichartigen Texten aus Francks Jahrgang von 1715 und den Werken aus seinem Jahrgang für 1716/17 zeigen die vorangehenden Vorlagen in der Zahl und Folge der Sätze beträchtliche Unterschiede, die von der dreisätzigen Solokantate BWV 54 bis zum ungewöhnlichen Umfang von BWV 21 reichen.
5. Fast alle Texte, die Bach vor Ende 1714 vertonte, bieten in wenigstens einer Arie eine reguläre Da-capo-Form. Dagegen sehen die Arien aus Francks Jahrgängen von 1715 und 1716/17 in der Regel keine Da-capo-Formen vor. Allerdings kann eine Übersicht nicht die Arien erfassen, die mit der Wiederholung der ersten Zeile enden.
6. Falls BWV 54 parallel zu BWV 199 schon 1713 entstand, wären den weiteren Werken zwei Solokantaten nach Texten von Lehms vorangegangen. Beide Werke bestehen durchweg (mit Ausnahme eines Chorals in BWV 199) aus Rezitativen und Arien mit madrigalischer Dichtung und sind ausdrücklich als »Cantata« bezeichnet.
7. Den Gegenpol vertreten drei Texte Francks, die Bach Ende 1716 vertonte. Im Verzicht auf Rezitative gleichen sie der älteren Concerto-Aria-Kantate, in der eine Kette von Strophenarien von einem am Ende repetierten Chorsatz umrahmt wurde. Zwar folgen Francks Texte nicht mehr einem strophischen Muster, doch geben sie auch noch keine Da-capo-Formen vor.

Die Vorgaben der Texte lassen den Spielraum ermessen, den sie Bach ließen:

1. Zwar konnte Bach über die Besetzungen entscheiden, doch ist ungewiss, wieweit stets alle Sänger und Instrumentalisten zur Verfügung standen. An besonderen Umständen mag es liegen, dass sich zwei Kantaten mit Solosopran begnügen, während dem Chor nur 1714 und dann erst wieder 1716 anspruchsvolle Sätze zufallen.

---

55   Vgl. dazu Dürr, Studien 2, S. 171.

2. Zweifellos hatte Bach freie Hand darin, ob er den Chorpart primär kontrapunktisch oder akkordisch anlegte. Schwierigkeiten der Ausführung dürften weniger wichtig gewesen sein, wenn professionelle Solisten verfügbar waren. Wo dem Chor nur ein schlichter Choralsatz zufällt, könnten Rücksichten auf Sänger aus der Stadtkantorei mitgespielt haben.

3. Sechs vor 1714 entstandene Werke enthalten Instrumentalsätze, die wechselnd als »Sinfonia« oder »Sonata« bezeichnet wurden. Wie in BWV 18 und 152 waren diese Sätze wohl auch in den Libretti zu BWV 182, 12, 172 und 21, die zumeist Franck zugeschrieben wurden, nicht vorgesehen.

4. Die Texte, die Bach als Ariosi vertonte, zeigten in den Drucken nur die Bezeichnung »Recitativo«. Da die arios gefassten Zeilen nicht entsprechend hervorgehoben wurden, konnte Bach zwischen ihrer Vertonung als Secco, Accompagnato oder motivisch geprägtem »Arioso« wählen.

5. In den übrigen Solosätzen zeigen die Vorlagen nur die Angabe »Aria«, sodass die Entscheidung über ihre Besetzung bei Bach lag. Eine Ausnahme ist der Schlusssatz aus BWV 152, dessen Anlage als Duett in Francks Textdruck mit den Angaben »Jesus« bzw. »Seele« vorgegeben war.

6. Für die Strophen aus Kirchenliedern kennen die gedruckten Texte nur die Angabe »Choral« ohne Angaben zur Besetzung. Lag im Eingangssatz aus BWV 61 die Wahl einer größeren Form nahe, so bot sich für die abschließenden Choraltexte der Typus des Kantionalsatzes an.

7. In sieben Arien und einem Chorsatz werden zusätzlich instrumentale Choralweisen verwendet (BWV 12:6, 172:5, 21:9, 80a:1, 31:8, 185:1, 161:1, 163:5). Die Choräle fehlen in Francks gedruckten Texten zu BWV 80a, 31, 185 und 161 und können daher als Zutaten Bachs gelten. Sie dürften auch in den Arien aus BWV 12 und 172 erst von Bach eingefügt worden sein, während die textierten Choralstrophen des Chorsatzes BWV 21:9 vermutlich schon in der Vorlage vorgesehen waren.[56]

Insgesamt ist festzuhalten, dass Bach bis Weihnachten 1714 vielfach wechselnde und relativ »moderne« Texte vorlagen, die neben größeren Chorsätzen auch Vorlagen für Rezitative und Da-capo-Arien enthielten. Dagegen hatte er später eine Reihe analoger Texte zu vertonen, die durchweg von Franck stammten und insofern konventioneller waren, als sie nur selten Chöre und zumeist auch weder Rezitative noch Da-capo-Arien enthielten. Die Differenzen zwischen den Textgruppen kreuzen sich mit der chronologischen Folge, sodass sich im mehrwöchigen Abstand der Werke keine schlüssige Entwicklung erwarten lässt. Geht man von den Aufgaben aus, die sich mit den Texten stellten, so dürfte eine systematische Gruppierung angemessener als eine strikt chronologische Abfolge sein.

---

56 Als Zusätze Bachs erweisen sich die instrumentalen Choralzitate in den Arien, die erst in den Leipziger Fassungen mit Text versehen und einer Vokalstimme übertragen wurden.

3. Sonata und Sinfonia

Mit Ausnahme von BWV 71 enthielten Bachs frühe Kantaten stets instrumentale Einleitungen, die als »Sinfonia«, »Sonata« oder (in BWV 106) »Sonatina« bezeichnet wurden. Die Sinfonia in BWV 131 diente als Vorspiel des Eingangschors, doch zeigten auch die Sätze aus BWV 4, 106, 150 und 196 sehr verschiedene Lösungen. Sie entsprachen damit einer Tradition, die zu den Konventionen der sogenannten »älteren Kantate« vor 1700 gehörte. Dagegen waren in der »madrigalischen« Kantate in der Regel keine selbstständigen Instrumentalsätze vorgesehen. Wenn Bach in sechs Weimarer Werken derartige Instrumentalsätze schrieb, so folgte er damit ebenso wie in der Choraltropierung einer älteren Tradition, an die er später in Leipzig anschließen sollte.

Die Zwischenstellung, die BWV 18 »Gleich wie der Regen und Schnee« von den anderen Weimarer Werken abhebt, ist bereits an der eröffnenden Sinfonia im ⁶⁄₄-Takt erkennbar. In der Kombination von vier Violen über einem dreifach besetzten Fundament wirkt der dichte Streicherklang nach, der die norddeutsche Tradition seit Tunder auszeichnete. Damit paart sich ein Ostinatosatz, der zugleich eine dreiteilige Da-capo-Form mit einem längeren Mittelteil darstellt. Doch besagen formale Kriterien nur wenig, solange nicht die Variationstechnik des Satzes in den Blick rückt.[57] Denn im Zentrum des Satzes – zwischen dem ersten Abschnitt (T. 1–21) und seiner abschließenden Wiederholung (T. 52–72) – kreuzen sich modulatorische und variierende Verfahren (T. 21–52). Ginge man vom viertaktigen Umfang des Modells aus, so ergäben sich 18 Perioden, bei denen allerdings manche Überschneidungen zu konzedieren wären. Angemessener ist es daher, von dem Bassmodell auszugehen, das eingangs im Unisono vorgestellt wird (T. 1–5):

Notenbeispiel 1

Wiewohl in g-Moll stehend, beginnt das Ostinatomodell mit einem nach c-Moll weisenden Quintfall (*g-c*), der in steigenden Sekunden sequenziert wird. Da die harmonische Füllung fehlt, bleibt das tonale Zentrum anfangs offen, während das letzte Sequenzglied mit einer verminderten Quinte nach g-Moll deutet. Zwei Takten in gleichmäßigen Vierteln stehen zwei weitere in Achteln gegenüber, die kadenzierend die Dominante umkreisen. Wo ab Takt 5 eine zweite Periode zu erwarten wäre, scheint sich eine sequenzierende Bassfolge anzuschließen, die nur noch die Viertel-

---

[57] Vgl. dazu das Formschema bei Dürr, Studien 2, S. 95. In der formalen »Symmetrie« sah Dürr eine »Kombination von (freier) Chaconne und Dacapoform, die vermutlich durch die Form des Instrumentalkonzerts angeregt wurde«. Indes ist an die zahlreichen und mitunter intrikaten Ostinatosätze zu erinnern, die nicht nur in Buxtehudes Orgelwerk, sondern auch in seiner Vokal- und Kammermusik zu finden sind, vgl. Christine Defant, Kammermusik und Stylus phantasticus. Studien zu Dietrich Buxtehudes Triosonaten (Europäische Hochschulschriften, Reihe 36, Bd. 14), Frankfurt a. M. u. a. 1985, S. 284 ff. und 431–439.

ketten des Modells aufweist. Zugleich aber setzt das Duo der Violen ein, die das Bassgerüst mit melodischen Varianten überspielen. Beide Stimmen ergänzen sich in einer Sequenzkette, deren Töne sich in Synkopendissonanzen überlagern (T. 5–9), während die Achtelkette des zweiten Zweitakters ausfällt. Bassmodell und Sequenztechnik werden also von vornherein als getrennte Momente des Variationsprozesses verstanden. Zwar greifen die folgenden Perioden (3–4) wieder auf das Bassgerüst zurück, das beide Rahmenteile im Unisono beschließt und zugleich ihrem Beginn entspricht. Desto freier aber wird das Verfahren im Zentrum des Satzes gehandhabt.

Der Mittelteil geht von einer Variante des Ostinatothemas aus, dessen Beginn zur verminderten Quinte verengt und damit nach d-Moll gelenkt wird (Per. 6, T. 21 f.). Doch bricht das Modell im dritten Takt ab, um einer regulären Quintschrittsequenz Platz zu machen (Per. 7 in d: V-I, IV-VII, III-VI, II-V-I), deren variiertes Kadenzglied nochmals verlängert wird (T. 23–30). Verkürzt sich damit die sechste Periode auf zwei Takte, so wird die nächste auf sieben Takte erweitert, und in gleicher Weise werden auch die beiden nächsten Gruppen verkettet (Per. 8–9). Während die erste in Quintfällen von d- nach c-Moll führt (T. 30–34, F-B, D-g, B-Es, G-c), setzt in den Oberstimmen des letzten Takts bereits die folgende an, die das Prinzip der zweiten Periode des A-Teils aufgreift (T. 33–37). Deutlicher wird der Rekurs auf das Bassmodell in den drei letzten Perioden des Mittelteils (Per. 10–12), die sich zunächst von c- nach g-Moll richten, bevor die letzte als erweiterte Kadenz in D-Dur schließt und damit die Wiederkehr des eröffnenden Teils in g-Moll vorbereitet.

Nicht nur im dunklen Streicherklang, sondern mehr noch im variablen Umgang mit dem Bassgerüst und seinen Implikationen deutet der Satz eher auf frühere norddeutsche Modelle als auf die Muster des italienischen Concerto zurück. Dem entspricht eine Variationstechnik, die in keinem Formschema aufgeht. Den Zusammenhang stiftet primär die Melodik der Oberstimmen, während das Ostinatomodell nur hintergründig wirkt und am ehesten dort hervortritt, wo es in Basslage erscheint. All diese Momente rücken den Satz in die Nähe der instrumentalen Einleitungen aus Bachs frühen Kantaten, mit denen er die Paarung phantastischer und konstruktiver Züge teilt, während die Differenzen gegenüber weiteren Weimarer Sätzen desto deutlicher sind.

Die Sonata aus BWV 182 »Himmelskönig, sei willkommen« – der ersten Kantate im Weimarer Turnus – verbindet wie die frühere Sinfonia aus BWV 196 die punktierte Rhythmik, die auf die Tradition der französischen Ouvertüre zurückdeutet, mit einer kontrapunktischen Struktur, die derart in den frühesten Kantaten noch nicht begegnete. Der zweistimmige Gerüstsatz für Blockflöte und Violine samt Generalbass wird im Pizzicato von den Streichern begleitet, die erst in der Kadenzgruppe zum Arco wechseln.[58] In dem »ausinstrumentierten Triosatz« kehren nach Dürr »zwei feste, 1½-taktige Kontrapunkte a und b« wieder, die »durch 1½-taktige Zwischenspiele xₐ« unterbrochen werden, »in denen ein Motiv aus a durch Blockflöte und Violine alternierend fortgesponnen wird«.[59] Doch ist die Anlage nicht ganz so schematisch, wie es zunächst wirken mag. Die Flötenstimme (T. 3) wirkt zwar wie eine Fortspinnung

---

[58] Der begleitende Streicherpart wurde in den späteren Fassungen des Werks weiter aufgefüllt.
[59] Dürr, Studien 2, S. 77 f.

Notenbeispiel 2

des ersten Kontrapunkts, doch lässt sie sich auch als Auftakt des anschließenden Kontrapunkts b auffassen, der mit dem auf die Dominante versetzten Kontrapunkt in der Violine kombiniert wird (Notenbeispiel 2). Ein volltaktig ansetzendes Motiv wird also mit einem auftaktigen Kontrapunkt verbunden, der bis zur Kadenz in Takt 4 reicht, sodass die zweistimmige Kombination die Takte 2^2–4^1 ausfüllt. Zwar wird das Gerüst noch dreimal wiederholt (T. 5–7, 8^3–10^1, 12^2–14^1), während dazwischen modulierende Schritte eingeschaltet werden. Da die kurzen Zwischenstücke aber ebenfalls mit dem Motiv bestritten werden, das als Fortspinnung des einen und als Auftakt des anderen Kontrapunkts fungiert, wird das Schema durch eine motivische Verdichtung verdeckt, die auf die thematische Arbeit späterer Werke voranweist.

In der nicht eigens bezeichneten Eröffnung zu BWV 152 »Tritt auf die Glaubensbahn« – der ersten Kantate aus Francks Texten von 1715 – sah Dürr eine »der französischen Ouvertüre nachgebildete Einleitung«, in der vier langsame Takte einer ausgedehnten Fuge vorangehen.[60] Wie Neumann ging Dürr von der Wiederkehr motivisch starrer Blöcke aus, deren Abfolge nur harmonisch variiert werde. Demgemäß zeigt das Schema zwölf achttaktige Blöcke mit vier Kontrapunkten (a bis d), die sukzessiv eingeführt und in der vierten Phase (T. 32–39) erstmals gebündelt werden. Dieser Block wird im Stimmtausch auf anderen Stufen dreimal wiederholt, bevor er nach zwei dreistimmigen Gruppen letztmals auftritt und sich in der Eng- und Parallelführung des ersten Themas auflöst. So treffend damit das Prinzip

---

60 Ebd., S. 93 f.

bezeichnet ist, so wenig werden die Kontrapunkte innerhalb der Phasen stets genau beibehalten. Dass die Details der Stimmführung variabel sind, zeigt bereits die fünfte Phase mit der ersten Wiederholung des vierstimmigen Blocks (T. 43–50). Der synkopisch übergebundenen Figur, die im vierten Kontrapunkt (d) mit dreifacher Sequenzierung eintrat, wird hier ein weiteres Sequenzglied vorangestellt (vgl. T. 32 f. mit T. 43 f.), sodass der Stimmverlauf der im Thema angelegten Sequenz folgt. Eine kleine Variante begegnet auch in der sechsten Phase (T. 53–60), bis in der siebten die Variantenbildung auf den zweiten Kontrapunkt (b) übergreift (T. 64–70). Obwohl er hier in der Flöte liegt, wird sein erster Takt in die Oboen verlagert, während die beiden letzten Takte der Flöte die Synkopenfigur aus dem vierten Kontrapunkt der Gambe übernehmen. Die Beispiele betreffen primär den Beginn der Phasen, die dem Thema gemäß jeweils im achten Takt kadenzieren. Sofern im Kadenztakt zugleich die Zwischenstücke ansetzen, erweitert sich deren Umfang gegenüber Dürrs Schema um je einen Takt. Beide Maßnahmen greifen ineinander, um den Wechsel zwischen den thematischen Phasen und den Zwischenstücken zu überdecken, die durchweg von der Motivik der vier Kontrapunkte zehren. Mit anderen Worten: Die Permutation bildet lediglich ein konstitutives Prinzip, dessen variable Handhabung jedoch jeder Schematik entgegenwirkt.

Zwischen den kontrapunktischen Einleitungen zu BWV 182 und 152 entstanden die beiden Sinfonien aus BWV 12 und BWV 21. Als »Adagio assai« bezeichnet, deuten sie im Verhältnis zwischen Oberstimmen und Begleitung auf Modelle italienischer Konzerte zurück, mit denen Bach sich – wie Hans-Joachim Schulze zeigte – zuvor in mehreren Transkriptionen befasst hatte.[61] Dürr verwies auf den »Simultankontrast der bewegten Oberstimmen gegenüber einem ruhig schreitenden Unterbau« und gliederte den in f-Moll notierten Satz aus BWV 12 in zwei achttaktige Hälften.[62] Da die erste Gruppe das Kadenzziel auf der Dominante erst in Takt 9 erreicht, werden die Abschnitte eng verkettet. Der Satz lässt die italienischen Muster durch ein Maß an Verdichtung hinter sich, das nicht zuletzt in den begleitenden Streichern sichtbar wird. Über dem Generalbass, der in Vierteln fortschreitet, bilden die Violinen – gestützt von den Violen in Achteln – ein rhythmisches Kontinuum. Mit jeweils zwei gebundenen Sechzehnteln, die sich im weiteren Satzverlauf ausbreiten, gewinnt die Begleitung geradezu motivische Qualität. Dazu trägt auch die Oboenstimme bei, die durch ihre reiche Ornamentierung geprägt wird. Sie setzt zwar auf der ersten Taktzeit ein, die aber synkopisch übergebunden wird, sodass sich die anschließende Figurenkette auftaktig auf die nächste betonte Zählzeit richtet (Notenbeispiel 3). Ohne eine periodische Gliederung anzudeuten, wird sie durch seufzerartig fallende Kadenzglieder mit kurzen Pausen markiert (T. 6, 10, 12). Indem die weiteren Ansätze diesem Prinzip folgen, überspielt der Solopart die Zäsuren, die sich in der harmonischen Gliederung abzeichnen. Während der Satz in den ersten Takten die Tonika umkreist, wechselt er in Takt 4 zur Parallele, um danach zur Dominante zu modulieren. Auf ihr setzt in Takt 9 die zweite Satzgruppe an, die im nächsten Takt zur Tonika zurückkehrt

---

61 Vgl. Hans-Joachim Schulze, Studien zur Bach-Überlieferung im 18. Jahrhundert, Leipzig und Dresden 1984, S. 146–173 und hier besonders S. 157 ff.

62 Dürr, Studien 2, S. 92.

Notenbeispiel 3

und dann zur Subdominante lenkt. Die Kadenzen beziehen ihren Nachdruck aus der tiefalterierten zweiten Stufe (T. 7 bzw. 12), die der Dominante als »neapolitanischer Sextakkord« vorgeschaltet und über die Doppeldominante aufgelöst wird. Zusätzlich staut sich die letzte Kadenz in einem verminderten Septakkord, dessen Auflösung den Satzschluss bewirkt.

In konzentriertester Form fasst der Satz Kennzeichen zusammen, die fortan den Affektgehalt der langsamen Vokal- und Instrumentalsätze bestimmen. Zugleich erscheint er als frühes Beispiel einer Kunst, die Bach wie niemand sonst beherrschte. Denn die übergebundenen Töne, aus denen die steigenden oder fallenden Linien der Solostimme hervorgehen, verhalten sich anfangs konsonant zur Begleitung, werden aber ab Takt 6 zunehmend zu Dissonanzen geschärft, deren Auflösung in die Girlanden der Fortspinnung einmündet. Entsprechend werden die Zwischenstufen vielfach durch zusätzliche Septimen verkettet. Harmonische und melodische Disposition wirken also zusammen, um den strömenden Verlauf unterschwellig zu gliedern. Die Harmonik erscheint demnach als Resultat und Regulativ der Stimmführung, oder anders: Der kontrapunktische Satz ist ebenso die Prämisse wie die Konsequenz der harmonischen Disposition.

In der Sinfonia aus BWV 21 erweitert sich das Verfahren zur Kopplung von Solooboe und Solovioline über einem Fundament, dessen gleichmäßige Achtelbewegung mit einer motivisch neutralen Begleitung gepaart wird. Darüber bilden die Soloinstrumente einen Gerüstsatz, der partiell im doppelten Kontrapunkt angelegt ist. Die Konstruktion der zwei ersten Takte kehrt anschließend im Stimmtausch auf der Dominante wieder (T. 1–2 und 3–4), obwohl sie sich aber nochmals wiederholt (T. 8–10), ist es fraglich, ob die Takte vor der Kadenz als »Andeutung der Kontrapunkte« gelten können.[63] Denn die Gegenstimme, die erst in der Violine und dann in der Oboe liegt, bildet eher eine durch Triller markierte Kadenzformel als einen Kontrapunkt. Wichtiger ist es, dass beide Solostimmen als Kontrapunkte fungieren, weil ihnen die kontrapunktische Dissonanzbildung zufällt. Der Satz entspricht der Sinfonia aus BWV 12 nicht nur im folgerichtigen Anschluss der Gruppen, sondern auch in den fortspinnenden Figuren, die dreimal in verminderten Akkorden gestaut werden. Daher ist es zweifelhaft, dass er schon zur hypothetischen »Urform« von BWV 21 zählte.

Den größten Kontrast zu diesen filigranen Sinfonien, die auf die langsamen Mittelsätze aus Bachs späteren Solokonzerten vorandeuten, stellt die umfängliche »Sonata« zu BWV 31 »Der Himmel lacht« dar. Die Kombination von drei Trompeten und Pauken mit vier Oboen und Streichern ergibt einen ebenso prunkvollen wie starren Satz, der weithin in der Tonika C-Dur verharrt und nur zu den nächsten Grundstufen moduliert. So sehr das an der Besetzung liegt, so fraglich ist doch, wieweit dafür nur die begrenzten Möglichkeiten der Trompeter verantwortlich waren. Denn der Satz zeigt noch nichts von dem Geschick, mit dem Bach später die Trompetenstimmen selbst in dissonanzreiche Modulationsprozesse zu integrieren wusste. Das von Dürr mitgeteilte Schema, das eine fast »chiastische Form« abbildet, setzt allerdings voraus, dass man die als a und b bezeichneten Gebilde als Themen gelten lässt.[64] Während das erste, das zu Beginn und am Schluss eine sechstaktige Fanfare im Unisono bildet, mit der Reihung von Signalformeln an eine Intrada erinnert, bildet das zweite eine fallende Sequenz, deren Töne mit trillerhaften Figuren umschrieben werden. Beide Gebilde werden in den ersten 20 Takten, die am Ende in umgekehrter Reihenfolge wiederkehren, sukzessiv eingeführt und dann verbunden (T. 1–19 bzw. 51–68). Ohne ihnen weitere Kombinationen abzugewinnen, wendet sich der Mittelteil von der Dominante aus zur Subdominant- und Tonikaparallele, bis er in einer Quintschrittsequenz ausläuft. Statt von einer kontrapunktischen Kombination wäre eher von einer Mischung aus Signalformeln und Trillerfiguren zu reden, die an die festlichen Fanfarenklänge in Werken der vorangehenden Generation erinnern.[65] Wie im Fall von BWV 18:1 drängt sich der Eindruck auf, dass diese Sonata schon vor 1715 entstanden sein dürfte.[66]

Die Instrumentalsätze der Weimarer Kantaten überraschen durch die Vielfalt ihrer Strukturen. Den retrospektiven Sätzen in BWV 18 und 31, die auf die Traditionen der älteren Kantate zurückblicken, stehen die kontrapunktischen Konstruktionen in BWV 182 und 152 gegenüber, während die Sätze aus BWV 12 und 21 an italienische Konzertsätze anschließen. Die Konstellation mag eine Folge der lückenhaften Überlieferung sein, doch ist die Mischung traditioneller und aktueller Momente kein Zufall. Sie spiegelt vielmehr eine Situation, in der Bach von älteren Traditionen ausging, um sich der »madrigalischen« Kantate zuzuwenden.

63   Dürr, Studien 2, S. 93, hob nur die wenigen Takte hervor, die diesem Muster entsprechen.
64   Ebd., S. 95 f.
65   Beispiele für solche Bläserfanfaren bilden die Rahmensätze aus Buxtehudes »Gott fähret auf« BuxWV 33 und »Heut triumphieret Gottes Sohn« BuxWV 43.
66   Dass die originalen Stimmen auf das Jahr 1715 deuten, schließt so wie bei BWV 21 die frühere Entstehung einzelner Sätze nicht aus.

4. Chorsätze

a. Relikte der Permutation

Die Weimarer Kantaten (einschließlich der »Jagdkantate« BWV 208) enthalten insgesamt 19 Chorsätze, die aber höchst ungleichmäßig verteilt sind. Während 14 von ihnen schon bis Ende 1714 vorlagen, entstanden danach zunächst nur noch zwei weitere und erst im Dezember 1716 nochmals drei Chorsätze. Das lag zwar primär daran, dass Bach seit Ende 1714 Texte Francks zu vertonen hatte, die keine Chöre vorsahen. Überraschend wechselvoll ist gleichwohl die Anlage all dieser Sätze.

Am Beginn des Turnus steht mit BWV 182 ein Werk mit zwei Chorsätzen in Da-capo-Formen, deren A-Teile Permutationsfugen darstellen. Da zuvor BWV 208 zwei Chöre in Da-capo-Form enthält, deren erster – ein Sonderfall in den weltlichen Kantaten – als Permutationsfuge beginnt (Satz 11), ließe sich erwarten, dass Bach die Verfahren der Frühwerke aufzunehmen plante, die sich durch mehrere Permutationsfugen auszeichneten. Doch ist die Permutationstechnik an den weiteren Weimarer Kantaten nur noch sporadisch beteiligt, um am Ende fast gänzlich zurückzutreten. Auf BWV 182 folgt in BWV 12:2 zunächst eine Ciacona mit kontrastierendem B-Teil, danach aber begegnet in BWV 172 erstmals ein dreiteiliger Satz, dessen Außenteile ein umrahmendes Ritornell mit konzertierenden Verfahren kombinieren, wie sie Bachs früheren Werken noch fremd waren. Varianten dieses Modells finden sich erst wieder in den beiden Chorsätzen der Weihnachtskantate BWV 63, während der Mittelteil des Schlusssatzes auf das Permutationsverfahren zurückkommt. Davor stehen in BWV 21 vier ausgedehnte Chorsätze, die ausnahmsweise auf Bibeltexten basieren und dabei die früheren Techniken des Kanons und der Permutation aufgreifen. Zudem tritt hier zum Psalmtext in Satz 9 ein zweistrophiger Choral, dessen Melodik die Gegenstimmen prägt. Damit rückt der Satz in die Nähe einer traditionellen Choralbearbeitung, wie sie schon dem Schlusschor in BWV 182 voranging. Dagegen wird in BWV 61 erstmals versucht, die Form der französischen Ouvertüre mit einer Choralbearbeitung zu verbinden. Sonderfälle sind auch zwei weitere Sätze, die von Franck als »Aria« bezeichnet, von Bach aber chorisch vertont wurden. Während in BWV 31:2 Kanonbildungen und konzertante Verfahren dominieren, erinnert der Satz BWV 161:5 – wie Dürr sah – mit »liedhaften, von Ritornellen abgelösten Teilen« in überraschendem Maß »an die alte Strophenaria«.[67] Verfahren des Konzertierens kommen erst wieder in den drei letzten Chorsätzen aus der Adventszeit 1716 zur Geltung, in denen sie sich mit kontrapunktischen Techniken kreuzen.

Die vorgreifende Übersicht lässt erkennen, dass das Permutationsverfahren in den Weimarer Kantaten nicht in gleichem Maß wie in den Frühwerken dominiert. Wie sich zeigte, waren die Vorteile, die die anfängliche Bevorzugung die Permutationstechnik verständlich machten, mit beträchtlichen Einschränkungen erkauft. Das Permutationsprinzip garantierte zwar einen geschlossenen Verlauf, der durch die Versetzung der Themenblöcke erweitert werden konnte. Zudem ließen sich dabei mehrere Textglieder verbinden, sodass die bloße Reihung kurzer Abschnitte

---

67 Dürr, Studien 2, S. 110.

vermieden werden konnte. Je weiter sich das Verfahren aber verlängerte, desto spürbarer wurden seine Grenzen. Das Permutationsprinzip unterscheidet sich vom Kanon und von der mehrthemigen Fuge durch den regelmäßigen Wechsel zwischen Dux und Comes. Demnach wiederholt sich ein gleicher Stimmverband im Wechsel zwischen erster und fünfter Stufe, wobei nur die Lage der Kontrapunkte durch Stimmtausch variiert werden kann. Weitere Varianten lassen sich durch den Wechsel zwischen Favorit- und Ripienstimmen oder durch zusätzliche Instrumentalstimmen gewinnen. Und eine zusätzliche Variante ergibt sich, wenn zwei dominantisch bzw. tonikal gerichteten Perioden aneinander angeschlossen werden, wie es im Schlusschor aus BWV 182 der Fall ist.[68] Seit Bach mit dem Typus der madrigalischen Kantate zugleich auch die Auseinandersetzung mit den Prinzipien des italienischen Concerto aufnahm, musste »der ausschließliche Wechselablauf Dux-Comes« geradezu »befremdlich wirken«.[69] In dieser Einschränkung dürfte der entscheidende Grund dafür zu suchen sein, dass Bach das im Frühwerk praktizierte Permutationsverfahren in Weimar nur noch in einzelnen Satzteilen verwendete. Dass das noch zehn Jahre später für den ersten Leipziger Jahrgang galt, wird in Neumanns Studie verdeckt, weil die Permutationsfugen aus dem Kontext gelöst werden, sodass ihre Schemata dem Leser als Zentrum der Sätze erscheinen.

Die dreiteiligen Chöre aus BWV 208 und 182 zeichnen sich durch umfangreiche instrumentale Teile aus, wie sie die früheren Werke noch nicht kannten. So beginnen die Schlusschöre aus BWV 208 und BWV 182 mit Vorspielen, die am Ende wiederholt werden und damit als Ritornelle fungieren, während der Mittelteil aus BWV 208:15 zudem auch Zwischenspiele enthält. Die Sätze BWV 208:11 und 182:2 werden durch Permutationsfugen eröffnet, wobei nur BWV 208:11 ein längeres Nachspiel aufweist, das in BWV 182:2 entfällt. Bevorzugen die Mittelteile akkordischen Satz in syllabischer Deklamation, so enthalten die Eingangschöre und der Schlusschor aus BWV 182 kurze Permutationsabschnitte.

Obwohl die Permutationsfuge in BWV 208:11 fünf Kontrapunkte verbindet, wird das siebentaktige Schema nur einmal durchlaufen und im zweiten Durchgang durch freie Stimmführung ersetzt. Das Nachspiel beginnt wie eine Fuge und läuft in einer zweifachen Engführung aus, ohne jedoch zum Permutationsprinzip zurückzukehren. Carl Dahlhaus hat darauf hingewiesen, dass »die musikalisch realen Teilthemen mit den Kontrapunkten des Permutationsschemas nicht übereinstimmen«.[70] Dass sich die Melodieglieder, die durch die Kadenzen und die Textierung markiert werden, mit dem Permutationsschema kreuzen, ist freilich keine Ausnahme, sondern gehört zum Prinzip und erklärt Neumanns Rede von »Kontrapunkten« statt von Themen. Fallen die Überschneidungen in BWV 208:1 und BWV 182:2 besonders auf, so wirken sie zugleich der Gefahr entgegen, die periodische Anlage durch die Metrik der Dichtung zu akzentuieren.[71] Bach zog daraus die Konsequenz, die

---

68 Vgl. Neumann, J. S. Bachs Chorfuge, S. 51.

69 Neumann, ebd.

70 Carl Dahlhaus, Zur Geschichte der Permutationsfuge, in: BJ 1959, S. 95–110, hier S. 100.

71 Werner Neumann, J. S. Bachs Chorfugen. Ein Beitrag zur Kompositionstechnik J. S. Bachs, Leipzig [3]1953 (Bach-Studien 3), S. 22 ff. und im nicht paginierten Anhang die Notenbeispiele 6–8. Im Frühwerk fallen die Kontrapunkte nur einmal mit den Teilkadenzen zusammen (BWV 71:3 »Dein Alter sei wie deine Jugend«).

Notenbeispiel 4a

Notenbeispiel 4b

gedichteten Texte der weiteren Weimarer Werke nicht mehr mit Permutationsfugen zu verbinden.

Trotz seiner Kürze gilt der Eingangschor aus BWV 182 als Paradigma der Permutationsfuge.[72] In welchem Maß die Deklamation vom Metrum des Textes geleitet ist, zeigt sich im Vergleich mit der Aria »Dir, dir Höchster, dir alleine« aus Buxtehudes Kantate »Alles, was ihr tut« BuxWV 4 (Notenbeispiel 4a). Während dort das erste Wort gedehnt und wiederholt wird, entsprechen in BWV 182:2 den Silben im ersten Takt syllabisch textierte Achtelwerte (Notenbeispiel 4b). Im zweiten Takt eröffnen sie eine Koloratur, die zugleich die Grenze zwischen dem ersten und dem zweiten Kontrapunkt überspielt. Da das auch für die weiteren Kontrapunkte gilt, wird die vom Text vorgezeichnete Periodik in dem Maß verdeckt, in dem sich die Einsätze überlappen (T. 1–10). Doch wird die Permutationsfuge am Ende des zweiten Durchgangs von einem Imitationsabschnitt abgelöst, in dem die Periodik durch die Koloraturen der Fortspinnung verdeckt wird (T. 10–25, »Laß uns auch dein Zion sein«), während der B-Teil zwei Einklangkanons enthält, die von dichten Imitationen gefolgt werden (»Du hast uns das Herz genommen«).

> Auf den ersten Blick macht die autographe Partitur (P 103) den Eindruck einer Reinschrift, doch weist sie so viele Korrekturen auf, dass man folgern muss, Bach habe zwar ein Konzept vorgelegen, in das er aber »teilweise noch sehr stark eingegriffen« habe.[73] Während Arthur Mendel meinte, im Eingangschor habe Bach zunächst die ersten vier Takte des Soprans und dann die entsprechenden Takte der Unterstimmen geschrieben,[74] nahm Robert Marshall an, zuerst sei nur das Thema (Kp 1) im Sopran und in den übrigen Stimmen notiert worden, wonach in gleicher Weise die weiteren Kontrapunkte (Kp 2–4) ergänzt worden seien.[75] Doch zeigt das Autograph am Ende des jeweils dritten Takts im Sopran, Alt und Tenor eine verdickte Achtelnote (T. 3–5), die durch Überschreibung einer früheren Fassung entstand, wogegen ein gleicher Befund im Bass fehlt.[76]

---

72 Vgl. Dahlhaus, a. a. O., S. 95; Paul Walker, Die Entstehung der Permutationsfuge, in: BJ 1989, S. 21–41, hier S. 22 f.; Alfred Dürr, Die Kantaten von Johann Sebastian Bach, Bd. 1, Kassel u. a. ²1975, S. 24 und 84 ff.; Neumann, a. a. O., S. 22, nannte die Sätze BWV 182:2 und 8 »Schulbeispiele« der Permutationsfuge, obwohl die entsprechenden Abschnitte nur 10 von 41 bzw. 14 von 42 Takten umfassen.
73 NBA I/8, 1–2, hrsg. von Christoph Wolff u. a., 1989, KB, S. 95.
74 Arthur Mendel, Recent Developments in Bach Chronology, in: The Musical Quarterly 44, 1960, S. 283–300, hier S. 292 f.
75 Robert Marshall, The Compositional Process of J. S. Bach. A Study of the Autograph Scores of the Vocal Works, Bd. I–II, Princeton 1972, Bd. I, S. 138.
76 Nachweise für die hier genannten Korrekturen finden sich in NBA I/8, 1–2, KB, S. 96.

Weitere Korrekturen sind im Sopran und Alt der folgenden Takte zu erkennen (T. 4–5), in denen nachträglich die Klausel (Kp 4) geändert wurde. Dass die Änderungen Nahtstellen betreffen, deren Stimmführung dem Stufenwechsel des Permutationsschemas entsprechen musste, dürfte darauf hindeuten, dass die Niederschrift keinem festen Schema folgte. Eine bezeichnende Korrektur enthält der Sopran im letzten Takt der Permutationsfuge (T. 9), in dem das Thema (Kp 1) in die Flötenstimme verlegt wird, sodass der Sopran erstmals als freie Stimme erscheint. Da die erste Lesart Einklangsparallelen zum Alt ergeben hätte, musste sie im Sopran und in der duplierenden Violinstimme geändert werden. Entsprechend mehren sich im zweiten Imitationsabschnitt die Korrekturen (T. 16–18), die neben den Vokalstimmen hier auch die Flötenstimme erfassen.

Gegenüber BWV 208:11 erweist sich in BWV 182 der gesteigerte Anspruch, der auch im Vergleich der Schlusschöre sichtbar wird. Ließ sich der akkordische Satz aus BWV 208 später durch eingefügte Imitationsfelder als geistliche Parodie zum Eingangschor aus BWV 149 (1729) erweitern, so zeichnet sich der Schlusssatz aus BWV 182 durch die kontrapunktische Faktur beider Teile unter Einschluss der Ritornelle aus. Vor- und Nachspiel beginnen als dreistimmige Fugati, während der Vokalsatz im Schlusschor als Permutationsfuge angesetzt (»So lasset uns gehen in Salem der Freuden«). Sie wird nach einem zusätzlichen Instrumentaleinsatz rasch von freier Fortspinnung abgelöst, in der sich erstmals – wie Neumann hervorhob – die Möglichkeit abzeichnet, zwei »gleichnamige Blöcke« durch die Wendung zur Subdominante (bzw. Dominante) zu verketten.[77]

b. Konzertante Sätze

Dass Bach die Form der Chöre aus der »Jagdkantate« in der ersten Weimarer Kirchenkantate modifizierte, muss nicht heißen, er habe »weltliche« Formen in die geistliche Sphäre übertragen. Vielmehr werden die Möglichkeiten, die im Ritornellprinzip der modernen Arie angelegt waren, im geistlichen Bereich noch zusätzlich aufgewertet.

In eine andere Richtung führt der Eingangschor aus BWV 12, dessen A-Teil einer Ciacona gleicht.[78] Das Bassmodell, dessen chromatisch fallender Quartgang einem traditionellen Muster entspricht, wird weit strenger als zuvor in BWV 150 und 18 beibehalten, während die Kadenzen ähnlich wie in Buxtehudes Ostinatosätzen überspielt werden.[79] Nach volltaktigem Beginn setzt der viertaktige Ostinato mit Auftakt zu Takt 2 an, doch erhalten die chromatischen Stufen im $\frac{3}{2}$-Takt gleiches Gewicht, indem die erhöhte VII. und VI. Stufe auf betonter Zählzeit stehen, wogegen ihre erniedrigten Varianten jeweils doppelt erklingen (Notenbeispiel 5). Den Hintergrund bilden instrumentale Akkordfolgen, die in den Perioden 7–10 leicht variiert werden, aber stets auftaktig auf die betonte Zählzeit hinzielen. Sie umschreiben eine Quintkette, die sich ebenso in den Einsätzen der Vokalstimmen abzeichnet.

---

77 Neumann, a. a. O., S. 51.

78 Ein Formschema findet sich bei Dürr, a. a. O., S. 106 f.

79 Verf., Vokale Variationen. Buxtehudes Werke mit Basso ostinato, in: Dieterich Buxtehude. Text – Kontext – Rezeption … Bericht über das Symposion … Lübeck 2007, hrsg. von Wolfgang Sandberger und Volker Scherliess, Kassel u. a. 2011, S. 47–60.

Continuo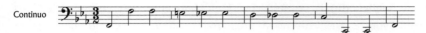

Notenbeispiel 5

Beginnend eine Sexte über dem Bass, ergeben sie zu chromatischem Bassschritt eine Septime, die sich fallend zur Sexte auflöst und am Ort der wiederholten Dominante durch doppelten Terzfall vertreten wird. In der zweiten Periode kehrt die Folge der Einsätze mit Stimmtausch wieder und wirkt trotz mannigfaltiger Varianten weiterhin nach, bis sie in den letzten Perioden erneut hervortritt. Schon in der dritten Periode wird sie von einer Imitationskette überlagert, die sich vorerst auf einen Terzanstieg mit variabler Fortführung beschränkt und zugleich mit der Auffüllung des Vokalparts paart (Per. 4–6). In dem Maße, in dem die Staffelung der Stimmen die Grenzen der Perioden übergreift, werden zugleich die Kadenzzäsuren verdeckt. Desto mehr heben sich die beiden folgenden Perioden ab, da nur hier die Stimmen in akkordischem Satz zur Quintschrittsequenz zusammengefasst werden (T. 25–32). Der Grundton des Ostinato wird mit einem Sekundakkord gebunden, der mit seiner Auflösung das Modell der nächsten Akkordfolge bildet und im melodischen Anstieg der erweiterten Kadenzgruppe kulminiert. Zwar scheinen die drei letzten Perioden auf den Beginn des Vokalsatzes zurückzugreifen, doch verbindet sich damit eine vierfache Imitationskette, nach der die letzte Periode allein den Instrumenten überlassen wird.

> Robert Marshall nahm wahr, dass die Instrumentalstimmen des A-Teils in der autographen Partitur (P 44) »appear to be newly composed«, während der Vokalpart hier fast fehlerfrei bleibe, aber im B-Teil viele Korrekturen zeige.[80] Der scheinbar widersprüchliche Befund erklärt sich zwanglos aus der verschiedenen Struktur der Teile. Da die Variierung des Bassmodells primär den kontrapunktischen Vokalstimmen übertragen ist, schrieb Bach – vermutlich nach einer vorangehenden Skizze – zuerst den Chorsatz, der nur minimale Korrekturen aufweist.[81] Dagegen konnte er den Instrumentalpart nachträglich ergänzen, weil ihm nur die akkordische Auffüllung des Satzgerüsts zufällt. Da er erst während der Niederschrift entstand, unterliefen dabei die Versehen, von denen die zahlreichen Korrekturen zeugen. Entsprechend wurde der Vokalsatz des B-Teils offenbar ohne vorheriges Konzept notiert, sodass auch er noch vielfach korrigiert wurde, während die Systeme für die duplierenden Instrumente nicht ausgefüllt wurden. Eine vorbereitende Skizze benötigte Bach also wohl nur im A-Teil, der ihm offenbar als kompositorische Hauptaufgabe galt.

Kontrapunktisches und harmonisches Denken durchdringen sich im ebenso festen wie variablen Gerüst des Satzes, den Bach 1748 zum »Crucifixus« der h-Moll-Messe umformte, indem er ihm eine instrumentale Periode vorschaltete und einen neuen Abschluss anfügte. Der Ciacona folgt in BWV 12 ein Mittelteil, in dem das Zeitmaß des ³⁄₂-Taktes durch die Vorschrift »un poc'allegro« beschleunigt wird. Ohne eine signifikante Motivik auszubilden, entfalten sich die Stimmen in einem polyphonen

---

[80] R. Marshall, a. a. O., S. 23.
[81] So im Alt T. 24 und im Tenor T. 45, vgl. NBA I/11.2, hrsg. von Reinmar Emans, 1989, KB, S. 13.

Strom, dessen Wellen durch sequenzierte Melismen geprägt werden. Er erfährt auch dort keine spürbaren Zäsuren, wo einzelne Stimmen imitierend oder gepaart neu ansetzen (T. 56 ff., 66 und 71), sodass sich die Rückkehr zum Ostinatosatz desto nachdrücklicher abhebt.

Eine wiederum neue – und entscheidende – Alternative erprobt der Eingangschor aus BWV 172 »Erschallet, ihr Lieder« (Notenbeispiel 6). Obwohl das Werk in Weimar in C-Dur notiert wurde und in D-Dur erklang und in Leipzig in beiden Tonarten aufgeführt wurde, wird hier im Anschluss an die Neue Bach-Ausgabe von der D-Dur-Version ausgegangen. Im A-Teil fungiert das Vorspiel erstmals als ein Ritornell, dessen Material im Orchester beibehalten und vom Chor übernommen wird. Zwar beschränkt es sich auf ein eröffnendes Dreiklangsmotiv mit sequenzierender Fortspinnung (T. 1–12), doch wird es zugleich durch Pausen geprägt, die im weiteren Verlauf durch verschobene Einsätze von Chor und Orchester ausgefüllt werden. Ähnlich überlagern sich in der Fortspinnung die erste Trompete und die erste Violine im Abstand eines Taktes, sodass der Eindruck einer Imitation entsteht, die allerdings nach zwei Ansätzen zur Parallelführung der Stimmen wechselt. Der prinzipiell akkordische Vokalpart wird nur zu den Sequenzen von imitierenden Ansätzen durchbrochen, doch werden sie mit instrumentalen Einwürfen gekoppelt, die die rhythmische Kontur des Incipits aufnehmen und den ganzen weiteren Verlauf bestimmen. Moduliert die erste Sequenzgruppe zur Dominante, so wird sie von einem verkürzten Ritornellzitat abgelöst. Dagegen wird die zweite durch gehaltene Septakkorde auf der Subdominante bzw. Dominante unterbrochen, die durch das Orchester ergänzt werden. Bei scheinbar einfacher Struktur kommen im Verhältnis der Bläser und Streicher durchweg Verfahren zur Geltung, die Bach im modernen Typus des Concertosatzes gewonnen hatte.

Notenbeispiel 6

Die gegensätzliche Faktur des B-Teils erläuterte Neumann als Verknüpfung eines »fugischen Vordersatzes«, der durch Engführungen »in dreierlei Abständen lineares Gepräge« trage, mit einem homophonen »starren Sequenzblock«, sodass nicht »von einer einheitlich durchgeformten Fuge« zu reden sei.[82] Doch wird der Satz nicht besser verständlich, wenn man ihn an der Elle der Fuge misst oder einer strengen Symmetrie unterwirft.[83] Bemerkenswert sind eher die variierenden Einsätze der Stimmen, die einmal zwischen drei- und zweitaktigem, danach aber zwischen zwei- und eintaktigem Abstand wechseln. Auch in der Engführung wird die Fortspinnung des Themenkopfs mit geringfügigen Varianten soweit beibehalten, dass aus ihr die Sequenzgruppen hervorgehen. Führen sie im ersten Ansatz in Terzschichtung von h-Moll zum Halbschluss nach fis-Moll, so bewahren sie im zweiten mit rasch durchmessener Quintschrittsequenz die Zieltonart fis-Moll. Damit bildet der B-Teil, in dem

[82] Neumann, a. a. O., S. 89.
[83] Dürr, a. a. O., S. 107 f.

die Trompeten schweigen und die anderen Instrumente den Vokalsatz duplieren, das Gegenbild zum A-Teil, der seine Klangpracht in der Reprise erneut entfaltet. Mit seiner prägnanten Thematik ist der Chor, der am Ende des Werkes zu wiederholen ist, ein Muster für spätere Festchöre im ⅜-Takt.[84]

Dass die Chorsätze aus BWV 21 vergleichsweise »altertümlich« erscheinen,[85] wird erst dann einsichtig, wenn man sich nicht an den Aufführungsdaten orientiert, sondern auf weitere Experimente vorgreift. Im Eingangschor aus BWV 61 »Nun komm, der Heiden Heiland« wählte Bach das Modell der französischen Ouvertüre, das er mit der traditionellen Choralbearbeitung verschränkte. Den Grund der Kombination wollte man in der Absicht sehen, den zur Adventszeit »einziehenden König« mit einer höfischen Ouvertüre »zu begrüßen«.[86] Doch gilt diese Deutung nicht für die Eingangschöre aus BWV 20 »O Ewigkeit, du Donnerwort« (1724) und BWV 97 »In allen meinen Taten« (1734), in denen dasselbe Modell verwendet wird.[87] Wichtiger war der Versuch, mit der Ouvertüre eine instrumentale Form in die Kantate zu überführen. Die vier Choralzeilen, die durchweg auf halbe Noten gedehnt werden, verteilen sich auf die dreiteilige Form der Ouvertüre. In die ausgeschriebene Wiederholung des langsamen ersten Teils wird die erste Zeile eingefügt, die zunächst von Sopran und Alt und danach von Tenor und Bass gesungen wird (T. 1–12 = 13–24). In den drei ersten Takten zitiert der Generalbass die erste Choralzeile, die damit insgesamt sechsmal erklingt. In eine angehängte Taktgruppe, die zur Tonikaparallele moduliert, wird die zweite Zeile als Kantionalsatz integriert (T. 24–32), während die letzte Zeile, die melodisch der ersten entspricht, in den langsamen Schlussteil eingefügt wird (T. 85–93). Dem fugierten Mittelteil im ¾-Takt mit der Angabe »gai« ist die dritte Zeile vorbehalten (T. 33–84). In den A-Teil fügt sich die erste Zeile als viertaktige Gruppe ein, die mit geringfügigen Varianten von der Tonika a-Moll nach e-Moll transponiert wird und damit die Verlagerung der Melodie von Sopran zu Alt bzw. Tenor zu Bass ermöglicht. Weitere Eingriffe bedingt der Kantionalsatz zur zweiten Zeile, die mit der Modulation zur Tonikaparallele eine Modifikation des Instrumentalparts veranlasst, während die letzte Zeile mit Varianten des harmonischen Anschlusses auf das Modell des Anfangs zurückgeht. Dagegen entspricht der Mittelteil einer Choralmotette mit duplierenden Instrumenten, in der die dritte Choralzeile zum Thema einer Vokalfuge umgebildet wird. Die erste Durchführung besteht aus zweistimmigen Kanons in der Unterquart, deren Transpositionen in melismatischen Sequenzen münden (T. 34–58). Im weiteren Verlauf werden Haltetöne des Soprans und Alts (T. 58 ff. und 78 ff.) mit Einsätzen in wechselnden Abständen gepaart, deren Fortspinnung in Sequenzen ausläuft (T. 78–84). Die Choralfuge unterscheidet sich also durch ihre motivische Konzentration von der Choralmotette BWV 182:7.[88]

---

84 Berühmtestes Beispiel ist die Parodie von BWV 214:1 im Eingangschor des Weihnachtsoratoriums.
85 Dürr, Die Kantaten, Bd. 2, S. 344.
86 Ders., ebd., Bd. 1, S. 96.
87 Vgl. dazu Verf., Französische Ouvertüre und Choralbearbeitung: Stationen in Bachs kompositorischer Biographie, in: Gedenkschrift Stefan Kunze (Schweizer Jahrbuch für Musikwissenschaft, NF 15, 1995), S. 71–92.
88 Die erhaltene Partitur (P 45) erweist sich zwar für die Sätze 2–6 als Autograph, da der Eingangschor aber von einem Weimarer Kopisten geschrieben wurde, lässt sich hier Bachs Arbeitsweise nicht verfolgen (vgl. NBA I/1, hrsg. von Alfred Dürr, 1954, KB, S. 10).

4. Chorsätze 79

Falls die Kantate BWV 63 »Christen, ätzet diesen Tag« zum 1. Weihnachtstag 1714 entstand, läge sie am Ende der Werkreihe, die Bach vor Francks Texten für 1715 schrieb und durch besonders individuelle Chorsätze auszeichnete. In diese Serie fügen sich die Chorsätze aus BWV 63 insofern ein, als sie einerseits Da-capo-Formen bilden und andererseits den Versuch machen, die konzertante Technik, die in BWV 172 erprobt worden war, mit kontrapunktischen Verfahren zu verbinden. Beidemal werden die A-Teile von Ritornellen umrahmt, deren Motivik auch die Zwischenspiele prägt. Der Eingangschor, dessen A-Teil Dürr als »doppelstollig« charakterisierte,[89] beginnt in akkordischem Satz, der durch einen vorgeschalteten Sopraneinsatz aufgelockert wird. Beide »Stollen« münden in Fortspinnungsphasen, die durch paarig angeordnete Kanons gekennzeichnet sind (T. 33–58 und 61–89). Während im ersten »Stollen« ein Unterquartkanon der Oberstimmen durch einen Quintkanon der Mittelstimmen ergänzt wird (T. 41–55), folgt im zweiten einem Quintkanon der Außenstimmen ein kanonischer Ansatz der Mittelstimmen (T. 73–85). Der Kanon der Außenstimmen basiert zugleich auf Sequenzketten, die in steigenden Sekunden von C-Dur nach e-Moll modulieren und in fallenden Terzen von G-Dur nach C-Dur zurückführen. Auch der dreigliedrige Mittelteil beruht auf kanonischen Einsätzen in Bass und Alt bzw. Tenor und Sopran, die von a- nach e-Moll modulieren (T. 141–155), während der akkordische Satz der Außenglieder, die in a-Moll beginnen und von e-Moll nach G-Dur führen, durch Imitationen der Außenstimmen aufgelockert wird (T. 121–132 bzw. 159–168). Entscheidend ist, dass alle Teile durch das Material des Ritornells verklammert werden, von dem auch die Zwischenspiele des B-Teils zehren, während die Instrumente sonst den Vokalpart verstärken. Zwar duplieren sie auch die kanonischen Glieder des A-Teils, unverkennbar ist jedoch die Absicht, das Kopfmotiv des Ritornells mit den Einwürfen der Trompeten und Holzbläser einzuflechten.

Eine ähnliche Funktion hat das Ritornell des Schlusschors, das sukzessiv den Trompeten-, Oboen- und Streicherchor einführt, um danach die Instrumente zu verbinden. Wiederum sind es die akkordisch gefassten Außenglieder, die im A- wie im B-Teil mit kurzen Einwürfen oder Zwischenspielen die Motivik des Ritornells aufgreifen, während die kontrapunktischen Phasen ohne obligate Instrumente auskommen. Im Zentrum des A-Teils steht eine Variante der Permutationsfuge (»Höchster, schau in Gnaden an«), der im B-Teil ein dichtes »Imitationsgeflecht« entspricht (»daß uns Satan möge quälen«). Neumann zufolge versuchte Bach im A-Teil, »ein für das Permutationsverfahren denkbar ungeeignetes Blockpaar in einen zwischenspiellosen Reihungsablauf hineinzuzwingen«.[90] Das Verfahren geht von einem sequenzierten Quartgang aus (Alt, T. 14–15: c^1-f^1, d^1-g^1), der zur Quinte und bei realer Beantwortung eine weitere Quinte höher führt (Tenor, T. 15–16: g-c^1, a-d^1), sodass sich ihm auch die drei weiteren Kontrapunkte anpassen müssen. In Neumanns Sicht wird »die dominantisch modulierende Hauptmelodie (›regelwidrig‹) durch eine weitere Dominant-Modulation real beantwortet«. Da kein Block auf der Tonika anschließen könne, werde ein »Zwischenstück« eingeschoben, das nach C-Dur zurücklenke

---

89 Zu weiteren Details vgl. Dürr, Studien 2, S. 108 f.

90 Vgl. dazu Neumann, a. a. O., S. 30 sowie das Schema S. 31 und die Thementafel 16.

(T. 17–18). Doch bildet die reale Beantwortung keine »Dominant-Modulation«, weil sie zur zweiten Stufe d-Moll führt, sodass nach einem dominantischen Zwischenschritt die Tonika folgen kann. Demnach muss man in dem »Zwischenstück« keine »Notlösung« sehen, die »Bach nicht befriedigt« und daher zu anderen Lösungen getrieben habe (T. 23 und 29).[91] Dass die Einschübe ebenso sequenzierend angelegt sind wie die Themenblöcke, zeigt die stufenreiche Harmonik der Gruppen. Die Korrespondenzen zielen darauf ab, das starre Permutationsschema aufzubrechen. Auch das »Imitationsgeflecht« des B-Teils beruht auf der Kombination dreier Themen, die wiederum auf wechselnden Stufen ansetzen und am Ende zusätzliche Einsätze der Instrumente erlauben (T. 51–63).[92] Offenkundig dient der Stufenwechsel ebenso wie das »ungeeignete« Fugenthema dem Ziel, wie im Eingangschor die Harmonik der kontrapunktischen und der konzertanten Satzteile zu erweitern.

c. Motettische Sätze

Die Chorsätze der Kantate BWV 21 »Ich hatte viel Bekümmernis«, die vielleicht einer älteren Fassung entstammen, sind gewiss ebenso eindrucksvoll wie die anderen Chöre, von denen bisher die Rede war. Dass sie dennoch auffallend traditionell wirken, liegt weder an ihrer Textbasis, die auf Psalmverse statt auf Dichtungen zurückgeht, noch an der motettischen Struktur, an der die Instrumente weithin nur duplierend teilhaben. Wie die Mühlhäuser Werke weisen auch diese Sätze mehrere im Zeitmaß abgestufte Teile auf, wobei der harmonische Radius der kontrapunktischen Phasen spürbar enger ist als in anderen Weimarer Chören. Einer Kanonkette in Satz 2 treten in Satz 6 eine Permutationsfuge und in Satz 9 eine Motette mit Choraltropierung gegenüber, während der wohl später entstandene Schlusschor das Permutationsprinzip mit konzertanten Verfahren verbindet.[93]

Der Aufbau des ersten Chorsatzes wirkt zunächst denkbar einfach. Nach drei eröffnenden Akkorden, die durch das dreimalige Wort »Ich« die Kritik Matthesons auf sich zogen,[94] werden sechs Sekundkanons durch vier Unterquartkanons ergänzt, die von einem dreistimmigen Kanon abgelöst werden, bis die Kanonkette bei Eintritt des Soprans durch einen Sekundkanon vervollständigt wird.[95] So schematisch die Konstruktion anmutet, so kunstvoll wird sie zugleich differenziert. Zum einen werden die Kadenzen durch Zwischenspiele überbrückt, in denen die Instrumente partiell obligat mitwirken, zum anderen markieren sie die kanonischen Einsätze durch Akkordschläge, die während der letzten Phase in jedem Takt wiederkehren. Die Einsätze des dreistimmigen Kanons umschreiben einen steigenden Skalengang im Rahmen einer Sexte (T. 30–33), während die Kadenzen dadurch überbrückt

---

91 Ebd., S. 31. Dass Neumann in einem Satz, den er nach Spitta erst 1723 datierte, dennoch Zwänge und Notlösungen sah, beweist erneut, dass seine Sicht vom Ideal der strengen Permutationsfuge geleitet war.

92 Ebd., S. 9. Dürr, Studien 2, S. 108 f., beobachtete die metrische Übereinstimmung zwischen dem Eingangs- und dem Schlusschor, die es ermöglicht hätte, wie in BWV 172 zum Abschluss den ersten Satz zu wiederholen.

93 Zu den Chorsätzen vgl. Eric Chafe, Analyzing Bach Cantatas, Oxford 2000, S. 52, 55 f. und 63–69.

94 Vgl. Johann Mattheson, Critica Musica, Hamburg 1725, Nachdruck Hilversum 1994, S. 368.

95 Vgl. dazu Neumann, a. a. O., S. 10, sowie Dürr, Studien 2, S. 100 f.

werden, dass innerhalb ihres Ablaufs der folgende Kanon ansetzt. Indem die Kanons durch Kadenzen markiert und zugleich ineinander verschränkt werden, überspielen sie die Begrenzung des harmonischen Ambitus, der zwischen c- und g-Moll pendelt und erst gegen Ende nach Es- und As-Dur moduliert. Dem Einwand, die Einsatzfolge führe durch die Kette syllabisch textierter Achtel zu rhythmischer Monotonie, wäre entgegenzuhalten, dass das scheinbare Gleichmaß den Klagen des Textes durchaus angemessen ist. Desto wirksamer setzt nach einem gedehnten Quintsextakkord (»aber«) das »Vivace« ein (»deine Tröstungen erquicken meine Seele«), das in zwei Quintketten ausläuft. Während die erste in der Dominante G-Dur beginnt und auf der Tonikaparallele Es-Dur endet, reicht die zweite bis As-Dur, um mit einem »phrygischen« Bassschritt die Dominante zu erreichen. Beidemal werden die Sequenzen in Koloraturen durchlaufen, sodass die Zwischenstufen kein eigenes Gewicht erhalten.

Kein anderer Satz fällt aus der Weimarer Reihe derart heraus wie die Permutationsfuge »Daß er meines Angesichtes Hilfe« aus BWV 21:6, die Neumann ein »Nachbild der Schlußfuge« aus der Ratswahlkantate BWV 71 nannte.[96] Anders als dort wird die zweite »Durchführung« von den Instrumenten übernommen, die anschließend den Vokalpart duplieren. Dass das Verfahren auf 15 zweitaktige Phasen erweitert wird, hat zur Folge, dass sich 30 Takte lang analoge Blöcke auf Tonika und Dominante ablösen (T. 43–72). Wie Neumann wahrnahm, bilden die Kontrapunkte 3 und 5 am Ende der letzten Phase (T. 70–71) Oktavparallelen, die in den analogen Takten vermieden werden.[97] Ergänzend verwies Hofmann auf »Fehler« im Verhältnis zwischen den Kontrapunkten 1 und 5, die darauf schließen lassen, dass der Kontrapunkt 5 erst bei der nachträglichen Erweiterung einer zunächst auf vier Themen begrenzten Vokalfuge mit duplierenden Instrumenten hinzugefügt worden sei.[98]

1–10	11–25	26–42	43–72	73–75
Adagio, ¾	Spirituoso, ¾	Adagio, ¾	¢ (Permutationsfuge)	Adagio, ¢
Was betrübst du dich, meine Seele,	und bist so unruhig	in mir? Harre auf Gott, denn ich werde ihm noch danken,	daß er meines Angesichtes Hilfe	und mein Gott ist.
f-Moll	As-Dur	Quintfallsequenzen	G-Dur – c-Moll	c-Moll

Der Permutationsfuge geht eine mehrgliedrige Eröffnung im ¾-Takt voran, in der ein »Spirituoso« von zwei Abschnitten mit der Angabe »Adagio« umrahmt wird. Der zweite Abschnitt besteht aus zwei Quintfallsequenzen, die von der Tonika aus

---

96 Neumann, a. a. O., S. 20, vgl. auch Dürr, a. a. O., S. 99.

97 Neumann, a. a. O., S. 21 sowie Tafel 4.

98 Vgl. Klaus Hofmann, Anmerkungen zu Bachs Kantate »Ich hatte viel Bekümmernis« (BWV 21), in: BJ 2015, S. 167–176, hier S. 172 f. Hofmann vermutete, die Oboenstimme sei erst nachträglich ergänzt worden. Da der Kontrapunkt 5 in der monierten Gestalt nur einmal auftritt (T. 70), während er in den entsprechenden Takten verändert wird, ist es fraglich, welche Version als gültig gelten soll. Unbeschadet aller »Fehler« wurde der Satz 1723 in der überlieferten Fassung aufgeführt.

den Oktavraum unter Einschluss des Tritonus durchlaufen (T. 11–25, »und bist so unruhig in mir«). Beide Abschnitte bilden Kanons über ein Thema, das in fallenden Sekunden den zugrunde liegenden Quintraum durchschreitet. Während die Einsätze zuerst in ganztaktigem Abstand wechseln, folgen sie sich später nach einem halben Takt. Zugleich unterscheiden sie sich in der Funktion der Instrumente, die den Vokalsatz anfangs mit eigenen Figuren ergänzen, um ihn danach zu duplizieren.[99] Das eröffnende Adagio (T. 1–10) gliedert sich in zwei Ansätze, in denen die Frage (»Was betrübst du dich«) zunächst auf einem Quintsextakkord abbricht und erst nach einer Pause fortgeführt wird (»meine Seele?«). Während der erste Ansatz in f-Moll dem Favoritchor vorbehalten ist, wird der zweite, der von As-Dur aus mit »phrygischem« Schritt des Basses in C-Dur endet, vom Tutti ausgefüllt. Das abschließende Adagio dagegen (T. 26–42) ergänzt den fragenden Text des Spirituoso (»in mir«), bevor in Es-Dur der eigentliche Hauptteil ansetzt, um sogleich in einem viertaktigen Halteton innezuhalten (»Harre auf Gott«). Beredter noch ist das Zwischenspiel, das für vier Takte auf dominantischem Orgelpunkt verharrt und von der exponierten Oboe bestritten wird.

Dagegen wird die Spruchmotette in Satz 9 durch ihre Verbindung mit zwei Choralstrophen geprägt, sodass auf sie im Zusammenhang mit den übrigen Choralsätzen zurückzukommen ist. Anders verhält es sich mit dem monumentalen Schlusschor (Satz 11), der vielleicht erst 1714 ergänzt worden ist. Im Kern handelt es sich um eine Permutationsfuge, die sich auf zwei Durchläufe beschränkt. Zwar wirken die Blöcke, die jeweils dreieinhalb Takte umfassen, im steten Wechsel von Tonika und Dominante harmonisch etwas schlichter als sonst. Sobald aber die volle Stimmenzahl erreicht ist, werden die weiteren Einsätze durch fanfarenartige Einwürfe der Trompeten markiert. Mit dem Auslauf der Fuge wird das angehängte »Amen« verschränkt, dessen Koloraturen zu einem engen Imitationsnetz auf der Basis einer Quintschrittsequenz verkettet werden.[100] Wird zweimal das Fugenthema eingeblendet, so tritt es zuerst als vokales Unisono in d-Moll (T. 47–50) und danach akkordisch gerafft ein (T. 55–58). So wenig eine »Verquickung der Permutationsfuge mit der barocken Konzertform« vorliegt,[101] so deutlich wird das Permutationsschema durch konzertante Verfahren überlagert, die den Satz in die Nähe der Chorsätze aus BWV 182, 63 und 31 rücken.

Im Eingangschor der Osterkantate BWV 31 »Der Himmel lacht« werden die Einsätze des Fugenthemas wie in BWV 21:11 durch Fanfaren der Trompeten markiert. Allerdings liegt in BWV 31 kein Spruchtext, sondern eine als »Aria« bezeichnete Dichtung zugrunde, und so handelt es sich auch um keine Permutationsfuge. Vielmehr folgt der Verlauf den Vorgaben des Textes in einer Anlage mit zwei »Stollen«, die durch einen zweigliedrigen »Abgesang« ergänzt werden.[102] Im ersten Teil durchläuft das Fugenthema die fünf Vokalstimmen, doch werden nur die drei

---

99 Ebd., S. 171.
100 Vgl. das Schema bei Dürr, a. a. O., S. 104.
101 So Neumann, a. a. O., S. 21. Ebd., S. 22, heißt es: »In T. 47–50 wird unvermittelt auf die Takte 15–18 wörtlich zurückgegriffen«, doch unterscheiden sich die beiden Taktgruppen nach Tonart, Besetzung und Satzart.
102 Vgl. Dürr, Studien 2, S. 100, sowie Neumann, a. a. O., S. 51, Anm. 102.

ersten Einsätze durch akkordische Einwürfe der Trompeten abgehoben, während sich der Satzverband bei Eintritt der übrigen Stimmen auffüllt. Vom festlichen Tutti-satz in C-Dur, der im ersten Teil doppelt erklingt (T. 1–22 ~ 23–42), heben sich die Zeilen des zweiten Teils durch ihr Zeitmaß und ihre Satzart ab. Zum einen setzen erstmals die Trompeten aus, während die Streicher und Oboen wie zuvor colla parte mitwirken. Zum anderen werden beide Zeilen in einem »Adagio« in a-Moll zusam-mengefasst (T. 43–50). Schließlich aber wird die letzte Zeile in einem kanonischen Satz wiederholt, dessen Thema von d- bzw. g-Moll aus die paarig geführten Ober- und Mittelstimmen durchläuft, bis der Einsatz des Basses durch einen zusätzlichen Einsatz des ersten Soprans ergänzt und in einem Anhang nach C-Dur zurückgeführt wird (T. 51–63). Dass die ersten acht Takte danach in einer instrumentalen Vari-ante wiederkehren, bewirkt zwar eine formale Abrundung, rückt aber den Satz, der sonst nur kurze instrumentale Einwürfe kennt, nicht nachträglich in die Nähe eines Concerto.

d. Zur chorischen Aria

Wie sich vokale Fuge und obligater Instrumentalpart vorerst noch ausschließen, so stehen sich auch kontrapunktische und konzertante Strukturen gegenüber, ohne schon solche Kreuzungen zu erlauben, wie sie den drei letzten Weimarer Chorsätzen vorbehalten bleiben. Zuvor vertonte Bach in BWV 161 »Komm, du süße Todesstunde« einen von Franck als »Aria« bezeichneten Text nochmals als Chorsatz. Dass die Wahl nicht wie in BWV 31 auf die erste, sondern auf die letzte Aria fiel, dürfte mehrere Gründe haben. Zwar sprechen beide Texte vom Sehnen der Seele nach Tod und Erlösung, im Unterschied zur ersten Aria gleicht aber die letzte mit acht vierhebigen Zeilen und einfachem Reimschema (aa bb cc dd) einer schlichten Liedstrophe, die sich daher dem Chor übertragen ließ. Ihre chorische Besetzung schließt sie zugleich mit dem anschließenden Schlusschoral zusammen, der seinerseits den Bogen zum Eingangssatz schlägt, indem er die dort zitierte Weise »Herzlich tut mich verlangen« mit der letzten Textstrophe des Liedes verbindet. Für Bach stellte sich die Aufgabe, im Chorsatz den Ton der strophischen Aria zu bewahren und zugleich zu differenzie-ren. Statt dem Schema der Verspaare zu folgen, liegen den beiden ersten Chorblöcken je drei Zeilen zugrunde, während im dritten Block die zwei übrigen Zeilen folgen. Sie werden demnach als Verspaar erhalten, das zugleich dadurch hervorgehoben wird, dass die vorletzte Zeile mehrmals wiederholt und nach einem Ritornellzitat mit der letzten Zeile verbunden wird. Diese Gliederung, die weniger der Form als dem Sinn des Textes folgt, wird in Dürrs Schema durch eine formale Symmetrie überlagert, die mit den vollständigen Ritornellen am Beginn und am Schluss »eine chiastische Bogenform« ergibt.[103] Die äußeren Ritornelle flankieren zwei Rahmenteile (A und A′), die sich ähnlich wie die beiden Binnenteile (B und B′) entsprechen, während sich die Varianten auf Kürzungen und harmonische Differenzen zu beschränken scheinen, die auch im Verhältnis der eingeschalteten Ritornelle zu beobachten sind:

---

103 Dürr, Studien 2, S. 111. In der Wiedergabe sind dem Schema Dürrs nur die vorangestellten Taktzahlen hinzugefügt.

1–16	17–32	33–40	41–58						59–70	71–80		81–85	85–96		97–112			
Ritornell	A	Rit.	B						Rit.	B′		Rit.	A′		Ritornell			
a b a a	a a b c	a	c	d_a	d_a	d_a	e_a	c′	b a c	d_a	d_a d_a	a	a a c″		a b a a			
T ___	D ___	Tp	D ___ Dp ___						Sp _ T ___				T D	T ___				

Anders stellt es sich dar, wenn man nicht nur die Zuordnung der Zeilen, sondern auch den Umfang der Teile und ihre Kombination mit der Ritornellmotivik einbezieht. Auf den ersten Chorblock im A-Teil entfallen die Zeilen 1–3, während die Zeilen 4–6 als zweiter Block dem Binnenteil B zugehören. Ihm würde der B′-Teil entsprechen, der aber nur von der Bitte in Zeile 7 ausgefüllt wird (»Jesus, komm, und nimm mich fort«). Dagegen unterscheidet sich der Teil A′ vom Teil A dadurch, dass diesmal nicht drei Zeilen, sondern nochmals Zeile 7 und die einmal erklingenden Schlusszeile 8 unterlegt werden (»dieses ist mein letztes Wort«). Da das dazwischenliegende Ritornellzitat auf vier Takte schrumpft, verfließen die Teile B′ und A′ zu einem dritten Chorblock. Dem Ritornell entsprechend, bestehen die vokalen Abschnitte aus viertaktigen Gruppen, denen jeweils eine Textzeile unterlegt wird. Davon ausgenommen sind die Teile B und B′ mit 18 bzw. 10 Takten, obwohl auch ihnen Viertakter zugrunde liegen. Die Differenzen resultieren daraus, dass die paarigen Ober- und Unterstimmen um zwei Takte versetzt eintreten, sodass sich zwei gleichsam überschüssige Takte ergeben.[104] Die Kreuzung der Stimmpaare hat nicht nur metrische Folgen, sondern verbindet sich mit der Erweiterung des harmonischen Radius. Die mittleren Abschnitte setzen trotz unterschiedlicher Textierung mit Quintschrittsequenzen an, die im B-Teil von E-Dur nach G-Dur lenken und in e-Moll kadenzieren (T. 41–58), während sie im B′-Teil von A-Dur nach C-Dur führen (T. 71–80).

Die symmetrische Anlage verschränkt sich also mit der Gliederung in drei Chorblöcke, die mit dem Material des Ritornells kombiniert werden. In der zweiten Hälfte des ersten Chorblocks A (T. 25–30) treten die Flöten mit dem zweiten und vierten Viertakter des Ritornells hinzu und begleiten im Wechsel mit den Violinen auch den zweiten Chorblock B (T. 41–58). Dagegen ergänzen die Streicher die Quintketten des zweiten und des letzten Chorblocks mit gehaltenen Akkorden, während sie in der Schlusszeile zurücktreten. Freilich sind die Kombinationen bereits im Ritornell angelegt, sofern die Streicher anfangs die erste Liedzeile intonieren, zu der die Flöten mit Akkordbrechungen hinzutreten. Das hat zur Folge, dass die Zwischenspiele an die erste Liedzeile erinnern, während die ergänzenden Figuren zwischen Flöten und Violinen wechseln.

Die schlichte Liedstrophe forderte Bach zur formalen Differenzierung heraus und gab ihm zugleich Anlass, erstmals längere Phasen des Chorsatzes mit dem Material des Ritornells zu kombinieren. Das fordert von den Interpreten, dem dreitaktigen Metrum – das keinem Tanztyp gleicht – mit einem Tempo Rechnung zu tragen, in dem die Vielschichtigkeit des Satzes zur Geltung kommen kann. Der

---

104 Dabei kann kaum »der Eindruck eines primitiven paarigen Quintkanons« (so Dürr, S. 111) entstehen, weil die Stimmführung schon nach wenigen Takten abweicht.

Vokalpart beschränkt sich zwar anfangs auf ein akkordisches Gerüst, in dem sich nur zweimal paarige Imitationen andeuten. Doch verbinden sich damit ausgreifende Quintketten, die den Stufenvorrat spürbar bereichern.

e. Fuge versus Concerto

Für Bach lag der nächste Schritt in der Aufgabe, die obligaten Instrumente mit dem kontrapunktischen Satz so zu kombinieren, dass die Permutationsfuge von komplexeren Verfahren abgelöst werden konnte. Nach den beiden Chören mit Arientexten konnte er erst im Dezember 1716 wieder an die Reihe der Eingangschöre des Jahres 1714 anschließen. Denn entsprechende Textvorlagen boten erst wieder – vielleicht auf Bitten Bachs – die drei letzten Weimarer Kantaten, die bereits zu Franks Jahrgang zum Kirchenjahr 1716/17 zählten. Obwohl die Werke zumeist nur in Leipziger Quellen vorliegen, scheinen die Chorsätze auf die Weimarer Fassungen zurückzugehen. Deutlicher als zuvor spiegeln sie das Bemühen, die kontrapunktische Arbeit mit einem obligaten Instrumentalpart zu verbinden. Dem Concertosatz in BWV 70a, der zwischen den Ritornellen mit Choreinbau unterschiedliche Episoden bietet, folgt in BWV 186a ein Chorsatz, in dem der Instrumental- und der Vokalpart aus der gleichen kontrapunktischen Konstruktion hervorgehen, bis in BWV 147a erstmals der Ausgleich zwischen vokaler Fuge und instrumentalem Concerto erreicht wird. Ohne die Chronologie zu kennen, konzentrierte sich Neumann auf die kontrapunktischen Abschnitte aus BWV 186a und 147a. Beide Sätze erschienen ihm als Muster harmonischer Symmetrie, nicht ohne kritischen Unterton erkannte er aber den »Einbaucharakter der Chorstimmen« in BWV 147a an »ihrer thematischen Dürftigkeit«.[105] Dagegen hob Dürr »die Technik des Choreinbaus« im Satz aus BWV 70a hervor, während er die drei Chorsätze als symmetrische »Rondoformen« charakterisierte.[106] Indessen impliziert der Begriff »Symmetrie«, der eher für die Architektur als für die Musik gilt, ein Maß an Stabilität, das auf Bachs Kunst kaum zutrifft. Dennoch kann ein Schema nur skizzenhaft den prozessualen Verlauf der Musik andeuten.

Der Eingangschor aus BWV 70a »Wachet! betet! betet! wachet!« schließt so deutlich wie kein anderer seit BWV 172 an das Prinzip des Concertosatzes an. Eine zweitaktige Trompetenfanfare, die von der Oboe und den Streichern erst im Unisono und dann in akkordischer Füllung ergänzt wird, eröffnet das ungewöhnlich lange Ritornell. Nach einer dreitaktigen Quintschrittsequenz folgt die Fortspinnung mit gebrochenen Figuren, deren stetige Saitenwechsel auf die Modelle des italienischen Violinkonzerts zurückgehen. Über einer chromatisch steigenden Basslinie, die in repetierte Achtel aufgelöst wird, akzentuieren verminderte Akkorde in doppel- bzw. subdominantischer Funktion eine Kadenzfolge, die am Ende in die Wiederholung der eröffnenden Fanfare einmündet. Seine Funktion als Ritornell erweist der Instrumentalsatz in den Phasen, in denen er im Vokaleinbau mit der ersten Textzeile kombiniert wird. Anfangs auf die ersten fünf Takte beschränkt, erstreckt sich der Vokal-

---

105 Zu BWV 186a und 147a vgl. Neumann, a. a. O., S. 69 f. (mit Anm. 151) und S. 55 f. (Zitat ebd., S. 56). Dass Neumann sich daran stieß, dass in BWV 147a im Chorsatz verschiedene Textglieder gleichen Phasen des Ritornells unterlegt werden, bezeugt nur erneut das konventionelle Missverständnis vom Primat der Texte.
106 Dürr, Studien 2, S. 112–114.

einbau mit zwei weiteren Phasen auf das gesamte Ritornell unter Einschluss seiner Fortspinnung. Zu den Worten »Wachet! betet!« geht ein eintaktiger Vorbau voran, der mit einer imitierten Skala und Dreiklangsbrechungen als Weckruf fungiert. Dagegen entsprechen dem Wort »betet« gehaltene Akkorde, die anfangs die Quintkette aus der Eröffnung und später die Klangfolge der Fortspinnung ausfüllen.

1–17 (1–5, 6–14, 15–17)	17–22 (18–22 ~ 1–5)	23–28	28–44 (~ 1–17)	44–49	50–59	63–80 (~ 1–17)
	Zeile 1	Zeile 1	Zeile 1	Zeilen 2–3	Zeilen 4–5	Zeile 1
Ritornell	Rit. + Chor	Annex	Rit. + Chor	Einschub a	Einschub b	Rit. + Chor
T	T	T–D	D	D–T	D–Dp	T

So fest der Rahmen des Ritornells ist, so unterschiedlich sind die Zwischenphasen angelegt. Das erste Ritornellzitat wird durch einen dominantisch modulierenden Anhang erweitert (T. 23–28), der auf die imitierende Anlage des Vorbaus zurück-geht und zu gleichem Text fünf Takte umfasst. Da er in das Ritornell mit Chor-einbau übergeht, erscheint er eher als Annex denn als Kontrast. Davon unterschei-det sich der längere zweite Einschub insofern, als ihm die vier restlichen Zeilen zugeteilt werden (T. 44–59). Zudem beginnt er als imitatorischer Vokalsatz, der erst nach drei Takten durch die Streicher gestützt wird, während die Ritornellmotivik erneut einsetzt, sobald die Stimmen akkordisch gebündelt werden. Dieser Einschub könnte als Mittelteil einer dreiteiligen Form erscheinen, doch folgt ihm nur noch das letzte Ritornell mit Chor, das kaum als verkürzte »Reprise« gelten kann. Orien-tiert man sich am Concertosatz, so liegen zwei »Episoden« vor, die sich dadurch unterscheiden, dass die erste aus dem Kontext hervorgeht, während die zweite schrittweise integriert wird.

Die Keimzelle des Eingangschors aus BWV 186a »Ärgre dich, o Seele, nicht« sah Neumann in einer doppelmotivischen Konstruktion, die im ersten Takt des Vorspiels auf der Tonika eingeführt wird.[107] Dabei verdeckt der Kontrapunkt der Oberstimme das in der Viola liegende Thema, das später in seiner vokalen Fassung erscheint. Indem die Konstruktion im zweiten Takt mit Stimmtausch auf der Dominante wiederkehrt (T. 1–3), verhalten sich beide Gruppen zueinander wie Dux und Comes, ohne jedoch eine Fuge zu eröffnen (Notenbeispiel 7). Vielmehr schließen sich drei weitere Zweitakter an, die das Thema auf der Dominante fortspinnen (T. 3–5), über eine Quintschrittsequenz zur Tonika zurückkehren (T. 5–7) und in ihr abschließend kadenzieren (T. 7–9). Bevor diese Konstruktion im Vokal- und Instrumentalpart erneut ansetzt, wird – mit Dürr zu reden[108] – ein devisenartiger »Vorbau« eingeschal-tet, in dem die gestaffelt einsetzenden Vokalstimmen das melismatisch erweiterte Textincipit vorwegnehmen, während die Instrumente die Kadenzgruppe ergänzen (T. 9–12, 12–14). In welchem Maß das Vorspiel den Kern des Satzes umfasst, zeigt der thematische Ansatz ab Takt 14, in dem zuerst Alt und Sopran als Dux und Comes das Hauptthema der zwei ersten Takte übernehmen, dessen Kontrapunktierung

---

107 Vgl. Neumann, S. 69.
108 Dürr, a. a. O., S. 113.

Notenbeispiel 7

den Violinen (bzw. Oboen) zufällt, um dann den rückmodulierenden Takten Platz zu machen (T. 14–16 ~ 1–3, 16–18 ~ 5–7). Wenn sich das Modell im Tenor und Bass wiederholt, wird es auf der Dominante durch die Fortspinnung ergänzt, deren Instrumentalpart im »Vokaleinbau« erweitert wird (T. 18–23 ~ 1–5). Dass der Einbau hier keineswegs zu »thematischer Dürftigkeit« führt, zeigt sich daran, dass die Oberstimmen auf den Themenkopf und die Unterstimmen auf das rhythmische Gepräge des Kontrapunkts zurückgreifen. Als drittes Formglied entspricht dem »Vorbau« ein fünftaktiger »Annex«, der die Modulation von der Dominante zur Subdominante übernimmt (T. 22–27). Nachdem die fugierten Gruppen mit der ersten Textzeile verbunden waren, werden nun erst die drei übrigen Zeilen a cappella nachgetragen. Ohne die Motivik des Vorspiels aufzunehmen, wird der vorausgehende Sopran in syllabischer Deklamation von den akkordisch gebündelten Unterstimmen ergänzt. Trotz aller Unterschiede werden die Taktgruppen vom gleichmäßigen Gang des Generalbasses zusammengeschlossen, der in steigenden oder fallenden Achteln sequenzierte Dreiklangsfolgen ausschreitet.

Wie in der zweiten Satzhälfte das kurze Zwischenspiel dem Vorspiel entspricht, so wird auch der »Vorbau« auf zwei Takte verkürzt (T. 27–29 und 29–31 ~ 1–2 und 9–11). Ähnlich entspricht der ersten »Durchführung« eine zweite in der Subdominante (T. 31–39 ~ 14–23), während der folgende »Annex« zur Tonika zurücklenkt (T. 39–44 ~ 22–27). Besonders intrikat ist die Coda gebaut, die keineswegs die vorgebliche Symmetrie durch einen letzten Rekurs auf die fugierte Kernzelle vervollständigt. Wie das Bassgerüst zeigt, greifen die letzten Zweitakter mit Choreinbau auf die modulierenden und kadenzierenden Takte des Vorspiels zurück (T. 44–45 und

1–9	9–14	14–22 (~ 1–3, 1–3 + 4–9)	22–27	27–29 (~ 1–2)	29–31 (~ 9–1)	31–39 (~ 14–22)	39–44 (~ 22–27)	44–49 (~ 5–7, 1 + 7–9)
	Zeile 1	Zeile 1	Zeile 2–4		Zeile 1	Zeile 1	Zeile 2–4	
Vorspiel	Vorbau	fugiert	Annex	Zwischenspiel	Vorbau	fugiert	Annex	Coda
instrumental	vokal	Einbau	a cappella	instrumental	Vokal	Einbau	a cappella	Einbau
°T	°T	°T – °D	°D – °S	°S	°S	°S	°S – °D	°D – °T

47–48 ~ 5–7 und 7–9). Zwischen sie jedoch wird noch einmal – verteilt auf Bass und erste Violine – die Zelle des ersten Taktes eingeblendet, von dem die Konstruktion ausging (T. 46). Insgesamt zeigt sich aber, dass die korrespondierenden Teile durch Differenzen ausgezeichnet werden, die in keinem symmetrischen Schema aufgehen.

Die Komplikationen, die diesen Satz von den anderen unterscheiden, gründen in dem Versuch, Vokal- und Instrumentalpart aus derselben Konstruktion abzuleiten. Auch wo der Chorsatz als »Einbau« erscheint, stellt er weniger eine eigene Schicht als eine Ergänzung der kontrapunktischen Anlage dar. Dagegen vertritt der Eingangschor aus BWV 147a »Herz und Mund und Tat und Leben« als letzter Weimarer Chorsatz die engste Verbindung zwischen kontrapunktischer und konzertierender Struktur. Das instrumentale Ritornell, das den Satz umrahmt (Notenbeispiel 8), wird dreimal mit Choreinbau kombiniert, wobei die erste und die letzte Phase durch

Notenbeispiel 8

4. Chorsätze 89

ein vorangestelltes Fugato erweitert werden, während die mittlere einen längeren Annex enthält. Dabei entfallen die ersten Zeilen auf die Fugen, wogegen die letzten in den Anhängen folgen.

A				B		A′			
1–9	9–16	17–22 (~ 2–7)	23–27	27–34 (~ 2–7)	34–43	43–49	50–56 (~ 2–7)	56–58	58–66 (= 1–9)
	Z. 1–2	Z. 1–2	Z. 3–4	Z. 1–2	Z. 3–4	Z. 1–2	Z. 1–3	Z. 4	
Ritornell	Fuge 1	Ritornell + Chor	Annex mit Instr.	Ritornell + Chor	Annex a cappella	Fuge 2	Ritornell + Chor	Annex a cappella	Ritornell
T	T	T	T – Tp	Tp	Tp – S	S – D	T	T	T

Das Schema scheint eine perfekte Symmetrie zu spiegeln, deren Rahmen das Ritornell darstellt. Dazwischen stehen die Fugen und die Ritornellzitate mit Choreinbau, während das in die Tonika transponierte Ritornell mit seinem Annex die Mittelachse bildet. Allerdings wird der Hörer nur die Korrespondenzen zwischen den Ritornellen und den Fugen erfassen, wogegen sich die übrigen Teile bei gleicher Textierung durch ihren Umfang und ihre Besetzung unterscheiden. Dass zwischen den Fugen und den Ritornellzitaten keine Naht zu spüren ist, liegt an zwei Umständen. Zum einen handelt es sich weniger um vollständige Fugen als um Expositionen, in denen das Thema im Wechsel von Dux und Comes die Stimmen durchläuft. Beide Abschnitte werden durch kurze Einschübe und einen zusätzlichen Themeneinsatz erweitert, gehen dann aber gleich in die Ritornellzitate über. Zum anderen bildet das Fugenthema eine vokale Variante des Signalmotivs, mit dem das Ritornell in der Trompete einsetzt. Zwar werden die Figuren in der vokalen Fassung vereinfacht, doch ist den Themen nicht nur das Kopfmotiv, sondern auch der Quintfall gemeinsam. Beide Versionen schließen so eng aneinander an, dass das anschließende Ritornellzitat eher als Fortsetzung denn als neuer Abschnitt erscheint. Er umschließt auch noch den ersten Annex, in dem die Instrumente aussetzen, während der Chor die beiden letzten Zeilen ergänzt. Beide Abschnitte werden von kurzen Ritornellzitaten unterbrochen, sodass sie eher als Anhänge statt als eigene Satzgruppen wirken (T. 23–27). Da der entsprechende Anhang am Satzende auf zwei Takte verkürzt wird (T. 56–58), bilden im Mittelteil, der als Ritornellzitat mit Choreinbau erscheint (T. 27–34), zehn Takte im Chorsatz die einzige Kontrastgruppe im Formverlauf (T. 34–43).[109] Die hochgradige Konzentration hat zur Folge, dass die Fugen und die Einbauphasen in der Tonika verharren, während die Modulationen in die Anhänge verlagert werden. Dass der Satz gleichwohl keineswegs monoton ist, hat vor allem zwei Gründe. Zum einen bilden die kontrapunktischen Abschnitte keine imitierenden Einschübe, sondern beginnen als reguläre Fugen, in denen die Instrumente die Ritornellmotivik fortspinnen und zur Verzahnung der Satzteile beitragen. Zum anderen erreicht der Choreinbau in den anschließenden Ritornellzitaten eine neue Qualität. In den Ein-

---

109 Neumann, a. a. O., S. 70, kritisierte neben der »thematischen Dürftigkeit« des Choreinbaus auch die unterschiedliche Textierung der anschließenden Takte, doch übersah er, dass die Raffung der Zeilen durch die Kürzung des letzten Anhangs bedingt ist.

gangschören aus BWV 172 und BWV 70a beschränkte er sich auf knappe Skalen- oder Dreiklangsmotive im homophonen Satz. In BWV 147 dagegen handelt es sich um syllabisch textierte Dreiklangsfolgen, die zwischen den gepaarten Ober- und Unterstimmen so versetzt werden, dass der Eindruck einer chorischen Imitation entsteht. Gleichzeitig läuft das Ritornell ab, dessen Wiederholung kaum zu spüren ist, obwohl es erst kurz zuvor erklang. Damit ergibt sich ein sieben- bis achtstimmiger Satz, in dem der Kontrast zwischen dem Instrumental- und dem Vokalpart fast doppelchörigen Charakter gewinnt.

Die motivische Affinität zwischen der Fuge und dem Ritornell ist eine Prämisse für die strukturelle Verkettung der Formteile, die primär vom Instrumentalpart ausgeht und auch die fugierten Abschnitte einschließt. Auf die Aufgabe, den kontrapunktischen Vokalsatz mit einem obligaten Instrumentalpart zu kombinieren und zugleich den harmonischen Radius zu erweitern, kam Bach erst in den Chören des ersten Leipziger Jahrgangs zurück. So ist es begreiflich, dass die drei Weimarer Kantaten, deren Chorsätze ihn offenbar ungewöhnlich intensiv beschäftigt hatten, zu den ersten Werken zählten, die er in Leipzig erneut aufführte. Indem er sie durch zusätzlichen Rezitative und Choräle auf zwei Teile erweiterte, rückte er sie in eine Reihe mit den zweiteiligen Werken, mit denen er sich als neuer Thomaskantor einführte.

5. Chorische Choralbearbeitungen

Wie souverän Bach den Choralsatz beherrschte, zeigen nicht nur die Orgelchoräle der Neumeister-Sammlung und des Weimarer Orgelbüchleins. Auch die vollstimmigen Sätze aus BWV 4, die vielleicht schon in Mühlhausen entstanden, beweisen, wie entschieden er daran arbeitete, den traditionellen »Pachelbel«-Typ umzuformen.[110] Während die Choralzeilen in Versus I auf Halbe gedehnt wurden, erweiterten sich die Vorimitationen der Gegenstimmen durch instrumentale Figuren, die in Versus IV auf die choralbezogenen Imitationsmotive übergriffen. An diesen Stand knüpft die Bearbeitung der Strophe »Jesu, deine Passion ist mir lauter Freude« an, die in BWV 182 dem Schlusschor vorangeht (Satz 7). Es dürfte kein Zufall sein, dass gerade die erste Weimarer Kantate mit drei Chören aufwartet, während in den folgenden Werken solche Sätze immer seltener werden. Wie in Versus I aus BWV 4 wird die Choralweise im Sopran auf Halbe gedehnt und in den Vor- und Binnenimitationen der Gegenstimmen verarbeitet. Dass sich die Instrumente darauf beschränken, die Vokalstimmen zu duplizieren, wird durch die wechselvolle Imitationstechnik ausgeglichen. Die Unterschiede der Abschnitte beginnen bereits mit den Takten, die für die Vorimitationen ausgespart werden. Die acht Choralzeilen füllen jeweils vier Takte aus, doch werden sie paarweise zusammengefasst und durch längere Pausen getrennt. Eine Ausnahme bildet die erste Zeile, der fünf Pausentakte vorangehen, während die Finalis um drei Takte verlängert wird. Demnach bliebe vor den Zeilenpaaren Raum

---

110 Dürr, a. a. O., S. 115, verzichtete auf eine Untersuchung der Choralchorsätze mit dem Argument, ihre Gliederung folge der »Form des Kirchenlieds, die zu analysieren hier nicht unsere Aufgabe sein kann«.

genug, um die Vorimitationen in eintaktigem Abstand einsetzen zu lassen. Obwohl das Initium der ersten Zeile in Viertelnoten übernommen wird, wird seine Imitation durch die Koloraturen der Fortspinnung überspielt. Die Verarbeitung der zweiten Zeile setzt bereits zum Schlusston der ersten Zeile ein, deren Beginn auf Achtelwerte verkürzt wird. Während der fünften Zeile vier Pausentakte vorangehen, wird die Vorimitation zu einer Engführung in halbtaktigem Abstand gestrafft. Ähnlich variabel werden auch die Incipits der übrigen Zeilen verarbeitet. Weil die Weimarer Fassung der Melodie nur Tonwiederholungen auf der fünften Stufe bot,[111] ersetzte Bach ihr Initium durch synkopisch fallende Sekunden. Dass er auch die Klausel mit einer synkopischen Variante versah (T. 32 ff.), fällt in der melismatischen Stimmführung kaum auf, zumal die Vorimitation nur einen Takt einnimmt. Doch tragen diese Maßnahmen dazu bei, den traditionellen Satztyp wirksam umzuformen.

Von dieser variablen Choralverarbeitung unterscheidet sich Satz 9 aus BWV 21 in mehrfacher Hinsicht. Zum einen entspricht die Koppelung eines Spruchtextes (Ps. 116:7) mit zwei Strophen aus »Wer nur den lieben Gott läßt walten« den beiden Duetten aus der Psalmkantate BWV 131. Zum anderen wird statt der Solostimmen der Chor eingesetzt, der in der zweiten Strophe durch duplierende Instrumente verstärkt wird. Gleichzeitig bewahrt der Satz eine motivische und rhythmische Kontinuität, die ihn von dem Pendant aus BWV 182 unterscheidet. Während die Choralweise – in der einen Strophe im Tenor, in der anderen im Sopran – auf punktierte Halbe gedehnt wird, deklamieren die Gegenstimmen den Psalmtext in syllabisch textierten Vierteln, die in der zweiten Strophe durch Achtelnoten bereichert werden. Die Motivik entstammt jedoch nicht den Choralzeilen, sondern zeichnet nur ihren skalaren Verlauf nach. Dass der Satz trotz seiner rhythmischen Konstanz nicht monoton wirkt, liegt am stetigen Wechsel zwischen steigenden und fallenden Linien. Während er aus dem Weimarer Bestand herausfällt, erinnert er an die Chorsätze aus BWV 21, die durch ihre Kanon- und Permutationstechnik auf eine frühere Phase hindeuteten. Nähme man an, Bach habe auf Sätze eines früheren Werkes zurückgegriffen, dann dürfte diese Kantate wie die anderen Frühwerke eine Gelegenheitsmusik gewesen sein. Das würde voraussetzen, dass der Autor der späteren Zusatztexte Bach nahe genug stand, um die ergänzenden Texte der Frühfassung zu übernehmen. Wollte man in ihm Salomon Franck sehen, so bliebe zugleich offen, warum der Dichter in seinem Jahrgang für 1715/16 keine weiteren Chorsätze vorsah.

Wenn die Weimarer Kantaten nur zwei größere Choralsätze enthalten, so stellt sich die Frage, ob in dieser Zeit das Kyrie in F-Dur BWV 233a entstanden sein kann, das in die Missa F-Dur BWV 233 einging. Als Einzelsatz nur in späten Abschriften überliefert, verbindet es den Text des Kyrie mit zwei Choralweisen im Sopran und Bass. Das einzige Indiz, das für seine Weimarer Datierung sprechen könnte, ist eine kleine Differenz in der im Bass zitierten Weise der Litanei. Ihr steht eine ungewöhnlich kunstvolle Kombinationsform gegenüber, die nicht nur die Litanei mit dem Lied »Christe, du Lamm Gottes« paart, sondern beide Melodien mit dem thematischen Material der kontrapunktischen Gegenstimmen verbindet. Während Bachs Frühwerk keinen vergleichbaren Satz enthält, finden sich derart ambitionierte

---

111   Die Fassung erschien zuerst im Weimarer Gesangbuch von 1609 (vgl. dazu BC, F 115).

92   Teil II · Erster Turnus: Die Weimarer Kantaten (1713–1716)

Kombinationen erst in den Leipziger Kantaten und hier besonders am Ende des zweiten Jahrgangs. Es liegt daher nahe, das Kyrie in F-Dur nicht schon im Kontext Weimarer Werke, sondern erst im Anschluss an die Choralchorsätze des zweiten Jahrgangs zu erörtern.[112]

Weniger deutlich als in den Choralchorsätzen unterscheiden sich die Werke in der Stellung und Struktur der Schlusschoräle, die nur in den beiden Solokantaten nach Lehms fehlen. Während sie 1714 nicht die Regel sind, wie die Kantaten BWV 82, 21 und 152 zeigen, begegnen sie erst in den späteren Werken, deren Texte auf Franck zurückgehen. Zwar lassen kurze Choralsätze nicht derartige Unterschiede erkennen wie die Arien und die größeren Chorsätze. Gleichwohl ist nicht zu übersehen, dass der vierstimmige Choralsatz für Bach vorerst noch keine verbindliche Lösung darstellte. Im Unterschied zum Schlusschoral des »Actus tragicus«, in dem die Melodie an den Zeilenenden ausgeziert wird, kennen die Weimarer Sätze keine instrumentalen Vor- und Zwischenspiele. Neben sechs vierstimmigen Kantionalsätzen stehen sieben weitere Sätze, die zusätzliche Instrumentalstimmen aufweisen.

Vierstimmige Choralsätze	**Choralsätze mit Instrumentalpart**
vor 1714	
BWV 18:5 Ich bitt, o Herr, aus Herzensgrund	
1714	
	BWV 12:6 Was Gott tut, das ist wohlgetan
	BWV 172:6 Von Gott kommt mir ein Freuden-schein
	BWV 61:6 Amen, amen, komm, du schöne Freu-denkrone
1715	
(BWV 80:6 Mit unserer Macht ist nichts getan)	
	BWV 31:6 So fahr ich hin zu Jesu Christ
BWV 165:6 Sein Wort, sein Tauf, sein Nachtmahl	
	BWV 185:6 Ich ruf zu dir, Herr Jesu Christ
BWV 163:6 Führ auch mein Herz und Sinn	
1716	
BWV 155:5 Ob sich's anließ, als wollt er nicht	
	BWV 161:6 Der Leib zwar in der Erde
BWV 162:6 Ach, ich habe schon erblicket	
	BWV 70a:6 Nicht nach Welt, nach Himmel nicht

112   Vgl. Teil V, Kap. 3, Exkurs 1.

Am Beginn steht der Kantionalsatz aus BWV 18, der wohl schon 1713 entstand. Ihm folgen 1714 drei Sätze mit Zusatzstimmen (in BWV 12, 172 und 61), während beide Formen in den nächsten Jahren nebeneinander begegnen. So wenig in einer derart kurzen Zeit eine Entwicklung zu erwarten ist, so deutlich sind die Unterschiede von späteren Sätzen erkennbar.

Da die Kantaten BWV 80a und 165 nur in späteren Quellen erhalten sind, ist nicht sicher, ob ihre Schlusschoräle in ursprünglicher Gestalt vorliegen. Ein Sonderfall ist der Satz aus BWV 163, sofern die autographe Partitur nur den Generalbass mit dem Vermerk »simplice stilo« enthält.[113] Dennoch lässt sich am Verhältnis zwischen Bass- und Melodiestimme das Gerüst eines schlichten Kantionalsatzes ablesen.[114] Der Ausnahmefall ist deshalb bemerkenswert, weil bereits in dem Satz aus BWV 18, der spätestens 1714 entstanden ist, maßgebliche Kennmarken des »Bachchorals« zu beobachten waren. Wo die Choralweise Terzsprünge bietet, werden sie durch eingefügte Achtel überbrückt, die auf die Bassstimme übergreifen, während sich Alt und Tenor in das Gerüst der Außenstimmen einfügen. Falls der späten Abschrift von BWV 165 zu trauen ist, würde der Schlusschoral dieses Werks eine Zwischenstufe mit geschmeidigeren Mittelstimmen vertreten. Noch sorgfältiger ist der Choralsatz aus BWV 155 ausgearbeitet, der den späteren Schlusschorälen so nahesteht wie kein anderer Weimarer Satz. Dass dagegen der Satz aus BWV 162 etwas schlichter anmutet, dürfte an der kargen Choralweise liegen, deren ständige Sekundschritte kaum zusätzliche Achtel zulassen.

Da vergleichbare Sätze aus der Zeit zwischen BWV 106 und BWV 18 fehlen, muss man annehmen, dass Bach sich zwischen 1708 und 1713 für eine Art des Choralsatzes entschied, die sich – wie Werner Breig sah – durch ihre kunstvolle Gestaltung vom traditionellen Kantionalsatz unterschied, der nur noch in BWV 163 durchscheint.[115] Breig konnte zeigen, dass sich die Weimarer Sätze von späteren nicht nur durch geringere Stilisierung, sondern vor allem durch die Klauseln unterscheiden, die vielfach in quintlosen Klängen enden.[116] Entscheidend ist vor allem das Verfahren, die Hauptstufen durch vorangestellte Klänge zu verketten, die – modern gesagt – als »Zwischendominanten« fungieren. Die Umschreibung mag unnötig umständlich wirken, doch erinnert sie daran, dass das Verfahren in historischer Sicht keineswegs selbstverständlich war. Zwar tendieren manche Choralsätze norddeutscher Musiker wie Buxtehude, Bruhns und Balthasar Erben dazu, die Stufenfolge durch eingeschaltete »Zwischendominanten« zu erweitern. Doch begegnet nur bei Tunder ein Kantionalsatz, der durch Achtelbewegung und »Zwischendominanten« auf Bach vorandeutet.[117] Der Sonderfall bestätigt wieder, dass die Nobilitierung des Kantionalsatzes Bachs eigene Leistung war.

---

113   Für die Praxis hingegen dürften auch die übrigen Stimmen ausgeschrieben worden sein.

114   Werner Breig, Grundzüge einer Geschichte von Bachs vierstimmigem Choralsatz, in: AfMw 45, 1988, S. 165–185 und 300–319, hier S. 171 f.

115   Ebd., S. 170 f.

116   Ebd., S. 173 ff., hier auch S. 175 f. zu weiteren satztechnischen Besonderheiten.

117   Zu weiteren Einzelheiten vgl. Verf., Klangverbindungen im kontrapunktischen Choralsatz, in: Bach, Lübeck und die norddeutsche Musiktradition. Bericht über das Internationale Symposion in der Musikhochschule Lübeck 2002, hrsg. von Wolfgang Sandberger, Kassel u. a. 2002, S. 201–219.

Dagegen entsprach der Choralsatz mit zusätzlichen Instrumentalstimmen einer Konvention, die besonders in Werken mitteldeutscher Autoren greifbar war. In der Regel handelte es sich dabei aber um Sätze mit zwei figurierenden Oberstimmen, die den vokalen Kantionalsatz mit raschem Passagenwerk schmückten, ohne die Harmonik zu bereichern oder auf den Text zu verweisen. Dagegen fügte Bach dem Choralsatz eine instrumentale Oberstimme zu, die sich rhythmisch kaum vom Vokalpart unterscheidet. Sie hat zwar vorerst den Preis, dass die Stimmführung der Sätze aus BWV 12 und 172 auf Viertelwerte beschränkt bleibt und nur wenige Achtelwerte aufweist. Während sie in den Abgesangszeilen des Schlusschorals aus BWV 31 spürbar flüssiger wird, nähert sie sich in dem Satz aus BWV 185 dem Modus des vierstimmigen Choralsatzes, wogegen sie im fünfstimmigen Satz die Schlussklänge der Zeilen vervollständigen kann. In BWV 12:6 – dem ersten dieser Sätze – werden die vokalen Quintklänge am Ende der zweiten Stollenzeile und der vorletzten Zeile des Abgesangs durch die Terz in der Zusatzstimme ergänzt. Entsprechend fügt die Instrumentalstimme in BWV 172:6 am Ende der Stollen und in BWV 31:6 zur vorletzten Zeile die Terzen hinzu. Allerdings ist die Ergänzung der Schlussklänge nicht die einzige Funktion der Zusatzstimmen. In BWV 172:6 wird die Achtelbewegung des Instrumentalparts zu einer eigenen Schicht erweitert, indem sie zu Beginn des Abgesangs die halben Noten des Vokalparts umspielt. Hier zeichnet sich eine rhythmische Verselbstständigung des Instrumentalparts ab, die in BWV 185:6 zu durchgehender Achtelbewegung führt. In der Flötenstimme aus BWV 161:6 entstehen daraus Folgen synkopierter Sechzehntel, sodass sich das Satzbild der konventionellen Figuration zu nähern scheint – mit dem Unterschied freilich, dass die Stimmführung Bachs primär kontrapunktische Funktionen hat.

Einen Sonderfall bildet der Schlusschoral aus BWV 61, der sich in Neumeisters Libretto auf den Abgesang der Schlussstrophe aus »Wie schön leuchtet der Morgenstern« beschränkt (»Amen, amen, komm, du schöne Freudenkrone«).[118] Dass sich die melodischen Formeln zu den Textzeilen wiederholen, veranlasste Bach dazu, die im Sopran liegende Melodie auf Halbe zu dehnen, um dadurch die Form zu erweitern. Die Unterstimmen hingegen werden nicht nur in syllabisch textierte Achtel zerlegt, sondern durch Imitationen und Melismen bereichert, während der Satz durch die Figuration der Violinen gekrönt wird. Ein letzter Sonderfall liegt im Schlusschoral aus BWV 70a vor, der durch drei obligate Instrumentalstimmen, die sich rhythmisch kaum von den Vokalstimmen unterscheiden, zur Siebenstimmigkeit erweitert wird. Gern wüsste man, ob die Schlusschoräle der letzten Weimarer Kantaten BWV 186a und 147 in ähnlicher Weise ausgezeichnet waren. Doch sind sie nicht überliefert, da sie in den Leipziger Fassungen durch andere Choralsätze ersetzt wurden, die den Satztyp mit instrumentalen Ritornellen ausprägen und damit auf den Schlusssatz aus BWV 106 zurückblicken.

---

118 Wie eine Komposition von Sebastian Knüpfer zeigt, die in der Sammlung der ehemaligen Fürstenschule Grimma vorliegt (heute in der Landes- und Universitätsbibliothek Dresden), war die Abspaltung dieser Zeilen nicht ungewöhnlich. Zu entsprechenden Belegen bei Hammerschmidt und Briegel vgl. Markus Rathey, Ästhetik eines »Fragments« – Anmerkungen zur Tradition des Schlußsatzes der Kantate »Nun komm der Heiden Heiland« BWV 61, in: BJ 2002, S. 105–117.

5. Chorische Choralbearbeitungen **95**

6. Struktur und Besetzung der Arien

Die Tatsache, dass Bachs Weimarer Kantaten rund 70 Arien enthalten, nötigt zu exemplarischer Konzentration, die jedoch – um nicht willkürlich zu sein – einer sachlichen Begründung bedarf. In Anlehnung an Wilhelm Fischer, der die Begriffe »Fortspinnung« und »Entwicklung« als Grundprinzipien musikalischer Formung definierte, untersuchte Dürr die Arien nach formalen Kriterien, um abschließend nach chronologischen Folgerungen zu fragen.[119] In seiner Typologie trennte er die Ritornelle vom »ersten Vokalteil« und den »übrigen Vokalteilen«, während er die »Gesamtform« der Arien in »Ablauf-« und »Bogenformen« gliederte und die Befunde an exemplarischen Formschemata erläuterte, für die er weitere Belege aufzählte.[120] Rückblickend resümierte Dürr, Bach habe in den Arien des Jahres 1714 mehrgliedrige Rahmen- und Bogenformen bevorzugt, die später von zweiteiligen Formen abgelöst worden seien.[121] Damit sind Sachverhalte benannt, die sich im Blick auf die Texte und Formtypen aufdrängen. Wie der oben mitgeteilten Tabelle zu entnehmen ist, enthalten die Kantaten zwischen Palmarum und Weihnachten 1714 wechselnd reguläre oder variierte Da-capo-Formen, während entsprechende Texte später fehlen.[122] Der Befund deckt sich mit den Differenzen zwischen den früheren Texten und den Vorlagen von Franck. Eine Untersuchung, die aus der Unterscheidung zwischen Arien mit und ohne Da capo chronologische Folgerungen ziehen wollte, wäre insofern tautologisch, als sie ihre eigenen Prämissen bestätigen würde. Dagegen legt die Übersicht über die Besetzungen, die Dürr seinen Untersuchungen beigab,[123] die Frage nahe, ob nicht Zusammenhänge zwischen den Besetzungen, den Textvorlagen und den Satzstrukturen bestehen, die weitere Folgerungen erlauben könnten.[124] Wenn mit der Motivik, die zu einem Text zu erfinden war, zugleich über die Besetzungen und Taktarten entschieden werden musste, so verbanden sich damit weniger abstrakte Formpläne als vielmehr Präferenzen für strukturelle Alternativen. Es liegt auf der Hand, dass sich bei einem Soloinstrument andere Prämissen boten als bei einem Streicherchor, dessen blockweiser Einsatz der Einbautechnik entgegenkam, während eine auf den Generalbass reduzierte Besetzung zur Ostinato-Technik tendieren dürfte. Gab ein Basso ostinato ein Gerüst vor, in das der Vokalpart einzupassen war, so konnte eine instrumentale Taktgruppe transponiert

---

119   W. Fischer, Zur Entwicklungsgeschichte des Wiener klassischen Stils, in: Beihefte zu den DTÖ, Heft 3, Leipzig und Wien 1915, S. 24–84. Vgl. dazu Dürr, Studien 2, S. 89 f. sowie S. 121, Anm. 67.

120   Dürr, a. a. O., S. 120–128, 128–41 sowie 145–159.

121   Ebd., S. 169–171. Doris Finke-Hecklinger, Tanzcharaktere in Johann Sebastian Bachs Vokalmusik (Tübinger Bach-Studien 6), Trossingen 1970, S. 18 f., verwies zwar auf eine »Korrelation zwischen Besetzung und Satzstruktur«, unterschied jedoch anschließend nur zwischen chorischen und solistischen Sätzen.

122   Vgl. Stephen A. Crist, Aria Forms in the Vocal Works of J. S. Bach, 1714–1724, Diss. Brandeis University 1988.

123   Vgl. Dürr, a. a. O., S. 119.

124   Vgl. Erich Reimer, Die Ritornell-Arien der Weimarer Kantaten Johanns Sebastian Bachs 1714–1716, Köln 2007. Reimers Untersuchungen richten sich auf das Verhältnis zwischen den Ritornellen und den vokalen Satzteilen.

96   Teil II · Erster Turnus: Die Weimarer Kantaten (1713–1716)

oder variiert wiederholt werden, um dem Vokaleinbau Raum zu geben. Indem zum vorgegebenen Material ein zusätzlicher Vokalpart zu erfinden war, näherte sich die Aufgabe der Bearbeitung eines Cantus firmus, die einem Organisten wie Bach geläufig war.[125] Anders verhielt es sich, wenn der Vokalpart mit einer solistischen Instrumentalstimme kombiniert wurde. Soweit die Phasen nicht auf Vokaleinbau beruhten, mussten die Partner konzertierend oder kontrapunktisch aufeinander abgestimmt werden. Anders gesagt: Gemäß dem Wechsel der Textglieder war zu entscheiden, in welcher Weise die Stimmen durch konzertierende oder imitierende Verfahren verknüpft werden sollten.

Wollte man die Weimarer Arien entsprechend gruppieren, so müsste man Sätze aus verschiedenen Jahren verbinden. Ohnehin sollte man sich von der Vorstellung eines chronologischen Rasters lösen, in das die Werke einzuordnen wären. Bach schrieb seine Werke nicht im Blick auf eine Chronologie, für die sich erst die spätere Forschung interessierte. Wie sich im Frühwerk andeutete und in den Weimarer Chorsätzen bestätigte, folgte seine Strategie keinem Schema. Vielmehr kannte sie verschiedene Wege nebeneinander, zu denen auch scheinbare Rücksprünge gehören können. Sofern Texte für Chorsätze nur 1714 und danach erst wieder 1716 vorlagen, würden sie sich in chronologischer Folge erörtern lassen. Zu jeder Kantate gehören jedoch drei oder vier Arien, deren Formen und Affekte mit wechselnden Besetzungen und Strukturen zusammenfallen. Daher bietet es sich an, die Sätze des Jahres 1714 von denen zu Texten Francks zu trennen. Eine gesonderte Gruppe, die 1714 begonnen und später fortgesetzt wurde, bilden die Arien, denen Bach einen instrumentalen Cantus firmus hinzufügte. Zuvor sind jedoch einige Sätze zu nennen, die in die Zeit vor 1714 zurückreichen.

a. Arien vor 1714

Noch vor der Reihe der geistlichen Kantaten entstand zum 30. Oktober 1713 – dem Geburtstag des Herzogs Wilhelm Ernst – die Aria BWV 1127 »Alles mit Gott und nichts ohn' ihn«. Der Text des Buttstädter Superintendenten Johann Anton Mylius umfasst zwölf Strophen, die im Kern aus vier Alexandrinern bestehen. Sie werden von einer zweizeiligen Devise in achtsilbigen Jamben umrahmt, die am Ende in vertauschter Folge wiederholt werden und sich vom Gleichmaß der Alexandriner durch wechselnde Wortbetonung abheben.[126] Weil sich der Text nicht als schlichtes Strophenlied vertonen ließ, entschied sich Bach für einen vom Generalbass begleiteten Vokalsatz, dem ein Ritornell für zwei Violinen, Viola und Generalbass folgt. So altmodisch die Trennung von Aria und Ritornell wirkt, so kunstvoll ist die Struktur

---

125   Ebd., S. 163.
126   Faksimile, hrsg. von Michael Maul, Kassel u. a. 2005 (Documenta Musicologica II, Bd. 33). Die erste Textzeile greift den Wahlspruch des Herzogs auf, während die zweite Zeile (»Wird Ein-Her Wunder-Segen Ziehn«), deren Wortlaut in den Strophen variiert, mit den hervorgehobenen Anfangsbuchstaben der ersten Worte in der Summe der Strophen ein Akrostichon auf den Namen des Herzogs ergibt, vgl. dazu und zu weiteren Details Michael Maul, »Alles mit Gott und nichts ohn' ihn« – Eine neu aufgefundene Aria von Johann Sebastian Bach, in: BJ 2005, S. 7–34.

der beiden Teile. Die Zeilen des Mittelteils, der kaum ein Drittel des Satzes ausfüllt, folgen in ihrer Deklamation dem Metrum des Textes, während sie mit stetigen Achteln des Continuo an das ältere Strophenlied erinnern (T. 16–25). Der Devise hingegen geht ein viertaktiges Vorspiel des Generalbasses voran, das den Vokalteil auch abschließt. Eine fallende Skala in Sechzehnteln, die zweimal erscheint, wird mit einer Quintschrittsequenz fortgesponnen, die mit auftaktigen Sechzehnteln die Rhythmik der Continuostimme vorausnimmt. Dagegen entspricht die Sopranstimme dem jambischen Versmaß mit einem volltaktig ansetzenden Kopfmotiv, dessen melodische Fassung variabel bleibt, während die Wortfolge der zweiten Zeile in der Fortspinnung verschieden ausfällt.[127] Gegenüber dem ersten Teil, der sich zur Dominante wendet, moduliert der Mittelteil zur Mollparallele. Da er aber auf der Subdominante endet, führt erst der Schlussteil zur Tonika zurück, sodass die Rahmenteile einer variierten Da-capo-Form gleichen. Darauf reagiert das Ritornell mit einem Kopfmotiv, das die auftaktigen Sechzehntel des Generalbasses mit dem Incipit des Vokalparts verbindet und zweimal imitierend die Stimmen durchläuft (T. 38–55). Wie in der Aria moduliert die erste Phase zur Dominante, während die zweite zur Tonika zurückführt, sodass die strophische Aria trotz des verwickelten Textes ein Niveau erreicht, das dem der späteren Arien kaum nachsteht.

Etwas konventioneller wirkt die einzige Arie aus BWV 18 (Satz 4, »Mein Seelenschatz ist Gottes Wort«). Während die Sopranstimme den Text zumeist syllabisch deklamiert, wird sie von den Violen mit einer motivisch wenig profilierten Figuration begleitet, sodass beide Formteile ohne größere Modulationen auskommen. Scheint der schlichte Satz auf die Jahre vor 1713 zurückzudeuten, so weisen die ambitionierten Solokantaten BWV 199 und 54 desto weiter voraus. Falls sie schon 1713 entstanden, wäre der Abstand zu den gleichzeitigen Arien umso erstaunlicher, weshalb auf beide Werke erst später zurückzukommen ist.[128]

Die spätestens 1713 entstandene »Jagdkantate« (BWV 208) enthält neben einigen schlichteren Sätzen auch drei Da-capo-Arien, die zu den frühesten Belegen im Vokalwerk Bachs zählen. Beschränkt auf den Generalbass, bildet Satz 4 eine variierte Ostinato- Anlage, die später in der geistlichen Umarbeitung erweitert wurde. Dagegen entspricht der tänzerische Satz 14 einer Gigue, deren Vokalpart weithin parallel zum Generalbass verläuft. Die Sätze 7 und 9 zeichnen sich durch die Besetzung mit zwei Blockflöten bzw. drei Oboen aus. Beide Arien zählen wie Satz 4 zu den ersten Sätzen, die für geistliche Fassungen verwendet wurden. Da später auf sie zurückzukommen ist, können hier wenige Hinweise genügen.[129]

Von größerem Interesse als die knappe Da-capo-Form in Satz 9 (»Schafe können sicher weiden«), in der das Ritornell keine Verarbeitung erfährt, ist der umfangreichere Satz 7 (»Ein Fürst ist seines Landes Pan«), dem ein zweiteiliger Text zugrunde liegt. Er bildet zugleich ein Beispiel für die Einbautechnik, die Bach demnach schon früh zu beherrschen wusste. In C-Dur stehend, wird die Arie durch ein Ritornell

---

127 Die sinnwidrige Wortbetonung der zweiten Zeile wurde von Bach durch die Umstellung der Worte ausgeglichen (»wird Wundersegen einher ziehn«).

128 Zu BWV 18:4 und 54:1 vgl. Reimer, Die Ritornell-Arien, S. 76 ff.

129 Vgl. die Nachweise bei Dürr, a. a. O., S. 249. Die Parodien in BWV 68:2 und 4 entstanden 1725. Zur tänzerischen Prägung der Arie Satz 7 vgl. Finke-Hecklinger, S. 71 f.

98   Teil II · Erster Turnus: Die Weimarer Kantaten (1713–1716)

Notenbeispiel 9

umrahmt, das dreimal – auf der V., III. und VI. Stufe – mit Vokaleinbau wiederkehrt. Im dritten Takt hält der akkordische Bläsersatz auf der Dominante inne, um anschließend durch eine Quintschrittsequenz erweitert zu werden (VI-II, V-I, IV-V-I) (Notenbeispiel 9). Wiederholt sich der Ablauf in den beiden ersten Einbauphasen (T. 18–28 und T. 30–30), so zieht er in der dritten, die in e-Moll ansetzt, weitere Konsequenzen nach sich (T. 44–59). Zwar scheint die Quintkette zunächst nach e-Moll zurückzukehren, doch wird der e-Moll-Klang durch einen verminderten Nonenakkord ersetzt, der sich nach d-Moll auflöst, um am Ende nach C-Dur zurückzuführen (T. 53 f.). Just dieser Schritt, mit dem Bach erstmals das chromatische Potential der Quintfallsequenz erprobte, wurde in der späteren Parodie zurückgenommen.[130]

b. Palmarum bis Weihnachten 1714

Es ist zwar nicht sehr wahrscheinlich, dass Bach bei der Ernennung zum Konzertmeister schon absehen konnte, welche Texte er fortan zu vertonen hatte. Doch wusste er, dass vor ihm eine Reihe von Arien lag, die möglichst variable Lösungen forderten. Da die Texte nur den Werken zu entnehmen sind, lässt sich nicht immer eindeutig entscheiden, ob Da-capo-Formen vorlagen oder sich erst durch die Vertonung ergaben. Die Übersicht sucht auffällige Unterschiede in der Form, der Besetzung und der Satzart stichwortartig anzudeuten.[131]

Der Tenorarie »Jesu, laß durch Wohl und Weh« (BWV 182:6) liegt ein quasi ostinates Fundament zugrunde, in das sich der motivisch unabhängige Vokalpart einfügt.[132] Im viertaktigen Vorspiel der variierten Da-capo-Form laufen fallende

---

[130] Vgl. Verf., Harmonik im Kontrapunkt. Quintschrittsequenzen in Chorsätzen Bachs 1714–1724, in: Bachs 1. Leipziger Kantatenjahrgang (Dortmunder Bach-Forschungen, hrsg. von Martin Geck, Bd. 3, Dortmund 2002, S. 195–229, hier S. 198 (mit Notenbeispiel 2).
[131] Zu den Arien aus BWV 182, 12, 172, 21 und 61 vgl. Reimer, a. a. O., S. 31–67.
[132] Zu den Weimarer Continuo-Sätzen vgl. Reinmar Emans, »Innere Chronologie« am Beispiel der Continuo-Arien, in: Das Bach-Handbuch, Bachs Kantaten, Bd. I/1, S. 97–125. In der Überzeugung, eine »Stiluntersuchung wortgebundener Musik« habe vom Text auszugehen, richtete sich Emans auf »Fragen der Textbehandlung« (ebd., S. 100 f.), ohne von strukturellen Differenzen zwischen den Bassmodellen auszugehen.

BWV 182 Himmelskönig, sei willkommen

4	Starkes Lieben, das dich, großer Gottessohn	dreiteilig	B., Str., Bc. – C-Dur, **c**: konzertant, Str. meist im Tutti, vokales Incipit analog, partiell Vokaleinbau
5	Leget euch dem Heiland unter	Dc	A., Fl., Bc. – »Largo«, e-Moll, **c**: ornamentale Instrumentalstimme, vokales Incipit analog, sonst Vokaleinbau
6	Jesu, laß durch Wohl und Weh	var. Dc	T., Bc. – h-Moll, ¾: quasi ostinater Bc., motivisch davon unabhängiger kantabler Vokalpart

BWV 12 Weinen, Klagen, Sorgen, Zagen

4	Kreuz und Krone sind verbunden	Dc	A., Ob., Bc. – c-Moll, **c**: ornamentale Instrumentalstimme, Vokalpart motivisch analog, Vokaleinbau besonders im A-Teil
5	Ich folge Christo nach	Dc verkürzt	B., 2 V., Bc. – Es-Dur, **c**: imitierende Instrumente mit konzertanter Fortspinnung und motivisch einbezogenem Vokalpart
6	Sei getreu, alle Pein	mit c. f.	T., Bc., Tr. (c. f. »Jesu, meine Freude«) – g-Moll, ¾: quasi ostinater Bc., unabhängiger Vokalpart, Barform gemäß c. f.

BWV 172 Erschallet, ihr Lieder

3	Heiligste Dreifaltigkeit	Dc verkürzt	B., Tr. I–III, Timp., Bc. – D-Dur, **c**: Bläserchor mit führender Tr. I, partieller Vokaleinbau
4	O Seelenparadies	Dc	T., Str. unisono + Trav., Bc. – h-Moll, ¾: Instrumentalstimmen in Achteln, vokales Incipit analog mit freier Fortspinnung und Vokaleinbau
5	Komm, laß mich nicht länger warten	mit c. f.	S., A., Ob. d'am. (c. f. »Komm, Heiliger Geist«), Vc. obl. – G-Dur, **c**: Bc. quasi ostinat, konzertantes Duett gemäß c.-f.-Form

BWV 21 Ich hatte viel Bekümmernis

3	Seufzer, Tränen, Kummer, Not	zweigliedrig	S., Ob., Bc. – c-Moll, ¹²⁄₈: einteilig ohne Ritornelle, intern zweigliedrig, Instrumental- und Vokalpart motivisch verkettet
5	Bäche von gesalznen Zähren	Dc	T., Str., Bc. – f-Moll, **c**: A-Teil mit akkordischem Ritornell und Vokaleinbau; B-Teil »allegro – adagio« mit Vokaleinbau
8	Komm, mein Jesu, und erquicke	var. Dc	S., B., Bc. – Es-Dur, **c**: zu motivisch neutralem Bc. duettierende Vokalstimmen wechselnd oder parallel geführt
10	Erfreue dich, Seele, erfreue dich, Herz	Dc	T., Bc. – F-Dur, ⅜: instrumentales Ritornell, motivisch unabhängiger Vokalpart, weithin mit Vokaleinbau

BWV 61 Nun komm, der Heiden Heiland

3	Komm, Jesu, komm zu deiner Kirche	Dc	T., Str. unisono, Bc. – C-Dur, 9/8: Instrumental- und Vokalpart motivisch analog, dabei mit phasenweisem Vokaleinbau
5	Öffne dich, mein ganzes Herze	Dc	S., Bc. – G-Dur, 3/4: Bc. und Vokalpart motivisch verkettet, kontrastierender B-Teil »adagio« mit eigener Motivik

BWV 63 Christen, ätzet diesen Tag

3	Gott, du hast es wohlgefüget	Dc	S., B., Ob., Bc. – a-Moll, c: vokales Duett motivisch unabhängig vom Ritornell und mit kurzen Phasen des Vokaleinbaus
5	Ruft und fleht den Himmel an	var. Dc	A., T., Str., Bc. – G-Dur, 3/8: konzertanter Streichersatz, vokales Duett mit phasenweisem Vokaleinbau

Sechzehntel des Generalbasses in taktweisen Segmenten auf alterierte Stufen zu, die sich als verminderte Septakkorde auf die V., II. und I. Stufe richten, während sie zugleich ineinander verschränkt sind. Sobald die Bassstimme eintritt, hält sich der Continuo zurück, sodass erst der zweite Ansatz zeigt, wie genau der Vokalpart auf das Bassgerüst bezogen ist (T. 10 ff.). Während der A-Teil zur Molldominante moduliert, führt der Schlussteil zur Tonika zurück. Im Mittelteil setzt sich das Verfahren fort, doch wird die kantable Melodik der Singstimme durch Koloraturen dem Bass angeglichen, um damit einzelne Worte auszuzeichnen (T. 42 f. »Kreuzige!« und T. 50 f. »fliehen«). Von diesem Satzmodell scheint sich die Sopranarie »Öffne dich, mein ganzes Herze« (BWV 61:5) nur durch die gleichmäßige Achtelbewegung des quasi ostinaten Basses zu unterscheiden. Die Pointe des A-Teils liegt jedoch im Bassmodell, dessen Initium eine kleine Terz durchläuft. Indem es durch eine Pause abgetrennt wird, kann sich die fortspinnende Figuration anschließen. Wird das Initium vom Sopran übernommen, so wird es zugleich weitergeführt und vom Bass imitiert. Da es auf die ersten Textworte zugeschnitten ist, lässt es sich im B-Teil (»adagio«) nicht übernehmen. Von der gleichmäßigen Deklamation der ersten Zeilen, die noch ganz dem Ton des Strophenlieds entsprechen, hebt sich nur die Schlusszeile (»O wie selig«) über wiegenden Sechzehnteln des Generalbasses ab.

Während auf das Choralzitat der Tenorarie BWV 12:6 gesondert zurückzukommen ist, bildet die Da-capo-Arie »Erfreue dich, Seele« (BWV 21:10) ein Gegenstück ganz anderer Art, sofern das Vorspiel zugleich wie ein Ritornell fungiert. Seine Sechzehntelketten werden im Wechsel mit punktierten Formeln an den 3/8-Takt angepasst, um in gebrochenen Dreiklängen auszulaufen, sobald der Vokalpart hinzutritt. Die durch Sechzehntel aufgelockerte Deklamation greift zu den auffordernden Worten der zweiten Zeile auf die punktierte Formel des Ritornells zurück (»entweiche« bzw. »verschwinde«), doch scheint das vokale Incipit im ersten Textdurchgang, der zur Dominante führt, neu gebildet zu sein. Dass es auf eine Variante des instrumentalen Kopfmotivs zurückgeht, zeigt sich erst im zweiten Durchgang (T. 30 f.), der in der Tonika verharrt, bis beide Phasen im Vokaleinbau münden

(T. 21–27, 39–45). Im B-Teil hingegen, der nach B-Dur moduliert, werden die Varianten der vokalen Motivik nicht mit Ritornellzitaten, sondern mit motivischen Partikeln gekoppelt. Das Werk enthält in Satz 8 Bachs erstes Duett, das einen Dialog zwischen Jesus (Bass) und der Seele (Sopran) darstellt (»Komm, mein Jesu …« – »Ja, ich komme …«). Soweit die Stimmen sich nicht mit analogen Wendungen ablösen, werden sie in Terzen oder Sexten zusammengeführt. Einerseits wird das Verfahren in den Sequenzgruppen modifiziert, in denen Worte wie »erfreuen« und »leben« durch Koloraturen hervorgehoben werden (T. 7 f., 13 f.). Andererseits können beide Stimmen in weiten Melismen zusammentreten (T. 20–22), um sich in desto engeren Abständen abzulösen, wo sich die Worte des Zwiegesprächs ergänzen (»Nein, ach nein« – »Ja, ach ja«). Die Satzweise ändert sich nur graduell, wenn der Mittelteil zum ⅜-Takt wechselt.

Den Continuo-Sätzen stehen fünf Arien mit Streicher- oder Bläserchor gegenüber, die die Vielfalt der Varianten belegen. Die erste Arie aus BWV 182 (Satz 4, »Starkes Lieben«) ist ein Sonderfall, obwohl die Besetzung mit Bass und Streichern der Norm entspricht. Zum einen werden Vokal- und Instrumentalpart dicht verkettet, ohne sich auf den Vokaleinbau zu stützen, zum anderen handelt es sich um einen dreiteiligen Satz, dessen Außenteile nur in den ersten Takten übereinstimmen. Der Text umfasst sieben Zeilen, von denen je drei den Rahmenteilen und dem zweifach ansetzenden Mittelteil zufallen, während die eröffnende Kurzzeile den Abschnitten als Motto vorangeht.[133] Das viertaktige Ritornell, in dem die Sechzehntelketten der ersten Violinen von füllenden Mittelstimmen begleitet werden, umschreibt wie in BWV 208:7 eine Quintschrittsequenz, die – gleichsam über ihr Ziel hinausschießend – den Grundton umschließt, der damit zum Teilglied der Kette wird. Während das engschrittige Incipit zu Akkordbrechungen gespreizt wird, wird der harmonische Radius zu Beginn und am Ende der Kette erweitert, ohne in ihren internen Ablauf einzugreifen. So setzt sie zwischen den Phasen des Mittelteils in a-Moll an, um mit Halbschluss in G-Dur auszulaufen, wogegen das nächste Zwischenspiel die Sequenzfolge des Ritornells an eine e-Moll-Kadenz anschließt und demgemäß nach C-Dur führt (T. 18–21, 27–30). Aus dem Ritornell übernimmt der Bass nur die ersten sechs Töne, die von der Violine imitiert werden. Während der erste Teil zur Dominante lenkt und der letzte in der Tonika bleibt, enden die mittleren Phasen in a- bzw. e-Moll, wobei die Modulationen in vokale Gelenktakte verlagert werden, die zwischen und in die Ritornelle eingefügt sind. Obwohl die Textzeilen mehrfach mit instrumentalen Sequenzgliedern kombiniert werden, werden sie nur zweimal mit vollständigen Ritornellzitaten verbunden (T. 15–18, 23–27).

Die Bassarien aus BWV 12 und 172 zählen zu den Sätzen, deren Texte nicht zwingend ein Da capo fordern. Dass beide Arien dennoch ein verkürztes Da capo zeigen, könnte also auf eine Entscheidung Bachs zurückgehen. Die Arie »Ich folge Christo nach« (BWV 12:5) verwendet zwei Violinen, die aber eher kontrapunktische als konzertierende Funktionen übernehmen. In die Imitation, mit der das Ritornell beginnt, wird nicht nur der Generalbass, sondern auch der Vokalpart einbezogen,

---

133 Vgl. dazu das Schema bei Dürr, a. a. O., S. 156.

auf dessen Text (»Ich folge …) das vierstimmige Fugato verweist. Im A-Teil erscheint die Kombination nur einmal auf der Dominante (T. 9 f.), während sie sich zu Beginn des verkürzten Da capo auf die Violinstimmen beschränkt (T. 32). Doch zitiert der Generalbass, der zunächst nur als neutrale Stütze fungiert, rund zwanzigmal den Quartsprung, der das Imitationsmotiv eröffnet. Zudem folgt ihm in den Violinen eine partiell kanonische Fortspinnung, die den Instrumentalpart nicht nur in den Zwischenspielen, sondern auch noch bei Zutritt der Bassstimme prägt. Sie dringt auch in den Mittelteil (T. 14–34) ein, obgleich hier das Kopfmotiv zum neuen Text zurücktritt. Da es aber vor dessen Ende erneut eintritt, verschränkt sich der Mittelteil mit dem Beginn des Da capo (T. 32–35). Dass die Arie »Heiligste Dreifaltigkeit« (BWV 172:3) etwas einfacher anmutet, liegt am Einsatz der Trompeten, denen Bach wohl keine größeren Schwierigkeiten zumuten konnte. Von den fanfarenartigen Dreiklangsbrechungen des Bläserchors löst sich die erste Trompete mit rascheren Figuren ab, die im Mittelteil auch in die zweite Trompete übergehen. Nur hier wird die Bassstimme mit dem Instrumentalpart verkettet, der sich in den Rahmenteilen auf kurze Einwürfe zwischen den knapp deklamierten Textzeilen beschränkt.

Kaum ein anderer Satz macht vom Vokaleinbau so extensiven Gebrauch wie die Tenorarie »Bäche von gesalznen Zähren« (BWV 21:5) in f-Moll. Das Ritornell entspricht dem Text mit fließenden Sechzehntelketten, mit denen die Streicher den harmonischen Verlauf in Sextakkorden umkreisen. So affektvoll der Satz ist, so klar ist der 24 Takte umfassende A-Teil der Dacapo-Form angelegt. Das viertaktige Ritornell wird viermal wiederholt, und da sein erster Takt in transponierter Fassung zwischen den Phasen eingefügt wird, bleibt seine Motivik im gesamten Verlauf präsent. Zugleich ist der Instrumentalpart so fest gefügt, daß dem Vokalpart nur eine verdoppelnde oder füllende Funktion verbleibt. Daß die Wiederholungen dem Hörer kaum bewußt werden, ist der beste Beweis für die Ausdrucksmacht des Satzes. Der B-Teil beginnt zwar als kontrastierendes »allegro« mit raschen Figuren in gebrochenen Dreiklängen (»Sturm und Wellen …«), doch kehrt nach vier Takten im »adagio« das Material des A-Teils zurück, dessen harmonischer Ambitus allerdings erweitert wird. Besonders eindrucksvoll ist ein zweimaliger Sekundakkord über Ges, der nach b-Moll aufgelöst wird (»Grund« bzw. »Schlund« T. 34 ff.). Ebenso eigenartig ist die Rückleitung, die aus steigenden Sextakkorden besteht. Obwohl der Satz höchst affektvoll ist, beruht er auf einer im Grunde recht schlichten Struktur, so daß man sich fragen kann, ob er als ein frühes Experiment zu gelten hat.

Kaum ein anderer Satz der ersten Reihe ist derart tänzerisch geprägt wie das Duett »Ruft und fleht den Himmel an« (BWV 63:5). Ohne einem bestimmten Tanztyp zu folgen, ist die Thematik durch das Wort »Reihen« inspiriert, mit dem die zweite Textzeile endet.[134] Indem die betonten Silben mit Achteln und Sechzehnteln verlängert werden, wird der Text an das Metrum des ³⁄₈-Takts angepasst. In der Vorlage war vermutlich ein Da capo vorgegeben, doch hatte der Autor wohl die ersten vier Zeilen für den A-Teil und die drei übrigen für den B-Teil vorgesehen.[135] In Bachs Fassung

---

134 Dürr, a. a. O., S. 40; nach Finke-Hecklinger, a. a. O., S. 102, entspricht die Rhythmik einer Kreuzung von Gigue und Passepied.

135 Zu dem entsprechenden Text von Heineccius vgl. Dürr, NBA I/2, KB, S. 24.

beschränken sich dagegen die Rahmenteile auf die ersten beiden Zeilen, sodass sie mit dem Wort »Reihen« enden (T. 1–52 bzw. 133–192), während der Mittelteil mit fünf Zeilen entsprechend länger ausfällt (T. 53–132). Gemäß der Norm der variierten Da-capo-Arie entspricht dem dominantisch gerichteten A-Teil ein modulierender B-Teil. Desto auffälliger sind jedoch die strukturellen Unterschiede. Das dreiteilige Ritornell (T. 1–20) wird von einem Viertakter mit Halb- bzw. Ganzschluss umrahmt, analog bestehen die Zwischenglieder aus drei viertaktigen Gruppen, und die symmetrische Gliederung wird zudem durch akkordischen Satz betont. Demgemäß werden Alt und Bass in den Rahmenteilen zu viertaktigen Gruppen zusammengefasst, doch kreuzen sie sich schon zu Beginn mit den instrumentalen Gliedern, die drei Takte später ansetzen (T. 21–30). Zugleich werden beide Ebenen metrisch aneinander angeglichen, sobald der Vokalpart in das dominantisch versetzte Ritornell eingebaut wird (T. 33–52). Damit deutet sich im A-Teil ein Prinzip an, das im Mittelteil vermehrt zur Geltung kommt. Bei eintaktigem Abstand der Imitationsmotive überlagern sich vokale und instrumentale Viertakter, bis das metrische Gefüge in den Ritornellzitaten wiederhergestellt wird. Zur letzten Zeile wird das Verfahren dadurch pointiert, dass die auftaktigen Gruppen imitierend um drei Takte verschoben werden (T. 104 ff. und 113 ff.). Stehen Periodik und Kontrapunkt also quer zueinander, so erscheint der Tanzsatz als Folie der metrischen Kreuzungen, die aus der Schichtung der Stimmgruppen hervorgehen.

Unter den sieben Sätzen, die in dieser Gruppe obligate Soloinstrumente verwenden, bilden die knappe Sopranarie BWV 21:3 und die Choraltropierung im Duett BWV 63:3 Sonderfälle, während es sich sonst um langsame Da-capo-Arien handelt, denen zumeist reflektierende Texte zugrunde liegen. Exemplarisch ist die in e-Moll stehende Altarie »Leget euch dem Heiland unter« aus BWV 182 (Satz 5). Das Ritornell umschreibt zu Beginn des Vordersatzes eine fallende Quinte, die im zweiten Ansatz zum Oktavraum erweitert wird, um sich zugleich zur Durparallele zu wenden. Weiter noch greift der Nachsatz mit einer Fortspinnung aus, deren Sequenz sich zu einer fallenden Kette verminderter Septakkorde auffächert.[136] Demgemäß bleibt sie der Flötenstimme vorbehalten, während der Vokalpart nur das Incipit übernimmt und es danach frei fortführt. Zwar moduliert der erste Durchgang des A-Teils zur Parallele, während der zweite zur Tonika zurückführt, doch werden die Stimmen beidemal nur in wenigen Takten kombiniert. Liegt das Incipit im Alt, so wird es nur kurz von der Flöte ergänzt, während sich der Alt auf umschriebene Haltetöne beschränkt, sobald die Flöte die Führung übernimmt. Wo beide Stimmen am Ende des A-Teils zusammentreten, liegt kein Ritornellzitat, sondern eine Variante seiner Figuren vor (T. 20–22). Anders verhält es sich im B-Teil (»allegro«), in dem die Flötenstimme an das Material anschließt, in das sich der neu formulierte Vokalpart einfügt (T. 31–32).

Enger noch werden Alt und Oboe in der c-Moll-Arie »Kreuz und Krone sind verbunden« (BWV 12:4) miteinander verkettet. Mit Wendung zur Durparallele, Rück-

---

136 Zur Gliederung des Ritornells vgl. das Notenbeispiel bei Dürr, Studien 2, S. 125, zu den kurzen Einbauphasen ebd., S. 250.

kehr zur Tonika und anschließender Sequenz gleicht das Ritornell dem des vorangehenden Satzes, doch wird es im Alt weniger übernommen als umgebildet. Beide Stimmen teilen die rhythmisch geprägte Motivik, in der Sechzehntel und Zweiunddreißigstel wechseln, während die Kadenzglieder aus seufzerartig fallenden Wendungen bestehen. So kann das Ritornell im A-Teil nach zwei vokalen Takten wiederkehren, ohne das thematische Gepräge des eingebauten Vokalparts zu tangieren (T. 9–15 = 1–7). Die Beziehungen setzen sich im B-Teil fort, in dem das Kopfmotiv in der Durparallele ansetzt, während es im Alt zu einer Sequenz mit instrumentaler Imitation abgewandelt wird. Sobald die Oboe erneut das Ritornell anstimmt, verharrt der Vokalpart auf einem Liegeton, um danach der fallenden Sequenz der Gegenstimme zu folgen (T. 26 ff.). Wo sie in g-Moll kadenziert, wird ein letztes Ritornellzitat von drei vokalen Takten abgelöst, doch erstreckt sich das motivische Netz wie im A-Teil noch auf die Schlusstakte, die sich im Halbschluss zum Da capo hin öffnen.

Eine dritte Alternative vertritt die Tenorarie »O Seelenparadies« (BWV 172:4), deren Ritornell aus ab- und aufwärts gerichteten Achtelketten der im Unisono gekoppelten Streicher besteht, ohne den Rahmen der Tonika zu überschreiten (T. 1–16). Mit gleichmäßigen Vierteln fungiert der Generalbass wie in früheren Sätzen als Stütze und schließt sich nur vor der Kadenz den Achteltriolen der Streicher an. Der Vokalpart übernimmt das Incipit, um es dann in kantablen Varianten fortzuspinnen, die mit dem vollständigen Ritornell kombiniert werden (T. 18–33). Nur die Anschlussgruppe erscheint als Einschub, in dem die Streicher die Kadenzgruppe des Ritornells sequenzieren. Erst der B-Teil nutzt das motivische Potential des Ritornells, von dessen Partikeln der gesamte Instrumentalpart zehrt, ohne es aber en bloc zu zitieren. Während der Vokalpart dem Textverlauf folgt, basiert der letzte Abschnitt auf Vokaleinbau in das transponierte Ritornell (T. 86–99 ∼ 3–16). Bei gleicher Besetzung erweitert sich das Verfahren in BWV 61:3 (»Komm, Jesu, komm«) insofern, als der Bewegungsstrom des $^{12}/_8$-Takts bei Erreichen der Dominante innehält, während die sequenzierende Fortspinnung ebenso wie die Kadenzgruppe durch Vorhaltbildung verlängert wird (T. 1–16). Aufgrund der Gliederung in mehrere Gruppen, die getrennt mit dem Vokalpart kombiniert werden können, lässt sich die Einbautechnik subtiler nutzen als bisher. Der A-Teil besteht im Grunde aus einer Wiederholung des Ritornells, dessen Partikel auf die Stimmen verteilt werden. Dabei werden die instrumentalen Phasen durch einzelne Takte abgelöst, die dem Tenor zufallen (T. 21–23, 26–27 und 27–28). Aus Varianten dieser Motivik setzt sich auch der B-Teil zusammen, dessen Zwischenspiel den transponierten Nachsatz des Ritornells zitiert (T. 57–62 ∼ 8–15), während sein Beginn mit Vokaleinbau kombiniert wird (T. 67–69 ∼ 1–3).

Zwischen diesen beiden Sätzen entstand die Sopranarie »Seufzer, Tränen« (BWV 21:3), die in mehrfacher Hinsicht eine singuläre Lösung darstellt. Zum einen kehrt das Vorspiel erst nach dem Ende des Vokalparts wieder (T. 1–8 = 24–31), ohne die Teile als Ritornell zu trennen. Zum anderen setzt sich die Arie – wie Dürr gezeigt hat[137] – aus Motiven des Vorspiels zusammen, die wechselnd im Sopran oder in

---

137 Alfred Dürr, Die Kantaten von Johann Sebastian Bach, Kassel u. a. 1971, ²1975, Bd. 1, S. 89 ff.

Notenbeispiel 10

der Oboe erscheinen, während nur wenige Takte verbleiben, die nicht auf dieses Material zurückgehen. Statt den Satz als Ritornell zu gliedern, stellt das Vorspiel die motivische Substanz des Verlaufs bereit. Dass es in knappe Glieder aufgeteilt werden kann, ist deshalb bemerkenswert, weil sich die Gruppierung kaum von der Gliederung anderer Ritornelle unterscheidet. Während das Incipit die Tonika umkreist, führt die sequenzierende Fortspinnung zur Durparallele, bis sie über eine Quintkette zur Tonika zurückkehrt. Die Reihung kurzer Motive, die der Folge der klagenden Textworte entsprechen, beruht auf der Aufspaltung eines Materials, das im Ritornell eine dicht gefügte Kette bildet. Nur zweimal werden längere Phasen mit Vokaleinbau kombiniert, doch werden sie dann variiert oder durch Pausen unterbrochen, die vom Sopran mit motivischen Partikeln ausfüllt werden (T. 9–14 ~ 1–5, 19–22 ~ 1–2, 3–4, 6–7). Der motivischen Konzentration des Satzes entspricht seine konzise Form, die sich auf rund 30 Takte im 12/8-Metrum beschränkt. Zwar lässt sich von einem ersten zur Dominante modulierenden Abschnitt ein zweiter unterscheiden, der zur Tonika zurücklenkt (T. 8–18 bzw. 18–24). Beidemal liegt aber derselbe Text zugrunde, der im zweiten Durchgang gekürzt und durch den Rückgriff auf die ersten Worte ergänzt wird. Eine motivische Analyse kann dem harmonischen Reichtum kaum gerecht werden, dem die Arie ihre eindringliche Wirkung verdankt. Er ist am Generalbass ablesbar, der als gleichmäßige Folge von Achteln und Vierteln nur stützende Funktion zu haben scheint, aber fast Ton für Ton der Bezifferung bedarf. Das zeigen bereits die ersten Takte (Notenbeispiel 10). Während der Bass in Takt 1 nur die Grundstufen zu umkreisen scheint, erreicht die Oboe die Dominante, die in der zweiten Viertel auf die Terz der Subdominante trifft (h^1 über *as*), während der Grundton danach als Sexte einer neapolitanischen Wendung der Oboe fungiert (*des²* über *f*). Die Harmonik ist jedoch nur die Kehrseite einer kontrapunktischen Stimmführung, die vom Fundus des Ritornells zehrt.

Nicht ganz so dicht gelingt vorerst die Kombination eines obligaten Instruments mit zwei Vokalstimmen. In dem Duett »Gott, du hast es wohlgefüget« (BWV 63:3) ist es wieder die Oboe, die im Austausch mit dem Generalbass zur Paarung von Sopran und Bass hinzutritt.[138] In dem sechstaktigen Ritornell stützt der Continuo zunächst die Oberstimme, doch übernimmt er nach drei Takten die sequenzierende Fortspinnung, die von der Oboe mit einer chromatisch fallenden Kette ausgefüllt wird. Die imitierend eintretenden Vokalstimmen werden in umgekehrter Folge zuerst mit den Sequenzen des Basses und danach mit der figurativen Oboenstimme gekoppelt (T. 7–11). Dichter noch wirkt die Kombination in der nächsten Phase, die von a- nach e-Moll moduliert, während das Imitationsmotiv der Vokalstimmen durch neue Phrasen oder durch freie Parallelführung ersetzt wird (T. 13–16 und 18–20). Dagegen begnügt sich der B-Teil damit, die Textzeilen nach Art der älteren Strophenarie zu deklamieren, während der Bass einmal seine Sequenzkette zitiert und die Oboe sich mit einem kurzen Zwischenspiel begnügen muss.

Bei einem Vergleich der Arien ergibt sich keine Abfolge, die ähnlich überzeugend wäre wie die der Chöre. Der Grund dürfte darin liegen, dass die Werke möglichst verschiedene Arien enthalten sollten, sodass die Erfahrungen der vorangehenden Arien in die folgenden eingehen konnten. In den Continuo-Sätzen lässt sich die Tendenz verfolgen, den Basso ostinato motivisch zu formulieren und zugleich den Spielraum des Vokalparts zu erweitern. Dagegen lassen sich die Arien mit solistischem oder chorischem Instrumentalpart nicht nach Maßgabe ihrer konzertanten oder kontrapunktischen Prägung unterscheiden. Vielmehr werden sie weithin durch die Einbautechnik beherrscht, die in den Sätzen mit Soloinstrument besonders differenziert eingesetzt wird.

Unter den Arien fallen die Sätze aus BWV 21 und 63 auf, deren Datierung nicht ebenso gesichert ist wie die der anderen Werke. Während die Arien aus BWV 63 dem Da-capo-Schema entsprechen (das in Satz 5 variiert wird), enthält das Werk zwei Duette, die verschiedener kaum sein könnten. Wäre die Kantate schon 1713 entstanden, würde sich die Permutationsfuge des Schlusschors zwischen die entsprechenden Sätze aus BWV 208 und 182 einfügen. In BWV 21 hingegen stehen zwei sehr verschiedene Arien (Sätze 3 und 5) den auffällig traditionellen Chorsätzen gegenüber, die sich deutlich vom Schlusschor unterscheiden. So pointiert die eine Arie zu motivischer Aufspaltung tendiert, so extensiv verwendet die andere die Technik des Vokaleinbaus. Falls die Chorsätze schon vor 1714 vorlagen, wäre Bachs Arbeit an der Neufassung erheblich entlastet worden. Es wäre daher denkbar, dass er die gewonnene Zeit nutzte, um in den neukomponierten Arien möglichst verschiedene Verfahren zu erproben.

c. Arien aus Francks Jahrgang 1715

Die Alternativen, die sich in den Arien der ersten Werkgruppe abzeichneten, ließen sich in den folgenden Kantaten nicht unabhängig vom Angebot der Texte erweitern. Francks Jahrgang von 1715 enthält zwar Rezitative, aber kaum Arien, deren Reime und Versmaße den Normen der madrigalischen Dichtung entsprechen. Nicht selten liegen strophische Texte vor, die allerdings innerhalb der Werke verschieden geformt

---

138 Dass der Continuo im Wechsel mit der Oboe als obligate Stimme fungiert, dürfte Bach dazu veranlasst haben, in einer Variante beide Stimmen dem Generalbassspieler zuzuweisen.

sind. Dass Bach diese Vorgaben nicht übernahm, zeigte bereits die chorische Vertonung zweier Arien (BWV 31:2 und 161:5). Dem Da-capo-Schema entsprechen nur vier Texte mit wiederholten Anfangszeilen, wobei sich neben einer Variante (BWV 80a:3) drei reguläre Da-capo-Formen finden (BWV 132:1, 155:2 und 161:3). Häufiger münden die Texte gleichsam rückläufig in die Wiederholung der ersten Zeile ein, die Bach für ein reguläres oder gekürztes Da capo nutzte (BWV 132:1 und 163:1 bzw. BWV 152:2 und 31:4). In anderen Fällen jedoch ließ er eine wiederholte Anfangszeile im freien Da capo aus (BWV 152:4), fügte sie als Motto zwischen den Satzteilen ein (BWV 185) oder wiederholte den Textbeginn, obwohl das von Franck nicht vorgesehen war (BWV 162:5). Wenn also mehrfach verkürzte oder variierte Da-capo-Formen vorliegen, so geht das primär auf Bachs Entscheidung zurück. Dass ihm an einer formalen Rundung lag, zeigt sich auch daran, dass die Ritornelle am Ende fast immer vollständig oder gekürzt wiederholt werden. Zwar ist die Mehrzahl der Sätze zwei- oder dreiteilig angelegt, doch ist die interne Gliederung eine Frage der Interpretation, die sich erst durch das Verhältnis zwischen den Texten, den Ritornellen und der harmonischen Disposition klären lässt. Eine eigene Gruppe, auf die noch zurückzukommen ist, bilden fünf Arien mit instrumentalen Choralzitaten.

Während auf die erste Satzgruppe genauer einzugehen war, können die fast 30 Arien der nächsten Reihe nicht ebenso ausführlich erörtert werden. Die folgende Übersicht, die sich auf wenige Angaben beschränkt, enthält daher eine knappe Charakteristik der Sätze, während nur einige exemplarische Arien näher behandelt werden können.[139]

BWV 152 Tritt auf die Glaubensbahn

2	Tritt auf die Glaubensbahn	Dc verkürzt	B., Ob., Bc. – g-Moll, ¾: imitierendes Kopfmotiv mit konzertanter Fortspinnung, Kopfmotiv in Vokalpart übernommen
4	Stein, der über alle Schätze	Dc verkürzt	S., Fl., Va. d'am., Bc. – B-Dur, ¢: konzertante instrumentale Motivik im Vokalpart umgewandelt, Zeile 1 als Motto wiederholt
6	Wie soll ich dich, Liebster	mehrgliedrig	S., B. (Seele – Jesus), Instr. in unisono, Bc. – g-Moll, 6/4: Vokalpart mit Zwischenspielen kanonisch verkettet

BWV 80a Alles, was von Gott geboren

1	Alles, was von Gott geboren	mit c. f.	B., Ob., Bc. (instr. c. f. »Ein feste Burg«) – D-Dur, ¢: instrumentale Motivik vokal variiert und mit c. f. kombiniert
3	Komm in mein Herzenshaus	var. Dc	S., Bc. – h-Moll, 12/8: Incipit des Bc. im Vokalpart variiert übernommen und fortgesponnen
5	Wie selig ist der Leib	viergliedrig	A., T., Ob. da caccia, V. solo – G-Dur, ¾: konträre Teile im Instrumental- und Vokalpart motivisch verklammert

---

139 Zu weiteren Einzelheiten vgl. Reimer, a. a. O., S. 68–121.

BWV 31 Der Himmel lacht

4	Fürst des Lebens	var. Dc	B., Bc. – C-Dur, **c**: Ritornelle aus quasi ostinatem Bc., B. und Bc. rhythmisch weithin aneinander angeglichen
6	Adam muß in uns verwesen	zweiteilig	T., Str., Bc. – G-Dur, **c**: klangdichter Streichersatz, daraus abgeleiteter, quasi liedhaft ansetzender Vokalpart
8	Letzte Stunde, brich herein	mit c. f., var. Dc	S., Ob. d'am., Str. (c. f. »Wenn mein Stündlein«), Bc. – C-Dur, ¾: Instrumental- und Vokalpart motivisch angeglichen

BWV 165 O heil'ges Geist- und Wasserbad

1	O heil'ges Geist- und Wasserbad	fünfteilig	S., Str., Fag., Bc. – G-Dur, **c**: wechselnd fugierte und imitierte Themenverarbeitung in Instrumental- und Vokalpart
3	Jesus, der aus großer Liebe	zweiteilig	A., Bc. – e-Moll, ¹²⁄₈: Ritornelle mit quasi ostinatem Bc., Kopfmotiv vokal übernommen und fortgesponnen
5	Jesu, meines Todes Tod	vierteilig	T., V. I–II unisono, Bc. – G-Dur, **c**: figurierte Instrumentalstimmen, instrumentale Motivik vokal variiert übernommen und fortgesponnen

BWV 185 Barmherziges Herze der ewigen Liebe

1	Barmherziges Herze	mit c. f.	S., T., Ob. (c. f. »Ich ruf zu dir«), Bc. – fis-Moll, ⁶⁄₄: imitierendes Duett, Choralmotivik zu rhythmisch einheitlichem Bc.
3	Sei bemüht in dieser Zeit	dreiteilig	A., Str., Ob., Bc. – A-Dur, **c**: chorischer Instrumentalpart, Oberstimme im Vokalpart übernommen oder eingebaut
5	Das ist der Christen Kunst	dreiteilig	B., Bc. – h-Moll, **c**: Gliederung durch Ritornelle des Bc., seine Motivik imitierend vom B. übernommen

BWV 163 Nur jedem das Seine

1	Nur jedem das Seine	Dc	T., Str., Bc. – h-Moll, **c**: chorischer Instrumentalpart, Kopfmotiv vom T. übernommen und bei Einbau fortgesponnen
3	Laß mein Herz die Münze sein	dreiteilig	B., Vc. obl. I–II, Bc. – e-Moll, **c**: konzertanter Instrumentalpart, im B. Kopfmotiv übernommen und bei Einbau fortgesponnen
5	Nimm mich dir	mit c. f.	S., A., Str. (c. f. »Meinen Jesum lass ich nicht«), Bc. – D-Dur, ¾: Vokalstimmen wechselnd dialogisch oder imitierend

6. Struktur und Besetzung der Arien **109**

BWV 132 Bereitet die Wege

1	Bereitet die Wege	Dc	S., Ob., Str., Bc. – A-Dur, ⁶⁄₈: chorischer Instrumentalpart mit konzertierender Oboe, imitiertes Kopfmotiv vokal fortgesponnen
3	Wer bist du? Frage dein Gewissen	vierteilig	B., Vc., Bc. – E-Dur, **c**: rhythmisch ostinater Bc., im B. nur das rhythmisch kontrahierte Kopfmotiv übernommen
5	Christi Glieder, ach bedenket	dreiteilig	A., V. solo, Bc. – h-Moll, **c**: konzertanter Violinpart, nur Kopfmotiv vokal übernommen, mehrfach Vokaleinbau

BWV 155 Mein Gott, wie lang, ach lange

| 2 | Du mußt glauben, du mußt hoffen | Dc | A., T., Fag., Bc. – a-Moll, **c**: konzertanter Fagottpart, Duett motivisch unabhängig imitierend oder mit Vokaleinbau |
| 4 | Wirf, mein Herze, wirf dich noch | zweiteilig | S., Str., Bc. – F-Dur, **c**: instrumentale Gigue, rhythmisch geprägtes Kopfmotiv im Vokalpart fortgesponnen mit Vokaleinbau |

BWV 161 Komm, du süße Todesstunde

| 1 | Komm, du süße Todesstunde | mit c. f. | A., 2 Fl., Org. (c. f. »Herzlich tut mich verlangen«), Bc. – C-Dur, **c**: c.-f.-Motivik in Vokal- und konzertantem Instrumentalpart |
| 3 | Mein Verlangen ist | Dc | T., Str., Bc. – a-Moll, ¾: instrumentale Motivik im Vokalpart übernommen, wechselnd mit Instrumenten oder im Vokaleinbau |

BWV 162 Ach! ich sehe, itzt, da ich zur Hochzeit gehe

1	Ach! ich sehe, itzt da ich zur Hochzeit gehe	zweiteilig	B., Str., Bc. – a-Moll, **c**: konzertanter Instrumentalpart imitierend, Kopfmotiv im B. übernommen
3	Jesu, Brunnquell aller Gnaden	zweiteilig	S. (obl. Instr. fehlt), Bc. – d-Moll, ¹²⁄₈: Verhältnis der Stimmen mangels obligaten Instrumentalparts fraglich
5	In meinem Gott bin ich erfreut	zweiteilig	A., T., Bc. – C-Dur, ¾: instrumentales Incipit im Duett bei wechselnd imitierendem oder homorhythmischem Satz übernommen

Wie zuvor entfällt knapp ein Drittel der Sätze auf Continuo-Arien, in denen der Continuo quasi ostinate Funktion hat. Unübersehbar ist die Tendenz, dem Generalbass nicht nur ein rhythmisches, sondern auch ein melodisches Profil zu geben. Da er damit zur Bildung kurzer Ritornelle befähigt ist, fungiert er nicht nur als Stütze, sondern als Partner des Vokalparts, der andererseits mit Ritornellzitaten verbunden werden kann.

Die auffällig kurze Bassarie »Fürst des Lebens« (BWV 31:4) beginnt mit einem viertaktigen Ritornell, das aus einer Folge punktierter Formeln besteht. Der die Tonika umkreisende erste Takt wird im zweiten auf die Dominante versetzt und durch eine steigende Sequenz ergänzt.[140] Während das Ritornell als Umrahmung des verkürzten A-Teils wiederholt wird, begnügen sich die Zwischenspiele mit seinem ersten oder letzten Takt. Analog markieren sie die dreiteilige Gliederung des B-Teils, dessen Abschnitte der Zeilenfolge des Textes entsprechen. Sobald die rhythmischen Formeln des Fundaments durch triolische Wendungen ersetzt werden, werden sie von der syllabisch textierten Bassstimme übernommen. Doch prägen sie nicht nur das Incipit, sondern auch die Fortspinnung des Vokalparts. Sie haben demnach einerseits quasi ostinate Funktion, während andererseits transponierte Taktgruppen des Ritornells im Mittelteil mit Vokaleinbau gekoppelt werden (T. 9–13 und 14–18 ~ 1–4). Den nächsten Schritt vollzieht die Bassarie »Das ist der Christen Kunst« (BWV 185:5), in der sich der Instrumental- und der Vokalpart als gleichberechtigte Partner eines imitierenden Satzes gegenüberstehen. Das viertaktige Ritornell des Generalbasses ist von vornherein auf die syllabische Deklamation des Vokalparts berechnet, der nicht nur das Incipit, sondern auch die sequenzierende Fortspinnung übernehmen kann. Die imitatorische Arbeit, die den gesamten Satzverlauf beherrscht, hat zur Folge, dass mit dem Incipit im Bass auch die ersten Textworte mehrfach wiederkehren. Da sie auch mit den Kadenzgruppen am Ende der Satzglieder verbunden werden, durchziehen sie den Satz wie ein Motto, während Franck nur ihre abschließende Wiederholung vorgesehen hatte. Zwar muss offenbleiben, ob die Anlage durch die wiederholte Anfangszeile veranlasst wurde oder auf Bach zurückging. Festzuhalten bleibt jedoch, dass der Text in Bachs Disposition ebenso eigenwillig wie eindringlich mit dem Tonsatz verkettet wird.

Die Sopranarie »Komm in mein Herzenshaus« basiert auf einem Fundament, dessen skalare Bewegung überraschend kantabel wirkt. Die am Ende wiederholte Doppelzeile »Komm in mein Herzenshaus, / Herr Jesu, mein Verlangen« (BWV 80a:3) umrahmt bei Franck einen längeren Text, dessen Worte zur Eingangszeile kontrastieren (»Treib Welt und Satan aus« – »Weg, schnöder Sündengraus«). In Bachs Lesart entscheiden jedoch die Rahmenzeilen über eine thematische Struktur, die auch die zitierten Binnenzeilen einbezieht. Obwohl das Vorspiel nur zwei Takte umfasst, die als fallende Linie auf eine Kadenz zulaufen, fungiert es als Ritornell und zugleich als Fundus beider Stimmen. In den Außenteilen übernimmt der Sopran das Kopfmotiv, das der Continuo in Dezimen begleitet. Sobald es im Sopran wiederholt und zum Wort »Verlangen« erweitert wird, kehrt im Continuo das Kopfmotiv wieder. Die Pointe des Verfahrens zeigt sich dort, wo den konträren Binnenzeilen Genüge zu tun ist. Zwar scheint der Vokalpart mit seiner intervallischen Weitung und gestrafften Rhythmik ein anderes Gepräge anzunehmen, doch wird er vom Kopfmotiv des Ritornells begleitet, das untergründig auch diesen Abschnitt durchzieht (vgl. T. 15 ff. und 21–25). Das anfangs unscheinbare Material gewinnt eine integrative Funktion, indem es den gesamten Satz zusammenfasst. Die konzise Anlage der

---

140 Vgl. das Formschema bei Dürr, Studien 2, S. 152.

Arie lässt kaum einen Zweifel daran zu, dass die erhaltene Version weithin der Erst-fassung entspricht.

Zwei Monate später folgte die Altarie »Jesu, der aus großer Liebe« (BWV 165:3), in der die gesteigerte Kantabilität des Ritornells zur Kongruenz beider Stimmen tendiert. Der Satz vertritt die Grundform der zweiteiligen Arien, in denen jeweils eine Hälfte des Textes doppelt vorgetragen wird. Beide Teile werden durch ein zwei-taktiges Ritornell umrahmt, das zwischen dem doppelten Cursus der Zeilen auf einen Takt gekürzt wird. Übernimmt der Alt anfangs das komplette Ritornell, so muss sich der Bass mit stützenden Tönen bescheiden (T. 3–4). Doch werden die Glieder des Ritornells später getrennt, sodass sie imitierend oder sequenzierend miteinander gekoppelt werden. Die Kongruenz der Stimmen resultiert aus der Kantabilität eines Materials, das damit – so paradox es scheint – an eine Vorstufe der thematischen Arbeit heranführt.

Dagegen greift die Bassarie »Wer bist du« (BWV 132:3) nochmals auf einen Basso quasi ostinato zurück, der hier durch den Zutritt eines obligaten Violoncellos modifiziert wird. Beide Stimmen teilen in den ersten Takten eine ostinate Formel, die im Cello durch sequenzierte Spielfiguren variiert wird. Damit erweitert sich das Ritornell auf sechs Takte, doch kann der Vokalpart nur den Oktavsprung des Kopf-motivs übernehmen, um es dann eigenständig fortzuführen. Ihm entspricht die eröffnende Frage, die den beiden ersten Teilen des Satzes gemeinsam ist. Sie umfas-sen jeweils drei Zeilen, während dem dritten Teil die beiden letzten Zeilen bleiben, die zur Wahrung der Proportionen in zwei Abschnitten wiederholt werden.[141] In dem Maß also, in dem der Instrumentalpart flexibler wird, erreicht die Arie einen beträcht-lichen Umfang, während sich der Vokalpart vom Fundament lösen muss.

Kaum einen Monat später kam Bach auf dieses Verfahren zurück, indem er den Basso continuo mit einem obligaten Fagott und zwei Vokalstimmen kombinierte. Die Fagottstimme des Duetts »Du mußt glauben« (BWV 155:2) basiert zwar weithin auf den Stütztönen des Basses, je weiter aber ihre Figuren ausgreifen, desto mehr tendiert der Satz zum Verfahren der Arien mit konzertierenden Instrumenten. Die vokalen Imitationen konzentrieren sich vor allem auf die Abschnitte, in denen das Fagott pausiert, während die Stimmen parallel geführt werden, sobald das Fagott auf die Figuren des Ritornells zurückgreift. Die beiden Abschnitte des Mittelteils laufen in vokalen Melismen aus, in die das Fagott die Fortspinnung des Ritornells einfügt, sodass sich ein Satz mit drei obligaten Stimmen und Generalbass ergibt (T. 27–30 und 36–39).

Etwas schlichter ist das Duett »In meinem Gott« (BWV 162:5), obwohl es neben Alt und Tenor kein obligates Instrument beschäftigt. Geht man von der Gliederung des Textes und der Position der Ritornelle aus, so liegen statt der sechsteiligen Form, die Dürr konstatierte, eher zwei Hauptteile vor, deren Umfang allerdings beträchtlich differiert (T. 1–50 und T. 58–136).[142] Beide gliedern sich in zwei Abschnitte, denen jeweils vier der acht Textzeilen zugrunde liegen. Wird die erste Zeile anfangs getrennt

---

141 Wenn Dürr den Satz als vierteilig bezeichnete (a. a. O., S. 256), so bezog er sich auf die Glieder des Textes statt auf die durch Ritornelle vorgezeichneten Formteile.
142 Dürr, a. a. O., S. 151.

112 Teil II · Erster Turnus: Die Weimarer Kantaten (1713–1716)

von den folgenden vertont, so wird sie den Abschnitten des zweiten Teils voran- oder nachgestellt. Das zwölftaktige Ritornell kehrt erst am Ende wieder, während es zwischen den Teilen auf acht Takte verkürzt wird. Seine Sequenzformeln sind zwar dazu geeignet, mit dem Duett kombiniert zu werden, doch werden die Stimmen zumeist parallel geführt, um danach in komplementären Melismen auszulaufen. Sobald aber eine von ihnen imitierend ansetzt, fungiert die andere als Füllstimme, während es einmal zu einem kurzen Kanon kommt (T. 89–92).

Seit Ostern 1715 wurde mit der zweiteiligen Arie »Adam muß in uns verwesen« (BWV 31:6) die Reihe der Sätze mit größerem Instrumentalensemble fortgesetzt. Aus dem fülligen Streichersatz des Ritornells tritt die erste Violine mit wiegenden Sechzehnteln hervor, deren Spitzentöne eine geradezu liedhaft periodische Melodik umgreifen. Nicht ganz so kantabel wirkt die Tenorstimme, der in beiden Teilen jeweils drei Zeilen zufallen.[143] Obwohl die Zeilen wiederholt werden, füllen die vokalen Abschnitte nur jeweils drei oder vier Takte aus. Zudem wird der Satz vom Instrumentalpart beherrscht, während der Vokalpart den Text deklamiert, ohne die Melodik des Ritornells zu übernehmen. Beide Teile zitieren zwei Takte des Ritornells, dessen Melodik aber nicht nur in den Zwischenspielen, sondern auch in den Zitaten hervortritt, mit denen die erste Violine den Tenor begleitet.

Wiederum anders wird der Streicherchor in der Eingangsarie der Kantate »O heil'ges Geist- und Wasserbad« (BWV 165:1) eingesetzt, deren kontrapunktische Anlage die Sopranstimme einbezieht. Die sieben Textzeilen werden auf unterschied- lich lange Abschnitte verteilt, denen jeweils eine Zeile oder ein Zeilenpaar zugewie- sen wird. Wie im zuvor genannten Satz tritt die erste Violine zum Vokalpart hinzu, während die zweite Violine und die Viola nur an den instrumentalen Abschnitten beteiligt sind. Durchaus unterschiedlich ist jedoch die satztechnische Struktur, in der instrumentale Fugati mit imitierenden Bicinien wechseln. Wiewohl das Fugenthema der ersten bzw. letzten Zeile zu entsprechen scheint, wird seine Fortspinnung mit den Zeilen 3 bzw. 6 und seine Umkehrung mit den Zeilen 4 und 5 gepaart. Da die thema- tische Disposition auch die instrumentalen Abschnitte einschließt, werden alle Teile miteinander verbunden. Der erste Abschnitt, der das Ritornell vertritt, beginnt als dreigliedrige Permutationsfuge, deren Schema sich mit dem überzähligen Einsatz der Oberstimme auflöst. Nicht ganz so streng geformt sind die Fugati der Zwischen- spiele, deren Motivik den vokalen Themenvarianten entspricht.[144]

Bildet diese Konstruktion einen Sonderfall, so gehen die folgenden Arien in der Regel von der Anlage des Ritornells aus. In der Altarie »Sei bemüht in dieser Zeit« (BWV 185:3) wird das Ritornell auf acht Takte verlängert, die in der ersten Hälfte zur Dominante modulieren, während die zweite Hälfte durch eine Quintkette erweitert wird. Der akkordische Gerüstsatz wird durch ornamentale Figuren überspielt, die mehrfach gebrochene Septakkorde umgreifen und in vereinfachter Fassung auch in den Vokalpart eingehen. Denkbar klar ist die Gliederung in drei Teile, auf die

---

143 Vgl. die Übersicht ebd., S. 158, wonach die »liedhafte Gestaltung« im Vokal- statt im Instrumentalpart begründet wäre. Dagegen erfassen die Angaben zum Vokaleinbau, ebd., S. 254, nur die Takte mit vollem Instru- mentarium, nicht aber die weiteren Zitate.

144 Es mag offenbleiben ob die Anlage als »chiastische Symmetrieform« (so Dürr, a. a. O., S. 158 f.) aufzu- fassen ist, die auf das Sakrament der Taufe verweist.

jeweils zwei Textzeilen entfallen. Der Streichersatz wird durch eine Oboe erweitert, die in den Ritornellen und Zwischenspielen die erste Violine verstärkt und nur dort obligat hervortritt, wo sie die vokalen Melismen mit motivischen Zitaten begleitet. Überdies wird der Vokalpart mehrfach mit Ritornellzitaten verbunden, sodass die instrumentale Motivik den gesamten Satzverlauf prägt.

Den lehrhaften Text der Arie »Nur jedem das Seine!« (BWV 163:1) suchte Bach durch die mehrfache Wiederholung der ersten Zeile zu gliedern. Das hat aber zur Folge, dass die rhythmische Formel, die zu diesen Worten erfunden ist, nahezu konstant wiederholt wird. Sie begegnet sowohl in den Spielfiguren des Ritornells als auch in der Devise der Tenorstimme und kehrt zudem in den weiteren Ritornell- zitaten wieder. Während sich der Vokalpart im A-Teil auf die Mottozeile beschränkt, werden im B-Teil die weiteren Zeilen analog deklamiert, sodass die Rhythmik, die vom Motto ausgeht, ubiquitär zu werden droht.

Ungleich reicher ist das Ritornell der Sopranarie »Bereitet die Wege, bereitet die Bahn« (BWV 132:1). Zum Streicherchor tritt eine Oboe hinzu, die das einpräg- same Incipit im ⁶⁄₈-Takt einführt. Indem es anschließend von den Streichern auf- genommen wird, verweist es zugleich auf die doppelte Aufforderung der ersten Zeile. So sehr sich das Thema der Gigue zu nähern scheint, so wenig gleicht seine Fortspinnung einem Tanzsatz.[145] Einer achttaktigen Gruppe, die zur Dominante moduliert, entspricht eine zweite, die von der Subdominante zur Tonika zurück- lenkt. Dazwischen werden zwei Takte auf der Tonika eingeschaltet, sodass sich das Ritornell auf 18 Takte erweitert. Der Vokalpart übernimmt zwar das Incipit, das aber in ausgedehnten Koloraturen ausläuft. Da sie das Muster der Fortspinnung variieren, wird mehrfach die erste Taktgruppe des Ritornells eingefügt, während die Rückgriffe auf das Kopfmotiv durch die Figuren der ersten Violine begleitet werden. Beide Glieder des Ritornells treten also in den Dienst des Dialogs zwischen Sopran und Orchester, der auch auf den B-Teil übergreift. Obwohl er in fis-Moll schließt, wird vor der Reprise überraschend ein Takt eingeschaltet, in dem der Sopran – ohne den Generalbass – die Worte »Messias kommt an!« anstimmt. Beginnend mit dem Ritornell, gewinnt die Arie ein derart konzertantes Gepräge, dass man sie sich als Satz eines Instrumentalkonzerts vorstellen könnte.

Die punktierte Rhythmik, die sich hier auf das Kopfmotiv begrenzt, erfasst in der Sopranarie »Wirf, mein Herze« (BWV 155:4) fast jede Zählzeit. Dennoch ist nicht von einer Gigue zu reden, denn sobald das Kopfmotiv in die Basslage übergeht, wird es mit Zweiunddreißigsteln verkettet.[146] Kehrt diese Wendung am Schluss der Satz- teile wieder, so geht der Vokalpart, der vielfach in transponierte Ritornellzitate einge- baut ist, zu triolischen Achteln über. Besonders wirksam wird das Ende des ersten und des zweiten Teils ausgezeichnet, sofern der Durakkord zu den Worten »erbarme« und »beladen« durch die Mollvariante ersetzt wird.

Nicht ganz so inspiriert nehmen sich die beiden letzten Arien dieser Satzgruppe aus, in denen die Streicher auf unterschiedliche Weise eingesetzt werden. Das liegt nicht an den formalen Differenzen zwischen der Da-capo-Arie »Mein Verlangen«

---

145 Finke-Hecklinger, a. a. O., S. 42, verwies auf »den ruhigen Duktus« der Arie.
146 Ebd., S. 72, wird der Satz einem älteren Typus der Gigue zugerechnet.

(BWV 161:3) und der zweiteiligen Bassarie »Ach ich sehe« (BWV 162:1). Maßgeblich ist eher, dass die Streicher im Ritornell aus BWV 161:3 als Gruppe zusammengefasst werden, während sie in BWV 162:1 als Stimmen eines imitierenden Satzes fungieren. Mit auf- und volltaktigen Vierteln, die steigend oder fallend einen Halbton umgreifen, ist das Kopfmotiv aus BWV 161:3 dem Textbeginn ebenso angemessen wie die Fortspinnung, die dreimal ansetzt, um am Ende in fallenden Achtelfolgen auszulaufen. Wendet sich die erste Taktgruppe zur Dominante, so lenkt die zweite über die Subdominante zur Tonika zurück, sodass das zwölftaktige Ritornell eine erweiterte Kadenz darstellt. Der Vokalpart übernimmt zwar das Incipit und die Fortspinnung, doch wird das Material kaum zu motivischer Arbeit genutzt. Vielmehr wechseln Ritornellzitate – am Ende des A-Teils mit Vokaleinbau – und vokale Taktgruppen, während der zweigliedrige B-Teil vom Vokalpart bestritten und nur durch ein Zwischenspiel unterbrochen wird. Das Ritornell aus BWV 162:1 beginnt als imitierendes Duo der Oberstimmen, in dessen zweiten Ansatz die Viola einbezogen wird. Doch werden die Stimmen rasch zusammengefasst, und sobald der Vokalpart das Incipit des Ritornells übernimmt, wird er von fallenden Dreiklängen der Violinen begleitet, die auf die Fortspinnung des Ritornells zurückgehen. Bis auf wenige Takte, in denen die Streicher das Kopfmotiv zitieren (T. 24–29), besteht der Satz aus variiierten Ritornellzitaten, in die der Vokalpart eingebaut wird.

Kein anderes Weimarer Werk ist so kammermusikalisch getönt wie die Kantate »Tritt auf die Glaubensbahn« (BWV 152). Da am Sonntag nach Weihnachten offenbar kein größeres Ensemble verfügbar war, wählte Bach eine solistische Besetzung, die neben Oboe, Flauto dolce und Gambe auch eine Viola d'amore umfasst. Doch werden die Instrumente nur in der Sinfonia gemeinsam verwendet, während sie in den weiteren Sätzen solistisch oder im Unisono eingesetzt werden. In der Bassarie »Tritt auf die Glaubensbahn« (BWV 152:1) fungiert die Oboe eher als kontrapunktische Stimme denn als konzertanter Partner. Das Kopfmotiv, das der Vokalpart als Devise benutzt, wird in skalaren Figuren fortgesponnen, ohne den Rahmen der Tonika zu überschreiten. Analog mündet die vokale Fassung in die Koloraturen der Fortspinnung ein, während die Achtelketten des Generalbasses als stützende Basis fungieren. Ließ hier der lehrhafte Text keine besonders ausdrucksvolle Vertonung zu, so war auch der Beginn der Sopranarie »Stein, der über alle Schätze« (Satz 4) wenig geeignet, um Bachs Phantasie zu entzünden. Die erste Zeile, die am Satzende wiederkehrt, hängt syntaktisch mit den drei übrigen Zeilen zusammen, sodass der Text in drei Ansätzen wiederholt wird. Doch übergehen die Außenteile die vorletzte Zeile, die nur einmal im Mittelteil erscheint (T. 24 f.). Bachs Version bezieht sich demnach auf den »Glauben« als den »Grund der Seligkeit«, wie es in der dritten Zeile heißt. Dem entspricht eine wellenförmig steigende Figuration, die in dem achttaktigen Ritornell eingeführt wird. Beginnend in der Viola, geht dem Kopfmotiv in der Flöte ein Halteton voraus, der im Vokalpart mit dem Worte »Stein« verbunden wird, während die zweite Taktgruppe mit einem Orgelpunkt beginnt (T. 4), der in Achtel aufgelöst und durch die Oberstimmen umspielt wird. Für die vokale Deklamation ist jedoch der Impuls maßgeblich, der durch die repetierten Achtel der Flöte in der Sequenzgruppe des Ritornells ausgelöst wird (T. 3 f.). Sie gehen auch in die modulierende Sequenz ein, auf die der phasenweise Anstieg der vokalen Linie hinzielt (T. 12 f., »durch den Glauben auf dich setze«). Das Duett »Wie soll ich dich, Liebster der Seelen, umfassen« (Satz 5) steht zwar im ⁶⁄₄-Takt, doch unterscheidet es sich von der Gigue durch die Angabe »Andante«.[147] Obwohl es sich um einen Dialog zwischen »Seele« und »Jesus« handelt, besteht der Vokalpart aus einer Folge von sieben Kanons, die zwischen Oktav- und Quintabstand wechseln, wogegen sich in den Zwischenphasen beide Stimmen ablösen.[148] Im Vorspiel, das erst am Ende wiederkehrt, treten die Instrumente im Unisono zusammen, während sie den Dialog mit zwei kurzen Einwürfen ergänzen (T. 37 f. und T. 47 f).

Weit reicher werden die Instrumente – diesmal Oboe da caccia und Violine – an dem Duett »Wie selig ist der Leib« (BWV 80a:5) beteiligt. Die schwebend punktierte Rhythmik des Kopfmotivs ist ebenso wie die Figuren der Fortspinnung auf die Verheißungen des Textes abgestimmt. Demgemäß übernehmen die Vokalstimmen nur das Kopfmotiv, das sofort von den Instrumenten beantwortet wird. Sobald sich der Vokalpart zu partiell kanonischen Melismen erweitert, werden sie mit der instrumentalen Fortspinnung kombiniert, sodass sich ein ebenso kunstvoller wie transparenter Quartettsatz ergibt. Da er nicht zur dritten Zeile passte, der zufolge ein gläubiges Herz »die Feinde schlagen« kann, musste hier eine andere Lösung gefunden werden. Ein syllabisch textiertes Dreiklangsmotiv, das die Vokalstimmen wechselweise intonieren und in rollenden Koloraturen fortführen, wird im Instrumentalpart durch Figuren ersetzt, die man oft als »Kampfmotive« zu bezeichnen pflegt. Die scheinbar konträre Motivik ist jedoch in der Fortspinnung des Ritornells und seiner vokalen Erweiterung vorgebildet (vgl. T. 4 f. und T. 25–29). Das wird vor allem dort deutlich, wo der Generalbass die vokale Version mit weiträumigen Dreiklangsbrechungen begleitet (T. 17–22). Angesichts des motivischen Beziehungsnetzes ließe sich fragen, ob die erhaltene Fassung der Weimarer Version entspricht. Doch forderte der Text eine Lösung, die der späteren Fassung zumindest in den Umrissen nahegestanden haben dürfte.

Allerdings sind nicht alle Sätze so dicht gefügt wie dieses Duett. Geradezu entspannt wirkt daneben die Tenorarie »Jesu, meines Todes Tod« (BWV 165:5). Der Text umfasst acht Zeilen, die auf vier Abschnitte verteilt werden, da aber mehrmals zwei Zeilen mit der folgenden verbunden werden, die zugleich den nächsten Abschnitt eröffnet, ergibt sich eine Kette von Satzgliedern, die keine markanten Kadenzen aufweisen. Dazu spielen die unisonen Violinen gleichförmige Figuren, die in jedem Abschnitt nur einen Takt lang aussetzen. Auch der begrenzte Rahmen der Harmonik trägt dazu bei, dass der Satz an frühere Arien wie die aus BWV 18:4 erinnern kann. Ein ähnliches Bild zeigt die dreiteilige Bassarie »Laß mein Herz die Münze sein« (BWV 163:3), deren imitiertes Kopfmotiv von den obligaten Celli eingeführt wird. Doch werden die Stimmen rasch in Sechzehntelfiguren gekoppelt, die mit dem Vokalpart verbunden werden, während nur wenige Takte auf das Einbauverfahren zurückgreifen.[149]

---

147 Finke-Hecklinger, S. 42.
148 Vgl. dazu die eingehende Analyse von Dürr, Studien 2, S. 162. Ergänzend ist anzumerken, dass sich die letzten Kanons in der Unterquarte (Nr. 4 und 6 der Kanonkette) auf wenige Töne beschränken (T. 41 f. und 55 f.)
149 Vgl. dazu Dürr, a. a. O., S. 256, und entsprechend S. 256 (zu BWV 165:5).

Dass die Altarie »Christi Glieder, ach bedenket« (BWV 132:5) weitaus differenzierter wirkt, liegt weniger an der dreiteiligen Formanlage als am Material des achttaktigen Ritornells. Von dem eintaktigen Kopfmotiv, das im Blick auf den Textbeginn entworfen ist, hebt sich die weiträumige Fortspinnung ab, deren Figurationen weniger Virtuosität als eine kantable Phrasierung fordern. Die Figuren modulieren zur Dominante, umspielen den Orgelpunkt des Generalbasses und kehren im zweiten Viertakter zur Tonika h-Moll zurück. Sobald der Alt das Kopfmotiv übernimmt, beginnt in der imitierenden Violine ein fünftaktiges Ritornellzitat mit Vokaleinbau (T. 10–14 ~ 1–5). Entsprechende Phasen enthält nicht nur der Mittelteil, der in fis-Moll endet. Auch der in A-Dur ansetzende Schlussteil verbindet das Kopfmotiv mit der Kadenzgruppe des Ritornells (T. 20b–23a, 25b–26a und 29–31 ~ T. 1–2 und 7–8). Desto bemerkenswerter ist es, dass der Vokalpart mehrfach das Incipit zitiert und selbst dort, wo er sich in die Ritornellzitate einfügt, seine ebenso kantable wie eigenständige Diktion wahrt. Zugleich wird er vielfach von Wendungen durchzogen, die dem Kopfmotiv nachgebildet sind. Desto bedauerlicher ist es, dass der Instrumentalpart der Arie »Jesu, Brunnquell aller Gnaden« (BWV 162:3) verloren ist. Der Text ließe einen besonders innigen Satz erwarten, doch wäre ein Versuch, aus den erhaltenen Stimmen die Struktur des Satzes zu erschließen, ebenso hypothetisch wie die Bemühungen um seine Rekonstruktion.[150]

In den Arien war Bach auf Texte angewiesen, die ihn durch ihren Affekt- und Bildgehalt zur Erfindung eines adäquaten Materials anregen konnten. Dürrs Feststellung, die Arien seien ebenso instrumental geprägt wie die Chorsätze,[151] bedarf daher der Präzision. Während die Motivik der Ritornelle im Blick auf die Deklamation der ersten Textworte erfunden wurde, waren die satztechnischen Verfahren weniger vom Text als von dem Material der Ritornelle abhängig. Anders stand es, wenn Bach auf die Fertigkeiten zurückgreifen konnte, die ihm aus seiner organistischen Praxis vertraut waren. Wo ihm Choräle oder ostinate Modelle vorlagen, bildeten sie die Prämissen, deren Ausarbeitung auf handwerkliche Erfahrungen angewiesen war. Das aber galt ebenso für die Choralzitate, die in sieben Sätzen eingefügt wurden.

d. Arien und Duette mit Choralzitaten

Die Choralzitate der frühen Kantaten waren mit biblischen Prosatexten verbunden, deren Deklamation im Ermessen des Komponisten lag.[152] Anders verhielt es sich in den Weimarer Arien, in die Bach instrumentale Choralzitate einfügte.[153] Die Reihe dieser Sätze, die 1714 begonnen hatte, wurde im nächsten Jahr fortgesetzt und war demnach unabhängig vom Wechsel der Textvorlagen.[154] Sollten die Dichtungen respektiert und zugleich mit Chorälen verbunden werden, so ließen sich nur wort-

---

150 Vgl. beispielsweise die von Nikolaus Harnoncourt geleitete Einspielung.
151 Vgl. Dürr, a. a. O., S. 162 f.
152 Vgl. BWV 71:2, 131:2 und 4 sowie 106:2d und 3b.
153 Dürr, a. a. O., S. 159 ff., fasste diese und die früheren Sätze unter dem Begriff »Choralarien« zusammen, der allerdings insofern unscharf ist, als er sich auch auf spätere Arien mit choralbezogener Motivik beziehen lässt.
154 Nur am Rande ist ein Rezitativ aus BWV 18 (Satz 3) zu erwähnen, in das einstimmige Zeilen der Litanei in schlichtestem Kantionalsatz eingefügt sind.

6. Struktur und Besetzung der Arien **117**

lose Choralzitate verwenden.[155] Damit aber veränderte sich auch die Aufgabe des Komponisten. Einerseits waren die Choralweisen zu berücksichtigen, deren Töne nur augmentiert oder ornamentiert werden konnten. Andererseits waren sie mit der Motivik der Arien zu verknüpfen, die durch die Ritornelle bestimmt war. Je weiter die motivische Prägung reichte, desto schwieriger musste es werden, sie mit den Prämissen der Choräle zu verbinden. Demnach ließe sich erwarten, dass Bach die Stimmenzahl anfangs begrenzte und erst allmählich erweiterte.

Mit BWV 12:5 steht ein Satz mit einer Vokalstimme und Generalbass samt Choral am Beginn der Reihe, deren Abschluss die einzige Arie mit Choral und drei Gegenstimmen bildet (BWV 161:1). Doch hängt die Abstufung weniger mit der Zahl der Stimmen als mit ihrer Funktion und der Länge der Kombinationsphasen zusammen.

12:5	Sei getreu, alle Pein	T., Bc. quasi ost.	+ Trp.: »Jesu, meine Freude«
172:5	Komm, laß mich nicht länger warten	S., A., Bc. quasi ost.	+ Ob. d'am.: »Komm, heiliger Geist«
80a:1	Alles, was von Gott geboren	B., V., Bc.	+ Ob. (?): »Ein feste Burg ist unser Gott«
31:8	Letzte Stunde, brich herein	S., Ob., Bc.	+ Str.: »So fahr ich hin zu Jesu Christ«
185:1	Barmherziges Herze der ewigen Liebe	S., T., Bc.	+ Ob.: »Ich ruf zu dir, Herr Jesu Christ«
163:5	Nimm mich dir	S., A., Bc.	+ Str.: »Meinen Jesum laß ich nicht«
161:1	Komm, du süße Todesstunde	A., Fl. I–II, Bc.	+ Org.: »Herzlich tut mich verlangen«

Wie die Übersicht zeigt, handelt es sich stets um die erste oder letzte Arie. In vier Fällen entsprechen die Zitate den Choralweisen, die im Schlusschoral erscheinen (BWV 80a, 31, 185 und 161). Die beiden ersten Sätze basieren auf einem Basso quasi ostinato, während die beiden folgenden den Choral mit der instrumentalen Ritornellmotivik verbinden.

Ein Basso quasi ostinato erleichtert die Kombination so lange, wie sich seine primär rhythmisch geprägte Motivik den Oberstimmen anpassen lässt. In BWV 12:5 begnügt sich der Generalbass mit einer fünftönigen Formel, die dreimal sequenziert und durch eine Kadenz beschlossen wird. Obwohl sie acht Takte ausfüllt, hat sie kaum die Funktion eines Ritornells. Bei Eintritt des Tenors wird sie durch stützende Töne ersetzt, um danach transponiert wieder einzusetzen, sobald die Choralweise in der Trompete hinzutritt. Dass dabei das quasi ostinate Modell diastematisch und rhythmisch verändert wird, deutet auf seine flexible Handhabung hin, ohne aber genauere Rekurse in den folgenden Zeilen auszuschließen. Trotzdem wird die Formanlage nur insofern vom Choral gelenkt, als mit den Stollenzeilen auch der erste Formteil wiederkehrt, während die Abgesangszeilen in den zweiten Teil eingefügt werden. Obwohl das motivische Gepräge des Vokalparts rasch in fortspinnenden Melismen aufgeht, fungiert es durchweg als eigene Schicht eines Satzes, der

---

155 Das hielt Bach später nicht davon ab, instrumentale Choralzitate einer textierten Vokalstimme zu übergeben, wie es für BWV 161:1 belegt und analog auch für BWV 80a:1 anzunehmen ist.

den Choral zu integrieren vermag, ohne sich ihm unterzuordnen. In BWV 172:5 dagegen wird ein vokales Duett mit dem Choral und einem Basso quasi ostinato kombiniert. Das Bassmodell besteht zwar wieder nur aus fünf Tönen, doch ist es nicht nur rhythmisch prägnanter, sondern enthält zugleich auch eine dreitaktige Quintschrittsequenz. Dennoch wird es nur in den drei ersten Perioden beibehalten (T. 1–9), während die folgenden Phasen zur Dominante und ihrer Mollvariante lenken (T. 10–25). Je mehr sich der harmonische Radius erweitert, desto weniger ist von kadenzierend begrenzten Perioden zu reden (T. 26–45), bis das Nachspiel am Ende die Ordnung des Ostinato restituiert. Entsprechend flexibel ordnen sich die augmentierten Choralzeilen ein, deren Töne unterschiedlich gedehnt und durch ausgreifende Ornamentierung verdeckt werden. Zudem begrenzt sich das Zitat auf die vier ersten Zeilen, und da die vierte der vorletzten Zeile entspricht, kann am Ende die Schlusszeile angehängt werden. In das doppelte Gerüst aus Ostinato und Choral wird das vokale Duett eingefügt, dessen Partner im Leipziger Textdruck als »Anima« und »Spir. S.« bezeichnet werden. Da den drei Abschnitten des Soprans jeweils zwei oder drei Zeilen zugewiesen sind, auf die der Bass mit jeweils einer Zeile antwortet, muss der Textwechsel der Oberstimme durch Wortwiederholungen der Unterstimme ausgeglichen werden. Beide Stimmen folgen den Trochäen der Vorlage, deren Gleichmaß durch mehrfache Kreuzung und melismatische Ausweitung überspielt wird. Die kombinatorische Anlage gründet demnach in der Flexibilität der drei Satzschichten.

Die Bassarie »Alles, was von Gott geboren« BWV 80a:1 ist nur in der Leipziger Fassung (BWV 80:2) überliefert, die neben der ornamentierten Choralweise für Oboe eine vereinfachte Version für Sopran enthält. Sieht man von der Sopranstimme ab, so dürfte man der Weimarer Fassung des Satzes recht nahekommen. Das Ritornell wird mit Dreiklangs- und Sequenzfiguren der Streicher bestritten, denen sich der Generalbass in gleichmäßiger Achtelbewegung unterordnet. Nur einen Takt nach Einritt der koloraturenreichen Bassstimme setzt auch der Choral ein, auf dessen Einfügung die variable Figuration berechnet ist. Dass mit den Stollenzeilen auch die Gegenstimmen wiederholt werden, wird durch die Varianten der Zwischenglieder verdeckt, sodass sich der Eindruck einer regulären Arie ergibt, in die sich der Choral einfügt.[156]

Kunstvoller noch ist die in C-Dur stehende Sopranarie »Letzte Stunde, brich herein« (BWV 31:8), in der das Ritornell der Solooboe zugleich auch den Vokalpart prägt. Zwei motivisch analoge Stimmen werden mit dem Choral verbunden, dessen Zeilen von den Streichern in Altlage eingefügt werden. Die echoartigen Wiederholungen des Ritornells werden entweder auf die Stimmen verteilt oder im Vokalpart variiert (T. 37 f., 57 f. usf., Notenbeispiel 11). Dass Bach darauf bedacht war, den Kontext der Stollenzeilen zu variieren, zeigt sich besonders in der phrygischen Klausel der zweiten Zeile, deren Finalis (e) zuerst mit der V. Stufe einer D-Dur-Kadenz verbunden wird (T. 42 f.), während sie das zweite Mal in einen verminderten Klang integriert wird, der die IV. Stufe einer d-Moll-Kadenz vertritt (T. 69 f.). Diese

---

156 Wo sich mit der letzten Zeile beide Stimmen zugleich verbinden, werden verdeckte Parallelen zwischen Choral und Streicherfiguren in Kauf genommen (T. 64 f.).

6. Struktur und Besetzung der Arien **119**

Notenbeispiel 11

Klausel fällt bereits in den Mittelteil, der auf der Subdominante endet, während gleichzeitig das Incipit des Ritornells einsetzt, das später auch der Sopran übernimmt (T. 83 ff.). Obwohl bei Franck nur die erste Zeile wiederholt wird, zeichnet sich in Bachs Fassung eine variierte Da-capo-Form ab, in deren Schlussteil die zwei letzten Choralzeilen eingefügt werden.

Dass das Ritornell analog zum Choral mit einem Quartfall beginnt, mag zunächst als Zufall erscheinen, doch treten solche Verbindungen in den drei folgenden Sätzen klarer hervor. In dem Duett »Barmherziges Herze« (BWV 185:1) intoniert die Oboe die Weise »Ich ruf zu dir, Herr Jesu Christ«, deren erste Zeile dem vokalen Incipit entspricht, während seine steigende Fortspinnung auf die zweite Choralzeile deutet. Beide Gebilde werden bei Eintritt der Vokalstimmen verkettet und mit den beiden ersten Choralzeilen in der Oboe verbunden, wobei der Generalbass zu variablen Achtelketten wechselt, die das Vokalduett stützen. Im zweiten Stollen werden die Gegenstimmen im Stimmtausch wiederholt (T. 20–38 ~ 1–19), deren imitierende Ansätze von kantabler Parallelführung abgelöst werden, während der Choral weder ornamentiert noch gedehnt wird. In ähnlicher Weise ist das Duett »Nimm mich mir und gib mich dir« (BWV 163:5) auf den Austausch beider Partner abgestimmt, die hier mit der Weise »Meinen Jesum laß ich nicht« verbunden werden. Dass sich die Stimmen mit fallenden und steigenden Linien aufeinander beziehen, ist deutlicher als ihr dezenter Verweis auf die beiden ersten Choralzeilen.[157]

In den Eingangssatz der Kantate BWV 161 »Komm, du süße Todesstunde« wird die Melodie des Liedes »Herzlich tut mich verlangen« eingefügt, deren erste Zeile im Kopfmotiv als umschriebener Terzfall angedeutet und in Gegenbewegung fortgesponnen wird. Da sie auch vom Generalbass und von der Altstimme übernommen wird, ist sie bereits präsent, bevor im Orgelpart der Choral mit der Angabe »Sesquialtera ad continuo« hinzutritt. Entsprechend fügen sich die weiteren Zeilen in das Beziehungsnetz ein, ohne die harmonische Disposition zu schmälern, die durch das

---

157 Die Viertelnoten des Generalbasses wurden im Klavierauszug (bei Breitkopf & Härtel) mehrfach mit Choralzitaten verbunden, doch war die Zutat nur deshalb möglich, weil die Weise latent im ganzen Satz präsent ist.

Ritornell vorgezeichnet ist. Lenken die vier ersten Takte von C-Dur zur Dominante, so verharrt der Generalbass bei der Rückkehr zur Tonika auf einem Orgelpunkt, während sich die anschließende Figurenkette als chromatische Füllung des umgekehrten Choralmotivs erweist (T. 8). So vielseitig wie diese Figuration eingesetzt wird, so variantenreich ist die dreigliedrige Satzanlage. Obwohl die beiden ersten Teile mit den Stollen des Chorals die erste Hälfte der Dichtung verbinden, modulieren sie zunächst nach e-Moll und sodann nach a-Moll. Demnach werden die analogen Choralzeilen in einen wechselnden Kontext integriert, während die übrigen Zeilenpaare im dritten Teil mit der zweiten Hälfte der Dichtung verbunden werden.

An der Reihe der »Choral-Arien« lässt sich verfolgen, dass die konträren Prämissen zunehmend dichter und zugleich flexibler aufeinander bezogen werden. So zeigen diese Sätze besonders eindrucksvoll, wie souverän Bach eine Aufgabe zu lösen wusste, die er sich selbst gestellt hatte.

e. Arioso und Accompagnato

Anders als Chöre und Arien stellen Rezitative keine motivisch geprägten Formen dar, in denen sich die Varianten struktureller Prozesse verfolgen lassen. So kunstvoll der Poet ein Rezitativ formen mag, so wenig rechnet er mit der Wiederholung der Verse, auf die eine musikalische Formung angewiesen ist, die nicht allein dem Textfortgang folgt. Für eine vergleichende Untersuchung der Formverläufe sind die Weimarer Rezitative – um Dürr zu zitieren – nicht nur wegen ihrer »nahezu ausschließlichen Konzentration auf das Jahr 1715«, sondern wegen ihrer Voraussetzungen sachlich »unergiebig«.[158] Da aus der Zeit zwischen 1709 und 1712 keine Werke vorliegen, bleibt es ungewiss, wann sich Bach jene Beherrschung des Rezitativs aneignete, von der die Kantaten des Jahres 1713 zeugen. Eine präzise Definition der Qualitäten, durch die sich Bachs Rezitative von denen der Zeitgenossen unterscheiden, bedürfte eingehender Vergleiche, die hier zu weit führen würden. Vorerst muss es genügen, auf einige Kennzeichen hinzuweisen, die in den Weimarer Kantaten zu erkennen sind.

Bereits im ersten Satz der »Jagdkantate« (BWV 208) läuft die rezitativische Deklamation nach vier Takten in einer Koloratur aus, die vom »adagio« zum »presto« wechselt, das der Generalbass in Sechzehnteln begleitet. Die Norm des Rezitativs wird durch das Taktmaß einer Satzweise durchbrochen, die in späteren Sätzen mitunter als »arioso« bezeichnet wird.[159] Aufschlussreicher noch ist eine zweite Variante, die in BWV 18:3 begegnet. Wo Neumeister in sein Rezitativ mehrere Zeilen der Litanei einfügt, akzentuiert die Vertonung den Wechsel der Ebenen auf doppelte Weise. Die rezitativischen Partien, die wechselnd dem Tenor oder dem Bass zufallen, werden als Accompagnato von den Violen begleitet und mehrfach durch ariose Takte und ausgedehnte Koloraturen unterbrochen. Ihnen steht die liturgische Melodie der Litanei gegenüber, deren Zeilen vom Sopran intoniert und durch die chorische Anrufung ergänzt werden. So schlicht der Choralsatz ist, so wirksam ist

---

158 Dürr, S. 15.
159 Vgl. etwa BWV 80a:2, T. 14.

sein Kontrast zum Rezitativ, dessen Tropierung auf spätere Varianten des Verfahrens voranweist.

Es dürfte kein Zufall sein, dass die folgenden Rezitative vielfach zum Arioso oder zum Accompagnato tendieren. Während die Kantaten des Jahres 1714 jeweils nur ein Rezitativ mit biblischem Text (BWV 182:3, 12:3, 172:2 und 61:4) enthalten, werden die Rezitative in den folgenden Werken und in Francks Texten von 1715 fast zur Regel, wogegen sie in den drei letzten Kantaten fehlen. Dass die ersten Rezitative mit Bibeltext zu arioser Diktion in festem Taktmaß tendieren, ließe sich mit der Deklamation der Bibeltexte in der älteren Kantate erklären. Doch finden sich solche Abschnitte auch zu gedichteten Texten (so in BWV 61:2, 63:4, 152:3, 80a:2, 31:3, 132:2, 155:2 und 161:2), in denen sie vor allem die Schlusstakte der Sätze auszeichnen. Insgesamt beweisen sie, dass Bach von vornherein die Normen des Secco zu modifizieren suchte.

Nicht ganz so regelmäßig begegnen Accompagnato-Rezitative, die dadurch aber eine besondere Funktion gewinnen. Stehen die Rezitative am Beginn der Werke, so werden sie als betont expressive Accompagnati vertont (BWV 199:1 und 155:1). Doch gilt das auch für manche Binnensätze wie BWV 12:3 sowie BWV 21:4 und 7. Ein Musterbeispiel bildet das Rezitativ »Wir müssen durch viel Trübsal« (BWV 12:3), dem ein zehn Worte umfassender Spruchtext zugrunde liegt (Apg. 14:22). Während die ersten Worte mehrfach wiederholt werden, wechselt die zweite Satzhälfte zum Arioso (»in das Reich Gottes eingehen«). In den vier ersten Takten wird das Wort »Trübsal« mit verminderten Dreiklängen verbunden, die nach g-Moll bzw. f-Moll aufgelöst werden. In den drei letzten Takten dagegen wird der Text zu einer steigenden Linie zusammengefasst, die in den Streichern einen Quartraum umfasst, während sie im Vokalpart eine kleine Septime durchmisst. Obwohl der Satz nur sieben Takte umfasst, deutet sich die Absicht an, das Secco durch die motivische Prägung zu modifizieren.

In dem Rezitativ »Wie hast du dich, mein Gott« (BWV 21:4) ist die planvolle Disposition bereits der Gliederung des Textes zu entnehmen. In c-Moll beginnend, umfasst der Satz 17 Takte, in denen der Text in vier Abschnitte aufgeteilt wird. Der erste läuft mit einem Halbschluss in einem A-Dur-Akkord aus, dem anschließend die verminderte Septime zugefügt wird (T. 4–5). Zwar endet der zweite Abschnitt wieder mit einem Halbschluss in G-Dur, doch folgt ihm der dritte als Neuansatz in Es-Dur (T. 9–10, Notenbeispiel 12). Die übrigen Textglieder weisen nur einmal eine Pause auf, die durch eine seufzerartige Wendung der Streicher überbrückt wird (T. 11–12). Dagegen werden die Worte des letzten und längsten Abschnitts mit einem Halbschluss in C-Dur verbunden (T. 12–17). Das Accompagnato verwandelt sich also in ein Arioso, ohne dabei die rezitativische Diktion zu sprengen.

Der zweite Teil des Werks beginnt mit einem Dialog zwischen der Anima und der Vox Christi (BWV 21:7), der die Reihe ähnlicher Zwiegespräche in Bachs Kantaten eröffnet. Obwohl der Ablauf durch die dialogische Anlage geprägt ist, wird das Verhältnis der Stimmen durch harmonische Brücken (T. 3 und 5) und überraschende Akkordwechsel (T. 9/10 und T. 11) markiert. Den zunehmend kürzeren Fragen des Soprans entspricht das wachsende Gewicht der Worte des Basses, die in einem melismenreichen Arioso auslaufen.

122   Teil II · Erster Turnus: Die Weimarer Kantaten (1713–1716)

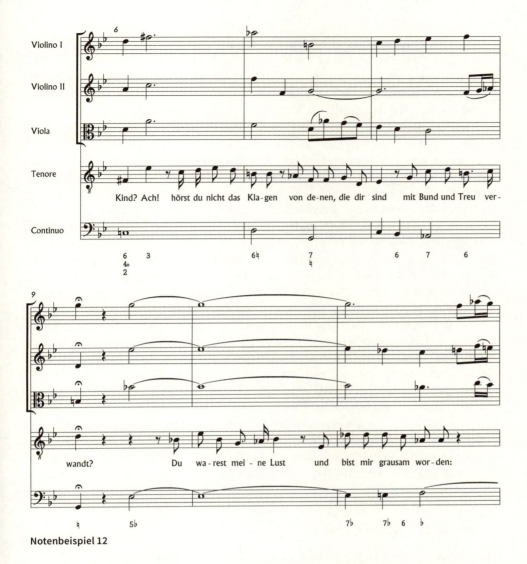

Notenbeispiel 12

Entsprechende Belege finden sich auch in anderen Accompagnati. Dass sie je nach Wortlaut der Texte verschieden ausfallen, widerspricht nicht einer Planung, die zwar von den Texten ausging, um sie aber durch kompositorische Maßnahmen zu überformen. Aus der Fülle der Beispiele seien zwei Sätze herausgegriffen, die auf die Varianten späterer Werke vorgreifen. Das Accompagnato »Siehe, siehe, ich stehe vor der Tür« (BWV 61:3), in dem Neumeister ein Bibelwort zitierte (Offb. 3:20), gleicht einem Rezitativ, dessen Continuostimme in gleichmäßigen Achteln verläuft. Eine Besonderheit des Satzes, der mit einem Septakkord beginnt, ist der Hinweis »senza l'arco«.[160] Eine Spielanweisung genügt, um dem Satz durch das Pizzicato

---

160 Entgegen Dürr, S. 171, ist der Satzbeginn nur begrenzt mit dem Anfang der Arie BWV 54:1 zu vergleichen, die über tonikalem Orgelpunkt mit einem Dominantseptakkord beginnt, der sich entsprechend auflöst, wogegen das dissonante Rahmenintervall im Accompagnato in BWV 61 zur großen Septime verschärft wird.

der Streicher eine Geschlossenheit zu geben, die auf das motivische Accompagnato der späteren Werke vorandeutet. Ein ähnliches Verfahren findet sich in dem Rezitativ »Verdoppelt euch demnach« (BWV 63:6), in dem die Aufforderungen der ersten Takte durch akkordische Einwürfe der Oboen und Streicher kommentiert werden. Sobald die Bassstimme zu den Worten »und danket Gott« zum Arioso übergeht, wechselt die Begleitung zu Akkorden in Achteln, die durch kurze Pausen getrennt werden (T. 6–13).

Weitere Beispiele begegnen in dem Rezitativ »con stromenti« (BWV 165:4) und in den Sätzen BWV 185:2, 132:4, 155:1 und 161:4. Dabei endet Satz 4 aus BWV 161 (»Der Schluß ist schon gemacht«) mit fallenden Quinten, die in der ersten Fassung des Werks die leeren Saiten durchlaufen. Ein weiterer Sonderfall ist der Satz »Ich wollte dir, o Gott« (BWV 163:4), in dem das Seccorezitativ auf andere Weise variiert wird. Obwohl der Text im Druck nur als »Recitat.« bezeichnet war, verband Bach den Sopran und den Alt in einem Duett, das mit 40 Takten den Umfang einer Arie erreicht. Die rezitativischen Formeln der ersten Textglieder dienen zugleich als Motive eines imitierenden Satzes (T. 1–21), der auch dann noch nachwirkt, wenn die Stimmen in ausgedehnten Koloraturen verbunden werden.

Bei der begrenzten Zahl der Rezitative ist der Anteil der Sätze bemerkenswert, in denen das Secco zum Arioso oder Accompagnato erweitert wird. So eindrucksvoll die Fülle der Varianten ist, so aussichtslos dürfte es sein, sie als Zeichen einer »Entwicklung« zu verstehen. Einerseits lassen sich weniger ganze Sätze als einzelne Taktgruppen – zumal die Schlusstakte – als »Arioso« bezeichnen. Andererseits werden als Accompagnato besonders affektvolle Texte vertont, deren Vorkommen nicht in Bachs Hand lag. So bilden diese Sätze keine geschlossene Reihe, die sich mit chronologischen Aspekten verbinden ließe. Auch in den Leipziger Kantaten blieb das Accompagnato ein Ausnahmefall. Erst die Matthäus-Passion wird durch die Fülle und Eigenart der entsprechenden Sätze dazu Anlass geben, auf das Arioso zurückzukommen.

f. Arien der Adventszeit 1716

Obwohl zwischen den letzten Texten für 1715 und den Werken des nächsten Jahrgangs kaum sechs Wochen lagen, sind manche Unterschiede nicht zu übersehen. Während die Chorsätze, die zuvor (von BWV 31 abgesehen) entfallen waren, an die Reihe der Chöre aus dem Jahr 1714 anschlossen, waren in den Texten zum 2. bis 4. Advent jeweils vier Arien zu vertonen. Die Reihung der Arien dürfte Bach zu gesteigerter Variabilität herausgefordert haben. Ein Zeichen dafür, dass ihm Francks Texte wenig zusagten, ist die Tatsache, dass sich die Leipziger Änderungen nicht auf textliche Retuschen beschränkten, sondern auch die Rezitative betrafen. Das fällt nicht nur gegenüber den Leipziger Fassungen der anderen Weimarer Werke auf. Vielmehr war Bach darauf bedacht, in den Parodien der Köthener Kantaten die Rezitative zu übernehmen, für die ihm ein gewandter Autor die passenden Texte lieferte. Allerdings lassen sich die drei letzten Weimarer Kantaten nur aus den Leipziger Fassungen erschließen. Aus der Quellenlage für BWV 70a und 186a geht hervor, dass neben den Eingangschören auch die Arien weitgehend übernommen wurden.

Anders steht es mit der Kantate BWV 147a, deren Eingangschor Bach im Weimarer Autograph notiert hatte, während er bei der Neufassung der Arien genötigt war, die Partituren neu zu schreiben. Dass dabei die Form der Vorlagen gewahrt wurde, dürfte ein Indiz dafür sein, dass die Struktur der Sätze prinzipiell erhalten blieb.

BWV 70a Wachet! betet! betet! wachet!

2	Wenn kömmt der Tag	dreiteilig	A., Vc. o Org., Bc. – a-Moll, ¾: Ritornell z. T. in Vokalpart übernommen, längere Einbauphasen
3	Laßt der Spötter Zungen schmähen	zweiteilig	S., V. I, V. II + Va., Bc. – e-Moll, **c**: Kopfmotiv vokal übernommen, figurative Fortspinnung gepaart mit Einbau
4	Hebt euer Haupt empor	dreiteilig, freies Dc	T., Ob., Str., Bc. – G-Dur, **c**: gestaffeltes Ritornell, Kopfmotiv vokal, figurative Fortspinnung mit Einbau
5	Seligster Erquickungstag	dreiteilig	B., Bc. (B-Teil + Tr., Str.) – C-Dur, ¾: Teile A und A' liedhaft, B-Teil konträr in Tempo und Besetzung

BWV 186a Ärgre dich, o Seele, nicht

2	Bist du, der da kommen soll?	vierteilig	B., Bc. – B-Dur, ¾: Kopfmotiv vokal übernommen, figurative Ausweitung, partiell mit Vokaleinbau
3	Messias läßt sich merken	zweiteilig	T., Ob. da caccia, Bc. – d-Moll, **c**: instrumentales Kopfmotiv und figurative Fortspinnung im Vokalpart abgewandelt
4	Die Armen will der Herr umarmen	zweiteilig	S., V. I–II unis., Bc. – g-Moll, **c**: Kopfmotiv vokal variiert, figurative Fortspinnung mit Vokaleinbau
5	Laß, Seele, kein Leiden von Jesu dich scheiden	mehrteilig	S., A., Str. + Ob. I–II (+ Taille), Bc. – c-Moll, ⅜: periodisches Ritornell im Vokalpart zu akkordischer Begleitung übernommen

BWV 147a Herz und Mund und Tat und Leben

2	Schäme dich, o Seele, nicht	zweiteilig	A., Ob. d'am., Bc. – a-Moll, ¾: Kopfmotiv vokal variiert, zu figurativer Fortspinnung z. T. mit Vokaleinbau
3	Hilf, Jesu, hilf, daß ich auch dich bekenne	vierteilig	T., Bc. (+ Vc.) – F-Dur, ¾: Kopfmotiv im Vokalpart übernommen, figurative Fortspinnung mit Vokaleinbau
4	Bereite dir, Jesu, noch itzo die Bahn	zweiteilig	S., V. solo, Bc. – d-Moll, **c**: Kopfmotiv im Vokalpart übernommen, figurative Fortspinnung z. T. mit Vokaleinbau
5	Laß mich der Rufer Stimmen hören	zweiteilig	B., Tr., Str. + Ob. I–II, Bc. – C-Dur, **c**: im Vokalpart nur Kopfmotiv übernommen, sonst neu zu Ritornellzitaten

Da die Texte keine Da-capo-Formen bieten, findet sich nur ein Satz mit variiertem Da capo (BWV 70a:3). Wie zuvor enthalten die Werke jeweils einen Satz mit einem Soloinstrument bzw. einem größeren Ensemble. Obwohl sich die Formen nicht grundsätzlich ändern, verschieben sich die Relationen. Nur noch eine Arie begnügt sich mit Generalbassbegleitung (BWV 186a:2), während zwei weitere Sätze eine obligate Instrumentalstimme verwenden (BWV 70a:2 und 147a:3). Wird damit die Abgrenzung der Sätze mit Generalbass und mit Solopart unterlaufen, so kreuzen sich mitunter solistische und vollstimmige Besetzungen (BWV 70a:3 und 186a:4). Während eine Continuo-Arie durch einen vollstimmigen Mittelteil unterbrochen wird (BWV 70a:5), verwenden zwei Arien den konzertanten Tuttisatz (BWV 186a:5 und 147a:5). Die Differenzierung des Instrumentalparts hat zur Folge, dass die Kopfmotive der Ritornelle vokal konzipiert sind, während die Fortspinnungsphasen derart instrumental geprägt sind, dass sie vom Vokalpart nicht übernommen werden können. Ein Verfahren also, das zuvor den Sätzen mit Soloinstrument vorbehalten war, greift damit auf anders besetzte Arien über. Je weiter sich die vokalen und die instrumentalen Stimmen unterscheiden, desto mehr werden sie zu gesonderten Schichten, deren Kombination zur Aufgabe des Satzverlaufs wird.

Die Bassarie »Bist du, der da kommen soll« (BWV 186a:2) beschränkt sich als einzige auf begleitenden Continuo. Durch paarweisen Zusammenschluss der Zeilen ergeben sich vier Teile, die zur Dominante, Subdominante, Dominantparallele und am Ende zur Tonika führen. Sie werden durch transponierte Zitate des Vorspiels getrennt, dessen Kopfmotiv sich zweimal mit dem Auslauf des Vokalparts kreuzt, sodass vor dessen Wiedereintritt nur drei Pausentakte bleiben. Obwohl die Stimmen durch punktierte Werte und Achteltriolen geprägt sind, ist ihnen nur das punktierte Kopfmotiv gemeinsam. Die triolischen Achtel dagegen, die im Vorspiel als Umspielung der Kadenzgruppen fungieren, werden in den Binnenteilen zu Melismen erweitert, mit denen die Schlüsselworte des Textes hervorgehoben werden. In der Altarie »Wenn kömmt der Tag« (BWV 70a:3) wird der Continuopart mit einer obligaten Cellostimme verbunden, die sich durch triolische Bewegung vom Generalbass unterscheidet. Der Satz schließt damit an das Duett aus BWV 155 (Satz 2) an, in dem das Fagott den Generalbass umspielt, während die Cellostimme in BWV 70a:3 motivische Funktion hat. Da dem knappen Kopfmotiv eine triolische Fortspinnung folgt, umfasst der Satz längere Phasen, in denen der Vokalpart in die Glieder des Ritornells eingebaut wird (vgl. T. 21–31 ~ 3–13 und T. 48–58 ~ 1–13).[161] In der Tenorarie »Hilf, Jesu, hilf« (BWV 147:3) wird der Continuo mit einer obligaten Orgelstimme gepaart, die sich durch triolische Sechzehntel vom Generalbass abhebt. Der Kontrast zwischen dem Incipit und der Fortspinnung wird derart pointiert, dass der Vokalpart nur das viertönige Kopfmotiv übernehmen kann. Wo er sich in der zweiten Satzhälfte zu melismatischen Sechzehntelketten erweitert (T. 35–40 und 51–56 zu den Worten »Heiland« bzw. »brenne«), verbinden sich damit die Triolen der Fortspinnung, ohne die Selbstständigkeit beider Stimmen zu beeinträchtigen.

---

161   Vgl. die Nachweise bei Dürr, a. a. O., S. 257.

In der Bassarie »Seligster Erquickungstag« (BWV 70a:5) treffen Generalbass- und Concertosatz in zwei getrennten Teilen aufeinander, die sich durch ihr Tempo und ihre Besetzung unterscheiden (»Molt'adagio« bzw. »presto«). Den Anlass bot Francks Text mit zwei auf einander bezogenen Zeilenpaaren (Zeile 2: »führe mich zu deinen Zimmern«, Zeile 5: »Jesus führet mich zur Stille«), die das kontrastierende Reimpaar der Binnenzeilen umschließen (»Schalle, knalle, letzter Tag …«). Obwohl die vierhebigen Trochäen ein gerades Taktmaß nahelegen, werden sie in unterschiedlicher Weise dem ¾-Takt angepasst. Im Vokalpart der vom Generalbass begleiteten Außenteile werden die Zeilen zu viertaktigen Gruppen zusammengefasst, deren liedhaftes Melos durch Melismen und Synkopen differenziert wird. Dagegen wird der Text des Mittelteils in Achteln deklamiert, die am Zeilenende in Viertel auslaufen. Sie werden zugleich in die Sechzehntelketten des Instrumentalparts eingefügt, in dem die Streicher und der Generalbass zu Dreiklangsbrechungen und Tonrepetitionen zusammengefasst und durch Trompetenfanfaren ergänzt werden. Ebenso kontrast- wie beziehungsreich ist die harmonische Disposition, in der die Außenteile zur Dominante bzw. Subdominante modulieren, während der Mittelteil zwei weiträumige Quintketten durchläuft. Wo die erste Quintfolge die Tonika C-Dur erreichen müsste, schlägt sie in subdominantische Richtung um (T. 26–38: E-a, D-G-C^{7b}). Gerät die Bassstimme mit ihren Achteln und Sechzehntelketten in den Sog des Instrumentalparts, so folgt sie anfangs seinen Vorgaben, um sich danach von ihm als gesonderte Stimme abzuheben. Gleichzeitig setzt die zweite Klangkette an, in der die Quintschritte durch verminderte Septimen verschärft werden, bis sie mit einem Septakkord abbrechen. So abrupt der Satz vom Presto zum Adagio wechselt, so planvoll ist er auf diesen Kontrast hin angelegt.

Kaum noch einmal tritt der Instrumentalpart so dominierend hervor wie in der Tenorarie »Hebt euer Haupt empor« (BWV 70a:4). Obwohl das zwölftaktige Ritornell erst am Ende wiederholt und in den Zwischenspielen auf zwei Takte gekürzt wird, bestreitet es weit mehr als die Hälfte des rund 50 Takte umfassenden Satzes, in dem nicht weniger als 16 der 24 vokalen Takte mit Ausschnitten aus dem Ritornell verbunden sind. Beginnend mit der zweitaktigen Kopfgruppe, die vom Vokalpart übernommen wird, moduliert die Fortspinnung in der ersten Hälfte zur Dominante, um danach auf das Kopfmotiv zurückzugreifen. Die zweite Hälfte lenkt von E-Dur und a-Moll aus in einer Quintkette zur Tonika zurück und mündet wieder in das Kopfmotiv ein. Die weiträumige Anlage des Ritornells setzt die Prägnanz voraus, die seine beiden Hauptgruppen auszeichnet (Notenbeispiel 13). Nach einem fallend durchmessenen Quintraum erfährt das Kopfmotiv einen Aufschwung, der auf der Terz der Dominante innehält, bevor der Neuansatz den Ambitus um eine Sekunde ausdehnt. In der Fortspinnung wird er durch eine Kette gebrochener Septakkorde erweitert, die ihr Pendant in der zweiten Phase findet. Beide Ketten beziehen ihre Wirkung aus den dissonierenden Rahmenintervallen, die sich in den anschließenden Gliedern auflösen. Anders gesagt: Die gebrochenen Akkordfolgen bilden die Konsequenz eines kontrapunktischen Denkens, in dem sich die Dissonanzen und ihre Auflösungen gegenseitig bedingen. Sie können als Beispiele für die »fremdartige[n], ganz neue[n], noch nie gehörte[n] Wendungen« gelten, die Bachs »Melodien« von denen »anderer Componisten […] so auffallend unter-

6. Struktur und Besetzung der Arien **127**

Notenbeispiel 13

scheiden«.[162] Sobald der Tenor die zweitaktige Kopfgruppe aufgreift, ziehen sich die Instrumente auf begleitende Akkorde zurück, und wo sie wieder die Ritornellmotivik übernehmen, wird der Vokalpart ebenso neu wie prägnant formuliert. Das Wechselverhältnis beider Schichten verleiht dem Satz eine Stringenz, die jedes Formschema hinter sich lässt. Der erste Teil übergeht die dritte Textzeile und schließt mit der vierten, die nur zweimal kurz angefügt wird.[163] Obwohl der zweite Teil zweimal die übrigen Zeilen durchläuft, ist er erheblich kürzer. Da der Rückgriff auf die zwei ersten Zeilen angefügt wird, ergibt sich ein verkürztes und zugleich harmonisch variiertes Da capo.

Länger noch ist das Ritornell des Duetts »Laß, Seele, kein Leiden« (BWV 186a:5), das bei Zählung im ⅜-Takt 32 Takte umfasst und aus vier- bzw. achttaktigen Gruppen besteht. Während die Rhythmik dem Typus der Gigue entspricht, wird der Vokalpart durch die periodische Gliederung des Ritornells geprägt. Wie in den Duetten BWV 63:2 und 186a:5 tendieren die Stimmen sowohl bei Parallelführung als auch in kurzen Imitationen zu syllabischer Deklamation, während Instrumental- und Vokalpart fast stets getrennt eingesetzt werden. Wo das nicht der Fall ist, beschränken

---

162 Johann Nikolaus Forkel, Ueber Johann Sebastian Bachs Leben, Kunst und Kunstwerke, Leipzig 1802, Faksimile, Frankfurt a. M. 1950, S. 30.
163 Vgl. NBA I/1, KB, S. 87, Anm. 2, wonach diese Zeile vermutlich schon in der Weimarer Fassung entfiel. Den Anlass gab wohl ihr Wortlaut (»Der jüngste Tag wird kommen«), der auf die folgende Bassarie vorgriff.

sich die Instrumente auf die akkordische Füllung des Vokalsatzes. Die »vielgliedrige« Anlage, die Dürr aus der Anordnung der Textzeilen erschloss,[164] müsste zu einer Reihungsform tendieren, wenn die Satzteile nicht durch das Prinzip des Klangwechsels verkettet würden.

In der Bassarie »Laß mich der Rufer Stimmen hören« (BWV 147a:5), in der eine Trompete zu den Streichern und Oboen hinzutritt, wird vom Instrumentalpart derart beherrscht, dass die Gliederung des Vokalparts in den Hintergrund rückt. Dem A-Teil mit den beiden ersten Zeilen, die nur einmal in umgekehrter Folge wiederkehren, steht der B-Teil mit der mehrfachen Wiederholung der übrigen Zeilen gegenüber. Das ungleiche Gewicht wurde offenbar durch den Text veranlasst, in dem die »Stimmen der Rufer« die »Gnadenzeit« verheißen, von der die letzten Zeilen sprechen. Lässt man sich von der Textgliederung leiten, kann man mit Dürr eine »dreigliedrige Bildung des Teiles II« konstatieren.[165] Anders verhält es sich, wenn man von der harmonischen Disposition und der Funktion des Instrumentalparts ausgeht.

Ritornell	A	Instru-mente	B^1 a-b	Zwischen-spiel	B^2 a	Instru-mente	B^2 b	Ritornell
	Z. 1–2		Z. 3–5		Z. 3–5		Z. 3–5	
1–11	11–19	19–20	20–31–35	35–38	38–43	43–45	45–47	48–58
C	C – G	G	G – a – F – a	a	d – C – G	G	C	C

Umrahmt vom Ritornell, enthält der Satz ein viertaktiges Zwischenspiel, das zwei größere Abschnitte trennt. Die beiden eröffnenden Zeilen bilden mit den drei übrigen einen Block (A-B^1), dessen erstes Glied zur Dominante führt, während das zweite zur Parallele moduliert. Nach dem Zwischenspiel folgen im nächsten Block (B^2), der die drei letzten Zeilen enthält, zwei weitere Glieder, die zunächst zur Dominante und – nach zwei instrumentalen Takten – zur Tonika zurückführen. Die Stringenz des Satzes beruht weniger auf der Gliederung als auf dem Instrumentalpart, dessen Motivik – ausgehend von der Trompetenfanfare – auf Dreiklangsformeln beruht.[166] Der Vokalpart übernimmt zwar nur das Dreiklangsmotiv, doch wird er ständig mit Varianten der Ritornellmotivik gekoppelt, die den gesamten Satzverlauf beherrscht. In der Leipziger Fassung ließ sich daher der Text bei gleichem Vers- und Reimschema austauschen, ohne die Stringenz des Satzverlaufs zu beeinträchtigen.

In der zweiteiligen Sopranarie »Laßt der Spötter Zungen schmähen« (BWV 70a:3) wird die erste Violine phasenweise durch die zweite Violine und die Viola dupliert, sodass der Instrumentalpart zwischen Solo- und Tuttiphasen wechselt. Dennoch gleicht der Satz einer Arie mit konzertantem Soloinstrument, zumal sich nur das Kopfmotiv des Ritornells auf den Vokalpart bezieht, während die Fortspinnung den Streichern vorbehalten bleibt. Die Vorlage umfasst insgesamt sieben Zeilen

---

164 Dürr, Studien 2, S. 151 und 161.
165 Ebd., S. 148.
166 Die Nachweise ebd., S. 258, erfassen in der Regel nur jeweils zwei Takte; auch während der Takte 40–46 (~ 1–7) wird die Singstimme nur kurz mit dem Orchester verknüpft (T. 41 f. und 45 f.).

unter Einschluss der Schlusszeile, die dem Wortlaut der ersten Zeile entspricht. Da in beiden Teilen jeweils drei Zeilen doppelt durchlaufen werden, muss die letzte Zeile – ergänzt durch die zweite – am Ende angehängt werden.[167] Beginnend mit zwei vokalen Takten, werden beide Teile durch kurze Zwischenspiele getrennt, doch werden die Stimmen so eng verflochten, dass ihr Wechselspiel über die formale Gliederung hinwegträgt.

Dem Modell dieses Satzes entsprechen – mit mehr oder minder großen Varianten – auch die weiteren Arien mit Soloinstrument, die durchweg zweiteilig angelegt sind. So beginnt die Tenorarie »Messias läßt sich merken« (BWV 186a:3), deren Weimarer Fassung eine Oboe da caccia vorsah, mit steigenden Achteln, die sich für eine syllabische Deklamation eignen könnten.[168] Gleichwohl ist der Vokalpart von Anfang an so eigenständig, dass das instrumentale Incipit nur in gelegentlichen Skalengängen anklingt. Desto öfter wird es in der Oboe zitiert, sodass es – unabhängig vom Textablauf – den gesamten Satz durchzieht. In der Sopranarie »Die Armen will der Herr umarmen« (BWV 186a:4) ist den Stimmen nur der eröffnende Sextsprung gemeinsam. Bereits die synkopische Wendung, die sich im Ritornell anschließt, wird im Vokalpart nur mittelbar wirksam, während die Violinstimme durch die »geschuppten« Sechzehntel der Fortspinnung geprägt wird. Die Unabhängigkeit der Partner reicht so weit, dass der Violinpart die motivische Prägung ausgleichen muss, die dem Vokalpart fehlt.

Je instrumentaler also das Material des Ritornells ist, desto selbstständiger können die Partner agieren. In der Altarie »Schäme dich, o Seele, nicht« (BWV 147a:2) beschränkt sich die motivische Analogie zwischen der Alt- und der Oboenstimme auf das Kopfmotiv, das in der vokalen Version geringfügig verändert wird. Doch sind die fortspinnenden Figuren keineswegs so virtuos, als dass sie nicht auch vom Vokalpart übernommen werden könnten. Maßgeblich war offenbar die Absicht, beide Partner als selbstständige Stimmen zu verknüpfen. Eine letzte Variante bietet die Sopranarie »Bereite dir, Jesu, noch itzo die Bahn« (BWV 147a:4). Das Kopfmotiv des Ritornells ist so genau dem Text angepasst, dass es vom Sopran übernommen werden kann, während sich die triolische Fortspinnung der Solovioline variieren und mit dem Vokalpart kombinieren lässt (Notenbeispiel 14). Besonders kunstvoll kommt das zur Geltung, wenn das transponierte Kopfmotiv des Soprans zugleich durch die Figuren der Fortspinnung umspielt wird (T. 14 f., 28 f. u. ö.). Nur einmal wird es in halbtaktigem Abstand imitiert, und da es hier in der Tonika erscheint, ergibt sich fast der Eindruck eines Da capo (T. 31). Orientiert man sich an der Gliederung des Vokalparts, so könnte man mit Dürr sechs Abschnitte unterscheiden, die durch kurze Zwischenspiele getrennt werden.[169] Doch liegt ein vierzeiliger Text zugrunde, der deshalb mit kleinen Varianten mehrfach wiederholt wird:

---

167 Dürr, ebd., S. 143, sprach geradezu von einem »laceramento della poesia«, doch war es Bach offenbar wichtiger, der ersten Zeile die bekräftigende zweite folgen zu lassen: »Es wird doch und muß geschehen«.

168 Eine Rekonstruktion der Weimarer Fassung findet sich in NBA I/1, KB, S. 93 ff.

169 Dagegen sprach Dürr, a. a. O., S. 151, von einer sechsteiligen Form; zur Anlage des Ritornells vgl. ebd., S. 128.

Ritornell	A¹	A²	A³	Zwischen-spiel	B¹	B²	B³	Ritornell
	Z. 1, 1–4	Z. 1	Z. 1–4		Z. 2–4	Z. 1–4 + 1	Z. 2–4	
1–11	11–12, 14–17	18–22	23–26	26–28	28–30	31–36 (30–34 ~ 1–5)	37–40 (37–39 ~ 8–10)	40–50
d	d–F	F–a	a–g	g	d	d	d	D

Notenbeispiel 14

Da die erste Zeile einen abgeschlossenen Satz darstellt, wird sie eingangs als Devise abgetrennt und später übergangen oder nachgestellt, während der syntaktische Zusammenhang der übrigen Zeilen gewahrt wird. Einem ersten Abschnitt, der zur Durparallele lenkt, stehen zwei weitere gegenüber, die auf der Molldominante und auf der Subdominante enden. Zwischen ihnen liegt jeweils nur ein Takt, den die Solovioline mit den Figuren der Fortspinnung ausfüllt (T. 17 f., 22 f. und 36 f.). Als Zwischenspiel fungieren zwei Takte, die den modulierenden ersten Teil in der Subdominante abschließen (T. 26–28). Ihm steht ein zweiter Teil gegenüber, der durchweg in der Tonika bleibt, die Textfolge aber dadurch umkehrt, dass die letzten Zeilen vorangehen, denen danach die imitierte Eingangszeile folgt (T. 28–40). Obwohl der Eindruck eines Da capo nicht unbegründet ist, wird die Gliederung vom Austausch der Stimmen überlagert, während sich der Vokaleinbau auf den Schlussteil beschränkt.

Trotz aller Unterschiede werden die letzten Weimarer Arien durch die Dominanz des Instrumentalparts geprägt, die von den Figuren der Fortspinnung ausgeht, während die Kopfmotive auf den Vokalpart hin konzipiert sind. Dass sich die Sätze damit von den früheren Arien unterscheiden, war nicht unbedingt zu erwarten. Da in jeder Kantate mehrere Arien gefordert waren, ließ sich eher mit wechselnden Lösungen als mit einem schrittweisen Wandel rechnen. Gleichwohl werden bei einem Vergleich der Arien aus den Jahren 1714 und 1716 Tendenzen sichtbar, die nur teilweise mit der Besetzung zusammenhängen.

Zu den frühesten Sätzen zählt die Arie BWV 18:4 mit einer instrumentalen Figuration, die den Vokalpart fast beziehungslos begleitet. Ein ähnliches Verfahren begegnet später – wiewohl differenzierter – nur noch einmal (in BWV 165:5). In der Regel gehen die Arien aber von dem Material aus, das im Ritornell eingeführt und von der Singstimme übernommen wird. Anders gesagt: Die instrumentale Motivik wurde von vornherein im Blick auf den Vokalpart konzipiert. Das betrifft nicht nur die Arien, in denen die Stimmen einen kontrapunktischen Satz bilden (wie in BWV 12:5 und 165:1), sondern auch die Sätze mit einem instrumentalen Ensemble, dessen Motivik den Vokalpart prägt (so BWV 21:4, 155:4 und 163:1). Doch gilt es ebenfalls für Arien mit einem Soloinstrument. In extremer Pointierung zeigt die vielleicht schon vor 1714 entstandene Arie »Seufzer, Tränen« (BWV 21:4) die Aufteilung des gemeinsamen Materials auf Sopran und Oboe. In die gleiche Richtung weisen weitere Sätze mit prinzipiell analoger Substanz der Stimmen (zum Beispiel BWV 182:5, 172:3, 21:10 und 61:3). Auch wo die Kopfmotive instrumental fortgesponnen werden, ist die Figuration nicht derart instrumental geprägt, als dass sie nicht auch in den Vokalpart eingehen könnte (BWV 152:2 und 4, 31:6 und noch 161:3). Vorerst also basiert das Verhältnis der Partner weniger auf Differenzen zwischen der instrumentalen und vokalen Stimmführung als auf dem gemeinsamen Material.

Ausnahmen bilden die Arien mit quasi ostinatem Continuo, der einen ebenso selbstständigen wie variablen Vokalpart bedingt (BWV 182:6, 61:5 und 31:4). Je mehr die ostinate Prägung zurücktritt, desto eher tendiert der Generalbass seit BWV 80a:3 zu eher kantabler Diktion, sodass seine Motivik vom Vokalpart übernommen werden kann (BWV 165:3 und 155:2). Sobald der Continuo durch ein obligates Instrument in Basslage ergänzt wird (wie in BWV 163:3, 132:3 und im Duett BWV 155:2), wird auch hier die Unterscheidung zwischen vokalem Kopfmotiv und figurativer Fortspinnung sichtbar. Demnach wäre zu vermuten, dass dieses Verfahren primär in Arien mit konzertantem Solopart vorkommt (BWV 80a:1 »Alles, was von Gott« und BWV 132:5 »Christi Glieder«). Häufiger jedoch tendieren Sätze mit größerer Besetzung zur Ausbildung von Ritornellen, deren Figuration sich nicht für die Singstimme eignet (so schon 1714 BWV 182:3 »Starkes Lieben«, später 185:3, 132:1, 161:1 und 162:1).

Die Erweiterung der Ritornelle bedingt nicht nur ihre Verlängerung, sondern zugleich eine Änderung ihrer harmonischen Disposition. Zwar modulieren nicht wenige Ritornelle schon früh zur Dominante bzw. Parallele, nur ausnahmsweise erfolgt aber die Rückkehr zur Tonika über weiträumige Quintschrittsequenzen. Nachdem erstmals in BWV 208:7 Quintketten eingesetzt wurden, begegnen sie 1714 in den Arien BWV 182:5 (»Leget euch«) und 12:4 (»Kreuz und Krone«). Schon hier sind sie mit einer figurativen Fortspinnung verbunden, deren Material sich vom textbezogenen Kopfmotiv kaum substantiell unterscheidet. Ein ähnliches Verfahren deutet sich – wiewohl nicht ebenso ausgeprägt – mitunter auch später an (so in BWV 132:5 und 151:5). In pointierter Weise begegnet es erst wieder 1715 im Ritornell der Arie BWV 185:3 (»Sei bemüht«), in der die Streicher mit Oboen verbunden werden. Zwar finden sich solche Quintketten auch in weiteren Sätzen, in denen sie dann aber eher beiläufig und rasch ablaufen. Dagegen treten sie in den genannten Beispielen als Ketten fallender, vielfach auch verminderter Septakkorde auf, die als Musterfälle jener Melodiebildung gelten können, die Forkel als besondere Eigenart Bachs hervorhob.[170] Desto auffälliger ist es, dass diese Technik erst in den letzten Weimarer Arien wieder so hervortritt wie in BWV 70a:3 (»Hebt euer Haupt empor«) und BWV 147a:3 (»Bereite dir, Jesu«). Kaum zufällig betrifft das Sätze aus Werken, deren Eingangschöre entsprechend gebaute Ritornelle enthalten.

Weniger signifikant sind dagegen Details wie die Eröffnung des Vokalparts durch eine vorangestellte Devise oder die Deklamation im Verhältnis zum Metrum der Texte.[171] Beides lag nicht nur in Bachs Ermessen. Wie die Deklamation auch vom metrischen Gepräge der Texte abhing, war eine Devise nur sinnvoll, wenn sich die ersten Worte aus dem Kontext lösen ließen. Während sich die Satzstruktur durch eine Devise nicht prinzipiell verändern musste, ließ sich das Versschema vom Komponisten nur modifizieren, aber nicht völlig verdrängen. Anders steht es mit der Technik des Vokaleinbaus, die primär auf satztechnischen Prämissen beruht. Wird sie so extrem eingesetzt wie in der Arie BWV 21:5, deren Vokalpart sich weithin als Verdopplung des Instrumentalparts erweist, so kann sie fast als Vereinfachung der kompositorischen Arbeit erscheinen. Doch dient sie schon hier der motivischen Einheit des Satzes, dessen Kohärenz nicht dem Textablauf überlassen bleibt. Im Anhang seiner Arbeit hat Dürr die Nachweise der Einbautechnik so umfassend verzeichnet, dass weitere Ergänzungen fast überflüssig wirken. Allerdings unterschied Dürr nicht zwischen längeren Einbauphasen und Fällen, die nur einzelne Takte betreffen. Doch ist es nicht gleichgültig, ob der Vokalpart mit kurzen Ritornellzitaten verbunden oder in längere Ritornellausschnitte eingefügt wird. Handelt es sich im ersten Fall um Kombinationen, die auf Bachs Technik der motivischen Arbeit vorandeuten, so ist der Terminus »Einbau« am ehesten dort berechtigt, wo der Vokalpart in geschlossene Phasen des Ritornells integriert wird.

Dabei scheiden die Arien mit Generalbass aus, solange sie durch quasi ostinate Bildungen bestimmt sind. Erst in späteren Sätzen, in denen der Vokalpart von der kantablen Motivik des Continuo zehrt, kann die Einbautechnik Verwendung finden (so 1716 in dem Duett BWV 162:5 und der Bassarie 70a:2). Aus Dürrs Angaben geht hervor, dass der Vokaleinbau längere Partien des Ritornells am ehesten dort betrifft, wo ein konzertanter Instrumentalpart oder eine größere Besetzung vorliegt (wie in BWV 208:7, 9 und 13). Entsprechend verhält es sich in weiteren Arien, deren Kopf-

---

170 Vgl. Forkel, a. a. O., S. 31: »Da alle Passagen nichts als zergliederte Accorde sind, so müssen sie nothwendig desto reicher und fremder an Inhalt werden, je reicher und fremdartiger die ihnen zum Grunde liegenden Accorde sind.«

171 Zur Devisenbildung vgl. Dürr, a. a. O., S. 130 f.

motive durch fortspinnende Figuren erweitert werden (BWV 182:5, 12:4, 80a:1, 132:1 und 70a:3 oder 147a:2 und 4). Anfangs begegnen ausnahmsweise Sätze, deren kantabler Instrumentalpart weithin der Singstimme entspricht und gleichwohl phasenweise mit Vokaleinbau gekoppelt wird (wie in BWV 172:4, 61:3 sowie 152:2 und noch 1715 in BWV 31:8). Ergibt sich daraus eine hochgradige Homogenität der Stimmen, so zielen spätere Arien auf die Gegenüberstellung verschiedener Schichten. Das gilt besonders für Sätze, die über eine größere Instrumentalbesetzung verfügen (wie schon 1714 BWV 182, danach BWV 185:1, 161:3, 132:1, 155:4 sowie 1716 BWV 70a:4 und 147a:5). Die »Großzügigkeit der Formen«, die Dürr in den drei Werken vom Dezember 1716 wahrnahm,[172] ist nicht nur an der Länge der Sätze abzulesen, sondern resultiert auch aus der Struktur der Ritornelle, deren Anlage nicht von den Prämissen der Besetzung zu trennen ist.

Hier ist nicht der Ort, um die Frage zu erörtern, welche Folgen die Einbautechnik für die vokale Stimmführung hat. Es liegt auf der Hand, dass die Eigenständigkeit des Vokalparts erschwert wurde, wenn sie nachträglich einem bereits fixierten Tonsatz zugefügt wurde. Dabei drängt sich der Eindruck auf, dass dies vor allem auf die früheren Weimarer Arien zutrifft, in denen Vokal- und Instrumentalpart weithin gleiches Material teilen, sodass der Singstimme eine eher füllende als motivische Funktion bleibt. Symptomatisch dafür sind Haltetöne, Tonrepetitionen und ausgreifende Koloraturen (wie in BWV 132:1 »Bereitet die Wege«). Anders scheint es sich in den Arien seit Ende 1715 zu verhalten, deren Ritornelle über eine eigenständige Fortspinnung verfügen. Die Unterscheidung zwischen vokalem Kopfmotiv und instrumentaler Fortspinnung lässt sich als Erweiterung der Möglichkeiten des Vokaleinbaus verstehen, sofern die Taktgruppen der Fortspinnung mit vokalen Varianten der Kopfmotive oder vokale Themenzitate mit Varianten der Fortspinnung verknüpft werden können. Es bedürfte eingehender Untersuchungen, um die Varianten und Konsequenzen des Vokaleinbaus zu klären. Sie müssten die heikle Frage einschließen, wieweit dadurch die vokale Stimmführung eingeschränkt wurde. Die Antwort ist insofern schwierig, als die Unterscheidung zwischen selbstständiger und füllender Funktion einer Stimme eine klare Definition geeigneter Kriterien voraussetzen würde.

Der Fundus der Weimarer Arien erlaubt vorerst nur vorsichtige Rückschlüsse auf Änderungen, die mit der chronologischen Folge der Werke korrelieren. Für Bach war es vorrangig, sich einen möglichst großen Vorrat unterschiedlicher Lösungen zu erarbeiten. Die Tatsache, dass er auf die meisten Werke im ersten Leipziger Amtsjahr zurückgriff und manche später erneut aufführte, ist der deutlichste Hinweis darauf, dass sie für ihn neben späteren Werken Bestand hatten. Die Frage nach chronologisch bedingten Wandlungen erweist sich damit als eine Verengung, die auf das spätere Denkmuster einer künstlerischen Entwicklung zurückgeht. Dass sie der Ergänzung durch eine Perspektive bedarf, in der die Variabilität der Werke den Vorrang hat, muss auch für die folgende Untersuchung Konsequenzen haben.

---

172 Dürr, a. a. O., S. 173.

7. Die Solokantaten BWV 199 und BWV 54

Dass die beiden Solokantaten bisher ausgeklammert wurden, liegt an Fragen der Datierung, die durch die Quellenlage bedingt sind. Während BWV 199 »Mein Herze schwimmt im Blut« in einem Autograph vorliegt, das nach Kobayashi schon 1713 geschrieben wurde, ist die Kantate »Widerstehe doch der Sünde« (BWV 54) in einer Weimarer Kopie überliefert, die von Johann Gottfried Walther angefertigt wurde. Dennoch sind die beiden Werke nicht in gleicher Weise wie die anderen Kantaten in die Weimarer Reihe einzubeziehen. Aus dem 1711 erschienenen Textdruck, den Elisabeth Noack nachweisen konnte,[173] geht hervor, dass der Text zu BWV 199 zum 11. Sonntag nach Trinitatis gehört, während die Vorlage von BWV 54 für den Sonntag Oculi bestimmt ist. Beide Kantaten wurden im Anschluss an Dürr in den Weimarer Kalender eingeordnet, ohne von den anderen Werken unterschieden zu werden. Anders verhält es sich jedoch, wenn BWV 199 nach Kobayashi schon 1713 zu datieren ist. Denn es lässt sich nicht leicht vorstellen, dass neben der »Jagdkantate« oder einem relativ schlichten Werk wie BWV 18 schon 1713 eine Solokantate entstand, die seit jeher als reifes Meisterwerk gilt. Die Folgerungen, die daraus zu ziehen wären, müssten auch für BWV 54 bedacht werden, solange die genaue Datierung dieses Werks offen ist.

Wie der Vergleich mit dem Textdruck zeigt, folgte Bach recht genau dem Wortlaut der Vorlagen. Zugleich hat sich erwiesen, dass die dreisätzige Kantate BWV 54 nicht – wie früher befürchtet – unvollständig erhalten ist. Im Blick auf BWV 199 wurde sichtbar, dass das in die erste Arie eingefügte Rezitativ ebenso auf Lehms zurückgeht wie das Bibelzitat im folgenden Rezitativ (Lk. 18:13b). Auch die Dacapo-Form der Arien kann nicht als Indiz des Fortschritts gelten, da sie durch den Text vorgegeben war.[174] Mit den formalen Kriterien, die Dürr anwandte, ließen sich freilich keine Unterschiede von anderen Weimarer Kantaten ermitteln.

Die Da-capo-Arie »Stumme Seufzer, stille Klagen« (BWV 199:2) entspricht im Affekt und in der Besetzung mit Sopran und Oboe der ebenfalls in c-Moll stehenden Arie »Seufzer, Tränen« (BWV 21:3), die allerdings zweiteilig angelegt ist. Wie dort wird das Kopfmotiv so eng mit der Fortspinnung verkettet, dass beide voneinander kaum zu trennen sind. Der erste Takt, der die Grundstufen umgreift und auf der Dominante endet, wird mit den Synkopen der Folgetakte verkettet, die in fallenden Sekunden eine Sequenz umschreiben und in Takt 5 die Durparallele erreichen. Während sie mit einer »Drehfigur« umkreist werden (T. 3–4),[175] leiten die letzten Takte in steigenden Sekunden zur Tonika zurück (T. 6–8). Wird das Vorspiel in BWV 21:3 in knappe motivische Glieder zerlegt, die sich umschichtig auf die Stimmen verteilen, so fungiert es in BWV 199:2 als Ritornell, dessen Taktgruppen im A-Teil durch Vokal-

---

173 Elisabeth Noack, Georg Christian Lehms, ein Textdichter Johann Sebastian Bachs, in: BJ 1970, S. 7–18. Zu den späteren Fassungen des Werks vgl. Tatjana Schabalina, Ein weiteres Autograph von Johann Sebastian Bach in Rußland. Neues zur Entstehungsgeschichte der verschiedenen Fassungen von BWV 199, in: BJ 2004, S. 11–39.

174 Vgl. ebd., S. 13 f.

175 Zu solchen »Drehfiguren« vgl. Dürr, a. a. O., S. 180.

Notenbeispiel 15

einbau erweitert werden (T. 11–13a ~ 1–3, 14–19 ~ 3–8 und 20–21 ~ 3–4, Notenbeispiel 15), bevor sie am Ende zusammenhängend wiederkehren. Die Ritornellzitate der Oboe setzen nur in zwei Takten aus, deren Vokalpart auf dem Bassgerüst des Ritornells basiert. Im ersten Takt vertritt der Sopran mit einer eigenen Wendung die Oboenstimme (T. 8), und ähnlich verhält es sich bei Erreichen der Durparallele (T. 13). Damit nähert sich der A-Teil – wie in BWV 21:5 – einer Folge von Ritornellphasen, die durch den Vokalpart erweitert werden. Das Verfahren wirkt im B-Teil nach (T. 29–38), in dem die Ritornellzitate den Modulationen angepasst werden (T. 30 f. ~ 2, 35 f. ~ 8 f. und 37 f. ~ 3 f.). Wendet sich die erste Phase von c- über f- nach b-Moll (T. 29–31), so führt die zweite in Quinten nach g-Moll zurück (T. 33–39). Hier schließt sich das von Lehms vorgesehene Rezitativ an, das als Secco mit Halbschluss in G-Dur endet und damit zur Rückkehr des A-Teils vermittelt (T. 39–45).

Im Unterschied zu BWV 21:3 wird die Einbautechnik im A-Teil fast ebenso intensiv wie in der Tenorarie BWV 21:5 eingesetzt. Ähnlich begrenzt bleibt auch die Harmonik, die sich im ersten und zweiten Teil auf wenige Sekund- oder Quintschritte beschränkt. Gleiche Beobachtungen erlaubt die zweite Arie »Tief gebeugt und voller Reue« (BWV 199:4), die vor allem den Streicherchor zur Geltung bringt. Obwohl das Ritornell auf 24 Takte erweitert wird, weist es nur eine Binnenzäsur auf der Dominante auf (T. 13), die jedoch durch die Bewegung überspielt wird, die von der Ausspinnung des Kopfmotivs ausgeht. Einen Quintfall durchmessend, scheint das Kopfmotiv mit einem Trugschluss zu enden, doch wird sein Impuls von den Außenstimmen aufgenommen und zu einer steigenden Sequenz erweitert (T. 4–6). Über Terzanstieg des Continuo verbindet die Oberstimme synkopierte Quartsprünge mit fallenden Sekunden zu einer steigenden Progression (T. 4–6), die an den Chorsatz BWV 172:1 denken lässt.[176] Sobald die Quinte erreicht wird, schließt sich eine Sequenz an, mit der die Dominante befestigt wird (T. 6–13). Zugleich staut sich der melodische Strom in Synkopen, sodass der ¾-Takt vielfach von Hemiolen durchsetzt wird. Die Paarung der strömenden Melodik und der rhythmischen Stauung ist noch in der letzten Phase wirksam, die um die Dominante pendelt, bis das Ritornell durch eine ausgedehnte Kadenz beschlossen wird (T. 13–25).

---

[176] Vgl. T. 96–102 im B-Teil des Chorsatzes »Erschallet, ihr Lieder«.

Die umständliche Kennzeichnung war notwendig, um die Folgen des Ritornells für den Satzverlauf verständlich zu machen. Denn der A-Teil (T. 1–91) besteht wie in der ersten Arie aus Ausschnitten des Ritornells. Seine erste Hälfte dient als Grundlage der ersten vokalen Phase, in der die Sopranstimme – begleitet von der ersten Violine – die instrumentale Oberstimme übernimmt (T. 24–37 ~ 1–13). Entsprechend gründet der letzte Vokalteil auf der zweiten Phase des Ritornells (T. 55–67 ~ 13–25), das abschließend nochmals wiederholt wird (T. 67–91). Auch das Zwischenglied besteht aus Teilen des Ritornells, die gemäß der Modulation zur Subdominante modifiziert werden (T. 37–55 ~ 1–4 + 6–8 usf.). Ähnlich wird der B-Teil (T. 91–137) mit den modifizierten Gruppen des Ritornells bestritten, während eine nach g-Moll transponierte Variante als Zwischenspiel verwendet wird (T. 101–117), dem ein vokaler Einschub vorangeht (T. 91–101). Die letzte Phase beginnt mit einem doppelten Rekurs auf die ersten Takte, während die Fortführung auf einer transponierten Variante der instrumentalen Sequenzketten basiert (T. 124–137). Dagegen erweisen sich die als »adagio« bezeichneten Schlusstakte, die im Vokalpart als Rezitativ ansetzen, als besonders eindrucksvolle Neubildung. Ausgehend vom Kopfmotiv, das zweimal die Violinen durchläuft, verklingt der Vokalpart – eingebettet in den Streicherklang – in As-Dur (T. 138–144: »habe doch Geduld mit mir«).

Wie die Wirkung der Arie ist auch ihr Umfang nicht von der Struktur des Ritornells zu trennen. Ein Satz wie dieser bestätigt die Vermutung Dürrs, der Vokaleinbau könne auf das Variationsprinzip des Ostinatosatzes zurückgehen.[177] In der Tat erinnert das Verfahren an die Praxis eines Organisten, der zu einer Vorlage weitere Stimmen erfinden muss. Demnach wäre der A-Teil mit den Perioden eines Ostinatomodells zu vergleichen, das im Vorspiel eingeführt und am Ende wiederholt wird, während die mittlere Phase durch den Vokalpart erweitert wird und zugleich eine modifizierte Variante des Modells einschließt.

Die Arien aus BWV 199 teilen mithin Kennzeichen, die sie zugleich von den anderen Weimarer Sätzen unterscheiden. Die Ritornelle bestehen aus Sequenzketten, ohne eine klare Trennung von Kopf und Fortspinnung zu kennen, während die Taktgruppen durch synkopische Vorhalte verkettet werden, die auf die kontrapunktisch gedachte Stimmführung zurückgehen. Dagegen fehlen die instrumentalen Spielfiguren, die für das italienische Solokonzert charakteristisch sind, wogegen der Vokaleinbau an das Verfahren in Variationssätzen erinnert.

Das gilt ebenso für die Arie »Widerstehe doch der Sünde« (BWV 54:1), obwohl sie ein anderes Bild zu bieten scheint. Das zehntaktige Ritornell bildet eine Konstruktion über einem Orgelpunkt auf der Tonika, der in Takt 5 von der Quinte abgelöst und durch die Kadenz beschlossen wird. Im Wechselspiel der Violinen, das mit einer unscheinbaren Spielfigur ansetzt, entfaltet sich über dem Grundton eine klangliche Staffelung, die im Rahmen einer Duodezime aufsteigt und über einem Orgelpunkt auf der Dominante wieder absinkt. Analoge Sätze finden sich weniger in anderen Weimarer Arien als in der Sonatina des »Actus tragicus«, die phasenweise auf einem Orgelpunkt basiert.[178] Die scheinbar akkordische Klangpyramide gründet

---

177 Dürr, a. a. O., S. 173.
178 Vgl. BWV 106:1, T. 4–7 und 18 f.

Notenbeispiel 16

im kontrapunktischen Verhältnis der Oberstimmen, die sich mit synkopischen Vorhalten ablösen und – ähnlich wie in BWV 21:2 – eine Kette steigender Sekunden bilden (Notenbeispiel 16). Während die geteilten Violen als Füllstimmen fungieren, übernimmt der Alt den Beginn des Ritornells, der als Devise vorangestellt und vom Orchester wiederholt wird (T. 11–12). Sobald der Vokalpart erneut ansetzt, wird er mit einem variierten Ausschnitt des Ritornells kombiniert. Im Übrigen beruht der A-Teil bis auf wenige Scharniertakte durchweg auf Vokaleinbau (T. 17b–25a ~ 1–8, T. 25b–27 ~ 1–3, T. 30 ~ 7), während er mit der Wiederholung des Ritornells abschließt. Der B-Teil hingegen kommt ohne Vokaleinbau aus, sofern zwei vokale Abschnitte mit transponierten Phasen des Ritornells wechseln, sodass beide Ebenen durchweg getrennt bleiben.

Auf andere Weise entsprechen sich die Schlusssätze, die in unterschiedlicher Weise auf kontrapunktische Konstruktionen zurückgreifen. Die Arie »Wie freudig ist mein Herz« (BWV 199:8) gleicht einer Gigue im ⁶⁄₈-Takt und übernimmt mit der zweiteiligen Form auch den fugierten Beginn des Tanzsatzes. Damit und durch die Vorschrift »Allegro« unterscheidet sie sich von anderen Weimarer Sätzen, deren tänzerische Rhythmik durch das Tempo stilisiert wird.[179] Die erste Hälfte des Suitensatzes, die auf der Dominante endet, wird vom Vorspiel des A-Teils vertreten, das unter Zutritt der Singstimme wiederholt wird. Etwas anders steht es mit dem modulierenden zweiten Teil, in dem die Wiederholung durch zwei Varianten des vokalen Abschnitts ersetzt wird. Allerdings wäre es eine Verkürzung, wenn man den A-Teil als »einfache (diesmal sogar taktgleiche) Wiederholung« des Vorspiels auffassen würde.[180] Trotz gleicher Taktzahl wird der eintaktige Abstand, der die Themeneinsätze des Vorspiels trennt, in der vokalen Fassung durch eine Engführung ersetzt. Die beiden Phasen des B-Teils umfassen jeweils vier Takte, doch bildet die zweite eine harmonische Variante mit einem vokalen Anhang, in dem die Instrumente aussetzen.

Dagegen basiert die Arie »Wer Sünde tut« (BWV 54:3) auf dem Permutationsprinzip, das den Bedingungen einer freien Da-capo-Form angepasst wird. Dürr hat den Satz so eingehend analysiert, dass hier wenige Hinweise genügen.[181] Zugrunde

---

[179] Vgl. dazu Finke-Hecklinger, S. 125.
[180] So Dürr, a. a. O., S. 153.
[181] Ebd., S. 156 f.

liegen eigentlich nur drei Themen, da der Kontrapunkt, den Dürr als vierten ansah, im Vokalpart der Rahmenteile nur einmal auftritt, während der fünfte nur im Continuo des Mittelteils erscheint. Der dreistimmige Satz aus gepaarten Violinen mit Violen und Generalbass muss bei Zutritt des Alts um eine vierte Stimme erweitert werden, da aber nur drei Themen verfügbar sind, kann die Einsatzfolge keine regelmäßigen Phasen wie in einer regulären Permutationsfuge ergeben. Obwohl die Rahmenteile zwischen Tonika und Dominante wechseln, sind die Stimmen auf freie Zusätze angewiesen. Vermehrt gilt das für den Mittelteil, der ähnlich wie in einer Da-capo-Arie moduliert. Da er damit dem Permutationsprinzip widerspricht, muss er sich auf die zwei ersten Kontrapunkte beschränken, die durch freie Stimmen ergänzt werden. Dagegen genügt im Schlussteil ein subdominantischer Einschub (T. 59 f.), um zum Abschluss in der Tonika zu führen.

Wie die fugierte Gigue in BWV 199:8 bleibt auch die Adaption der Permutationsfuge in BWV 54:3 ein Sonderfall. Beide Sätze unterscheiden sich von den weiteren Weimarer Arien in gleichem Maß wie die anderen Sätze. Am Rande sei erwähnt, dass die Rezitative beider Kantaten zwar keine bündigen Schlüsse erlauben, aber weder geläufige Kadenzformeln noch ariose Partien wie andere Werke enthalten. Stattdessen tendieren die Accompagnati in BWV 199:1 und 3 zu einer kantablen Deklamation, die ein festes Taktmaß nahelegt, obwohl kaum längere Melismen vorkommen. Auch der solistische Choral in BWV 199:6 ist – wie Dürr gezeigt hat – ein »singuläre[r] Satz«.[182] Begleitet von »einer lebhaft figurierten obligaten Streicherstimme«, die in den wechselnden Fassungen von der Viola, dem Violoncello oder der Gambe gespielt wurde, weist er »ein regelrechtes Ritornell« auf, dessen Kopfmotiv eine Variante der ersten Choralzeile bildet. Allerdings tritt es nicht zwischen den Zeilen ein, sondern bildet eine pausenlose Gegenstimme. Der Figuration, in der Dürr »eine freie Paraphrase der übrigen Liedzeilen« sah, sind noch die typischen Sequenzformeln fremd, die das italienische Concerto kennzeichnen.

Die beiden Solokantaten nehmen gegenüber den anderen Werken eine eigenartige Stellung ein. Die gelegentlichen Analogien betreffen entweder Sätze, die vermutlich vor 1714 entstanden (so BWV 106 und BWV 21), oder aber Werke, die zu den ersten Weimarer Kantaten zählen (wie BWV 172 oder BWV 182). Obwohl die Kriterien nicht genügen, um die Werke zu datieren, sprechen sie für ihre Position außerhalb der Weimarer Reihe. Wenn BWV 199 Kobayashi zufolge 1713 entstand, so dürfte das wohl auch für BWV 54 gelten. Beide Werke unterscheiden sich zu eindeutig von den übrigen Kantaten, um weit getrennte Daten nahezulegen. Bedenkt man, dass die Quelle für BWV 54 auf Johann Gottfried Walther zurückgeht, so könnte man vermuten, die beiden Werke seien für den Bedarf der Weimarer Stadtkirche entstanden. Dazu könnten die Beschränkungen der Besetzung und der spieltechnischen Ansprüche passen, die eine Aufführung in der Schlosskapelle freilich nicht ausschließen.

---

182 Ebd., S. 164 f., ebd. auch die folgenden Zitate. Dass die Figuration in allen späteren Versionen »mittels diminutionsartiger Auszierungen in Zweiunddreißigstelnoten« und anderen Änderungen »charakteristisch weiterentwickelt« wurde, zeigte Klaus Hofmann, BJ 2013, S. 208 f.

8. BWV 143 – zwischen Mühlhausen und Weimar?

Einleitend wurde bereits die Kantate BWV 143 »Lobe den Herrn, meine Seele« erwähnt, die in den Gesamtausgaben nach Abschriften des 19. Jahrhunderts ediert wurde, ohne jemals Zweifel an ihrer Echtheit zu erwecken.[183] Erst 1971 wurden zwei weitere Quellen aus der Kirchen-Ministerial-Bibliothek Celle bekannt, von denen die ältere neben der Autorangabe »di/Joh. Seb. Bach« die Notiz »Kirchwey / 1762« zeigt und als früheste erhaltene Handschrift die Authentizität des Werks erneut zu bestätigen schien. Obwohl Alfred Dürr 1977 manche Zweifel an seiner Echtheit äußerte,[184] veranlasste die Celler Kopie Klaus Hofmann 1995 zu einer Neuausgabe, in deren Vorwort er Bachs Autorschaft bekräftigte.[185] Auch Andreas Glöckner, der 2012 eine »revidierte Edition« der Kantate vorlegte, verzichtete auf eine eingehende Prüfung ihrer Echtheit.[186] Und obwohl Hofmann diese Ausgabe höchst kritisch rezensierte, hielt er weiterhin an Bach als Autor fest.[187]

Indes sollte schon die Quellenlage Anlass zu Bedenken geben. Sieht man von den späten Abschriften ab, die als so unzuverlässig gelten, dass sie die Neuausgaben rechtfertigten, so bleibt als Hauptquelle nur die ältere Celler Kopie. Wie der Kopist (auf den das Datum 1762 zurückgeht) ist auch die Herkunft des Papiers unbekannt, das offenbar kein Wasserzeichen zeigt.[188] Den einzigen Hinweis liefert die Besitzerangabe »HWStolze XVI, 11«, die auf den Celler Organisten Heinrich Wilhelm Stolze (1801–1868) deutet. Er stammte aus Erfurt, wo er Schüler von Johann Christian Kittel und Michael Gotthard Fischer war. Wie Dürr vermutete, könnte er die Handschrift von einem seiner Lehrer erhalten oder von seinem Vater geerbt haben, der als Kantor in Erfurt wirkte.[189] Weil aber der Schreiber so unbekannt ist wie die Herkunft des Papiers, lässt sich die Glaubwürdigkeit der Autorangabe nicht beurteilen. Da das Urteil ausschließlich auf die Faktur des Werkes angewiesen ist, müsste es sich auf Kriterien stützen, die für Bachs Autorschaft zeugen. Das aber dürfte aus mehreren Gründen schwerfallen.

Neben drei Versen aus Psalm 146 und drei Sätzen mit der Melodie desselben Chorals enthält das Werk nicht nur zwei Arien mit gedichteten Texten, sondern auch ein Seccorezitativ (Satz 3). Zwar zeigen die Arien keine Da-capo-Formen, und das

---

183 BGA XXX, hrsg. von Paul Graf Waldersee, 1884; NBA I/4, hrsg. von Werner Neumann, 1965. Selbst Spitta äußerte keine Vorbehalte und verlegte die Kantate in das Jahr 1735, vgl. Spitta II, S. 545 f. Dagegen zählt sie im BC als T 99 zu den Werken zweifelhafter Echtheit, die erst im letzten Band erörtert werden sollen.

184 Alfred Dürr, Zur Problematik der Bach-Kantate BWV 143 »Lobe den Herrn, meine Seele«, in: Mf 30, 1977, S. 299–304. Zweifel an der Echtheit – wiewohl ohne Begründung – äußerte zuvor nur Martin Geck, Zur Datierung, Verwendung und Aufführungspraxis von Bachs Motetten, in: Bach-Studien 5, Leipzig 1975, S. 63–71, hier S. 70.

185 J. S. Bach, »Lobe den Herrn, meine Seele« BWV 143 … nach der ältesten Abschrift (»1762«), hrsg. von Klaus Hofmann, Stuttgart (1995), S. 3.

186 NBA, Revidierte Edition, Bd. 2: Weimarer Kantaten, hrsg. von Andreas Glöckner, Kassel u. a. 2012, S. XII f.

187 Klaus Hofmann, in: Mf 66, 2013, S. 449–453, hier S. 450.

188 Vgl. Dürr, a. a. O., S. 29 f. (die Quelle ist derzeit nicht verfügbar, vgl. Glöckner, a. a. O., S. XII, Anm. 22).

189 Vgl. Undine Wagner und Günther Kraft, Art. Georg Christoph und Heinrich Wilhelm Stolze, in: MGG[2], Personenteil, Bd. 15, Sp. 1549 f.

auf Bibeltext basierende Rezitativ ist mit vier Takten zu kurz, um zur Klärung beizutragen. Immerhin beweist es ebenso wie die Arien, dass der Autor bereits den Formenschatz der neuen Kantate kannte.[190] Zum Vergleich wären also weniger Bachs Frühwerke als die Weimarer Kantaten heranzuziehen. Dabei genügt es kaum, auf »einige typische Merkmale von Bachs frühesten Kantaten« wie »den finalen Echo-Effekt im Eingangschor« zu verweisen, der sich auch in BWV 71:1, 71:7 und 106:4 finde, während die »Fanfarenmotive« der Bassarie (Satz 5) mit denen in BWV 71:1 und 71:5 »thematisch verwandt« seien.[191] Vielmehr muss man vorgreifend konstatieren, dass in BWV 143 so gut wie alle Kriterien ausfallen, die nicht erst die Weimarer Kantaten, sondern schon die frühen Werke Bachs kennzeichnen. Neben einem Ostinatosatz fehlt nicht nur eine Permutationsfuge, sondern ein genuin kontrapunktischer Satz. Und vom Vokaleinbau wäre höchstens für vier Takte des Eingangschors zu reden, die auf eine Sequenz des eröffnenden Ritornells zurückgehen (vgl. T. 22–25 mit T. 4–7).[192]

Der Chorsatz (nach Ps. 146:1) befremdet nicht nur durch seine extreme Kürze, sondern durch eine derart schlichte Struktur, wie sie in keinem authentischen Satz Bachs begegnet. Das achttaktige Ritornell gründet auf einer Skalenfigur des Basses, die einen Oktavraum durchmisst und auf betonter Zählzeit abbricht. Bei taktweiser Wiederholung wechselt sie zwischen der I. und der V. Stufe, um in Takt 4 die Subdominante und nach einer Sequenz die Kadenz zu erreichen. Dabei lösen sich gebrochene Dreiklänge der Streicher und kurze Einwürfe der Hörner ab, die der Sequenz des Continuo angeglichen und durch Skalenfiguren der Streicher ergänzt werden. Da das Ritornell am Ende wiederholt wird, während seine Kadenzgruppe am Schluss des Satzes wiederkehrt, füllt seine karge Substanz nicht weniger als 21 von insgesamt 35 Takten aus. Dürftiger noch ist der Vokalpart, der zwischen engräumigen Sechzehnteln und repetierten Achtelnoten wechselt (T. 8–17) und in akkordischer Bündelung (T. 18–21) auf die Kadenzgruppe zuläuft. Besonders befremdlich sind die gebundenen Tonrepetitionen, die der Chor zu singen hat (T. 11–16). Sie erweisen sich als Übertragung eines Modells, mit dem zuvor die Streicher die Koloraturen des Vokalparts ausfüllen.[193] Wie jeder kontrapunktische Ansatz fehlt auch jeder Versuch einer harmonischen Ausweitung. Ein derart schlichter Satz wäre einem Kleinmeister, aber nicht dem jungen Bach zuzutrauen, in dessen Werken akkordische Blöcke nur als Teile größerer Satzkomplexe begegnen.

Dasselbe gilt für den Schlusschoral (Satz 7), der weder in den frühen noch in den Weimarer Kantaten ein Gegenstück hat. Die Melodie »Du Friedefürst, Herr Jesu Christ« wird im Sopran auf punktierte Viertel gedehnt, während der akkordische Gerüstsatz der Unterstimmen in Achtel und Sechzehntel zerlegt und mit dem Wort »Halleluja« textiert wird. Zwar werden die Zeilen durch kurze Imitationen eröffnet, die sich aber nicht auf die Choralweise beziehen, sondern die zugrunde liegenden Gerüsttöne umspielen, um anschließend akkordisch gebündelt zu werden. Zwischen die Zeilen treten zwar knappe Zwischenspiele, die sich auf das umrahmende Ritornell

---

190 Vgl. dazu Dürr, a. a. O., S. 302 f.
191 So Glöckner, a. a. O., S. XII.
192 Vgl. auch Dürr, a. a. O., S. 302.
193 In den späteren Kopien wurden sie durch Haltetöne ersetzt, vgl. Dürr, a. a. O., S. 302, und NBA I/4, S. 169 f.

beziehen. Ihr Material beschränkt sich aber auf fanfarenhafte Dreiklänge der Hörner, die durch engräumige Spielfiguren ergänzt werden, während die unisonen Violinen formelhafte Dreiklangsbrechungen spielen, die sich in den chorischen Abschnitten fortsetzen. Man muss kaum an den kunstvollen Schlusschoral aus BWV 106 und die erweiterten Choralsätze erinnern, die Bach zu Beginn des ersten Leipziger Jahrgangs schrieb, um festzustellen, dass der Satz aus BWV 143 in seinem Œuvre ein Unikum wäre. Dagegen wäre er in Werken mitteldeutscher Zeitgenossen denkbar, denen Textkombinationen mit Choralweisen ebenso geläufig waren wie kurze Zwischenspiele (die Komponisten wie Kuhnau oder Zachow freilich mit prägnanterer Motivik zu bestreiten wussten).[194] Auch der solistische Choralsatz zur ersten Strophe dieses Liedes (Satz 2) hat kein Pendant im Frühwerk Bachs, sondern erst in der Weimarer Solokantate BWV 199 (Satz 6). Wird dort die instrumentale Motivik verarbeitet und mit dem Choral verbunden, so beschränkt sich die Violinstimme hier auf formelhafte Wendungen, die in den Zwischenspielen und während der Choralzeilen abgewandelt werden, ohne eine eigene motivische Substanz zu zeigen (wofür wieder auf analoge Solosätze der Zeitgenossen hinzuweisen wäre).[195]

Zwiespältiger noch muten die drei Arien an, deren Authentizität Siegbert Rampe durch Vergleiche der »Ritornellformen« mit denen anderer Frühwerke zu belegen suchte.[196] Seine Übersichten nannten allerdings nur die Taktzahlen der »Ritornelle« und Episoden, ohne auf die Differenzen der Motivik und Textbasis einzugehen. Obwohl Satz 5 »Der Herr ist König« bei biblischem Text (Ps. 146:10) als »Arie« bezeichnet ist, entspricht er nicht dem Formenschatz der »madrigalischen« Kantate. Vielmehr wird der Solobass mit den Hörnern gepaart, deren Figurationen so wechselhaft eingesetzt werden, dass kaum von einem Ritornell zu reden ist. Das dreitaktige Vorspiel, das am Satzende auf acht Takte erweitert wird, liefert im Wechsel zwischen Hörnern und Continuo nicht mehr als stilisierte Triller- und Skalenfiguren, die nur gelegentlich vom Vokalpart aufgenommen oder mit ihm kombiniert werden. Entsprechend schlicht ist die Harmonik, die sich wie im Eingangschor auf die Grundstufen beschränkt. Doch fehlt nicht nur die Gliederung, sondern auch die Substanz eines Ritornells, dessen Motivik mehr zu bieten hätte als eine Reihe beliebiger Spielfiguren.

Dagegen liegen den Sätzen 6 und 4 gedichtete Texte zugrunde, die sich metrisch weithin entsprechen. So unterschiedlich sie vertont werden, so unverkennbar zeigen beide Sätze die Kennzeichen der neuen Arie. In Satz 6 »Jesu, Retter deiner Herde« erinnert die Deklamation anfangs noch an das Strophenlied, doch öffnet sie sich zunehmend in Koloraturen, die das metrische Gefüge modifizieren. Wie in manchen Weimarer Arien Bachs tritt dazu die Weise von »Du Friedefürst, Herr Jesu Christ«, die von den Streichern zitiert wird. Bilden bei Bach aber Vokal- und Instrumentalpart einen kontrapunktischen Satz, in dessen motivische Substanz die Choralzitate integriert werden, so kann davon hier nicht die Rede sein. Der instrumentale Rahmen-

---

194 Vgl. Verf., Die Choralbearbeitung in der protestantischen Figuralmusik zwischen Praetorius und Bach (Kieler Schriften zur Musikwissenschaft 22), Kassel u. a. 1978, S. 303–312, 358 ff. und 395 ff.

195 Ebd., S. 537 (Bsp. 85–86).

196 Siegbert Rampe, »Monatlich neue Stücke« – Zu den musikalischen Voraussetzungen von Bachs Weimarer Konzertmeisteramt, in: BJ 2002, S. 61–104, hier S. 88 ff.

142 Teil II · Erster Turnus: Die Weimarer Kantaten (1713–1716)

satz begnügt sich vielmehr mit skalaren Formeln, die nur fünf Töne umfassen und auf gleicher Stufe zwischen Continuo und Fagott wechseln. Es dürfte einleuchten, dass sich derart simple Figuren unschwer mit einer Choralweise kombinieren lassen. Kunstvollere Choralzitate begegnen nicht erst bei Bach, sondern schon bei älteren Komponisten.[197] Statt Beispiele italienischer Autoren heranzuziehen, wäre es aussichtsreicher, die Werke deutscher Zeitgenossen wie Johann Philipp Krieger, Friedrich Wilhelm Zachow und Johann Kuhnau zu konsultieren. Von Krieger hat sich als Zeugnis seiner Zusammenarbeit mit Neumeister eine Kantate aus dem Jahr 1699 erhalten, die im Continuo einer Arie für Sopran bzw. Tenor dieselbe Formel verwendet, die Satz 4 aus BWV 143 zugrunde liegt.[198] Von Zachow liegen mehrere Werke vor, die neben Rezitativen auch schon Da-capo-Arien enthalten. Obwohl ihre Datierung ungewiss ist, müssen sie vor Zachows Todesjahr 1712 und damit im gleichen Zeitraum wie BWV 143 entstanden sein.[199] Zwar sind von Kuhnau nur wenige Werke aus dieser Zeit gesichert, doch wäre seine Kantate »Wie schön leuchtet der Morgenstern« zu nennen, in der sich neben einem Accompagnato-Rezitativ eine Da-capo-Arie findet.[200]

Desto merkwürdiger ist der qualitative Abstand, der die c-Moll-Arie BWV 143:4 von den übrigen Sätzen trennt. Der Text, der mit den Worten »Tausendfaches Unglück, Schrecken« beginnt, forderte von jedem Autor mehr als bloße Skalenformeln. Doch liegt hier wohl der einzige Satz vor, der in der Tat auf den jungen Bach zurückgehen könnte. Im Unterschied zu den anderen Sätzen verfügt er über ein regelrechtes Ritornell, das zwar nur vier Takte umfasst, aber nicht nur am Ende, sondern auch in der Mitte der zweiteiligen Anlage wiederkehrt (T. 28–32 bzw. 16–20). Die Motivik besitzt genügend Substanz, um fast durchweg den Vokalpart zu begleiten und damit den gesamten Verlauf zu prägen. Gestützt auf akkordische Achtel, die von Achtelpausen durchbrochen werden, führt die erste Violine in fallenden Triolen ein Kopfmotiv ein, dessen Ambitus im Gegenzug durch steigende Sechzehntel erweitert wird (Notenbeispiel 17). Scheint es dabei die Subdominante zu erreichen, um auf ihrer V. Stufe auszulaufen, so lenkt eine chromatische Basslinie zur Tonika zurück, um im nächsten Takt die Dominante zu erreichen. Indem sie durch eine »neapolitanische« Wendung vorbereitet wird, ergeben sich in den Außenstimmen Septakkorde, die ein Resultat der kontrapunktischen Stimmführung sind und damit der Satzweise Bachs entsprechen. Obwohl die anschließende Zweitaktgruppe etwas einfacher wirkt, wird die Rückkehr zur Tonika durch einen Trugschluss erweitert und

---

197 Vgl. die in Anm. 194 zitierte Arbeit S. 195 f., 241 f. und 362 zu Beispielen von Bruhns, Martin Colerus und Christian August Jacobi.

198 »Rufet nicht die Weisheit«, in: Johann Philipp Krieger, 21 ausgewählte Kirchenkompositionen, hrsg. von Max Seiffert, DDT 53/54, Leipzig 1916, S. 280 f. und 282 f. Übrigens begegnet bei Krieger schon 1697 die Angabe »Rec.«, vgl. ebd., S. 193.

199 Friedrich Wilhelm Zachow, Gesammelte Werke, hrsg. von Max Seiffert, DDT 21/22, Leipzig 1905. Vgl. hier besonders die Kantate »Es wird eine Rute aufgehen« mit den Da-capo-Arien »Heil der Erden, mein Verlangen« (für Sopran, Streicher und Bc.) und »Ihr Sterne, senkt auch in die Krippen« (für Bass, 2 Hörner und Bc.), S. 213 ff. und 224 f., ferner die Sopranarie »Abba, Vater, höre doch« aus der Pfingstkantate »Nun aber, gibst du, Gott«, ebd., S. 287 ff., sowie die entsprechenden Arien aus »Das ist das ewige Leben«, ebd., S. 11–22.

200 Sebastian Knüpfer, Johann Schelle, Johann Kuhnau, Ausgewählte Kirchenkantaten, hrsg. von Arnold Schering, DDT 58/59, Leipzig 1918, S. 309–312.

Notenbeispiel 17

mit instrumentalen Varianten des triolischen Initiums bestritten. Die folgende Viertaktgruppe basiert zwar wieder auf dem Akkordgerüst des Ritornells, doch wird das instrumentale Kopfmotiv diesmal im Tenor umgeformt (T. 5–6), dessen Ambitus entsprechend gedehnt wird, während die Violine erst in den nächsten Takten einsetzt (T. 7–8). Auch in die Modulation zur Durparallele werden Zwischenstufen eingefügt (T. 9–11), bevor die letzte Gruppe des A-Teils – wieder in Bachs Art – mit stufenweiser Sequenz zur Dominante führt (T. 12–13: c-G/D-g). Nicht minder bezeichnend ist der B-Teil, dessen Verlauf sich zweimal in Fermaten staut. Setzt bei der ersten Fermate die Begleitung aus (T. 24), so halten bei der zweiten die Stimmen auf der »neapolitanischen« Stufe inne (T. 27).

Zwar kennt der Satz weder die weiträumigen Quintketten noch die Einbautechnik, doch weist der harmonische Verlauf auf die Satzweise Bachs hin, während die instrumentalen Figuren als Vorstufe der motivischen Prägung gelten können, die Bachs Arien seit 1713 auszeichnete. Desto rätselvoller ist die qualitative Differenz zwischen dieser Arie und Satz 6. Wer an Bachs Autorschaft festhält, mag die Kantate für ein eilig geschriebenes Gelegenheitswerk halten. Selbst unter dieser Prämisse müssten Bachs Fähigkeiten einen unerklärlichen Rückschlag erfahren haben. Bezweifelte man jedoch die Echtheit des Werkes, so bleibt mit der c-Moll-Arie ein Satz, der kaum einem anderen Autor zuzutrauen ist. Daher ließe sich annehmen, der Kopist habe unterschiedliche Vorlagen benutzt, um ein Pasticcio herzustellen, dem er dann – nach einer seiner Vorlagen – den Namen Bachs hinzufügte. Da kaum auf weitere Quellen zu hoffen ist, wird eine Klärung erst möglich sein, wenn die Werke der Zeitgenossen genauer erforscht sind. Solange diese Aufgabe ungelöst ist, sollte BWV 143 jedenfalls nicht als zweifelsfreies Werk von Bach bezeichnet werden.

9. Resümee

Wenn es zutrifft, dass die Kantaten BWV 199 und 54 schon 1713 entstanden, so würde das bedeuten, dass Bach sich der madrigalischen Kantatenform über zwei Solokantaten näherte, die der italienischen »Cantata« so nahe wie keine anderen Werke stehen. Zugleich bekunden die beiden Werke ein kontrapunktisches Denken, das der italienischen Solokantate fremd ist und nicht nur in der Konstruktion der Schlusssätze hervortritt. Wie die kontrapunktische Stimmführung verrät auch die Einbautechnik ihre Herkunft von der organistischen Praxis, der ebenso die auf Orgelpunkt beruhende Struktur der Arie BWV 54:1 verpflichtet ist. Und wie die Übertragung der Permutationsfuge auf den Schlusssatz aus BWV 54 kann die Deklamation der Rezitative die Traditionen des älteren »Kirchenstücks« nicht ganz verleugnen. Das gilt ebenso für die Chöre aus BWV 21, die den traditionellen motettischen Satz voraussetzen und wohl vor 1714 anzusetzen sind, während die beiden ersten Arien des Werks einer früheren »Urkantate« zugehören könnten. Allerdings ergäbe sich dann die merkwürdige Konstellation, dass neben den betont aktuellen Solokantaten nicht nur höchst traditionelle Sätze, sondern auch ein so karges Werk wie BWV 18 stünde.

Doch sollte man sich davor hüten, der Zeitfolge mehr Bedeutung beizumessen, als ihr im Grunde zukommt. Am ehesten tritt sie in der Struktur der Chorsätze hervor, die anfangs noch an die tradierten Prinzipien der Mottete und der Permutation anknüpfen, um sich seit 1714 mit der wachsenden Bedeutung der Ritornelle zu kreuzen. In dem Maße, wie Bach den Fundus der Arien erweiterte, erprobte er in den Chören die Kombination unterschiedlicher Schichten. In der Emanzipation des Instrumentalparts und im Beharren auf dem kontrapunktischen Vokalpart bleiben zwei gegenläufige Tendenzen wirksam, deren Kreuzung in den Chorsätzen vom Dezember 1716 erreicht wird.

Zwar lässt sich in den Arien keine ebenso klare Linie verfolgen, unverkennbar ist jedoch das wachsende Gewicht des Instrumentalparts, das mit der Anlage der Ritornelle und der Unterscheidung zwischen Kopfmotiven und Fortspinnungsphasen zusammenhängt. Der Prozess war nicht unabhängig von der harmonischen Ausweitung, die in der Entfaltung der Quintschrittsequenzen sichtbar wird. In den Arien konnte Bach zunehmend von reicheren Erfahrungen als in den Chorsätzen zehren, für die er auf entsprechende Texte und Besetzungen angewiesen war. Enthalten die Weimarer Kantaten kaum 20 Chorsätze, aber mehr als 60 Arien, so musste sich ein Erfahrungsschatz ansammeln, der die Vielfalt der Lösungen begünstigen konnte. Das Leitbild einer schrittweisen Entwicklung könnte sich demnach als Trugbild erweisen. Die Bedeutung, die der Zeitfolge der Werke zukommt, wird keineswegs geschmälert, wenn daneben auch andere Kriterien gelten. Es wäre nicht der geringste Gewinn der »neuen Chronologie«, wenn sie zur Einsicht beitrüge, dass sich der Entwicklungsbegriff des 19. Jahrhunderts nicht auf die Zeit Bachs übertragen lässt.

Teil III
Strategien im Füllhorn:
Der erste Leipziger Jahrgang (1723/24)

1. Quellen und Datierung

Zu den wichtigsten Ergebnissen der »neuen Chronologie«, die aus den Quellenstudien Alfred Dürrs hervorging, gehört die Datierung der Kantaten aus Bachs ersten Leipziger Amtsjahren. Wie sich zeigte, sind die Werke des ersten Jahrgangs, der am 1. Sonntag nach Trinitatis 1723 begann und bis zum Trinitatisfest 1724 reichte, fast durchweg in authentischen Quellen erhalten, die zumeist dem Nachlass Carl Philipp Emanuel Bachs entstammen.[1] Dass dabei autographe Partituren und originale Stimmensätze fast regelmäßig wechseln, lässt auf ihre systematische Aufteilung unter den Erben schließen. Spätere Quellenfunde haben bewiesen, wie zuverlässig die von Alfred Dürr und Georg von Dadelsen ermittelte Chronologie ist.[2] Das schließt zwar nicht manche Nachträge und Sonderfälle aus, auf die anschließend hinzuweisen ist.[3] In der folgenden Übersicht werden die wohl noch in Köthen entstandenen »Probestücke« vorangestellt, die Bach zur Leipziger Kantoratsprobe am 7. Februar 1723 aufführte.[4]

Kursiv = Chorsätze mit Bibeltext (Dictum), WA = Wiederaufführung (eingeklammert, falls nicht gesichert)

Bestimmung	Datum	BWV	Textincipit	Eingangssatz
vor Jahrgang I, 1723/24				
Estomihi (Probestücke)	7. 2.	22	Jesus nahm zu sich die Zwölfe, Sätze 1–2	Dictum solistisch – chorisch
		23	Du wahrer Gott und Davids Sohn	Dichtung solistisch
Pfingstsonntag (aufgeführt?)	16. 5.	59	Wer mich liebt, der wird mein Wort halten (autographe Partitur 1723, originale Stimmen 1724)	Dictum (Duett)
Jahrgang I, 1723/24				
1. p. Trin.	30. 5.	75	*Die Elenden sollen essen*	Dictum chorisch
2. p. Trin.	6. 6.	76	*Die Himmel erzählen die Ehre Gottes*	Dictum chorisch
3. p. Trin.	13. 6.	21	WA: Ich hatte viel Bekümmernis	
4. p. Trin.	20. 6.	24	Ein ungefärbt Gemüte (+ WA: BWV 185 Barmherziges Herze?)	Dichtung solistisch, Satz 3: Dictum chorisch

---

[1] Heinrich Miesner, Philipp Emanuel Bachs musikalischer Nachlaß. Vollständiger, dem Original entsprechender Neudruck des Nachlaßverzeichnisses (II), in: BJ 1939, S. 81–112, hier S. 87–93.

[2] Alfred Dürr, Zur Chronologie der Leipziger Vokalwerke J. S. Bachs, 2. Auflage: Mit Anmerkungen und Nachträgen versehener Nachdruck aus Bach-Jahrbuch 1957, Kassel 1976.

[3] Die weiteren Angaben folgen BWV²ᵃ und dem Kalendarium zur Lebensgeschichte Johann Sebastian Bachs, erweiterte Neuausgabe, hrsg. von Andreas Glöckner, Leipzig 2008 (abgekürzt: Kalendarium).

[4] Christoph Wolff, Bachs Leipziger Kantoratsprobe und die Aufführungsgeschichte der Kantate »Du wahrer Gott und Davids Sohn«, in: BJ 1978, S. 78–94.

Johannis	24.6.	167	Ihr Menschen, rühmet Gottes Liebe (+ Sanctus C-Dur BWV 237?)	Dichtung solistisch
5. p. Trin	27. 6	–		
Mariä Heimsuchung	2.7.	147	WA (erweitert): Herz und Mund und Tat und Leben	
6. p. Trin.	4.7.	–		
7. p. Trin.	11.7.	186	WA (erweitert): Ärgre dich, o Seele, nicht	
8. p. Trin.	18.7.	136	*Erforsche mich, Gott*	Dictum chorisch
9. p. Trin.	25.7.	105	*Herr, gehe nicht ins Gericht*	Dictum chorisch
10. p. Trin.	1.8.	46	*Schauet doch und sehet*	Dictum chorisch
11. p. Trin.	8.8.	179	*Siehe zu, daß deine Gottesfurcht* (+ WA: BWV 199 Mein Herze schwimmt im Blut?)	Dictum motettisch
12. p. Trin.	15.8.	69a	*Lobe den Herrn, meine Seele*	Dictum chorisch
13. p. Trin.	22.8.	77	*Du sollt Gott, deinen Herrn, lieben*	Dictum chorisch + Choral
14. p. Trin.	29.8.	25	*Es ist nichts Gesundes an meinem Leibe*	Dictum chorisch + Choral
Ratswechsel	30.8.	119	*Preise, Jerusalem, den Herrn*	2 Chöre: Satz 1: französische Ouvertüre; Satz 7: Dictum
15. p. Trin.	5.9.	138	Warum betrübst du dich, mein Herz	Choral chorisch + Rezitativ
16. p. Trin.	12.9.	95	Christus, der ist mein Leben	Choral chorisch + Rezitativ
17. p. Trin.	19.9.	(148)	(Bringet dem Herrn Ehre, erst 1725 oder 1727?)	(Dictum chorisch)
18. p. Trin.	26.9.	–		
Michaelis	29.9.	(50)	(eventuell: Nun ist das Heil?)	Permutationsfuge
19. p. Trin.	3.10.	48	*Ich elender Mensch, wer wird mich erlösen*	Dictum chorisch + Choral
20. p. Trin.	10.10.	162	WA: Ach, ich sehe, itzt, da ich zur Hochzeit gehe	
21. p. Trin.	17.10.	109	*Ich glaube, lieber Herr, hilf meinem Unglauben*	Dictum chorisch
22. p. Trin.	24.10.	89	Was soll ich aus dir machen, Ephraim	Dictum solistisch
23. p. Trin.	31.10.	–	(ungesichert WA: BWV 163 Nur jedem das Seine)	
Störmthal	31.10.	194	Höchsterwünschtes Freudenfest (Parodie)	Dichtung, französische Ouvertüre
24. p. Trin.	7.11.	60	O Ewigkeit, du Donnerwort (Dialogus)	Spruchtext + Choral solistisch
25. p. Trin.	14.11.	90	Es reißet euch ein schrecklich Ende	Dichtung solistisch
26. p. Trin.	21.11.	70	WA (erweitert): Wachet! betet! betet! wachet!	
1. Advent	28.11.	61	WA: Nun komm, der Heiden Heiland	
1. Weihnachtstag	25.12.	63	WA: Christen, ätzet diesen Tag (+ Magnificat Es-Dur BWV 243a, Sanctus BWV 238)	

150 Teil III · Strategien im Füllhorn: Der erste Leipziger Jahrgang (1723/24)

2. Weihnachts-tag	26.12.	40	*Darzu ist erschienen der Sohn Gottes*	Dictum chorisch
3. Weihnachts-tag	27.12.	64	*Sehet, welch eine Liebe hat uns der Vater erzeiget*	Dictum motettisch
Neujahr	1.1.	190	*Singet dem Herrn ein neues Lied*	Dictum chorisch (+ Te Deum)
S. n. Neujahr	2.1.	153	Schau, lieber Gott, wie meine Feind	Kantionalsatz
Epiphanias	6.1.	65	*Sie werden aus Saba alle kommen*	Dictum chorisch
1. p. Epiph.	9.1.	154	Mein liebster Jesus ist verloren	Dichtung solistisch
2. p. Epiph.	16.1.	155	WA: Mein Gott, wie lang, ach lange	
3. p. Epiph.	23.1.	73	Herr, wie du willt, so schicks mit mir	Choral chorisch + Rezitativ
4. p. Epiph.	30.1.	81	Jesus schläft, was soll ich hoffen	Dichtung solistisch
Mariä Reinigung	2.2.	83	Erfreute Zeit im neuen Bunde	Dichtung solistisch
Septuagesimae	6.2.	144	*Nimm, was dein ist, und gehe hin*	Dictum motettisch
Sexagesimae	13.2.	181	Leichtgesinnte Flattergeister (Parodie?) (+ WA: BWV 18 Gleichwie der Regen und Schnee?)	Dichtung, Satz 1: solistisch, Satz 5: Chor
Estomihi	30.2.	22	WA Jesus nahm zu sich die Zwölfe (+ WA: BWV 23 Du wahrer Gott?)	
Mariä Verkündigung	25.3.	Anh. I 199	Siehe, eine Jungfrau ist schwanger (verschollen) (+ WA: BWV 182 Himmelskönig, sei willkommen?)	(Dictum)
Karfreitag	7.4.	245	Johannes-Passion	
1. Ostertag	9.4.	31	WA: Der Himmel lacht (+ WA: BWV 4 Christ lag in Todes Banden?)	
2. Ostertag	10.4.	66	Parodie: Erfreut euch, ihr Herzen	Dichtung, Satz 1: Chor
3. Ostertag	11.4.	134	Parodie: Ein Herz, das seinen Jesum lebend weiß	Dichtung, Satz 1: solistisch, Satz 6: Chor
Quasimodo-geniti	16.4.	67	*Halt im Gedächtnis Jesum Christ*	Dictum chorisch
Misericordias Domini	23.4.	104	*Du Hirte Israel, höre*	Dictum chorisch
Jubilate	30.4.	12	WA: Weinen, Klagen, Sorgen, Zagen	
Cantate	7.5.	166	Wo gehest du hin?	Dictum solistisch
Rogate	14.5.	86	Wahrlich, wahrlich, ich sage euch	Dictum solistisch
Himmelfahrt	18.5.	37	*Wer da gläubet und getauft wird*	Dictum chorisch
Exaudi	21.5.	44	Sie werden euch in den Bann tun, Sätze 1–2	Dictum solistisch – chorisch
1. Pfingsttag	28.5.	172	WA: Erschallet, ihr Lieder (+ BWV 59 Wer mich liebet?)	
2. Pfingsttag	29.5.	173	Parodie: Erhöhtes Fleisch und Blut	Dichtung, Satz 1: solistisch, Satz 6: Chor
3. Pfingsttag	30.5.	184	Parodie: Erwünschtes Freudenlicht	Dichtung, Satz 1: solistisch, Satz 6: Chor
Trinitatis	4.6.	194	WA: Höchsterwünschtes Freudenfest (+ WA: BWV 165 O heil'ges Geist- und Wasserbad?)	

Während die autographe Partitur der Kantate BWV 59 schon 1723 entstand, wurden die Stimmen erst 1724 geschrieben, sodass das viersätzige Werk offenbar erst am 1. Pfingsttag 1724 aufgeführt worden ist. Die ebenso knappe wie einfache Anlage könnte die These stützen, die Kantate sei für den Gottesdienst in der Universitätskirche bestimmt gewesen.[5] Ungewiss ist die Entstehungszeit der Kantate BWV 148 »Bringet dem Herrn Ehre«, die dem 17. Sonntag nach Trinitatis zugewiesen ist, aber nur in einer Partiturabschrift von Johann Christoph Farlau vorliegt.[6] Da mit BWV 114 und BWV 47 zwei Werke für den entsprechenden Sonntag der Jahre 1724 und 1726 erhalten sind, dürfte BWV 148 entweder schon 1723 oder erst 1725 entstanden sein.[7] Noch unsicherer ist die Datierung des doppelchörigen Chorsatzes BWV 50 »Nun ist das Heil und die Kraft«, der vermutlich einer Kantate zum Michaelistag angehörte, aber nur in einer nach 1750 geschriebenen Kopie von Carl Gotthelf Gerlach erhalten ist. Während mit BWV 130 und 19 die Werke für Michaelis 1724 und 1726 vorliegen, dürfte die Kantate BWV 149 entweder 1728 oder 1729 anzusetzen sein. Falls man nicht annimmt, BWV 50 sei schon 1723 entstanden, wäre der Satz in die Jahre nach 1729 zu verlegen.[8] Ebenso bedauerlich wie das Fehlen der weiteren Sätze ist der teilweise Verlust der Quellen für die Neujahrskantate BWV 190 »Singet dem Herrn ein neues Lied«.[9]

Da die Kantaten zum Ratswechsel zu den Amtspflichten des Thomaskantors zählten, wurde in der Übersicht auch die Kantate BWV 119 genannt, obwohl sie nicht in das liturgische De tempore gehört. Ein weiterer Sonderfall ist die Kantate BWV 194, die 1723 zur Orgelweihe in Störmthal bei Leipzig entstand, aber am Trinitatistag des nächsten Jahres in den ersten Jahrgang integriert wurde.[10] Sie ging vermutlich auf ein Werk aus den Köthener Jahren zurück, dessen Text aber nicht erhalten ist. Zwei Hefte gedruckter »Texte zur Leipziger Kirchen-Music«, die Wolf Hobohm in St. Petersburg auffand, haben die neue Chronologie bestätigt und in wenigen Einzelheiten ergänzt.[11] Sie enthalten die Texte für die Zeit vom 2. Sonntag nach Epiphanias bis zum Fest Mariä Verkündigung und vom Ostersonntag bis Misericordias Domini des Jahres 1724, wozu auch die Wiederaufführung der Weimarer Kantaten BWV 155 und 31 gehörte. Am 2. und 3. Ostertag erklangen – wie Dürr vermutet hatte – die Kantaten 66 und 134, die auf weltliche Werke aus Bachs Köthener

---

5 Vgl. dazu NBA I/13, hrsg. von Werner Neumann, KB, S. 77 ff. Der Eingangschor und die Arie Satz 4 (1725) wurden in BWV 74 übernommen, während der Schlusschoral (Satz 3) in BWV 175:7 erneut verwendet wurde.

6 Peter Wollny, Tennstedt, Leipzig, Naumburg, Halle – Neuerkenntnisse zur Bach-Überlieferung in Mitteldeutschland, in: BJ 2002, S. 29–60, hier S. 42 und 46.

7 Vgl. Konrad Küster, Die Vokalmusik, in: Bach-Handbuch, hrsg. von dems., Kassel u. a. 1999, S. 337 f., plädierte für 1725 oder später. Zum Kopisten der Quelle vgl. Peter Wollny, a. a. O., S. 42 und 46.

8 Demgemäß verzichtete das Kalendarium für BWV 50 auf eine Datierung. Auf die Fragen, die sich mit BWV 50 stellen, ist später erneut zurückzukommen (s. S. 303 ff.).

9 Während das Fragment der Partitur nur die Sätze 3–7 enthält, liegen nur die Stimmen für Sopran, Alt, Tenor und Bass sowie für Violine I–II vor, vgl. dazu NBA I/4, KB, S. 9–13 und 14–17.

10 Entgegen der bisherigen Annahme, die Orgelweihe habe am 2. November 1723 stattgefunden, wies Peter Wollny darauf hin, dass dieses Datum des Rechnungsbelegs auf einen Dienstag fiel, weshalb die Aufführung eher am vorangehenden Sonntag, dem 31. Oktober, stattgefunden haben dürfte, vgl. Peter Wollny, Neue Bach-Funde, in: BJ 1997, S. 7–50, hier S. 21–26.

11 Wolf Hobohm, Neue »Texte zur Leipziger Kirchen-Music«, in: BJ 1973, S. 5–32.

Zeit zurückgehen.[12] Da sie gemeinsam mit den Kantaten BWV 173 und 184 zu den frühesten Beispielen für Bachs Parodiepraxis zählen, ist auf diese Werke gesondert zurückzukommen. Andererseits zeigte sich, dass am Sonntag Estomihi 1724 die Kantate BWV 22 »Jesus nahm zu sich die Zwölfe« und nicht – wie bisher vermutet – BWV 23 »Du wahrer Gott und Davids Sohn« aufgeführt wurde. Da beide Werke ein Jahr zuvor bei der Leipziger Kantoratsprobe gemeinsam erklungen waren, wäre es denkbar, dass die Wiederaufführung von BWV 22 durch BWV 23 ergänzt wurde. Doch fehlen in den Textheften für Sexagesimae und Ostersonntag entsprechende Angaben zur zusätzlichen Verwendung von BWV 18 und 4. Eine letzte Ergänzung bildet der Hinweis auf die verschollene Kantate »Siehe, eine Jungfrau ist schwanger« (BWV Anh. I 199).

Weitere Lücken im Kalender bleiben am 5. und 6. sowie am 18. und am 23. Sonntag nach Trinitatis (der mit dem Reformationstag zusammenfiel). Es muss daher offenbleiben, ob die entsprechenden Werke verloren sind oder ob Bach auswärtigen Verpflichtungen folgte. Unsicherheiten bestehen auch für die Aufführungen der liturgischen Werke mit lateinischen Texten. Zwar scheint festzustehen, dass die Erstfassung des Magnificat BWV 143a in Es-Dur 1723 entstand. Entgegen der Annahme, diese Fassung sei erstmals am 1. Weihnachtstag erklungen, wies Glöckner auf die Möglichkeit einer früheren Aufführung am Tage Mariä Heimsuchung hin, bei der noch die Einlagesätze gefehlt hätten, die für die Wiederaufführung zu Weihnachten ergänzt worden seien.[13] Obwohl die Vertonungen des Sanctus BWV 237 und 238 in C- bzw. D-Dur in autographen Partituren aus dem Jahr 1723 vorliegen, ist die Zuordnung der Werke zu den Hauptfesten ungewiss.[14]

2. Textgruppen und Satzfolgen

In der Mischung neuer Kompositionen mit Parodien und Wiederaufführungen scheint der erste Jahrgang zunächst einem Füllhorn zu gleichen, in dem die Texte ebenso willkürlich wie die Formen wechseln. Zu fragen ist jedoch, ob sich in der Abfolge der Werke gleichwohl Anzeichen für eine übergreifende Planung erkennen lassen.

So gesichert die chronologische Folge ist, so unsicher ist die Herkunft der Texte.[15] Während die Texte der Kantaten BWV 24 »Ein ungefärbt Gemüte« und BWV 59 »Wer mich liebet« von Erdmann Neumeister stammen, liegen drei weiteren Werken Dichtungen nach Vorlagen von Johann Oswald Knauer zugrunde (BWV 69a »Lobe den Herrn, meine Seele«, BWV 77 »Du sollt Gott, deinen Herrn, lieben« und

---

12 Zur Datierung von BWV 173 und 184 vgl. Tatjana Schabalina, »Texte zur Music« in Sankt Petersburg. Neue Quellen zur Leipziger Musikgeschichte sowie zur Kompositions- und Aufführungstätigkeit von Johann Sebastian Bach, in: BJ 2008, S. 33–98, hier S. 68 ff. und 71 ff.
13 Andreas Glöckner, Bachs Es-Dur-Magnificat BWV 243a – eine genuine Weihnachtsmusik?, in: BJ 2003, S. 317–320.
14 Im Kalendarium wurde das Sanctus C-Dur dem Johannistag 1723 zugewiesen, wogegen das Werk in D-Dur dem 1. Weihnachtstag 1723 zugeordnet wurde.
15 vgl. Werner Neumann, Johann Sebastian Bach, Sämtliche Kantatentexte, Leipzig 1967; ders., Sämtliche von Johann Sebastian Bach vertonten Texte, ebd. 1974.

BWV 64 »Sehet, welch eine Liebe«).[16] Der Text der Kantate BWV 148 »Bringet dem Herrn« setzt die Kenntnis einer 1725 gedruckten Dichtung von Christian Friedrich Henrici (Picander) voraus, sodass das Werk – falls es schon 1723 entstand – ein früher Beleg für seine Beziehungen zu Bach wäre.[17] Alfred Dürr unterschied drei Textgruppen, die freilich nur die Hälfte der Vorlagen umfassen.[18]

1723/24
Gruppe I: Spruch – Rezitativ – Arie – Rezitativ – Arie – Choral

8. p. Trin.	BWV 136	Erforsche mich, Gott, und erfahre mein Herz
9. p. Trin.	BWV 105	Herr, gehe nicht ins Gericht
10. p. Trin.	BWV 46	Schauet doch und sehet
11. p. Trin.	BWV 179	Siehe zu, daß deine Gottesfurcht nicht Heuchelei sei
12. p. Trin.	BWV 69a	Singet dem Herrn ein neues Lied
13. p. Trin.	BWV 77	Du sollt Gott, deinen Herrn
14. p. Trin.	BWV 25	Es ist nichts Gesundes an meinem Leibe
21. p. Trin.	BWV 109	Ich glaube, lieber Herr
22. p. Trin.	BWV 89	Was soll ich aus dir machen, Ephraim
Misericordias Domini	BWV 104	Du Hirte Israel, höre

Gruppe II: Spruch – Rezitativ – Choral – Arie – Rezitativ – Arie – Choral (mit Varianten)

19. p. Trin.	BWV 48	Ich elender Mensch, wer wird mich erlösen
2. Weihnachtstag	BWV 40	Darzu ist erschienen
3. Weihnachtstag	BWV 64	Sehet, welch eine Liebe
Sonntag nach Neujahr	BWV 153	Schau, lieber Gott
Epiphanias	BWV 65	Sie werden aus Saba alle kommen
Quasimodogeniti	BWV 67	Halt im Gedächtnis Jesum Christ

Gruppe III: Spruch – Arie – Choral – Rezitativ – Arie – Choral

Septuagesimae	BWV 144	Nimm, was dein ist
Cantate	BWV 166	Wo gehest du hin
Rogate	BWV 86	Wahrlich, wahrlich, ich sage euch
Himmelfahrt	BWV 37	Wer da gläubet und getauft wird
Exaudi	BWV 44	Sie werden euch in den Bann tun

16 Erdmann Neumeister, Geistliche Poesien mit untermischten Biblischen Sprüchen und Choralen auf alle Sonn- und Festtage, Frankfurt a. M. 1714; Johann Oswald Knauer, Gott-geheiligtes Singen und Spielen, Gotha 1720; vgl. Helmut K. Krausse, Eine neue Quelle zu drei Kantatentexten Johann Sebastian Bachs, in: BJ 1981, S. 3–22.

17 Christian Friedrich Henrici, Sammlung erbaulicher Gedancken über und auf die gewöhnlichen Sonn- und Fest-Tage, Leipzig 1724/25.

18 Alfred Dürr, Die Kantaten von Johann Sebastian Bach, Kassel u. a. 1971, ²1975, Bd. 1, S. 41 ff. (abgekürzt: Dürr, Die Kantaten).

1725

2. Ostertag	BWV 6	Bleib bei uns, denn es will Abend werden
Quasimodogeniti	BWV 42	Am Abend aber desselbigen Sabbats
Misericordias Domini	BWV 85	Ich bin ein guter Hirt
Reformationstag	BWV 79	Gott, der Herr, ist Sonn und Schild

Die Werke der ersten Gruppe bilden anfangs eine durchgehende Kette, der später drei weitere Kantaten folgen. Die Texte der zweiten Gruppe hingegen, deren zeitliche Streuung deutlich größer ist, zeigen manche Varianten, sodass sich bezweifeln lässt, ob man von einem »mehr oder weniger variierten Grundschema« reden kann.[19] Dem »Grundschema« entspricht nur BWV 48, während Rezitativ und Choral in BWV 65 die Plätze an zweiter und dritter Stelle tauschen und die erste Arie in BWV 67 an zweiter Stelle steht. Überdies finden sich in BWV 40 und 64 zusätzliche Choralsätze, während BWV 153 neben drei Chorälen als dritten Satz ein Arioso mit Spruchtext enthält. Da Dürr zur dritten Gruppe, die eine weitere Variante des zweiten Typus bildet, auch vier Kantaten rechnete, die erst 1725 entstanden, würden sich diese Texte auf die Jahre 1723 bis 1725 und damit auf einen noch längeren Zeitraum verteilen.[20] Solange sich die Gruppen nicht mit bestimmten Autoren verbinden lassen, sind sie für die Aufgaben, die vor Bach lagen, ohnehin weniger belangvoll als andere Kriterien.

Ob Bach die neuen Werke in Köthen vorbereiten konnte, ist ebenso offen wie die Frage, ob er die Texte aus zeitgenössischen Drucken bezog oder einen geeigneten Autor kannte. Sicher ist nur, dass ein Mindestmaß an Planung notwendig war, weil die Texte nicht nur den zuständigen Geistlichen vorgelegt, sondern auch in gedruckter Form für die Gemeinde bereitgestellt werden mussten. Aus dem Jahr 1724 sind zwei Hefte solcher »Texte zur Leipziger Kirchen-Music« erhalten, die im einen Fall acht und im anderen fünf Vorlagen umfassen.[21] Da auch der Umfang der Hefte wechselt, die aus Bachs späteren Amtsjahren vorliegen, wäre es gewagt, aus den erhaltenen Werken auf die Gruppierung der Vorlagen zu schließen, die für die Drucke erforderlich waren. Doch muss man davon ausgehen, dass eine Planung der Texte nötig war, die den Kompositionen zugrunde liegen sollten.[22]

Lässt man nicht genau datierbare Werke wie BWV 148 und 50 und Sonderfälle wie BWV 119 und 194 aus dem Spiel, so umfasst der Jahrgang 36 neue Kantaten. Die Lücken, die im Kirchenjahr blieben, wurden durch Rückgriffe auf frühere Werke und Parodien weltlicher Kantaten gefüllt. An ihrer Verteilung lässt sich ein Teil der Planung erkennen, die Bach verfolgte. Maßgeblich waren kaum Rücksichten auf den Chor oder die Solisten, die ohnehin ständig neue Werke zu singen hatten. Eher

---

19 Vgl. ebd., S. 42.
20 Zu der nicht belegten Vermutung, diese Texte könnten auf Christian Weiß zurückgehen, vgl. ebd., S. 42. Aus der von Dürr bezeichneten Werkreihe vom »2. Ostertag bis Misericordias Domini« ist der 3. Ostertag auszuschließen, da keines der diesem Tag zugehörigen Werke in das Jahr 1725 gehört.
21 Vgl. dazu den Beitrag von Wolf Hobohm (s. o., Anm. 11).
22 Vgl. dazu Konrad Küster, Zum Verhältnis von Kompositions- und Aufführungsrhythmus in Bachs 1. Kantatenjahrgang, in: Bachs 1. Leipziger Kantatenjahrgang, KB, Dortmund 2000, hrsg. von Martin Geck (Dortmunder Bach-Forschungen 3), Dortmund 2002, S. 69–78.

lag Bach daran, vor Weihnachten und Ostern auf ältere Werke zurückzugreifen, um Zeit für die eigene Arbeit zu gewinnen. Die Adventszeit galt ebenso wie Fastenzeit als tempus clausum, in dem die Figuralmusik – mit Ausnahme der Passion am Karfreitag – zu schweigen hatte. Die Pause vor Weihnachten verlängerte Bach durch drei Wiederaufführungen (BWV 70 am 26. Sonntag nach Trinitatis, BWV 61 am 1. Advent und BWV 63 am 1. Weihnachtstag). Nach Sexagesimae griff er auf Weimarer Werke zurück, um sich auf die Johannes-Passion zu konzentrieren, während für die Ostertage erstmals Parodien entstanden. Dass vor Pfingsten und Trinitatis ähnlich verfahren wurde, könnte an den Vorarbeiten zum zweiten Jahrgang liegen, der am 1. Sonntag nach Trinitatis begann.

1723

1. p. Trin.	75	Die Elenden sollen essen	Teil I: Spruch – R – A – R – A – R – Choral Teil II: Sinfonia – R – A – R – A – R – Choral
2. p. Trin.	76	Die Himmel erzählen die Ehre Gottes	Teil I: Spruch – R – A – R – A – R – Choral Teil II: Sinfonia – R – A – R – A – R – Choral
3. p. Trin.	21	Ich hatte viel Bekümmernis (WA)	Teil I: Sinfonia – Spruch – A – R – A – Spruch Teil II: R – A – Spruch (+ Choral) – A – Spruch
4. p. Trin.	24	Ein ungefärbt Gemüte	A – R – Spruch – R – A – Choral
Johannis	167	Ihr Menschen, rühmet Gottes Liebe	A – R – A – R – Choral
8. p. Trin.	136	Erforsche mich, Gott	Spruch – R – A – R – A – Choral
9. p. Trin.	105	Herr, gehe nicht ins Gericht	Spruch – R – A – R – A – Choral
10. p. Trin.	46	Schauet doch und sehet	Spruch – R – A – R – A – Choral
11. p. Trin.	179	Siehe zu, daß deine Gottesfurcht	Spruch – R – A – R – A – Choral
12. p. Trin.	69a	Lobe den Herrn, meine Seele	Spruch – R – A – R – A – Choral
13. p. Trin.	77	Du sollt Gott, deinen Herrn, lieben	Spruch (+ c. f.) – R – A – R – A – Choral
14. p. Trin.	25	Es ist nichts Gesundes an meinem Leibe	Spruch (+ c. f.) – R – A – R – A – Choral
Ratswechsel	119	Preise, Jerusalem, den Herrn	Spruch – R – A – R – A – R – Spruch – R – Choral
15. p. Trin.	138	Warum betrübst du dich, mein Herz	Choral (+ R) – R (+ Choral) – R – A – R – Choral
16. p. Trin.	95	Christus, der ist mein Leben	Choral (+R) – R – Choral – R – A – R – Choral
(17. p. Trin.)	*(148)*	*(Bringet dem Herrn Ehre)*	*(Spruch – A – A – R – Choral)*
19. p. Trin.	48	Ich elender Mensch	Spruch (+ c. f.) – R – Choral – A – R – A – Choral
21. p. Trin.	109	Ich glaube, lieber Herr	Spruch – R – A – R – A – Choral
22. p. Trin.	89	Was soll ich aus dir machen	Spruch – R – A – R – A – Choral

Störmthal	194	*Höchsterwünschtes Freudenfest*	*Teil I: Chor (Dichtung) – R – A – R – A – Choral* *Teil II: R – A – R – A – R – Choral*
24. p. Trin.	60	O Ewigkeit, du Donnerwort	A (+ Choral) – R – A – R – Choral
25. p. Trin.	90	Es reißet euch ein schrecklich Ende	A – R – A – R – Choral
2. Weih-nachtstag	40	Darzu ist erschienen der Sohn Gottes	Spruch – R – Choral – A – R – Choral – A – Choral
3. Weih-nachtstag	64	Sehet, welch eine Liebe	Spruch – Choral – R – Choral – A – R – A – Choral

1724

Neujahr	190	Singet dem Herrn ein neues Lied	Spruch (+ Choral) – R (+ Choral) – A – R – A – R – Choral
S. n. Neujahr	153	Schau, lieber Gott, wie meine Feind	Choral – R –Spruch (solist.) – R – Choral – A – R – A – Choral
Epiphanias	65	Sie werden aus Saba alle kommen	Spruch – Choral – R – A – R – A – Choral
1. p. Epiph.	154	Mein liebster Jesus ist verloren	A – R – Choral – A – Spruch (solist.) – R – A – Choral
3. p. Epiph.	73	Herr, wie du willt, so schicks mit mir	Choral (+ R) – A – R – A – Choral
4. p. Epiph.	81	Jesus schläft, was soll ich hoffen	A –R – A – Spruch (solist.) – A – R – Choral
Mariä Reinigung	83	Erfreute Zeit im neuen Bunde	A – A (+ Choral) – A – R – Choral
Septua-gesimae	144	Nimm, was dein ist	Spruch – A – Choral – R – A – Choral
Sexagesimae	181	Leichtgesinnte Flattergeister	A – R – A – R – Chor (Dichtung)
Quasi-modogeniti	67	Halt im Gedächtnis Jesum Christ	Spruch – A – R – Choral – R – A (+ Chor) – Choral
Misericor-dias Domini	104	Du Hirte Israel, höre	Spruch – R – A – R – A – Choral
Cantate	166	Wo gehest du hin?	Spruch (solist.) – A – Choral – R – A – Choral
Rogate	86	Wahrlich, wahrlich, ich sage euch	Spruch (solist.) – A – Choral – R – A – Choral
Himmel-fahrt	37	Wer da gläubet und getauft wird	Spruch – A – Choral – R – A – Choral
Exaudi	44	Sie werden euch in den Bann tun	Spruch (Duett) – Spruch (Chor) – A – Choral – R – A – Choral

A= Arie, R = Rezitativ, Spruch (solist.) = solistisch (andernfalls chorisch), c. f. = Cantus firmus, *kursiv* = Sonderfälle (s. S. 158)

Den zwei ersten Werken, die jeweils 14 Sätze umfassen, folgte mit der ähnlich umfangreichen Kantate BWV 21 die erste Wiederaufführung. Desto auffälliger ist die Reduktion auf sechs bzw. fünf Sätze in den beiden nächsten Werken, denen sich die sieben Kantaten anschließen, die zu Dürrs erster Gruppe gehören. Dieses Schema, das in den beiden letzten Werken durch Eingangschöre mit Choralzitaten modifiziert wird, wird in der Kantate zum Ratswechsel erweitert, während sich die Choralkombinationen der Eingangssätze fortsetzen. Dem erneuten Rückgriff auf Texte des ersten Typus stehen die letzten Kantaten der Trinitatiszeit gegenüber, die deutlich kürzer ausfallen. Ein anderes Bild bietet sich seit Weihnachten, sofern die Werke fortan – beginnend mit Dürrs zweiter Gruppe – vielfach ein oder zwei Binnenchoräle aufweisen. Zugleich begegnen – erstmals in BWV 153 zum Sonntag nach Neujahr – Spruchvertonungen in solistischer Besetzung, die zuletzt die Funktion des Eingangssatzes übernehmen (BWV 166 zu Cantate und BWV 86 zu Rogate). Zuvor jedoch erscheinen in den Kantaten zu Quasimodogeniti und Misericordias Domini nochmals Eingangschöre mit Spruchtexten (BWV 67 und 104), während die weitere Satzfolge den Haupttypen Dürrs entspricht.

Trotz dieser Unterschiede wäre es verfehlt, von einem planlosen Wechsel der Texte zu reden. Denn neben Bibelsprüchen, die als Eingangs- oder Binnensätze erscheinen, bieten die Vorlagen in der Regel zwei Arien und einen Schlusschoral, während sich die Varianten auf die Position der Rezitative und den Einschub weiterer Arien und Choräle beschränken. Die Differenzen sind also geringer als in den Weimarer Werken, von denen sich der erste Leipziger Jahrgang durch die chorisch oder solistisch vertonten Spruchtexte unterscheidet. Eine Ausnahme ist die Kantate zu Sexagesimae BWV 181, die als einzige Neukomposition weder einen Spruch- noch einen Choraltext aufweist. Dass das Werk ausschließlich gedichtete Texte enthält, könnte darauf hinweisen, dass Bach auf eine ältere Vorlage zurückgriff. Weitere Ausnahmen bilden – von Wiederaufführungen und Parodien abgesehen – die Eingangssätze zu gedichteten Texten, bei denen es sich aber um solistische Formen handelt (zuerst BWV 24 und 167, später BWV 90, 81 und 83). Ein Sonderfall, der in der Übersicht nicht genannt wurde, ist die Kantate zur Orgelweihe in Störmthal BWV 194, die bei der Wiederaufführung in den ersten Jahrgang überführt wurde. Als zweiteilige Festmusik, die auf eine weltliche Vorlage zurückging, umfasst das Werk zwölf Sätze und enthält neben einem Eingangschor zu gedichtetem Text zwei Choralsätze und vier tänzerische Arien.

Dennoch lässt sich fragen, welche Gründe Bach zur Wahl derart verschiedener Texte bewogen. Es wäre einfacher gewesen, auf einen der gedruckten Jahrgänge zurückzugreifen, die einem durchgehenden Schema folgten und in Leipzig sicherlich verfügbar waren. Setzt man voraus, dass ein Jahrgang gleichartiger Texte von dem zuständigen Geistlichen en bloc approbiert werden konnte, so wäre damit die Mühe entfallen, dessen Zustimmung jeweils gesondert einzuholen. Zwar ist ungewiss, ob Bachs Vorlagen aus Drucken stammten oder auf unbekannte Verfasser zurückgingen. Unabhängig davon ist zu konstatieren, dass die Texte neben den Grundtypen eine beträchtliche Zahl von Varianten aufweisen. Demnach muss man folgern, dass Bach sich hier – wie später im dritten Jahrgang – mit Bedacht gegen einen Jahrgang gleicher Texte entschied und stattdessen wechselnde Vorlagen bevorzugte.

158 Teil III · Strategien im Füllhorn: Der erste Leipziger Jahrgang (1723/24)

Nachdem er in Weimar auf die Texte Francks verpflichtet gewesen war, lag ihm in Leipzig offenbar daran, sich die Entscheidung für wechselnde Texte vorzubehalten, um unterschiedliche Probleme und Lösungen erproben zu können. Die Differenzen, die den Jahrgang anfangs als Füllhorn erscheinen lassen, sind demnach nicht als Notlösungen, sondern als Zeichen wechselnder Interessen zu verstehen.

In ähnliche Richtung wie die Wahl der Wiederaufführungen und Parodien scheint die Verteilung der chorischen und solistischen Eingangssätze zu deuten. Die Kette neuer Werke reichte vom 1. bis zum 21. Sonntag nach Trinitatis und wurde am 3. und 7. Sonntag sowie zu Mariä Heimsuchung von den ersten Rückgriffen auf Weimarer Werke unterbrochen (wobei BWV 147, 186 und BWV 70 durch zusätzliche Rezitative und Choralsätze erweitert wurden). Offenbar hatte Bach die Absicht, sich in Leipzig mit besonders eindrucksvollen Werken zu präsentieren, die ihm ein Höchstmaß konzentrierter Arbeit abverlangten. Es fällt auf, dass der Jahrgang mit einer Reihe von Werken beginnt, die zumeist durch Chorsätze zu Spruchtexten eröffnet werden. Ein solcher Satz fehlt zuerst in der Kantate BWV 167 zum Johannistag, in der erstmals eine Arie an erster Stelle steht. Mit einer Arie beginnt auch BWV 24 zum 4. Sonntag nach Trinitatis, doch folgt hier an dritter Stelle ein Chorsatz mit Spruchtext. Erst seit dem 22. Sonntag nach Trinitatis begegnen solistische Kopfsätze, die sich vor allem nach Neujahr und Ostern häufen. Erinnert man sich an die Ausarbeitung der Weimarer Chorsätze, so bestätigt sich der Eindruck, Bach habe in den letzten Wochen des Kirchenjahrs solistische Sätze bevorzugt, um sich auf die Weihnachtszeit vorbereiten zu können. Im Blick auf die Johannes-Passion dürfte das auch für die Phase vor der Fastenzeit gelten, während das Fehlen neuer Werke nach Exaudi dafür sprechen könnte, dass Bach mit den geplanten Choralkantaten beschäftigt war.

Überdies unterscheiden sich die chorischen und solistischen Eingangssätze im Anteil der biblischen und der gedichteten Texte. Während den Chorsätzen in der Regel Spruchtexte zugrunde liegen, werden in den Solosätzen gedichtete Vorlagen bevorzugt. Sie werden 1723 durch einen Bibelspruch unterbrochen (BWV 89:1), während sie im Sommer 1724 wieder Spruchtexte verwenden (BWV 166:1 zu Cantate, BWV 86:1 zu Rogate, BWV 44:1 zu Exaudi und BWV 59:1 zum Pfingstsonntag). Umgekehrt bleiben Chorsätze mit gedichteten Texten Ausnahmefälle, die vor allem in den Parodien begegnen (so in BWV 194:1 und BWV 66:1).

Anders verhält es sich mit sechs weiteren Chorsätzen, in denen sich zwei Gruppen mit je drei Sätzen unterscheiden lassen. In der ersten werden die Spruchtexte durch instrumentale Choralzitate ergänzt, die vermutlich Zutaten Bachs waren (BWV 77:1, 25:1 und 48:1 zum 13., 14. und 19. Sonntag nach Trinitatis). In der zweiten Gruppe handelt es sich um Kantionalsätze, die durch Rezitative mit gedichteten Texten erweitert werden (BWV 138:1 und 95:1 zum 15. und 16. Sonntag nach Trinitatis und BWV 73:1 zum 2. Sonntag nach Epiphanias). Beide Gruppen unterscheiden sich insofern, als die eine die Reihe chorischer Spruchsätze fortsetzt, während die andere eine Erweiterung des Choralsatzes bildet und damit zugleich auf den zweiten Jahrgang hinführt. Indem fünf Sätze, die durch den Anteil des Chorals eine eigene Gruppe bilden, dicht nacheinander entstanden, zeichnet sich wiederum ein Stück der Strategien ab, von denen Bach sich leiten ließ. Dagegen enthält BWV 153 zum Sonntag nach Neujahr ausnahmsweise drei Kantionalsätze, weil Bach offenbar nach der Weihnachtszeit den Chor entlasten wollte. Als Indiz seiner Planung lässt sich auch – wie später zu erläutern ist – der Wechsel von den erweiterten Schlusschorälen zum Kantionalsatz auffassen.

Ob BWV 148 »Bringet dem Herrn Ehre« in den Kontext des ersten Jahrgangs oder in spätere Jahre gehört, lässt sich kaum aufgrund der Satzfolge entscheiden. Einerseits käme das Werk mit Eingangschor zu Spruchtext und je zwei Arien und Rezitativen dem Schema der vorangehenden Reihe nahe, in dem die Folge von Rezitativ und Arie vertauscht wird (A – R – A – R statt R – A – R – A). Andererseits stünde BWV 148 am 17. Sonntag nach Trinitatis zwischen den Werken mit chorischen Choralkombinationen. So wenig diese Kriterien für die Datierung besagen, so deutlich mahnen sie zur Vorsicht vor übereilten Folgerungen.

3. Chorsätze

Im ersten Jahrgang kommt dem Chor ein weit größerer Anteil als im Weimarer Werkbestand zu. Man muss sich vergegenwärtigen, was es für Bach bedeutete, neben professionellen Instrumentalisten erstmals einen größeren Chor zur Verfügung zu haben. Mochten die Leipziger Rats- und Stadtmusiker weniger virtuos als die Hofmusiker in Weimar und Köthen sein, so stand doch mit den Thomanern ein Chor bereit, der seit jeher die Figuralmusik in den Leipziger Hauptkirchen bestritten hatte. Die Möglichkeit, ein solches Ensemble zu leiten, war wohl eine der Aussichten, die Bach bei seiner Bewerbung im Blick hatte. So kann es nicht verwundern, dass er dem Chor von Anfang an weit größere Aufgaben als in Weimar zumutete. Die Folge dieser Sätze, die oft in wöchentlichem Abstand entstanden, kann als Prüfstein für die Frage gelten, wieweit Bach bei der Wahl der Texte und Besetzungen eigene Ziele verfolgte.

a. Prämissen

Um von vergleichbaren Voraussetzungen auszugehen, liegt es nahe, die Sätze mit Spruchtext von den Choralvorlagen und gedichteten Texten zu trennen. Allerdings sind dabei Überschneidungen in Kauf zu nehmen, weil die Spruchtexte durch Choralzitate und die Choralbearbeitungen durch Rezitative zu freier Dichtung erweitert werden. Doch verweist die systematische Gruppierung auf eine auffällige Korrelation zwischen der Textbasis und der Zeitfolge der Chorsätze. Wie die Übersicht erkennen ließ, folgten den Chören mit Bibeltext, die zu Beginn des Jahrgangs entstanden, vergleichbare Sätze erst seit Weihnachten und nach Ostern, während dazwischen der Hauptteil der Sätze mit wechselnden Choralkombinationen lag. Indem zunächst die Sätze mit Spruchtexten und danach die Choralkombinationen erörtert werden, lässt sich zugleich der chronologischen Folge Rechnung tragen. Die folgende Übersicht nennt auch den Eingangschor aus BWV 194, obwohl er auf eine weltliche Vorlage zurückgeht und damit zu den später zu erwähnenden Parodien gehört. Ein Sonderfall ist der Eingangschor aus BWV 190, der zwar zwei Zeilen aus dem Te Deum enthält, die aber wie Zitate wirken, sodass der Satz eher zu den Dicta als zu den Choralkombinationen zu zählen ist.

Chorsätze 1723/24

7.2.1723	22:1b	Jesus nahm zu sich die Zwölfe (Lk. 18:34): Satz 1b: Permutationsfuge »Sie aber vernahmen der keines«, Instrumente colla parte – g-Moll, $\mathbf{c}$
30.5.1723	75:1	Die Elenden sollen essen (Ps. 22:27): Teil II: Fuge »Euer Herz soll ewiglich leben«, partiell Permutation, Instrumente colla parte, Oboen nur kurz obligat – e-Moll, ¾
6.6.1723	76:1	Die Himmel erzählen die Ehre Gottes (Ps. 19:2 und 4): Teil II: Fuge »Es ist keine Sprache noch Rede«, Permutation, Instrumente vorwiegend colla parte, am Ende eigene Themeneinsätze – C-Dur, ¾
20.6.1723	24:3	Ein ungefärbt Gemüte (Mt. 7:12): Permutationsfuge »Alles nun, was ihr wollt«, Instrumente colla parte – g-Moll, ¾
18.7.1723	136:1	Erforsche mich, Gott (Ps. 139:23): instrumentales Concerto, Ritornell mit integriertem Fugenthema, Violine I durchweg obligate Figuration – A-Dur, ¹²⁄₈
25.7.1723	105:1	Herr, gehe nicht ins Gericht (Ps. 143:2): Teil II: Fuge alla breve »Denn vor dir wird kein Lebendiger gerecht«, partiell Permutation, Instrumente colla parte – g-Moll, $\mathbf{c}$
1.8.1723	46:1	Schauet doch und sehet (Klgl. 1:12): Teil II: Fuge »Denn der Herr hat mich«, Teile I und II durch obligate Blockflöten und motivische Bezüge verbunden – d-Moll, ¾
8.8.1723	179:1	Siehe zu, daß deine Gottesfurcht nicht Heuchelei sei (Sir. 1:34): vokales Alla breve im strengen Satz, Instrumente colla parte – G-Dur, ¢
15.8.1723	69a:1	Lobe den Herrn, meine Seele (Ps. 103:2): Ritornellmotivik zur Doppelfuge »Und vergiß nicht«, Oboe I und Trompete obligat geführt –D-Dur, ¾
22.8.1723	77:1	Du sollt Gott, deinen Herrn, lieben (Lk. 10:27 + c.f. »Dies sind die heilgen zehn Gebot«): Chorsatz mit instrumentalem Choralzitat – C-Dur, $\mathbf{c}$
29.8.1723	25:1	Es ist nichts Gesundes an meinem Leibe (Ps. 38:4 + c.f. »Herzlich tut mich verlangen«): Chorsatz mit instrumentalem Choralzitat – a-Moll, $\mathbf{c}$
5.9.1723	138:1	Warum betrübst du dich, mein Herz (Choralstrophe + gedichteter Text): Choralsatz mit rezitativischer Erweiterung – h-Moll, $\mathbf{c}$
12.9.1723	95:1	Christus, der ist mein Leben (zwei Choralstrophen + gedichteter Text): Choralsätze mit rezitativischer Erweiterung – G-Dur, ¾ – ¢ – ¾ – ¢
30.8.1723	119:1	Preise, Jerusalem, den Herrn (Satz 1: Ps. 147:12–14a, Satz 7: nach Ps. 126:3): Satz 1: französische Ouvertüre, vokaler Mittelteil konzertant – C-Dur, $\mathbf{c}$ – ¹²⁄₈ – $\mathbf{c}$
	119:7	Satz 7: dreiteilig, als Rahmen Chorfuge »Der Herr hat Guts an uns getan« – C-Dur, $\mathbf{c}$
3.10.1723	48:1	Ich elender Mensch, wer wird mich erlösen (Röm. 7:24 + c.f. »Herr Jesu Christ, du höchstes Gut«): Chorsatz mit instrumentalem Choralzitat – g-Moll, ¾
7.10.1723	109:1	Ich glaube, lieber Herr, hilf meinem Unglauben (Mk. 9:24): konzertanter Satz mit Ritornellen, integrierter Chorsatz mit Imitationen – d-Moll, $\mathbf{c}$

2.11.1723	194:1	Höchsterwünschtes Freudenfest (Dichtung als Parodie nach weltlicher Vorlage): französische Ouvertüre mit fugiertem Mittelteil – B-Dur, ¢ – ¾ – ¢
26.12.1723	40:1	Darzu ist erschienen der Sohn Gottes (1. Joh. 3:8b): Vorspiel, Chorfuge, kurze Zwischenspiele, Oboen und Hörner weithin obligat – F-Dur, ¾
27.12.1723	64:1	Sehet, welch eine Liebe (1. Joh. 3:1): vokale Motette im strengen Satz, Instrumente colla parte – e-Moll, ¢
1.1.1724	190:1	Singet dem Herrn ein neues Lied (Ps. 149:1, Ps. 150:4 und 6): Chorfuge »Alles, was Odem hat« (mit zwei Zeilen aus dem Te Deum), instrumentale Ritornellmotivik durchweg als Klammer – D-Dur, ¾
6.1.1724	65:1	Sie werden aus Saba alle kommen (Jes. 60:6b): Ritornellrahmen, zentrale Chorfuge mit partiell obligaten Flöten – C-Dur, ¹²⁄₈
23.1.1724	73:1	Herr, wie du willt, so schicks mit mir (Choralstrophe + gedichteter Text): Choralsatz mit rezitativischer Erweiterung – g-Moll, ¾
6.2.1724	144:1	Nimm, was dein ist, und gehe hin (Mt. 20.14): Alla breve im strengen Satz, Instrumente colla parte – h-Moll, ¢
16.4.1724	67:1	Halt im Gedächtnis Jesum Christ (2. Tim. 2:8a): zwei Chorfugen »der auferstanden«, Instrumente obligat in Zwischenspielen und freien Teilen – A-Dur, ¢
23.4.1724	104:1	Du Hirte Israel, höre (Ps. 80:2): zwei Chorfugen »Der du Joseph hütest«, Ritornellrahmen, durchweg drei obligate Streicherstimmen – G-Dur, ¾
18.5.1724	37:1	Wer da gläubet und getauft wird (Mk. 16:16a): Ritornellrahmen, Chorfuge bei einheitlicher obligater instrumentaler Motivik – A-Dur, ¾
21.4.1724	44:2	Sie werden euch in den Bann tun (Joh. 16:2b): Satz 2 »Es kommt aber die Zeit«: drei akkordische Blöcke mit integrierten Imitationen und obligatem Instrumentalpart – g-Moll, ¢

Aus der Übersicht geht hervor, dass zwischen dem 30. Mai und dem 15. August 1723 sechs Sätze entstanden, in denen sich fugierte und konzertante Züge kreuzen. Vom 22. August bis zum 12. September folgte die Gruppe der Sätze mit Choralkombination, die zum 3. Oktober 1723 und 23. Januar 1724 durch zwei Nachzügler ergänzt wurden. Dazwischen lagen die französischen Ouvertüren zum Ratswechsel und zur Orgelweihe (am 30. August bzw. 2. November 1723), zwischen die sich der Sonderfall eines konzertanten Satzes einfügte. Den instrumental geprägten Sätzen stehen drei Chöre im strengen Satz gegenüber, die am 8. August und am 27. Dezember 1723 sowie am 6. Februar 1724 eingeschaltet wurden. Erst in der Weihnachtszeit und nach Ostern wurde die Arbeit an der Kreuzung konzertanter und fugierter Verfahren erneut aufgenommen.[23]

Wie die Nachweise zeigen, begegnen Evangelientexte kaum häufiger als Verse aus dem Alten Testament, die vielfach dem Psalter entnommen sind. Falls die gedichteten Texte von Leipziger Autoren stammten, ist nicht auszuschließen, dass

---

[23] Eine ebenso knappe wie prägnante Kennzeichnung der Satzreihe bei Arno Forchert, Johann Sebastian Bach und seine Zeit, Laaber 2000, S. 226–229.

Bach an der Textauswahl für die Eingangschöre beteiligt war. Chorsätze zu Bibeltexten hatte er zuvor nur in Arnstadt und Mühlhausen 1707/08 geschrieben, doch handelte es sich dann weniger um Einzelsätze als um Teile größerer Komplexe, die auf die Traditionen des geistlichen Konzerts zurückgingen und Choräle oder Soloteile einschließen konnten. In Weimar dagegen waren gedichtete Vorlagen zu vertonen, die nur 1714 und dann erst wieder Ende 1716 Chorsätze enthielten. Eine Ausnahme waren die Chorsätze aus BWV 21, die in Weimarer Quellen vorliegen, vermutlich aber weit früher entstanden waren. Nach einer Kette verschiedener Ansätze verfolgen die drei letzten Werke das Ziel, konzertierende Verfahren mit kontrapunktischen Techniken zu verbinden. Entscheidend war dabei in BWV 70a:1 und 147a:1 die Funktion der Ritornelle, mit denen der Chorsatz durch Vokaleinbau verkettet wurde. Zweimal hatte Bach Texte, die der Librettist als »Aria« bezeichnet hatte, in chorischer Besetzung vertont (BWV 31:1 und BWV 161:5). Wie sich zeigte, wird der Satz aus BWV 161 durch das Ritornell in einer Weise gegliedert, die auf Verfahren der Arie verweist. Das macht deutlich, dass einer der Wege, auf denen Bach zum motivisch geschlossenen Chorsatz gelangte, über Prinzipien führte, die für das Concerto ebenso wie für die Arie galten.

Wo hier und weiterhin von Fuge und Concerto die Rede ist, sind weniger Formen als die satztechnischen Verfahren gemeint, durch die sich die fugierten und die konzertanten Chorsätze unterscheiden. Gegenüber der Einsatzfolge der Fuge, die in der Regel durch die Quintspannung zwischen Dux und Comes gekennzeichnet ist,[24] wird der konzertante Satz durch den Wechsel oder die Kombination zwischen dem Tutti und den einzelnen Stimmen oder Stimmgruppen charakterisiert. Müssen Permutation und Engführung als Sonderfälle der Fuge gelten, so ist im konzertanten Satz zwischen der gliedernden und der motivischen Funktion der Ritornelle zu unterscheiden. Zwar pflegt man das ältere Gruppenkonzert vom späteren Solokonzert zu trennen, für das die Werke Vivaldis exemplarisch sind. Dass damit nur polare Möglichkeiten genannt sind, zeigt der Vergleich zwischen Bachs »Brandenburgischen« Konzerten und seinen Solokonzerten. Doch treten solche Differenzen zurück, wenn die konzertanten Verfahren in das Vokalkonzert überführt werden, in dem die Funktion des Ritornells ebenso maßgeblich sein kann wie das Verhältnis zwischen vokalen und instrumentalen Gruppen.

Der Wechsel zwischen Tonika- und Dominantphasen, der die Permutationsfuge prägt, unterscheidet sich von der harmonischen Disposition des konzertanten Satzes. In den Weimarer Arien begegneten Quintschrittfolgen, die besonders in den späteren Sätzen hervortraten. In seinem *Versuch über Bachs Harmonik* verwies Dahlhaus 1956 auf die Arbeit von Max Zulauf, der die Quintschrittsequenz als »Grund und Boden der Bachschen Harmonik« bezeichnet hatte.[25] Dahlhaus wandte sich gegen diese Übertreibung ebenso wie gegen Hermann Keller, der die »Unterscheidung melodischer und harmonischer Sequenzen« für »unnötig« hielt, weil jede Melodik eine »harmonische Grundlage« habe und jede »harmonische Versetzung aus melodischen

---

24   Vgl. Eugen Thiele, Die Chorfugen Johann Sebastian Bachs (Berner Veröffentlichungen zur Musikforschung 8), Bern und Leipzig 1936, S. 51–70.
25   Carl Dahlhaus, Versuch über Bachs Harmonik, in: BJ 1956, S. 73–92; Max Zulauf, Die Harmonik J. S. Bachs, Bern 1927 (Berner Veröffentlichungen zur Musikforschung 1), ebd. 1935, S. 8 und 5.

Bildungen« bestehe.[26] Die Untersuchungen von Dahlhaus waren von theoretischen Prämissen geleitet, doch wurden seine Anregungen von der Bach-Forschung kaum aufgegriffen. Das dürfte an einer terminologischen Verlegenheit liegen, die zugleich sachliche Gründe hat. Niemand zögert, für Konzerte Vivaldis und Bachs auf Riemanns Funktionsbegriffe zurückzugreifen, obwohl man sich des Vorgriffs auf eine spätere Theorie bewusst ist. Die Risiken, die eine historisch unangemessene Terminologie birgt, lassen sich verringern, wenn man auf die Fundamentlehre zurückgreift, die durch die Angabe intervallischer Relationen ein höheres Maß an Neutralität erlaubt. Dürr verwies auf ältere Kommentare zu Präludien des *Wohltemperierten Claviers*, die vielleicht auf Bachs Unterricht zurückgehen und ein tonales Verständnis beweisen, das eher der Stufenlehre nahesteht.[27] Wie Dahlhaus einräumte, scheine »keine Akkordfolge dem Zugriff der Fundamenttheorie« zu entgehen, deren Prämissen jedoch »brüchig« seien, weil sie »einen qualitativen Unterschied der Tonstufen« leugne. Die Stufenlehre messe »die Abstände« und verkenne »die ›Charaktere‹ der Stufen«, während »die tonale Funktion der Stufen« nicht »auf ihrer Stellung in der Quintschrittsequenz« beruhe, die ihre »tonale Geschlossenheit« der Funktion der Stufen verdanke.[28] Dahlhaus selbst verfuhr pragmatisch, indem er die Tonstufen mit Ziffern bezeichnete, denen er Funktionsangaben beigab. Beide Sichtweisen können sich also ergänzen, wenn man sich ihrer begrenzten Geltung bewusst ist.

Wie planvoll Bach an frühere Werke anschloss, machen die Wiederaufführungen der Weimarer Kantaten sichtbar. So war es nur folgerichtig, dass er in den Chorsätzen die Arbeit fortführte, die ihn zuletzt in Weimar beschäftigt hatte. Der Unterschied bestand darin, dass dabei Verfahren, die für gedichtete Texte galten, auf biblische Prosatexte übertragen werden mussten. Formelhaft gesagt: Bach suchte die Prinzipien des motettischen Satzes mit der Ritornellform zu verschränken, die für das Concerto charakteristisch war. Bezeichnenderweise griff er in den kontrapunktisch gearbeiteten Phasen anfangs auf die Permutationstechnik zurück, die er zuletzt in den Chorsätzen des Jahres 1714 verwendet hatte. Die herkömmliche Reihung der Teile, deren Anlage der Textgliederung folgte, wird von einem geschlossenen Satz abgelöst, der seine Einheit der instrumentalen Motivik verdankt. Soweit die Autographe erhalten sind, erlauben sie in den kombinatorischen Phasen Einblicke in Bachs Arbeit, die sich auf die Verschränkung des Vokal- und des Instrumentalparts richtete. Jede vorgreifende Skizze verkürzt jedoch notgedrungen einen Weg, der eine Fülle von ebenso verschiedenen wie faszinierenden Lösungen umschloss.[29]

---

26   Hermann Keller, Die Sequenz bei Bach, in: BJ 1939, S. 32–42, hier S. 34; vgl. dazu Dahlhaus, a. a. O., S. 77, Anm. 9, sowie Verf., Harmonik im Kontrapunkt. Quintschrittsequenzen in Chorsätzen Bachs 1714–1724, in: KB, Dortmund 2000, S. 195–229.

27   Alfred Dürr, Ein Dokument aus dem Unterricht Bachs?, in: Zeitschrift für Musiktheorie 1, 1986, S. 163–170. Es schmälert nicht die Bedeutung dieser Quelle, dass sie von Bernhard Christian Kayser stammt, der nur kurz zu Bachs Umkreis zählte, vgl. Andrew Talle, Nürnberg, Darmstadt, Köthen – Neuerkenntnisse zur Bach-Überlieferung des 18. Jahrhunderts, in: BJ 2003, S. 143–172, hier S. 163. Als weiteres Zeugnis nannte Dürr, a. a. O., S. 169, Anm. 1, Kirnbergers Analyse der h-Moll-Fuge BWV 869 (vgl. Johann Philipp Kirnberger, Die wahren Grundsätze zum Gebrauch der Harmonie, Berlin und Königsberg 1773, S. 55–103).

28   Dahlhaus, a. a. O., S. 78.

29   Vgl. dagegen den Ansatz von Eric Chafe, Tonal Allegory in the Vocal Music of J. S. Bach, Berkeley 1991.

b. Fuge versus Concerto (I)

Vor Beginn des Jahrgangs lagen die beiden Kantaten zur Kantoratsprobe, in denen die später maßgeblichen Verfahren vorerst nur begrenzt zu erkennen sind. Von den vier Chören der beiden Werke verwendet der Eingangssatz aus BWV 22 als einziger einen Spruchtext (»Jesus nahm zu sich die Zwölfe«). Der einleitende Bericht wird mit der Leidensankündigung Christi zu einem Arioso für Tenor und Bass mit motivisch geprägtem Instrumentalpart verbunden (Lk. 18:31). Obwohl die folgenden Worte im Evangelium nicht in direkter Rede erscheinen, werden sie im zweiten Teil dem Chor zugewiesen (Lk. 18:34). Während die Folge solistischer und chorischer Teile auf die mehrgliedrigen Satzkomplexe der älteren Kantate verweist, deutet der Chorsatz auf die Traditionen der Motette zurück (T. 42–92). Auf den ersten Blick scheint eine Variante der Permutationsfuge vorzuliegen, die den Normen aber so wenig entspricht, dass sie in Neumanns Studien übergangen wurde.[30] Zum einen folgen sich die Themeneinsätze nicht als Dux und Comes, zum anderen werden sie von den Gegenstimmen akkordisch aufgefüllt. Das Thema besteht aus einer sequenzartigen Folge aus Quint- und Terzfällen (d^2-g^1, c^2-a^1), denen ein Terzsprung vorangeht (»Sie aber vernahmen der keines«). In der ersten, vom Sopran eingeführten Version beginnt es auf der Terz der Tonika g-Moll und lenkt nach F-Dur, während der zweite Einsatz im Alt von f-Moll ausgeht und nach c-Moll führt:

Notenbeispiel 1

Die Einsätze des Tenors und Basses setzen in steigenden Quinten das Prinzip der realen Beantwortung fort (T. 42–51), das von zwei Sopraneinsätzen in fallenden Quintschritten abgelöst wird (T. 52–55). Entsprechend werden die weiteren Einsätze gestaffelt,[31] die zugleich zwei Kontrapunkte erfassen. Während der erste thematischen Rang hat (»sie aber vernahmen der keines«), dient der zweite als kadenzierende Ergänzung (»und wußten nicht, was«). Dass der Satz trotzdem den Eindruck einer Fuge macht, liegt an der dichten Einsatzfolge, die einmal auch zu einer zweistimmigen Engführung führt (Alt und Bass T. 74 ff.). In der freien Einsatz-

---

[30] Werner Neumann, J. S. Bachs Chorfuge. Ein Beitrag zur Kompositionstechnik Bachs, Leipzig ³1953. Ohne auf den Satz näher einzugehen, sprach Dürr, Die Kantaten, Bd. 1, S. 220, von einer »Chorfuge«.
[31] Vgl. dazu Thiele, a. a. O., S. 67.

folge mag man einen Hinweis auf die verwirrten Worte der Jünger sehen. Weniger spekulativ ist es jedoch, den Satz als Versuch aufzufassen, das periodische Korsett der Permutationsfuge zu durchbrechen, ohne auf den Stimmtausch der Kontrapunkte zu verzichten. Die Instrumente, die erst in der zweiten Durchführung eintreten, werden durchweg colla parte geführt. Dass sie nur ein kurzes Nachspiel anfügen, verweist erneut auf den motettischen Satz ohne obligate Instrumente.

An diesem Stand setzte Bachs weitere Arbeit an, die fortan darauf hinzielte, die vokale Fuge mit einem obligaten Instrumentalpart zu kombinieren. Dass die Kantaten BWV 75 und 76 als Werkpaar geplant wurden, zeigt sich nicht nur an der Satzzahl, sondern auch an der zweiteiligen Anlage der Eingangssätze.[32] Einem ersten Teil, in dessen Instrumentalsatz der Vokalpart eingebaut wird, steht eine Permutationsfuge mit zwei Durchführungen und partiell obligatem Instrumentalpart gegenüber. Der erste Teil aus BWV 75:1 wird durch ein Ritornell eröffnet, das durch seine punktierte Rhythmik geprägt ist (T. 1–11). Ihm folgt ein vokales Duo, in dem Sopran und Alt die Motivik des ersten Textglieds einführen (T. 11–17, »Die Elenden sollen essen«). Kehrt danach das Ritornell mit variierter Kadenz wieder, so wird der Chor mit ihm durch Vokaleinbau verbunden (T. 17–26). Analog werden Chor und Orchester in der folgenden Gruppe kombiniert, die zur Tonikaparallele moduliert (T. 27–36). Dem nächsten Textglied entspricht eine neue Motivik (»und die nach dem Herrn fragen«), deren Imitation mit der Rhythmik des Ritornells gekoppelt wird.

1–11	11–17	17–26	27–36	36–41	41–58	58–68 (~ 1–11)
Ritornell	vokales Duo	Rit. + Chor	Rit. + Chor	Ritornell	imitierend	Ritornell
T	T	T	T – Tp	Tp	Tp – D	Tp

Solange Instrumental- und Vokalpart getrennt bleiben, mussten im Autograph (P 66) nur wenige Noten geändert werden.[33] Doch mehren sich die Korrekturen, sobald beide Schichten zusammentreten. Nach dem ersten Duo wurde die Stimmführung in Tenor und Bass geändert (T. 22 bzw. 24 f.), während in der Imitationsphase ab T. 41 zuerst die Vokalstimmen notiert wurden und die später hinzugefügten Instrumentalstimmen mehrfach korrigiert werden mussten (Oboe I–II, T. 43 f., Violine I, T. 44). Soweit sie in den folgenden Takten die Vokalstimmen duplizieren, fehlen zwar Korrekturen, die sich aber wieder mehren, sobald die Instrumente mit eigenen Einwürfen hervortreten (vgl. Oboe I–II, T. 52 ff.).

Der zweite Teil folgt anfangs den Regeln einer Permutationsfuge, deren erste Durchführung dem Chor zufällt, während in der zweiten das Orchester eintritt.[34] Dazwischen steht ein Zwischenspiel der Oboen, das am Ende der ersten Durchführung

---

32   Zu späteren Wiederaufführungen von BWV 75 vgl. Joshua Rifkin, Notenformen und Nachtragsstimmen. Zur Chronologie der Kantaten »Die Himmel erzählen die Ehre Gottes« (BWV 76) und »Also hat Gott die Welt geliebet« (BWV 68), in: BJ 2008, S. 203–228.

33   Auf fol. 7ᵛ findet sich ein Konzept des Satzbeginns, das zugunsten der ausgearbeiteten Fassung aufgegeben wurde, vgl. Robert Lewis Marshall, The Compositional Process of J. S. Bach. A Study of the Autograph Scores of the Vocal Works, Bd. 1–2, Princeton 1972, Bd. 1, S. 129 f., sowie Bd. 2, S. 50 f.

34   Vgl. Neumann, Chorfugen, S. 38, Anm. 54. Da die zweite Durchführung mit quintversetztem Comes beginnt (T. 83), führen erst die folgenden Einsätze zum regulären Wechsel von Tonika und Dominante zurück.

beginnt (T. 78–83). Auch in der zweiten Durchführung und im folgenden Zwischenspiel (T. 92–96) werden die Oboen obligat eingesetzt (T. 82–96), bis sie sich in der Coda den übrigen Stimmen anschließen.

Dass der Chorsatz aus BWV 76 einem ähnlichen Bauplan folgt, wird durch die obligate Trompetenstimme verdeckt. Wie in BWV 75 wird der erste Teil durch ein Ritornell umrahmt, in das die beiden ersten Textglieder eingebaut werden (Ps. 19:2), während die chorischen Abschnitte durch ein Ritornellzitat getrennt werden, dem hier ein kurzes Basssolo vorangeht.

1–13	13–16	16–20	20–36	36–44	44–59	59–67
Ritornell	Basssolo	Ritornellzitat	Tutti	Ritornell	Tutti	Ritornell
T	T	T	T–Tp	Tp	Tp–Dp	D

Die Permutationsfuge (Ps. 19:4) besteht aus zwei Durchführungen eines fünftaktigen Blocks (T. 67–87 und 94–114). Statt in Zwischenspielen enden sie in vokalen Zwischensätzen, die als Endglieder der Fuge erscheinen, weil ihre repetierten Achtel dem Kopf des Fugenthemas entsprechen (T. 87–93 und 114–120).

> Ausnahmsweise zeigt das Autograph (P 67) schon kurz nach Beginn der Fuge eine Korrektur, die offenbar bei einer späteren Wiederaufführung nachgetragen wurde und vor allem die Einführung des zweiten Kontrapunkts im Tenor betraf (T. 73–75).[35] Ein solcher Eingriff müsste bei regulärem Ablauf des Permutationsschemas im weiteren Verlauf Folgen haben, die aber im Autograph nicht zu finden sind. Dass die Korrektur hier möglich war, liegt an der »merkwürdige[n] Doppelausfertigung des Comes-Blockes«[36], dessen modulierendes Glied entweder am Ende des zweiten oder des ersten Takts eintritt. Eine ähnliche Konstellation wie zu Beginn ergibt sich am Ende der zweiten Durchführung (T. 110–112), doch weisen beide Kontrapunkte in Bass und Tenor unauffällige Varianten auf, die Bach hier wohl deshalb in Kauf nahm, weil es ihm nicht vor allem um das Permutationsprinzip ging.[37]

Mit gleicher Motivik wird ein kanonischer Nachsatz angefügt, der eine zweifache Quintkette durchläuft. Da die Coda auf die letzten Takte des Vorspiels zum ersten Teil zurückgreift (T. 133–137 ~ 9–13), sah Neumann in ihr einen »»unorganischen‹ Schnitt«, durch den »eine (merkwürdig erzwungene) formale Rundung des vielgliedrigen Satzganzen wenigstens äußerlich erreicht wird«.[38] Dass trotzdem kein »Schnitt« zu hören ist, beruht auf der latenten Affinität der Teile, die in den Figuren gründet, mit denen die Themen des ersten Teils und der fugierten Phasen fortgesponnen werden (Notenbeispiel 2). Zwar beschränken sie sich auf umspielende Sechzehntel, die kaum mehr als stilisierte Trillerfolgen bilden, doch genügen sie, um die Coda als letztes Glied der Anlage erscheinen zu lassen. Zu Recht meinte

---

35 Vgl. dazu das Faksimile in NBA I/16, S. VII, und den Kommentar, ebd., S. VI.

36 Vgl. Neumann, a. a. O., S. 26 (im Schema, ebd., S. 27, unterschied Neumann beide Varianten als B¹ bzw. B²).

37 So lautet der letzte Ton des Basses in Takt 110 *f* (statt *fis* in Takt 73), während in der zweiten Zählzeit von Takt 111 im Tenor die Sechzehntel *e¹* und *d¹* gegenüber Takt 75 vertauscht werden. In Takt 73–76 wurde die ursprüngliche Lesart im Autograph so gründlich getilgt, dass sie nicht zu rekonstruieren ist (vgl. NBA I/16, KB, S. 19).

38 Neumann, ebd., S. 53 f.

Notenbeispiel 2

Neumann, das »Kombinationsverfahren«, das auf der Kreuzung fugierter Phasen und anders strukturierter Satzglieder beruhe, komme in BWV 76:1 erstmals zu seiner »endgültigen Ausprägung«. Dennoch ist festzuhalten, dass die Coda als Krönung der kombinatorischen Anlage gelten muss. Dazu trägt nicht zuletzt die Trompetenstimme bei, die den Satz mit trillerartigen Figuren eröffnet und das Ende der Fuge durch einen letzten Themeneinsatz mit der Coda verbindet (T. 116 ff.).

Schon zu Beginn des Jahrgangs wird die Bedeutung erkennbar, die den Instrumenten – anfangs den Oboen und später den Trompeten – für den Zusammenhalt der Sätze zukommt. Dass der Chorsatz in BWV 24 an dritter Stelle erscheint, war durch Neumeisters Text bedingt. Obwohl der Bibelspruch keine Aufteilung zuließ, entwarf Bach eine mehrgliedrige Anlage mit mehrmaligem Textdurchlauf (Mt. 7:12a, »Alles nun, das ihr wollt, das euch die Leute tun, das tut ihr ihnen«). Den A-Teil bildet ein Tuttisatz, der im blockartigen Wechsel zwischen Chor und Orchester an ein doppelchöriges Concerto erinnert (T. 1–7). Treten beide Ebenen kadenzierend zusammen, so duplieren Streicher und Oboen den Vokalpart, während die Clarinstimme als Ergänzung fungiert (T. 7–10). Die anschließende Imitationsfolge, die auf einer diatonischen Quintkette basiert, wird von den Instrumenten derart umspielt, dass sich der Eindruck eines obligaten Orchestersatzes ergibt (T. 10–18, »das tut ihr ihnen«). Der Schluss des A-Teils greift dagegen auf den anfänglichen Chorwechsel zurück, der von ein- auf zweitaktigen Abstand erweitert wird (T. 18–36). Im Zentrum steht eine Permutationsfuge (T. 59–78), deren Themen wie in einer Doppelfuge eingeführt und durch eine Quintschrittsequenz abgefangen werden (T. 37–59 bzw. T. 79–92).

A	B[1]	B[2]	B[3]	A'
1–36	37–59	59–78	79–92	92–104
konzertantes Tutti, doppelchörig mit imitatorischem Zwischensatz	vokale Doppelfuge	Permutationsfuge, Instrumente colla parte, Clarino obligat	Sequenzkette, Instrumente colla parte	Coda mit imitatorischem Zwischensatz (T. 92–98 ~ 98–104)

Neumann trennte die Permutationsphasen in einzelne Takte auf, um »die verschiedenen Melodiestückungen« darzustellen.[39] Dass die Takte des zweiten und vierten Kontrapunkts vertauscht werden können, beruht auf ihrer gemeinsamen Motivik, die auf das Imitationsmotiv in der Mitte des A-Teils zurückgeht (»das tut ihr ihnen«). Die komplementäre Rhythmik beider Stimmen wird durch die Parallelführung des anderen Stimmpaars ergänzt. Während die Instrumente in der Doppelfuge pausieren, sind sie an der Permutationsfuge colla parte beteiligt. Da der Generalbass selbstständig bleibt und der Clarino als obligate Stimme eintritt, ergibt sich am Ende ein sechsstimmiger Satzverband. Statt der Coda folgt ein abschließender Rekurs auf die Imitationsphase des A-Teils, die vor allem an der Rhythmik des Instrumentalparts kenntlich wird. Zwar handelt es sich nur um sechs Takte, die aber durch ihre variierte Wiederholung verdoppelt werden (T. 92–98 ~ 98–104). Rückblickend wird sichtbar, dass die partiell obligate Funktion des Orchesters nicht nur der klanglichen Bereicherung, sondern vor allem der Verkettung der Satzglieder dient.

Gegenüber den beiden ersten Sätzen bildet der Eingangschor aus BWV 136 »Erforsche mich Gott«, dem eine mehrwöchige Pause voranging, einen neuen Ansatz. Erstmals wird auf den Concertosatz zurückgegriffen, von dem die letzten Weimarer Chöre ausgegangen waren. Dass Bach inzwischen die Kantaten BWV 147 und 186, deren Chöre und Arien schon 1716 entstanden waren, in erweiterter Fassung aufgeführt hatte, mag dazu den Anstoß gegeben haben. Doch setzt sich nun die obligate Funktion der Instrumente durch, die in den drei ersten Werken zu beobachten war. Im Vorspiel aus BWV 136:1 stimmt das Horn das Thema der Fuge an, die zwar primär dem Chor zufällt, vom Orchester aber nicht nur dupliert wird. Das Fugenthema wird in das Vorspiel integriert, das am Ende wiederholt wird, während eine komprimierte Variante die vokalen Satzteile trennt. Obwohl es nur begrenzt die Funktion eines Ritornells hat, dient es als motivisches Reservoir des gesamten Instrumentalparts. Denn der Satz begnügt sich nicht mehr mit instrumentalen Einwürfen und Zusätzen, sondern wird durch die Themenfortspinnung überlagert, die als kontinuierliche Figuration der ersten Violine den gesamten Verlauf durchzieht. Der obligate Instrumentalpart bildet somit erstmals eine eigene Schicht, die sich mit der vokalen Fuge verbindet (ausgenommen die Scharniere in T. 20, 23 f. und 26). Während Neumann von der »Weitschweifigkeit« des Satzes sprach, nahm Dürr einen »Mangel an Zielstrebigkeit« wahr.[40] Bestehend aus dem umrahmenden Ritornell, zwei vokalen Hälften und einem Zwischenspiel, ist der Satz mit 63 Takten keineswegs weitschweifig, doch enthält er nur anfangs eine Themendurchführung (mit einem überzähligen Einsatz), während die zweite Durchführung nach dem Zwischenspiel abgebrochen und durch eine Engführung ergänzt wird (T. 34–37). Da die Integration des Fugenthemas in das Ritornell und die Verkettung des fugierten Satzes mit obligatem Instrumentalpart neue Verfahren waren, konnte das Resultat

---

39   Neumann, a. a. O., S. 26.

40   Ebd., S. 77; Dürr, Die Kantaten, Bd. 1, S. 381. Neumann befand, das Fugenthema wirke »uncharakteristisch« und »stark arienmäßig«, zumal es nur in den Außenstimmen erscheine, während der Instrumentalpart »charakterlos und unrein geführt« sei.

nicht dem Ideal einer regulären Fuge entsprechen. Dazu gehört es, dass der Quint-schrittsequenz erstmals eine regulierende Funktion zufällt. Kurze Quintprogres-sionen kamen zwar schon in den beiden ersten Sätzen vor (BWV 75:1, T. 28–26, und BWV 76:1, T. 6–12 und 48–59), ohne hier aber deutlich hervorzutreten. Während in BWV 24:3 am Ende der Permutationsfuge eine Quintfolge steht, setzt die Quint-kette in BWV 138:1 schon im dritten Takt des Ritornells an (A-Dur: A-D-Gis, Cis-Fis, h-E-A), um fortan den ganzen Chorsatz zu bestimmen (T. 16–22 und weiter bis T. 27). Erstmals also verbinden sich Ritornellform und Fugato mit obligatem Instrumental-part und weiträumigen Quintketten zu einer Architektur, die unter ihren Prämissen weder ziellos noch weitschweifig ist, sondern das Ergebnis einer komplexen Kom-bination bildet.[41]

Auf den ersten Blick mag es inkonsequent wirken, dass Bach eine Woche später wieder eine Permutationsfuge schrieb. Wie er aber im ersten und zweiten Jahr-gang jeweils dreimal auf den motettischen Satz zurückkam, so griff er nach dem Experiment in BWV 136 auf das Permutationsschema zurück. Der Eingangschor aus BWV 105 gliedert sich – dem Text aus Ps. 143:2 folgend – in zwei verschiedene Teile, denen nur die Tonart g-Moll gemeinsam ist (»Herr, gehe nicht ins Gericht mit deinem Knecht« – »Denn vor dir wird kein Lebendiger gerecht«). Der A-Teil (»Adagio«, T. 1–47) wird durch ein Vorspiel eröffnet, das im ersten Zwischenspiel variiert wird, während ein zweites Zwischenspiel die Rhythmik des Vokalparts aufgreift. Instru-mental- und Vokalpart treten demnach als getrennte Schichten ein, die rhythmisch und motivisch zunächst wenig gemeinsam zu haben scheinen.

Das Vorspiel verbindet die Oberstimmen zu einem kontrapunktischen Geflecht, dessen chromatisch steigende Linien im Wechsel von Vierteln und synkopierten Halben umschrieben werden (T. 1–4). Im Gegenzug wird eine chromatisch fallende Linie in Achtel aufgelöst und durch eingeschobene Pausen zu seufzerartigen Figuren umgebildet (T. 5–9). Dagegen gründet der Vokalpart auf einem motivischen Kern, in dem sich die Anrede »Herr« als Viertelnote von den syllabisch textierten Achteln und Sechzehnteln zur Bitte »gehe nicht ins Gericht« abhebt. Der Vokalsatz ergibt sich aus der imitatorischen Staffelung eines ebenso knappen wie prägnanten Motivkerns, dessen Quartanstieg in repetierten Achteln endet und damit auf das Bassfundament verweist (Notenbeispiel 3). Die imitierenden Stimmen setzen zumeist im Abstand einer Viertelnote ein, sodass sich der Eindruck ständiger Engführungen ergibt. Die vokalen und instrumentalen Glieder werden durch ein Bassmodell aus repetierten Achtelnoten verbunden, das vielfach variiert wird, ohne sein rhythmisches Gleich-maß aufzugeben. Wo beide Schichten zusammentreten (T. 23–27), bewahrt der Instrumentalpart seine obligate Funktion, wiewohl seine Stimmführung dem Chor-satz angeglichen wird. Lenkt die erste Vokalphase nach d-Moll, so führt die zweite zur Tonika zurück und endet mit Choreinbau in das Vorspiel (T. 34–42), bevor das Nachspiel auf dominantischem Orgelpunkt ausläuft und damit die Fuge als Ziel des ersten Teils eintreten lässt.

---

41 Thomas Schlage, Form-Modelle in den Chorsätzen des 1. Leipziger Kantatenjahrgangs, in: KB Dortmund 2000, S. 177–190, benannte den Satz als »Suitensatzform«, doch ist der Vergleich doppelt verfehlt, weil vom Tanzcharakter des Suitensatzes so wenig zu reden ist wie von seiner zweiteiligen Form.

Notenbeispiel 3

Im Autograph (P 99) lässt sich Bachs Arbeit besonders innerhalb der Kombinationsphase verfolgen. Solange instrumentale und vokale Phasen getrennt bleiben, sind nur vergleichsweise geringfüge Korrekturen zu erkennen. Sie mehren sich jedoch, sobald im ersten Satzteil Vokal- und Instrumentalpart zusammentreten (T. 23–27). Das in T. 29 beginnende Zwischenspiel sollte ursprünglich zwei Takte später im Rückgriff auf das Vorspiel auslaufen, um damit die Phase des Choreinbaus zu eröffnen. In Takt 31 hatte Bach nicht nur die Oberstimmen des Vorspiels, sondern auch einen Entwurf der Vokalstimmen notiert.[42] Dann aber entschloss er sich, zusammen mit der zweiten Hälfte von Takt 31 auch die beiden anschließenden Takte zu streichen, um die Fortführung neu zu schreiben. Dabei verlängerte er die Kombinationsphase um drei Takte, sodass der Choreinbau erst in Takt 34 statt in Takt 31 ansetzt.

Die Länge der Fuge (T. 48–128) wird durch den Wechsel zum Alla breve in doppelten Notenwerten relativiert, doch umfasst der erste Teil zwei reguläre Durchführungen mit je vier Phasen des fünftaktigen Permutationsblocks, denen nach einem freien Zwischenstück eine dritte, aber weniger regelmäßige Durchführung folgt, bevor der Satz in einer umfangreichen Coda ausläuft. Wie Neumanns Übersicht erkennen lässt, zeigt schon die erste Hälfte kleine Abweichungen vom Schema. So wird der Einsatz des vierten Kontrapunkts ab Takt 68 vom Bass in den Sopran verlagert, der dasselbe Teilstück zweimal singt.[43] Um den konstanten Wechsel zwischen Tonika und Dominante zu umgehen, moduliert die letzte Durchführung nach B-Dur. Dass dabei dieselbe Phrase dreimal im Sopran erscheint, wird durch einen Echoeffekt mit vorgeschriebenem Piano und Pianissimo kaschiert, nach dem die Coda im Forte ansetzt.

Ob es hilfreich ist, einen zweiteiligen Satz wie diesen oder den folgenden aus BWV 46 mit dem Satzpaar Präludium und Fuge zu vergleichen, kann man bezweifeln.[44] Im Unterschied zum instrumentalen Modell rechnen die Teile eines Chorsatzes mit einem Text, der zugleich ihren Zusammenhang bedingt. In BWV 46:1 »Schauet doch und sehet« trägt dazu die Rolle zweier Blockflöten bei, die in beiden Satzteilen obligat hervortreten. Dem zweigliedrigen Spruchtext (Klgl. 1:12) entspricht ein erster Teil (T. 1–67), der eine Kette vokaler Kanons mit obligatem Instrumentalpart verbindet, während der zweite Teil aus einer Fuge mit zwei Durchführungen und freier Coda besteht (T. 67–149, »un poc'allegro«). Die klare Form ist allerdings nur die Außenseite der satztechnischen Kunst, in der die ungewöhnliche Expressivität des Satzes gründet. Im ersten Teil akzentuiert der Generalbass die betonten Zählzeiten des ¾-Takts durch Viertelwerte, die anfangs einen Orgelpunkt umschreiben, während die folgenden Pausen an den kadenzierenden Nahtstellen ausgefüllt werden. Darüber bilden die Flöten ein imitierendes, partiell kanonisches Duo, in dem

---

42   Vgl. NBA I/19, KB, S. 15 f.; Marshall sah hier »zwei nicht zusammengehörige kompositorische Entwürfe, die nacheinander ausprobiert und wohl nur aus Raumgründen in eine Akkolade eingetragen wurden«. Unabhängig davon sollte zuerst schon in Takt 31 der Rekurs auf den Beginn des Vorspiels ansetzen, der dann durch die Fortspinnung der instrumentalen Motivik ersetzt wurde, um zwei Takte später die Einbauphase zu eröffnen. Vgl. auch Robert Lewis Marshall, The Autograph Score of »Herr, gehe nicht ins Gericht«, BWV 105, in: The Music of Johann Sebastian Bach. The Sources, the Style, the Significance, New York 1989, S. 131–142, hier S. 140 f.

43   Neumann, a. a. O., S. 29 f.

44   Vgl. Konrad Küster, Bach-Handbuch, S. 306, sowie Thomas Schlage, a. a. O., S. 178.

gleichmäßige Sechzehntel von übergebundenen Haltetönen abgelöst werden, sodass sich an den Taktgrenzen synkopische Dissonanzen ergeben. Zwischen den Außenstimmen vermitteln die Streicher als klangliche Füllung, die jedoch fast motivischen Charakter erhält. In diesen mehrschichtigen Orchestersatz, der im Vorspiel entfaltet und fast durchgehend fortgeführt wird, wird zusätzlich der Vokalpart eingefügt, sodass sich ein sieben- bis achtstimmiger Satzverband ergibt, in dessen Vokalpart zwei Quintkanons von kanonischen Quintketten abgelöst werden (ab T. 17, T. 30 und T. 45 mit Engführung). Seine Ausdruckskraft gründet freilich weniger in seiner Konstruktion als in der Fülle der Vorhalte und chromatischen Schritte, die den kontrapunktischen Satz durchziehen. Mit Sextsprung ansetzend, sinkt die Motivik in chromatischen Schritten abwärts, bis sie auf der Dominante ausläuft und damit zum nächsten Einsatz auf der Quinte führt, sodass die Glieder ständig ineinandergreifen. Wo sie in freie Stimmführung einmünden, schließen sich die Streicher und Oboen dem Vokalpart an, während die Flöten weiterhin obligat bleiben.

Dass sich die anschließende Fuge vom Permutationsschema löst, liegt primär an ihrem modulierenden Thema, dessen Comes von der Quinte aus mit Leitton zur Subdominante lenkt und damit die Dominante quasi »neapolitanisch« in Halbtönen umrahmt, bevor am Ende die Tonika erreicht wird (»Denn der Herr hat mich voll Jammers gemacht«).[45] Dazu tritt ein höchst profilierter Kontrapunkt, der aber schon im nächsten Einsatz kleine Varianten aufweist (»am Tage seines grimmigen Zorns«). Das stufenreiche Thema wird mit diesem Kontrapunkt gepaart, der nach dem Themeneinsatz der Flöten auch die figurative Fortspinnung prägt. So wenig von einer regulären Doppelfuge zu reden ist, so deutlich hebt sich von der markanten Rhythmik des Themas die Deklamation des Kontrapunkts ab, in der syllabisch textierte Achtel mit lebhaften Melismen wechseln. Einerseits stehen sich die Teile als kanonische und fugierte Konstruktionen gegenüber, andererseits beziehen sich die Themen durch Sextsprung und fallende Linien mit chromatischen Schritten aufeinander. Der Zusammenhang beider Teile hielt Bach freilich nicht davon ab, den ersten Teil im »Qui tollis« der h-Moll-Messe zu verwenden.

Der Eingangschor aus BWV 179 »Siehe zu, daß deine Gottesfurcht nicht Heuchelei sei« greift wieder auf den strengen Satz zurück, der hier erstmals Züge des Stile antico aufnimmt. Da der Satz damit an die Seite der Pendants aus BWV 64 und 144 rückt, ist er später mit ihnen gemeinsam zu erörtern. Desto entschiedener wird in BWV 69a:1 »Lobe den Herrn, meine Seele« die Kombination fugierter und konzertanter Verfahren fortgeführt, die in BWV 138 begonnen worden war. Der Plan ergab sich durch den Text, der zwei Aussagen durch eine Kopula verbindet (»Lobe den Herrn … und vergiß nicht …«), doch ist der Satz in mehrfacher Hinsicht noch ambitionierter als in BWV 138. Zum einen wird erstmals die Festbesetzung mit Trompeten aufgeboten, zum anderen wird in die konzertante Ritornellform eine Doppelfuge eingefügt, während beide Ebenen zugleich motivisch verknüpft werden. Das Ritornell, das am Ende wiederholt wird (T. 1–24 = 141–164), liefert das motivische Reservoir,

---

45   Vgl. dazu Thiele, a. a. O., S. 68 sowie 82 f. Dass Neumann die Permutationsfuge als Zentrum der Bach'schen Chorfuge auffasste, geht daraus hervor, dass er den Satz aus BWV 46:1 nur in einer Fußnote erwähnte, vgl. Neumann, a. a. O., S. 38, Anm. 54.

mit dem auch die Zwischenspiele bestritten werden. Im ersten Teil schließt sich ein konzertantes Tutti an (T. 24–46), während das fugierte Zentrum in einem analogen Teil ausläuft (T. 129–141), dem dann noch das Ritornell folgt. Die Außenteile bilden also den Rahmen des fugierten Satzes, in dem zwei Themen zuerst gesondert verarbeitet und danach in einer Doppelfuge verbunden werden.

Ritornell	A	B (Fuge, Thema I)	C (Fuge, Thema II)	D (Kombination)	Ritornell
1–24	24–36, 36–46	46–57, 57–78	78–90, 90–95	95–100–109–129–141	141–164
	vokale Duos, Imitation, Tuttisatz	Permutation, zweite Durchführung mit freiem Auslauf	vokale Durchführung und Zwischenspiel	zwei Durchführungen mit freiem Auslauf am Ende	
D-Dur	D – A, A	D – A, A	A – D, A	A – E – H – D	D-Dur

Wie die ersten Fugen beginnt die krönende Doppelfuge mit einer vokalen Exposition, während die Instrumente erst später eintreten und nur begrenzt obligate Funktionen haben. Die Exposition der ersten Fuge gehorcht dem Permutationsschema mit fünf Kontrapunkten (T. 46–57), während die zweite Durchführung die beiden ersten Themen und mitunter den dritten Kontrapunkt verwendet. Wie Neumann zeigte, ist der Permutationsabschnitt so angelegt, dass bei seiner Fortführung satztechnische Fehler entstehen würden.[46] Obwohl also im Blick auf die Doppelfuge ein freieres Verfahren geplant war, hielt Bach an einer Satztechnik fest, die er so souverän beherrschte, dass er sie selbst dort einsetzte, wo er ihre Möglichkeiten nicht ausnutzen wollte. Wo die Exposition mit zusätzlichen Themeneinsätzen der Oboen in zwei freien Takten ausläuft, wird sie durch ein Zwischenspiel erweitert. Hier wie in der zweiten Durchführung bleiben die Oboen obligat und schließen sich den colla parte geführten Streichern erst dann an, wenn das Fugenthema die Stimmen durchlaufen hat und durch einen Einsatz der Trompeten ergänzt wird. Dagegen begnügt sich die zweite Fuge mit einer vokalen Durchführung, die durch die Themeneinsätze der Violinen vervollständigt und in einem Zwischenspiel fortgesetzt wird. Die Themenkombination wird hingegen schon in ihrer ersten Phase durch die Oboen zum sechsstimmigen Satz erweitert, während die zweite Phase mit dem Einsatz des ersten Themas in der ersten Trompete endet.

Mündet die Doppelfuge in die Wiederholung des Ritornells ein, so stellt sich die Frage, wie die Verbindung derart verschiedener Satzglieder möglich war. Dazu trägt zunächst die festliche Besetzung bei, die mit Rücksicht auf die Trompeten für den begrenzten Radius der Harmonik verantwortlich ist. Zudem ließe sich darauf hinweisen, dass die Sechzehntelfiguren, die das Ritornell und die Duos des ersten Teils einleiten, in modifizierter Fassung schon in das erste Fugenthema eingehen. Doch beginnt das Ritornell mit Trompetenfanfaren, die durch einen Quartsprung und sequenzierte Trillerfiguren charakterisiert werden. Diese Kennzeichen aber

---

46 Neumann, ebd., S. 28, registrierte missmutig den Sachverhalt und sah seinen Grund im »überaus schlecht gebildeten und so nicht umkehrbaren Kontrapunkt des Baublocks«. Klanglich bilden die von ihm monierten Oktavparallelen der Kontrapunkte 3 und 4 indes Einklänge (T. 52 ff.), während der Argwohn gegen Satzfehler, die bei weiterer Permutation entstünden, auf einem Missverständnis des Satzplans beruht.

Notenbeispiel 4

fehlen sowohl in den vokalen Duos als auch im Fugenthema, so ähnlich die Figuren sonst auch scheinen mögen. Aufschlussreicher sind die Takte 37 ff., in denen der akkordische Vokalsatz durch die Oboen aufgefüllt wird, während die Violinen eine Variante der ubiquitären Figurationen hinzufügen (Notenbeispiel 4). Bei näherem Zusehen zeigt sich, dass der Sopran hier das zweite Fugenthema vorwegnimmt, das von den Violinen durch eine Variante des ersten Fugenthemas ergänzt wird. Mit anderen Worten: Die Fugenthemen und ihre Kombination sind schon innerhalb des konzertanten Satzes angelegt. Auch die kurzen Quintfolgen, auf denen die Themen basieren, deuten auf das Ritornell zurück, das von ausgreifenden Quintketten getragen wird (T. 11–18).[47] Demnach weist der konzertante Satz auf die Doppelfuge voraus, die am Ende zur spiegelbildlichen Reprise zurückführt.

Waren damit für Bach die Möglichkeiten solcher Kombinationen vorerst erschöpft? Oder bedurfte er nach der ersten Satzreihe eines neuen Impulses? Für die wechselnden Schübe seiner Arbeitsweise ist es jedenfalls bezeichnend, dass er sich in der nächsten Satzgruppe einer anderen Aufgabe zuwandte, bevor der erneuten Kreuzung motettischer und konzertanter Verfahren drei Sätze vorangingen, die auf instrumentale Formmodelle zurückweisen.

c. Spruch und Choralzitat

Als Bach zum 13. Sonntag nach Trinitatis (22. August 1723) die Kantate BWV 77 komponierte, lag ihm im Eingangschor ein Spruchtext vor, der dem Evangelium des Tages entnommen war (Lk. 10:27, »Du sollt Gott, deinen Herrn, lieben«). Indem er ihn mit einem instrumentalen Choralzitat verband, schloss er an die Choralzitate seiner Frühwerke an und eröffnete zugleich eine neue Reihe von Choralkombinationen. Wie BWV 69a und später noch BWV 64 gehört BWV 77 zu den Werken, die auf Texte aus einem 1720 in Gotha gedruckten Jahrgang von Johann Oswald Knauer

---

[47] Während Küster, a. a. O., S. 206 f., den Verlauf beschrieb, ohne auf die Bedingungen der Kombination einzugehen, bezeichnete Dürr, Die Kantaten, S. 416, die instrumentale Einleitung als »Sinfonie«. Indessen benutzte Bach diesen Terminus für geschlossene Instrumentalsätze, während sich der Begriff »Ritornell« sowohl auf die gliedernde Funktion wie auch auf die motivische Bedeutung der Eröffnung bezieht.

zurückgehen und von einem unbekannten Autor gekürzt und umgeformt wurden.[48]
Im Unterschied zu Knauers Vorlage, die mit den letzten Strophen aus Luthers Lied
»Dies sind die heilgen zehn Gebot« schließt, endet BWV 77 mit einem Satz zur
Melodie »Ach Gott, vom Himmel sieh darein«, die in der autographen Partitur nicht
textiert ist. Dagegen verband Bach den Text des Eingangschors (Lk. 10:27) mit der
Weise zu Luthers Gebote-Lied, die er durch einen freien Quintkanon zwischen Trompete und Generalbass verdoppelte. Falls er nicht Knauers Text mit seinem Schlusschoral kannte, musste ihn der Spruchtext an parallele Bibelstellen erinnern, die das
von Lukas zusammengefasste Liebesgebot als das »vornehmste von allen Geboten«
bezeichnen (Mk. 12:28–31). Sofern an ihm »das ganze Gesetz« hängt (Mt. 22:37–40),
wird zugleich an alttestamentliche Aussagen erinnert (3. Mose 19:18, 5. Mose 6:5).[49]
Während die Choralweise im Bass mit Finalis g zu Halben und Ganzen augmentiert
wird, erscheint sie in der Trompete eine Quinte höher. Zwischen ihre Zeilen schaltet
die Trompete weitere Zitate ein, die sich anfangs auf die erste Choralzeile beschränken. Umfasst das Lied fünf Zeilen, die durch den Kanon auf zehn erweitert werden,
so ergeben sich in der Trompetenstimme insgesamt zehn Einsätze, sodass sich der
Kanon als doppelter Hinweis auf den Dekalog auffassen lässt.[50]

1.	2.	3.	4.	5.	6.	7.	8.	9.	10.
I d	I c	**II d**	I g	**III d**	I c + II g	**IV/1 d**	I g	**IV/2 + V d**	I II III IV d
8–10	15–17	22–24	28–30	40–41	43–45–47	53–54	56–58	63–65	67–77
9–14		24–30		41–46		54–57		64–67	67–77
I g		**II g**		**III g**		**IV/1 g**		**IV/2 + V g**	Orgelpunkt g
1. + 2.		3. + 4.		5. + 6.		7. + 8.		9. + 10.	

I–V = Zeilen der Choralvorlage mit Bezugstonart, arabische Zahlen = Takte der Kanonphasen,
obere Zeilen = Tromba mit Zahl der Einsätze, untere Zeilen = Basso continuo mit Zahl der Kanonphasen

Hier könnte eine Analyse enden, der es um die theologische oder symbolische
Bedeutung statt um die Struktur des Satzes ginge. Indes ist die Anlage nicht ganz
so intrikat, wie es zunächst scheint, da sich die Kanonstimmen nur kurz und in
wechselndem Abstand überlappen. Eine zahlensymbolische Deutung ließe nicht nur
außer Acht, dass die eingeschalteten Zitate der Trompete auf verschiedenen Stufen
stehen und außer der ersten auch die zweite und am Ende sogar alle Zeilen des
Chorals umfassen. Doch ergeben sich die zehn Kanonphasen erst durch die doppelte
Zählung der beteiligten Stimmen und die Teilung der Schlusszeile. Wäre es Bach nur
um die Zehnzahl gegangen, so hätte nichts nähergelegen als die Abtrennung des

---

48   Vgl. oben, Anm. 13, sowie Helmut K. Krausse, Eine neue Quelle zu drei Kantatentexten Johann Sebastian
Bachs, in: BJ 1981, S. 7–22 und hier besonders das Faksimile S. 22. Der Text des Eingangschors aus BWV 77
eröffnet in Knauers Vorlage den zweiten Teil der Kantate zum 13. Sonntag nach Trinitatis.
49   Vgl. Verf., Explikation als Struktur. Zum Kopfsatz der Kantate BWV 77, in: Bericht über die Wissenschaftliche Konferenz … Leipzig 1985, hrsg. von Winfried Hoffmann und Armin Schneiderheinze, Leipzig 1988,
S. 207–217.
50   Vgl. dazu Eric Chafe, Analyzing Bach Cantatas, Oxford 2000, S. 161–182.

176   Teil III · Strategien im Füllhorn: Der erste Leipziger Jahrgang (1723/24)

Notenbeispiel 5

nachgestellten »Kyrieleis«. Entschied er sich aber dafür, die ersten vier Töne der vierten Zeile abzutrennen, so musste er einen anderen Grund als die Zahl haben. In der Regel setzen die quintversetzten Zeilen der Trompete vor den augmentierten Zeilen des Basses ein, deren Schlusstöne auf mehrere Takte gedehnt werden und damit den zusätzlichen Zitaten der Trompete Raum geben. Die Disposition zielt also darauf ab, die tonale Ambiguität zu exponieren, die ihrerseits eine Folge des Choralkanons ist.[51]

Die Melodie, die Johann Gottfried Walther als Beispiel für den hypomixolydischen Modus nannte, schließt auf der Finalis g, während die zwei ersten Zeilen auf c enden.[52] Wie andere vorreformatorische Weisen zeigt sie Züge, die eine modale Zuordnung erschweren. Führt die dritte Zeile nach f, so endet die vierte auf b, sodass die große Terz über dem Grundton erniedrigt wird. Ohne die Töne zu ändern, griff Bach in die Vorlage ein, indem er die ersten Töne der vierten Zeile abtrennte und die übrigen mit der Schlusszeile zusammenfasste.[53] So endet die verkürzte vierte Zeile auf c, während die letzte Zeile auf b beginnt (Notenbeispiel 5). Demnach umspannt der Bass eine fallende Quintreihe von g bis b, die sich in der Trompete um eine Quinte aufwärts erweitert, während die Lage der zusätzlichen Zitate zwischen c und g wechselt. Die Umdeutung einer mixolydischen Vorlage nach G-Dur galt im 18. Jahrhundert zwar als Regel, und so steht Bachs Satz – wiewohl ohne Vorzeichen notiert – zwar in G-Dur. Da er aber in das Kanongerüst eingespannt ist, verschiebt

---

[51] Vgl. dazu die Analyse von Eric Chafe, a. a. O., S. 183–219.
[52] Johann Gottfried Walther, Praecepta der Musicalischen Composition, hrsg. von Peter Benary (Jenaer Beiträge zur Musikforschung 2), Leipzig 1955, S. 176.
[53] Die letzten Zeilen entsprechen den Bearbeitungen im Kantionalsatz BWV 298 sowie im Orgelbüchlein BWV 635 und in Teil III der Klavierübung BWV 678/679. Zwar werden die Zeilen in BWV 678 ebenso getrennt wie in BWV 77:1, doch begnügt sich der Satz hier mit Oktav- statt Quintkanon. Zur Trennung der Zeilen im Verhältnis zum Kanon vgl. Werner Breig, »Ueberhaupt ist mit dem Choral nicht zu spaßen«. Bemerkungen zum Cantus-firmus-Kanon in Bachs choralgebundenem Orgelwerk, in: BJ 2010, S. 11–27, hier S. 17–20.

sich das harmonische Spektrum, das anfangs G- und C-Dur umkreist, nach g-Moll, um mit einem Plagalschluss in G-Dur zu enden.

Das Schema deutet an, dass sich das Stimmenverhältnis verdichtet, indem die Zeilen III und IV des Basses zunehmend mit den Zitaten der ersten Zeile in der Trompete verschränkt werden (T. 43 ff. und 56 ff.), bis sich die Einsätze in Zeile IV überlagern (T. 63 ff.). Vor und zwischen den Kanonphasen entstehen scheinbar freie Taktgruppen, deren Umfang wechselt, während ihre Harmonik von der tonalen Lage der Choralzeilen abhängt. Platen bezeichnete das Vorspiel als »Grundperiode«, die der zweiten Zeile als Zwischenspiel im Stimmtausch vorangehe und vor den folgenden Phasen mit Choreinbau wiederkehre, sodass sie einen »Formkern« bilde, in den die »Chorperioden« mit dem Choral eingefügt seien.[54] Doch handelt es sich um keinen periodischen, sondern um einen motettischen Satz, der nur in den ersten Takten als Kanon angelegt ist. Dass er nicht instrumental konzipiert ist, zeigt sich an den Vokalstimmen, deren Motivik dem Choral entstammt. Das Kopfmotiv, das syllabisch deklamiert und melismatisch fortgesponnen wird, lässt sich in doppelter Weise aus der ersten Zeile ableiten. Einerseits bildet es eine Kontraktion ihres aufsteigenden Quartgangs, in dem der letzte Ton statt des ersten repetiert wird. Andererseits ist es als Krebsumkehrung der ersten Choralzeile zu lesen, sodass der Satz ständig an das Gebot des Chorals erinnert.[55] Erst zu den Worten »und von ganzem Gemüte« tritt ein Gegenmotiv ein, das auf den Kontrapunkt der ersten Takte zurückgeht.

In seiner motivischen Konzentration könnte der Satz zur Monotonie tendieren, wenn er nicht seine Spannung aus weiteren Maßnahmen bezöge. Dass der Intervallabstand der Stimmen so variabel wie ihre Fortspinnung ist, ergibt sich aus der Notwendigkeit, den zweistimmigen »Formkern« zur Vierstimmigkeit zu erweitern, die durch den Kanon zur Sechsstimmigkeit gesteigert wird. Die Stimmenzahl bleibt insofern variabel, als der Generalbass in den augmentierten Choralzeilen als obligate Stimme und sonst als Basso seguente fungiert, während die Streicher den Vokalpart nicht nur duplieren, sondern vielfach ergänzen und paraphrasieren. Da das Vorspiel (T. 1–8) bei seiner ersten Wiederkehr (T. 15–22) um eine Quinte abwärts transponiert und später dem Chorsatz angepasst wird (T. 31–39 bzw. 47–54), lässt sich auch nicht vom »Choreinbau« reden. Bei aller Strenge des Satzes ist die Verfügung über sein Material die Voraussetzung dafür, dass er eine Veränderung durchläuft, die nicht allein als Verdichtung zu beschreiben ist. Sie resultiert vielmehr aus der Verschiebung der tonalen Achsen, die vom Choralkanon ausgeht. Das hat zur Folge, dass dem dreistimmigen Beginn, der eine erweiterte C-Dur-Kadenz umschreibt, in der Coda ein chromatisch gefärbtes Tutti gegenübertritt. Die Dissonanzen veranlassten Bach dazu, im Autograph (P 68) die Stimmführung der letzten Takte zuvor in einer Skizze zu erproben.[56]

Im Eingangschor aus BWV 25 »Es ist nichts Gesundes an meinem Leibe« wird die Paarung von Spruch und Choral in dreifacher Hinsicht abgewandelt. An die Stelle

---

54   Emil Platen, Untersuchungen zur Struktur der chorischen Choralbearbeitungen Johann Sebastian Bachs, Diss. Bonn 1959, S. 156 f.

55   Dürr, Die Kantaten, S. 423 f.

56   Vgl. dazu Robert Lewis Marshall, The Compositional Process of J. S. Bach. A Study of the Autograph Scores of the Vocal Works, Princeton 1972, Bd. 2, S. 52.

des Choralkanons tritt ein Kantionalsatz für Zink und drei Posaunen mit der von den Blockflöten verstärkten Melodie »Herzlich tut mich verlangen«, die auf den Text des Liedes »Ach Herr, mich armen Sünder« anspielt.[57] Obwohl sie zur Dur-Moll-Tonalität nicht derart quersteht wie die Vorlage in BWV 77:1, prägt ihr phrygischer Modus den Satz bis hin zur Finalis. Die Choralzeilen werden zu Paaren zusammengefasst, die jeweils vier Takte umfassen, sodass der Choral nur 16 von insgesamt 74 Takten füllt. Den Spielraum, der sich dadurch ergab, nutzte Bach, um einen fugierten Satz zu entwerfen, der von paarigen Quintkanons ausgeht.[58] Der Text (Ps. 38:4), der an das Tagesevangelium mit dem Bericht von der Heilung der zehn Aussätzigen anknüpft, besteht aus zwei Gliedern, denen zwei Motive zugeordnet sind: Terzpendel und Quintfall einerseits (»Es ist nichts Gesundes …«) sowie Quart- bzw. Quintsprung und fallende Linie andererseits (»und ist kein Friede in meinen Gebeinen«).

Das viertaktige Vorspiel führt im Generalbass die augmentierte erste Choralzeile ein, ohne damit ein Modell für den weiteren Verlauf zu bilden. Zum Cantus firmus in Basslage treten in den Streichern und Oboen kurze Figuren, die aus drei durch Pausen getrennten Achtelnoten bestehen. Sie bilden also weniger prägnante Motive als variable Formeln, die sich der Choralweise anpassen lassen. Demnach wäre ein Satz zu erwarten, der vom Ritornell ausgeht, um dessen Motivik mit dem Vokalpart zu verbinden. Dass es sich anders verhält, wird erst nach Ablauf der Stollenzeilen einsichtig.

So karg das Ritornell wirkt, so kunstvoll ist der Vokalsatz geformt. Alt und Sopran bilden einen sechstaktigen Quintkanon, der im Tenor und Bass wiederholt und von den Oberstimmen kontrapunktiert wird. Beidemal lenkt er von der I. zur V. Stufe, um dann nochmals in den Oberstimmen anzusetzen. Diesmal aber beschränkt er sich auf das Kopfmotiv (T. 14 f.), das von freier Stimmführung abgelöst wird, sobald der Kantionalsatz der Bläser eintritt. In ihn wird ein weiteres Motivzitat des Alts eingefügt (T. 18 f.), sodass der Eindruck entsteht, das Choralzitat werde durchweg mit der vokalen Motivik gekoppelt. Zum zweiten Stollen scheint der bisherige Verlauf wiederzukehren, doch zeigt sich nun, dass der Satz von vornherein auf Stimmtausch angelegt war. Tenor und Bass übernehmen den Kanon, den die Oberstimmen entsprechend ergänzen (T. 22–36 ~ 1–15). Allerdings gilt das nicht für die Fortspinnung, die partiell neu formuliert wird (vgl. T. 36–41 mit T. 15–21).[59]

Teile:	A¹	A² (= A¹ mit Stimmtausch)	B	C (Coda)
Takte:	1–15, 15–21	22–36 (~ 1–15), 36–41	41–69	69–74
Choral:	Zeilen 1–2	Zeilen 3–4	Zeilen 5–6	Zeilen 7–8
Motive:	Motiv a – Kanonkette	Motiv a – Kanonkette	Motiv b – Imitation	Motive a + b

57   Vgl. Dürr, Die Kantaten, S. 431; ein Jahr später verband Bach die Melodie in der Choralkantate BWV 135 mit dem Text »Ach Herr, mich armen Sünder«.
58   Während Neumann den Satz ignorierte, sprach Platen, a. a. O., S. 158, von einer »Doppelfuge«, doch schränkte er ein, dass die Exposition eher einer Folge von Quintkanons gleiche, vgl. ebd., S. 239, Anm. 121.
59   Platen, a. a. O., S. 159 f., wollte in diesen Takten Anspielungen auf die Choralweise sehe, doch bleibt der Versuch prekär, aus den Stimmen solche Zitate unter Auslassung weiterer Töne zu extrahieren.

3. Chorsätze   **179**

Der Übergang von kanonischer zu freier Stimmführung, der mit dem Eintritt des Choralsatzes zusammenfällt, wird durch den Instrumentalpart verdeckt, der an seinen knappen Formeln festhält. Desto merkwürdiger ist es, dass mit den Zeilen des Abgesangs im letzten Drittel ein Wechsel der Struktur einhergeht. Die Instrumente, die bisher ständig präsent waren, pausieren erstmals, sobald der Chor das zum zweiten Textglied gehörige Motiv einführt. Setzen sie zehn Takte später erneut ein, so duplizieren sie fortan den Vokalsatz, der nun aber weniger kanonisch als imitierend angelegt ist. Während das neue Motiv die Stimmen in einer ersten Staffel durchläuft, die mit der zweiten verschränkt wird, wechselt der Continuo zu wellenförmigen Sechzehntelketten, die jedoch abbrechen, bevor der dritte Choralblock mit den ersten Zeilen des Abgesangs beginnt. Trotz der Varianten lässt auch hier nicht die dichte Arbeit nach, die sich an der vom Bass bis zum Sopran gestaffelten Imitationskette ablesen lässt (T. 54–67). Ihre Krönung findet sie in der motivischen Kombination, die bereits vor dem letzten Choralzitat einsetzt. Der Rückgriff auf das erste Motiv wird mit dem Gegenmotiv verschränkt (T. 59–66) und kulminiert in ihrer simultanen Paarung mit den letzten Choralzeilen.

Gern wüsste man, was Bach dazu bewog, die Konzeption mitten im Satz zu ändern. Sollte er gesehen haben, dass sich eine dreitönige Formel als Substanz eines Ritornells wenig eignete? Das Autograph, das über den Arbeitsprozess Aufschluss geben könnte, ist leider verschollen. Zwar ist der Satz zu kunstvoll gearbeitet, um von einem Bruch des Konzepts zu reden. Unverkennbar ist jedoch der Wechsel von einem ersten Teil mit obligatem Instrumentalpart zu einem zweiten Teil, der auf die Verschränkung der Motive hinzielt.

Hier setzte Bach nach mehrwöchigem Abstand an, als er in BWV 48:1 »Ich elender Mensch, wer wird mich erlösen« eine Ritornellform entwarf, die er mit einem kontrapunktischen Chorsatz und mit einem instrumentalen Choralkanon verband. War die Verbindung von Choralkanon und fugiertem Satz schon schwierig genug, so steigerte sich der Anspruch mit der Absicht, diese Kombination in einen Instrumentalsatz zu integrieren, dessen Ritornell sowohl gliedernde als auch motivische Funktion hat, sodass sich ein dreischichtiger Satzverband ergibt.

A¹				A²	B		
1–12 (Rit. 1)	13–16 (Rit. 2)	20–30	35–36, 41–44	44–88 (~ 1–44) (Rit. 3–4)	89–103	104–117 (Rit. 5)	119–126, 129–138
	13–21 kanonisches Duo		31–43 imitatorisches Tutti	44–88 (~ 1–44) (Wiederholung mit Stimmtausch)	89–107 kanonische Quintkette		114–138 Tutti mit kanonischer Quintkette und freiem Schluss
	Zeile 1 15–20		Zeile 2 30–35	Zeilen 3–4 59–64, 74–79	Zeile 5 98–103		Zeilen 6–7 (+ 1–2) 113–118, 127–138

oben: Streicher (Rit. = Ritornell), *Mitte:* Chorsatz, *unten:* Choralkanon (jeweils mit Taktzahlen)

Notenbeispiel 6

Während das Ritornell den Streichern überlassen bleibt, wird der Choralkanon auf die Trompete und die Oboen verteilt (Notenbeispiel 6). Das Ritornell basiert auf einem Akkordgerüst, das durch seine Oberstimme ein eigenes Profil erhält. Einer auftaktigen Viertel folgen drei gebundene Achtel, die durch eine aufspringende Achtelnote ergänzt werden. Indem das Kopfmotiv durch eine fallende Viertelnote erweitert wird, ergibt sich ein zweitaktiges Modell, das dreimal wiederholt und durch vier Takte mit einer sequenzierten Achtelfolge beschlossen wird. Mit der Folge der Taktgruppen paart sich eine steigende Sequenz, die zur Tonika g-Moll zurückführt.

Bei Eintritt des Chores zeigt sich, dass »Chor- und Instrumentalthematik« – um mit Platen zu sprechen – »zueinander erfunden« sind.[60] Zugleich ist die instrumentale Motivik variabel genug, um sich dem vokalen Incipit und seiner Verarbeitung anzupassen, die auf den Choralkanon der Bläser abgestimmt wird.

Der Melodie, die zumeist mit dem Lied »Herr Jesu Christ, du höchstes Gut« verbunden wird, ist im Schlusschoral der Kantate eine Strophe aus »Herr Jesu Christ, ich schrei zu dir« unterlegt. Im Eingangschor wird sie in c-Moll von der Trompete intoniert, der nach zwei Takten die g-Moll-Version der Oboen folgt. Dass der Satz in g-Moll beginnt, um mit einem Plagalschluss in G-Dur zu enden, ist eine Folge des Quintkanons.[61] Bach nahm die Möglichkeit wahr, die Klauseln der c-Moll-Zeilen mit den Initien der g-Moll-Fassung zu kombinieren. Trotzdem hat die Achsenverschiebung nicht derart eingreifende Folgen wie in BWV 77:1, da sich die Weise bruchlos in den Satz einfügen lässt. Mit sieben Phasen, die jeweils sechs Takte umfassen, prägt der Kanon fast ein Drittel des Satzumfangs. Während er im Autograph zunächst ohne Korrekturen notiert wurde, weist er nur am Ende Korrekturen auf. Offenbar entschied sich Bach in der Schlusszeile erst nachträglich für den eintaktigen Abstand der Kanonstimmen.[62] Dass sich in der Trompete ein Zitat der Stollenzeilen anfügen ließ, ergab sich durch die Finalis der letzten Zeile, die eine Quarte zum Grundton der Oboen bildet, während sich der Schlusston der zweiten Zeile als Quinte in den abschließenden G-Dur-Akkord einfügt.

Allen Abschnitten liegt der gesamte Spruchtext zugrunde, der keine Aufteilung erlaubt (Röm. 7:24, »Ich elender Mensch, wer wird mich erlösen vom Leibe dieses Todes?«). Demgemäß ist den vokalen Phasen die einprägsame Motivik gemeinsam, die mit dem Ritornell den charakteristischen Sextsprung und die in Vierteln fallende Schlusswendung teilt. Der ersten Choralzeile geht ein zweistimmiger Quintkanon im Alt und Sopran voraus, der sich mit dem Kanon der Bläser kreuzt, während die Streicher erst zur Zeilenklausel der Oboen wieder einsetzen (T. 12–21). Entsprechend wird die zweite Kanonphase mit dem zweistimmigen Ansatz des Vokalparts kombiniert, in dem der Kanon der Oberstimmen durch die frei geführten Unterstimmen ergänzt und am Ende mit dem Material des Ritornells verknüpft wird (T. 31–43).[63] Kehrt danach gemäß der Barform des Chorals (wie in BWV 25:1) der gesamte A-Teil wieder, so zeigt sich nun, dass er von vornherein im doppelten Kontrapunkt mit paarweisem Tausch der Ober- und Unterstimmen angelegt war (T. 44–88). Dichter noch ist die Konstruktion des Schlussteils, in dem die drei letzten Zeilen des Abgesangs mit dem Chorsatz und mit dem Material des Ritornells verkettet werden. Dabei geht der Vokalpart von einem kanonischen Block aus, der als Quintschrittsequenz konstruiert und zugleich mit dem Material des Ritornells gekoppelt wird (T. 89–98). Obwohl die Anlage an das Permutationsprinzip erinnert, unterscheidet sie sich durch die Quintkette von der Permutationsfuge, für die der konstante Wechsel zwischen

---

60   So Platen, ebd., S. 154.

61   Das Ritornell trägt der tonalen Ambivalenz des Satzes insofern Rechnung, als sein Auftakt auf der I. Stufe beginnt, der auf betonter Zählzeit die IV. Stufe folgt, während erst die Kadenz die Tonika bestätigt.

62   Ein in Sopran und Generalbass begonnener Takt wurde gestrichen und anschließend neu gefasst.

63   Dagegen betrachtete Thiele, a. a. O., S. 68 f., den Satz als Fuge, deren Durchführung erst in Takt 30 beginne.

182   Teil III · Strategien im Füllhorn: Der erste Leipziger Jahrgang (1723/24)

dem Dux auf der I. und dem Comes auf der V. Stufe charakteristisch ist.[64] Bei Eintritt der fünften Zeile wird der kanonische Block von einer Motivvariante des Soprans abgelöst, die im Alt imitiert und im Bass variiert wird, während der Tenor als freie Füllstimme fungiert (T. 99–101). Das Ende dieser Phase kreuzt sich mit dem fünften und letzten Ritornellzitat, dessen Kadenzglied vom Beginn der nächsten Vokalphase überlagert wird. Obwohl sie als kanonische Imitation des zum Oktavsprung erweiterten Kopfmotivs angelegt ist, wird sie mit der vorletzten Zeile des Choralkanons und zugleich mit Varianten der Ritornellmotivik gepaart (T. 113–120). Die letzte Phase beginnt mit einem Rückgriff auf den kanonischen Block, dessen Stimmen miteinander vertauscht werden (T. 121–127 ~ 89–95). Allerdings bricht er ab, sobald die letzte Zeile des Kanons eintritt, die mit dem Vokalsatz und der Ritornellmotivik verbunden wird (T. 128–138).

> Zwar macht das Autograph (P 109) zunächst den Eindruck einer Reinschrift, die durch Skizzen vorbereitet wurde, doch ändert sich das Bild schon in den Zeilen des Abgesangs. Besonders aufschlussreich ist die Schlussphase, da Bach sich erst nachträglich dafür entschied, die Kanonstimmen nicht wie zuvor in zwei-, sondern in eintaktigem Abstand eintreten zu lassen. Dabei hatte er den vierten Ton der letzten Choralzeile zuerst als punktierte Halbe notiert, bevor er ihn dann zu einer punktierten Viertel korrigierte, sodass danach ein bereits begonnener Takt getilgt werden musste. Zugleich zeigt sich, dass Bachs Arbeit vom Kanon ausging, dessen Stimmen offenbar zuerst entworfen wurden, während anschließend die Gegenstimmen ausgearbeitet wurden.

Gerade die fugierten Phasen beweisen die Prägnanz des vokalen Initiums, das zur Quinte verengt oder zur Oktave erweitert werden kann, ohne sein Profil zu verlieren. Das gilt ebenso für die Motivik des Ritornells, die zunehmend dichter mit dem Chorsatz verkettet wird. Bemerkenswerter noch als ihre Paarung mit den vokalen Duos ist die Verknüpfung mit den kanonischen Choralzeilen. Wie sehr der Satz zugleich vom Ritornellprinzip ausgeht, zeigt sich daran, dass das Ritornell insgesamt fünfmal notengetreu wiederkehrt. In dem Maß, in dem der kontrapunktische Vokalsatz auf den Choralkanon abgestimmt werden muss, kann er nicht mehr auf den blockweisen Choreinbau zurückgreifen. Immerhin werden die freien Kadenzglieder in die letzten vier Takte des Ritornells eingefügt (vgl. T. 9–12 ~ 41–44, 85–88 und 104–108).

Wie das Schema andeutet, überschneiden sich die Ritornelle mit den vokalen Phasen, sodass die Satzteile ineinandergreifen, zumal auch die Kanonphasen keine Zäsuren zur Folge haben. Sobald sie beginnen, wirken sie aber als unverrückbare Determinante des Satzgefüges. Während die Zeilen 1 bzw. 3 den vokalen Duos zugeordnet werden, verbinden sich die Zeilen 2 bzw. 4 mit der Ritornellmotivik, die jedoch endet, bevor die Auffüllung zum vierstimmigen Vokalsatz erreicht ist. Desto dichter werden die weiteren Zeilen mit dem Chorsatz und zugleich mit der Ritornellmotivik verknüpft, sodass sich der Satz dann auf sieben obligate Stimmen erweitert, die mehr oder minder strikt determiniert sind.

---

64   Im »schichtweisen Aufbau eines in den Stimmen vertauschbaren Satzblocks« sah Platen, ebd., S. 155, »die typischen Merkmale des Permutationsverfahrens« erfüllt.

Es ist schwer zu sagen, was mehr Bewunderung verdient: die Erfindung der einander zugeordneten Motive, die kontrapunktische Formung des Vokalparts oder das Verhältnis beider Schichten zum Choralkanon. So wenig der artifizielle Rang des Satzes symbolische Bedeutung hat, so erstaunlich ist Bachs Vermögen, alle Schichten zu einem Komplex zu vereinen, der eine Quintessenz seiner kombinatorischen Phantasie darstellt.

d. Choral und Rezitativ

Den ersten Dicta mit Choralzitaten folgte am 5. September 1723 erstmals ein Chorsatz, in dem ein modifizierter Kantionalsatz durch Rezitative erweitert wurde. Die Reihung verschiedener Texte, die offenbar vom Librettisten vorgegeben waren, unterschied sich grundsätzlich von der Paarung eines Spruchtextes mit instrumentalem Choralzitat, die vermutlich auf Bach zurückging. Obwohl der Typus zum folgenden Sonntag nochmals modifiziert wurde, wurde er erst im Januar des nächsten Jahres ein drittes Mal verwendet. Im ersten Jahrgang bilden diese Sätze insofern Ausnahmen, als ihnen keine Bibeltexte zugrunde liegen. Solange unsicher ist, wieweit Bach an der Wahl der Texte beteiligt war, lässt sich kaum beurteilen, wie es zu dieser Kreuzung von Choral und freier Dichtung kam. Zu dieser Zeit lag die Reihe der durch Ritornelle erweiterten Schlusschoräle, die am 1. August abbrach, erst wenige Wochen zurück. Die Mischung solcher Sätze mit Rezitativen kam Bach kaum ungelegen, denn auch wenn er nie den eigenen Standard unterschritt, darf man vermuten, dass ihn diese Kombination etwas weniger Zeit kostete als die Ausarbeitung anderer Chorsätze.

Bachs frühe Vokalwerke beweisen, dass ihm die Kombination von Bibelwort und Choral vertraut war, die zur Tradition der älteren Kantate gehörte. Eine andere Aufgabe war es jedoch, das traditionelle Kirchenlied mit Rezitativen zu madrigalischer Dichtung zu mischen. Beide Bestandteile sind nach Platen »so grundsätzlich anderer Art, daß es zu keiner einheitlichen Entwicklung kommen kann« und den Sätzen »ein etwas zwiespältiger Charakter anhaftet«.[65] Schon vor 1714 hatte Bach in BWV 18 ein Rezitativ mit eingeschalteten Zeilen aus der Litanei kombiniert, deren Melodie dem einstimmigen Chorsatz zufiel. Da in einem Eingangssatz kein einstimmiger Choral in Frage kam, war eine Brücke zwischen dem mehrstimmigen Choralsatz und dem solistischen Rezitativ zu finden, um eine beziehungslose Reihung der Ebenen zu vermeiden. Nach den bisherigen Erfahrungen müsste es naheliegen, zwischen beiden Schichten mithilfe instrumentaler Motivik zu vermitteln. Dass es dennoch nicht zu dieser Lösung kam, war durch die Vorlage des unbekannten Autors bedingt, der den Texten verschiedenes Gewicht gab.

In BWV 138 »Warum betrübst du dich, mein Herz« gehören die beiden ersten Sätze insofern zusammen, als vor den Schlusszeilen – und im zweiten Vers auch vor den drei ersten Zeilen – Abschnitte in freier Dichtung eingeschoben werden.[66] Im

---

65   Ebd., S. 129; allerdings unterschied Platen nicht zwischen Kopf- und Binnensätzen mit rezitativischer Tropierung.

66   Dass beide Sätze in der autographen Partitur verbunden sind, wurde erst in NBA I/22 sichtbar, da die älteren Ausgaben das eröffnende Rezitativ vom zweiten Satz trennten (der bei Platen als dritter Satz zählt, vgl. a. a. O., S. 130 f. und 137 f.).

Zentrum des Eingangschors stehen die Choralzeilen in einem Kantionalsatz, den die Streicher mit repetierten Achteln ausfüllen, während die Oboen den Cantus firmus verstärken. Den drei ersten Zeilen gehen instrumentale Ritornelle voran, in denen die Oboen die folgenden Choralzeilen einfügen. Ihr Text wird vom Tenor nachgetragen, der damit die anschließende Chorzeile vorbereitet. Die solistischen Einschübe gehen von dem kantablen Kopfmotiv aus, das den Ritornellen gemeinsam ist, doch brechen sie vor den beiden ersten Zeilen ab und wechseln zu einer Diktion, die zwischen dem Arioso und dem Rezitativ vermittelt, während die dritte Phase eine vokale Linie ausbildet. Den letzten Choralzeilen hingegen, die der Chor ohne Pause singt, geht ein Accompagnato mit gedichtetem Text voraus, in dem der Alt vom akkordischen Streichersatz begleitet und durch kurze Einwürfe der Oboen gegliedert wird. Gegenüber den ersten Zeilen tritt in den letzten der Abstand zwischen solistischem Rezitativ und chorischem Choral desto klarer hervor.[67]

1–8	9–11	11–18	19–21	21–28	28–31	32–42	43–49
Rit. + Zeile 1 + Tenor Zeile 1	Zeile 1 Chorsatz	Rit. + Zeile 2 + Tenor Zeile 2	Zeile 2 Chorsatz	Rit. + Zeile 3 + Tenor Zeile 3	Zeile 3 Chorsatz	Rezitativ Altsolo	Zeilen 3–4 Chorsatz

Die Gegensätze nehmen in der zweiten Strophe zu, deren drei erste Zeilen einen geschlossenen Block im Kantionalsatz bilden. Zugleich werden sie durch Einwürfe der Oboen gegliedert, die an das vorangehende Accompagnato anschließen. Die letzten Zeilen erscheinen dagegen in polyphon gelockertem Satz, der durch eine kurze Vorimitation der Unterstimmen eingeleitet und mit einer erweiterten Kadenz wiederholt wird. Sind den drei Chorblöcken jeweils rezitativische Abschnitte vorgeschaltet, so kontrastieren die Seccorezitative der Außenphasen noch schärfer als das Accompagnato vor dem mittleren Block. Als Schlusschoral dient die dritte Strophe in einem Kantionalsatz, der durch instrumentale Ritornelle erweitert wird. Während dieser Satz auf die ersten Leipziger Schlusschoräle zurückblickt, macht das Werk insgesamt fast den Eindruck einer Choralkantate, die dem zweiten Jahrgang vorzugreifen scheint. Dass der Eindruck des Eingangssatzes dennoch zwiespältig bleibt, wird man auch dann einräumen müssen, wenn man nicht wie Platen von »heterogenen Formen« reden will.[68]

Die Kantate BWV 95 »Christus, der ist mein Leben« wird durch zwei Choralverse eröffnet, die zwei verschiedenen Liedern entnommen und durch ein Rezitativ getrennt sind. Der Text des Werkes enthält vier Choralverse und vier Rezitative, zwischen die sich die einzige Arie einfügt. Um die Reihung gleicher Formen zu mildern, werden die beiden ersten Choräle mit einem Rezitativ zusammengefasst. Durch diese Disposition – die wohl auf Bach zurückging – wurde ein gewichtiger Eingangssatz

---

67   Das Autograph (P 158) zeigt nur geringe Korrekturspuren. In den Choralzeilen wurden die Außenstimmen offenbar zuerst notiert, während die Mittelstimmen (besonders in der zweiten Choralzeile, T. 19–21) mehrfach geändert wurden. Dagegen sind am Ende des dritten Rezitativs Korrekturen zu erkennen (T. 39–41), die durch das Verhältnis zwischen der motivischen Stimmführung und der enharmonischen Modulation bedingt waren.

68   Ebd., S. 136.

3. Chorsätze   **185**

mit einem eingeschalteten Rezitativ gewonnen, dessen Text an den Schluss des ersten Lieds anknüpft und auf den Beginn des zweiten hinführt. Der schlichten Melodie des ersten Chorals entspricht ein modifizierter Kantionalsatz, der in einen obligaten Instrumentalpart integriert wird. Das Ritornell beginnt mit terzparallelen Formeln, die taktweise zwischen den Oboen und den Streichern wechseln und zugleich auf die beiden ersten Cantus-firmus-Zeilen vorandeuten. Charakteristisch ist ihre synkopische Rhythmik, die in den Oboen auch dann anhält, wenn sie von den Figuren der Violinen überlagert wird. Sie setzt sich nicht nur zu den Choralzeilen fort, sondern begleitet auch das eingeschobene Accompagnato-Rezitativ (T. 64–88), das durch die instrumentale Motivik mit dem Choralsatz verbunden wird. Dagegen erscheint die dorische Melodie zu Luthers »Mit Fried und Freud ich fahr dahin« als Alla breve in schlichtem Chorsatz mit einer obligaten Violinstimme. Den Zeilen gehen zweistimmige Vorimitationen von Zink und Oboen voran, die partiell kanonisch angelegt sind, während der Generalbass durchgehend in Achtelbewegung verläuft.

So sehr sich die beiden Choralsätze unterscheiden, so deutlich werden sie jeweils einmal von Fermaten unterbrochen. Die Dehnung, die im ersten Satz das Wort »Sterben« heraushebt (T. 21–26), findet im zweiten ihr Pendant zum Wort »stille« (T. 121). Im ersten Choral werden die Töne der zweiten Zeile (»Sterben ist mein Gewinn«) auf zwei Takte verlängert und mit Vorhalten gepaart, bis sie sich in einem verminderten Septakkord stauen, zu dem die synkopische Rhythmik der Instrumente aussetzt. Im zweiten Choral dagegen endet die vierte Zeile (»sanft und stille«) in einem Plagalschluss mit einem synkopisch verzögerten Vorhalt. Seine Auflösung verbindet sich mit umspielenden Achtelnoten, die zuvor in der Ausspinnung der instrumentalen Vorimitationen begegneten, aber erst hier nachdrücklich hervortreten. Indem sie an die synkopische Rhythmik gemahnen, die den ersten Choral und das Rezitativ prägte, werden beide Sätze an exponierter Stelle aufeinander bezogen.

Vier Monate später lag in BWV 73:1 ein Text vor, in dem die erste Strophe des Liedes »Herr, wie du willt, so schicks mit mir« nach den Stollen und dem Abgesang durch freie Dichtung erweitert wird. Das Prinzip des Satzes, dessen Choralzeilen dreimal von Rezitativen abgelöst werden, ist rasch zu beschreiben. Das zehntaktige Ritornell, das am Ende wiederholt und um zwei Takte verlängert wird, stellt eine Motivik bereit, in die mehrfach das Incipit des Chorals eingeblendet wird. Das Verfahren wird erst dann verständlich, wenn man sich die satztechnischen Voraussetzungen vergegenwärtigt. So unscheinbar die kleine Drehfigur ist, die im ersten Takt von den Oboen eingeführt und sofort wiederholt wird, so sehr ist sie geeignet, um in wechselnden Konstellationen variiert zu werden. Sie wird von den Streichern in Achteln begleitet, die anfangs im Unisono »staccato« akzentuiert und später akkordisch gefüllt werden. Im zweiten Takt laufen sie auf die vier ersten Töne der Choralweise zu, die vom Horn verstärkt werden, während der erst hier eintretende Generalbass das Zitat zusätzlich betont. Die Gruppe kehrt zweimal in transponierter Fassung wieder, doch entfällt am Ende das Choralzitat, um den Anschluss der viertaktigen Fortspinnung zu gewährleisten. In ihrer Kadenz intoniert das Horn die Choralmelodie, aber nicht mit der ersten, sondern der zweiten Zeile. Der Grund wird am Ende des Satzes einsichtig, dessen Text in den ersten Worten ausläuft: »Herr, wie du willt«. Hätte Bach sie als Schluss des letzten Rezitativs aufgefasst, so hätte der

Satz solistisch enden müssen. Dass sie dem Chor zufallen, wird dadurch möglich, dass die Choralzitate, die im Vorspiel dem Horn und den Streichern zufallen, im Nachspiel vom akkordischen Chorsatz übernommen werden. An sie schließt sich die Schlusszeile an, die zugleich der ersten Zeile des Liedes entspricht (T. 69 f.). Statt mit einem Rezitativ endet der Satz also mit einem Resümee des Chorals, von dem er ausging. Die wiederholte Drehfigur des ersten Takts wird durch eine Kadenz-wendung der Streicher ergänzt, die zugleich eine intervallische Variante der ersten Zeile bildet. Die Unterscheidung ist insofern nicht belanglos, als beide Gebilde fortan getrennt eingesetzt werden. Während das zweite Motiv von den Streichern übernommen wird, erscheint das erste in den Zwischenspielen der Oboen. Beide gemeinsam begleiten die rezitativischen Phasen, die zuerst dem Tenor, danach dem Bass und am Ende dem Sopran zugeteilt und von den Streichern durch Zitate der ersten Choraltöne ergänzt werden.

Im ersten Jahrgang bleiben die rezitativisch erweiterten Choralsätze Sonder-fälle, die man dem Vorfeld des zweiten Jahrgangs zurechnen darf. Doch sind sie nicht mit den Tropierungsformen gleichzusetzen, die in den Choralkantaten eine andere Bedeutung haben. Erst 1726 schrieb Bach in BWV 27 »Wer weiß, wie nahe mir mein Ende« wieder einen Eingangschor, dessen Choralzeilen von Rezitativen gefolgt werden. Diesmal gelang ihm eine besonders überzeugende Lösung, sofern dieselbe Motivik, die im Wechsel von Streichern und Bläsern den Choral begleitet, in gleicher Weise auch die Rezitative kommentiert. Indem die Reihung der Texte Bach dazu ver-anlasste, die instrumentale Motivik, die sich mit den Choralzeilen verband, auch für die Rezitative zu verwenden, gelangte er zum motivisch geprägten Accompagnato, das seine definitive Gestalt in der Matthäus-Passion finden sollte.

e. Instrumentale Modelle

Die Kantate BWV 119 »Preise, Jerusalem, den Herrn« – Bachs erstes Werk zum Leipziger Ratswechsel – verwendet neben Streichern zwei Flöten, drei Oboen und vier Trompeten mit Pauken. Während Satz 7 eine Fuge zu Psalmtext bildet, ist der Eingangschor eine französische Ouvertüre mit einem chorischen Mittelteil, der aber – anders als in BWV 194 – keine Fuge darstellt. Die instrumentalen Außen-teile umrahmen den Chorsatz im $^{12}/_8$-Takt, dem die Verse 12 bis 14b aus Psalm 147 zugrunde liegen. Sie entsprechen sich in ihrem akkordischen Satz, dem solistische Intonationen des Basses und des Soprans vorangehen. Während der erste Teil zur Tonikaparallele moduliert, verharrt der zweite in der Tonika C-Dur. Dazwischen wer-den die Psalmverse 13a und 14a, die als kurze Duos beginnen, zum vollstimmigen Satz aufgefüllt, in dem die Schlussworte aus Vers 13b nachgetragen werden (»und segnet deine Kinder«).

> Die autographe Partitur (P 878) enthält in den Rahmenteilen so geringe Korrekturen, dass man vermuten könnte, der Satz gehe auf eine instrumentale Ouvertüre zurück.[69] Eine Ausnahme bilden drei Takte der Schlusskadenz (T. 83–85), in deren Paukenstimme der Grundton der Dominante (*G*) durch den der Tonika (*c*) ersetzt wurde. Anders verhält

---

[69] Vgl. NBA I/32.1, hrsg. von Christine Fröde, 1992, S. VI; vgl. auch BWV [2a], S. 121.

es sich im Mittelteil, in dem Marshall einige nachträgliche Änderungen hervorhob.[70] Die eröffnenden Sechzehntel des Continuo (T. 42) weisen Korrekturen auf, unter denen Spuren einer ersten Fassung in Achteln erkennbar sind.[71] Vor der Schlussphase wurde die Intonation des Basses (T. 67) aus einer ersten Fassung zur gültigen Version geändert.[72] Da der folgende Sopraneinsatz (T. 68) entsprechend korrigiert wurde, ergab sich nachträglich die Analogie zum Beginn des Mittelteils (vgl. T. 43 f.). Dass die Korrekturen diese Anschlussstellen betreffen, erlaubt die Frage, ob der Mittelteil auf einen Instrumentalsatz zurückgeht. Sollte es sich um eine Ouvertüre gehandelt haben, so müsste sie ohne fugierten Mittelteil ausgekommen sein. Andernfalls wäre damit zu rechnen, dass die Themen einer fugierten Vorlage für eine vokale Fassung benutzt wurden, die auf eine Fuge verzichtete.

Der zweite Chorsatz bildet eine Da-capo-Anlage mit einer Chorfuge, die durch ein instrumentales Ritornell umrahmt wird (T. 1–16 bzw. T. 36–52). Als Vorlage dient eine siebenzeilige Dichtung, die in den ersten Zeilen einen Psalmvers zitiert (Ps. 126:3). In Bachs Vertonung wird das Zitat als Fuge hervorgehoben, die am Ende wiederholt wird, während der Mittelteil fünf gedichtete Zeilen enthält. Wie Neumann zeigte, lehnt sich die Fuge (T. 17–36) an das Permutationsprinzip an, obwohl das Thema nur mit einem Kontrapunkt verbunden wird.[73] Einerseits wird diese Paarung in zehn Perioden beibehalten, andererseits wird die harmonische Schematik der Permutationsfuge vermieden, weil der Kontrapunkt transponiert und sein Kadenzglied modulierend verändert wird. Treten zur fünften Periode die Instrumente hinzu, so wird die letzte in einer dreifachen Engführung mit zwei Einsätzen der Trompeten verschränkt und damit zum Ziel einer Entwicklung, die das Permutationsschema hinter sich lässt. Da die unscheinbare Kadenzfigur des Kontrapunkts, die von den Gegenstimmen aufgenommen wird, in der Fortspinnung des Ritornells angelegt ist, fügt sich die Fuge bruchlos in den Rahmensatz ein. Er wird durch punktierte Rhythmen der Trompeten eröffnet, die erst im Mittelteil wiederkehren. Wo hier der Text von »langen Jahre[n]« spricht, wird im Sopran der Grundton drei Takte lang gehalten und in eine erweiterte Kadenz integriert. Sie bildet eine Folge von Septakkorden in wechselnden Umkehrungen, die von den Oboen mit der punktierten Rhythmik des Satzbeginns begleitet werden (T. 68–70). So deutlich diese Worte hervorgehoben werden, so subtil werden sie in den Zusammenhang integriert.

Die Kantate BWV 194 »Höchsterwünschtes Freudenfest«, die zur Orgelweihe in Störmthal entstand, zählt zu den Parodien nach weltlichen Vorlagen. Da der Text der Vorlage unbekannt ist, lassen sich die Fassungen nicht vergleichen, sodass das Werk schon hier erwähnt werden kann. Der Eingangssatz greift wieder auf die französische Ouvertüre zurück, doch wird zwischen die instrumentalen Außenteile ein fugierter Chorsatz eingefügt, der freilich so frei angelegt ist, dass Neumann ihn keiner Erwähnung würdigte. Formal liegt eine ausgedehnte Fuge im ¾-Takt vor, in der drei Durchführungen mit Phasen in reduzierter Besetzung wechseln. Schon in der ersten

---

70   Robert Lewis Marshall, The Compositional Process, S. 154 und 211.

71   NBA I/32.1, KB, S. 93.

72   Ebd., S. 95.

73   Neumann, J. S. Bachs Chorfuge, S. 51, Anm. 102.

Durchführung setzen die Stimmen auf gleicher Stufe ein, sodass nicht von Dux und Comes zu reden ist. An die Stelle der Quintspannung zwischen den Einsätzen treten wechselnde Verhältnisse, die sogar den Themenkopf erfassen. In der ersten Durchführung wird er anfangs durch einen Quintfall gekennzeichnet, der im nächsten Ansatz aber durch fallende Sexten und Oktaven ersetzt wird (T. 32–60). Ähnliche Unterschiede zeigen die Einsätze der zweiten Durchführung (T. 84–100), während sich die dritte als Rekurs auf den Beginn der Exposition erweist (T. 136–148 = 32–44). Dabei wird die Fortsetzung aber so variiert, dass sie am Ende die Tonika erreicht und damit zur Rückkehr der Einleitung führt. Einerseits setzt sich also die Lösung vom Permutationsschema fort, das schon in den vorangegangenen Fugen zunehmend gelockert wurde. Andererseits findet sich aber in anderen Sätzen kein Beispiel für einen derartigen Wechsel der Einsatzfolge und des Themenkopfs, sodass es fraglich ist, ob der Satz auf eine instrumentale Vorlage zurückgeht. Dass der Hochton des Themas stets auf die Silbe »Höchst-« entfällt, müsste nicht den Ausschlag geben. Doch entspricht eine derart frei angelegte Fuge nicht den fugierten Mittelteilen in Bachs instrumentalen Ouvertüren. Zudem ist die Stimmführung, die kantable Melismen statt instrumentaler Figuren enthält, derart vokal geprägt, dass sich nur schwer ein instrumentales Modell vorstellen lässt. Nimmt man die Kriterien zusammen, so dürften sie auf einen Vokalsatz deuten, dem ein neuer Text unterlegt wurde.

Im Unterschied zu diesen Sätzen scheint im Eingangschor aus BWV 109 »Ich glaube, lieber Herr« das Modell des Konzertsatzes durch. Statt den kurzen Text in zwei Glieder zu trennen (Mk. 9:24b, »Ich glaube, lieber Herr« – »hilf meinem Unglauben«), gab Bach ihrem Zusammenhang den Vorzug und entwarf einen Verlauf, dessen Phasen durch das erste Glied eröffnet und mit dem zweiten fortgesponnen werden. Das Ritornell (T. 1–17) wird erst am Ende wiederholt (T. 79–95), während vor der Satzmitte eine viertaktige Variante auf der Dominantparallele eingeschaltet wird (T. 31–35). Zwischen die vokalen Phasen treten drei zweitaktige Zwischenspiele auf der Tonikaparallele, der Dominantparallele und der Subdominante (T. 24 f., 49 f., 56 f.). Die harmonische Gliederung zeichnet somit die Anlage des Ritornells nach, das nach einem eröffnenden Tuttiblock durch imitierende Ansätze auf den entsprechenden Stufen erweitert wird, bevor es zur Tonika zurücklenkt. Doch hat es nicht nur eine gliedernde Funktion, die an ein Concerto denken lässt, sondern bietet mit dem imitierend verarbeiteten Initium eine Motivik, die mit dem Vokalpart gekoppelt wird. Obwohl das Kopfmotiv die Kontur des vokalen Initiums bestimmt, passt es wenig zur Deklamation des Textbeginns, sodass beide Ebenen weithin voneinander unabhängig bleiben. Nur kurz kommt es zu blockweisem Choreinbau (so T. 18–20 ~ 1–3, T. 36–37 ~ 1–3 usw.), weit öfter werden einzelne Stimmen oder Stimmpaare mit dem instrumentalen Kopfmotiv verbunden, das durch die erste Oboe bzw. Violine (mit Zusatz »solo«) imitiert wird. Wie in einem Concerto wechseln also kurze Tuttiblöcke, auf die das erste Textglied entfällt, mit längeren solistischen Phasen, die dem zweiten Textglied Raum geben. Wie das erste beginnt auch das zweite Vokalmotiv in syllabischer Textierung, die zum Wort »Unglauben« melismatisch erweitert und durch motivisch neutralen Instrumentalsatz begleitet wird. Zwar trägt die Textverteilung zur Annäherung an das Concerto bei, doch weist vor allem der Wechsel von Tuttiblöcken und solistischen Episoden, die durch Ausschnitte aus dem Ritornell

3. Chorsätze **189**

getrennt werden, auf Prinzipien zurück, die dem Konzert entlehnt und dem Vokalsatz gemäß modifiziert werden.

> Das Autograph (P 112) zeigt auffällig geringe Korrekturen, die zwar »das Gesamtbild […] nicht in Frage stellen«,[74] jedoch den Konzeptcharakter der Partitur belegen. Während die Phasen, in denen sich Chor und Orchester ablösen, fast fehlerfrei bleiben, mehren sich die Änderungen bei der Kombination der Stimmen. Sobald der Vokalpart in Melismen aufgelöst wird, begegnen Änderungen in den Unterstimmen (T. 23 und 30). Wo aber zuerst der Chorsatz notiert wurde, finden sich Korrekturen der Instrumentalstimmen (T. 68 und 70).[75] Sie häufen sich in den letzten Takten des Vokalsatzes, der hier weit weniger Änderungen als der Instrumentalpart aufweist (T. 77–78).[76]

Mehr noch als im Fall des Eingangschors aus BWV 119, der zumindest teilweise auf eine Vorlage zurückgeht, bezeugt das Autograph des Satzes aus BWV 109, dass Bach geringere Probleme hatte, wenn er von primär instrumentalen Modellen ausging. Weit schwieriger wurde die Arbeit offenbar dann, wenn ein primär kontrapunktischer Vokalsatz mit dem motivischen Material eines obligaten Instrumentalparts zu verbinden war. Bevor weitere Kombinationsformen zu nennen sind, ist auf drei ganz anders angelegte Sätze hinzuweisen.

f. Motettische Eingangschöre

Angesichts der gewagten Kombinationen des ersten Jahrgangs ist es nicht unbegreiflich, dass Bach sich dazu veranlasst sah, mehrfach auf den Kern seiner Kunst zurückzukommen. Zum 8. August und 26. Dezember 1723 sowie zum 6. Februar 1724 entstanden die Kantaten BWV 179, 64 und 144, deren Eingangschöre auf den Vokalsatz im Alla-breve-Takt zurückgreifen. Der Zusammenhang entging Neumann nicht nur in Unkenntnis der Datierung, sondern aufgrund der Zweifel, die Alfred Heuß und Arnold Schering an der Authentizität von BWV 64 und 144 geäußert hatten.[77] Hielt Neumann BWV 144 für »unecht«, so zählte er BWV 64 zu den »Schülerarbeiten«, die nicht »die starke Konzentrationsgestaltung« der Bach'schen Permutationsfugen zeigen.[78] Weil auch der Satz aus BWV 179 diesem Leitbild nicht entsprach, wurde er nur kurz als »Motettenfuge« erwähnt, die zwei Themen und ihre Umkehrungen verbinde und über Quintkanons zum Schlussteil »mit verschiedenen Themenengführungen und Motivimitationen« führe.[79] Siegfried Oechsle war es vorbehalten, die Sätze erstmals als Reihe zu erfassen, die Bachs »Arbeit am strengen Satz« dokumen-

---

74   NBA I/25, hrsg. von Ulrich Bartels, 1993, KB, S. 110.

75   Ebd., S. 110 f.

76   Ebd., S. 112.

77   Alfred Heuß, Die im Dezember gesendeten Bach-Kantaten, in: Zeitschrift für Musik 10, Teil I, 1934, S. 191–194, hier S. 193 zu BWV 64; Arnold Schering, Beiträge zur Bach-Kritik, in: BJ 1912, S. 124–133, hier S. 132 zu BWV 144. Schering berief sich auf die fragwürdigen Argumente von Johannes Schreyer, Beiträge zur Bach-Kritik, Heft 2, Leipzig 1911, S. 44–50. Die Zweifel sind unbegründet, da die Kantaten BWV 179 und 144 in autographen Partituren erhalten sind, während für BWV 64 der originale Stimmensatz vorliegt.

78   Zu BWV 144 vgl. Neumann, a. a. O., S. 13, Anm. 9, zu BWV 64 ebd., S. 38, Anm. 55.

79   Ebd., S. 88.

Notenbeispiel 7

tiert.[80] Oechsles Untersuchungen, die sich auf das Verhältnis dieser Chöre zu anderen motettischen Sätzen richteten, müssen hier nur so weit resümiert werden, wie es für das Verständnis des ersten Jahrgangs erforderlich ist.

Im ersten Teil des Eingangschors aus BWV 179 werden die Textglieder (Sir. 1:34) auf zwei Themen verteilt, die in der Grundform und ihrer Umkehrung kombiniert werden (Notenbeispiel 7). Das erste Thema durchmisst in seiner Grundform einen steigenden Quintraum (»Siehe zu, daß deine Gottesfurcht nicht Heuchelei sei«), während die Umkehrung von der Quinte zur Dominante lenkt. Mit ihr wird der Einsatz des zweiten Themas in Gegenbewegung kombiniert, während die fallende Linie des zweiten Glieds chromatisch erweitert wird (»und diene Gott nicht mit falschem Herzen«). So deutlich der Textbezug ist, so wenig erklärt er die Struktur des Satzes. Lässt man die zuerst eingeführte Gestalt des zweiten Themas als Umkehrung gelten, so wechseln die Themenpaare fortan in motu recto und in motu contrario. Da sie jeweils sechs Takte umfassen, ergeben sich insgesamt sechs Perioden (T. 1–36).[81] Dennoch unterscheidet sich das Verfahren vom Schema der Permutationsfuge. Zum einen liegt ein Gerüst von nur zwei Themen vor, die als diatonische und chromatische Linien gegenläufig verspannt werden. Zum anderen wird der konstante Wechsel von Tonika und Dominante dadurch umgangen, dass die dritte Periode zur Dominante lenkt, aber mit einem Trugschluss auf dem Sextakkord der Tonika endet, während die weiteren Perioden die Tonika umkreisen. Obwohl die Gegenstimmen nicht ganz so streng fixiert sind, folgt dem zweiten Thema regelmäßig eine dritte, aber variablere Gestalt, die sich vom gemessenen Duktus der Themen (I und II) durch syllabisch deklamierte Viertel mit Terzausschlag abhebt (x). Von ihr jedoch geht die

---

80 Siegfried Oechsle, Bachs Arbeit am strengen Satz. Studien zum Kantatenwerk, Habil.-Schrift Kiel 1995, masch., besonders S. 179–217.
81 Ließe man die erste Prägung des zweiten Themas als Grundform gelten, so träten beide Themen fortan simultan in originaler und umgekehrter Gestalt auf. Wie Neumann fasste Oechsle, a. a. O., S. 186–206, diese Themenform als Umkehrung auf, sodass beide Themen in originaler oder in umgekehrter Form gepaart werden. Da die Bezeichnung nichts am Sachverhalt ändert, wird hier die eingeführte Terminologie beibehalten.

Kette der Quintkanons aus, die zwischen die genau regulierte Eröffnung und den kombinatorischen Schlussteil eingefügt ist (T. 37–50). Sie setzt fünfmal mit Terzsprung an, der zum Quintrahmen erweitert und wie das zweite Thema durch eine chromatische Linie ergänzt wird.[82] Rechnet man einen letzten, aber unvollständigen Einsatz ein, so ergäbe sich eine sechsmalige Folge steigender Quinten (*g-d-a-e-h-fis*). Doch werden die Stimmen nicht streng kanonisch fortgeführt, sofern die chromatische Fortspinnung nach den letzten Einsätzen verlängert wird. Indem ihr aber die ursprünglich nachfolgende Prägung vorangestellt wird, werden beide Gestalten aus ihrem Kontext gelöst, um fortan getrennt verfügbar zu sein.

1–36	37–46–50	51–98	99–117
Fuge	Kanonkomplex	Kombinationsteil	Coda
Themen I + II + x	x + chromatisches Glied aus II	Themen I + II + x	Themen x – I – x
(6 Perioden mit jeweils 6 Takten)	(Kanon in Überschneidung mit Engführung)	(in Umkehrung und Engführung)	(x zu Orgelpunkten auf T und D, dazwischen I)

Die Kanonkette erweist sich demnach als vermittelnde Zone zwischen dem fugierten Beginn und dem kombinatorischen Schlussteil. Sobald der Kanon der Außenstimmen vom umgekehrten Kopf des zweiten Themas abgelöst wird, erscheint dazu im Tenor das erste Thema in seiner umgekehrten Gestalt, die vom Sopran durch eine kanonische Engführung ergänzt wird (T. 46–50). Die weiteren Kombinationen gehen zwar vom zweistimmigen Themengerüst aus, doch wechselt fortan nicht nur der Umfang der Perioden, sondern auch die intervallische Gestalt der Themen. Oechsles schematische Skizze macht deutlich, dass die Themenpaarung zunehmend von Varianten und freien Kontrapunkten überlagert wird.[83] Die chromatische Tönung, die vom zweiten Thema ausgeht, hat zur Folge, dass sich der harmonische Ambitus in dem Maß erweitert, wie sich das thematische Gerüst lockert. Der Verlauf zielt damit auf die Coda hin, in der ein letztes Themenzitat des Basses von Orgelpunkten auf der Dominante und der Tonika flankiert wird (T. 99–104 bzw. 113–117). Darüber wechseln die Einsätze des dritten Themas mit den chromatischen Partikeln des zweiten Themas, bis der Satz mit einem Plagalschluss endet. Statt die Normen des Stile antico zu erfüllen, durchläuft er einen Prozess, der als Auflösung des Themengerüsts durch die chromatisch erweiterte Harmonik zu beschreiben ist.[84]

Während dieser Satz in Halben und Vierteln verläuft und Achtel nur als Durchgänge aufweist, ist der Eingangschor aus BWV 64 »Sehet, welch eine Liebe hat uns der Vater erzeiget« als Alla breve notiert, das durch die Melismen geprägt wird, die aus der Fortspinnung des Fugenthemas hervorgehen.[85] Der rhythmischen Beweg-

---

82 Oechsle, a. a. O., S. 190 f., bezeichnete die dritte Prägung als k und die kanonische Kombination als c (die weiteren sind weniger prägnant und kehren zudem nicht regelmäßig wieder).

83 Vgl. ebd., S. 203, das »Formschema zum Kombinationsteil« (T. 51–99).

84 Das Autograph (P 179) zeigt bemerkenswert geringe Korrekturen, die nur die Details der Stimmführung betreffen, und unterscheidet sich damit von den Autographen der Sätze mit obligaten Instrumenten.

85 Im Unterschied zu früheren Editionen zeigt der Satz in der NBA die Vorzeichnung ¢, die sich in der Hälfte der Originalstimmen und in einer späteren Abschrift findet, während eine weitere Kopie zwar das Taktzeichen c

Notenbeispiel 8

lichkeit entspricht eine harmonische Flexibilität, die gleichfalls im Fugenthema angelegt ist, wie das Verhältnis der beiden ersten Einsätze zeigt. Das Kopfmotiv des Soprans fällt von der Quinte zum Grundton ab, während die Fortspinnung zur Dominante zu führen scheint, aber vor dem nächsten Einsatz zur Tonika zurücklenkt, sodass die Beantwortung des Alts auf der Tonika beginnt. Das Kopfmotiv wird dabei zum Quartfall gestaucht, während die Fortspinnung zur Tonika zurückführt (Notenbeispiel 8).

Da die Einsätze im Tenor und Bass analog angeordnet sind, entfällt die harmonische Spannung zwischen Dux und Comes. Fasst man die Eröffnung als Permutationsfuge mit vier sechstaktigen Kontrapunkten auf, so lässt sich der Verlauf als Folge von 18 Perioden beschreiben.[86] Doch erscheinen die vier Kontrapunkte nur noch in der zehnten Periode gemeinsam, die eine Wiederholung der vierten Periode darstellt (T. 53–58 = 19–24). Sie rechnen also nicht mit Stimmtausch, sondern werden – mehr noch als in BWV 179:1 – durch Varianten oder freie Bildungen vertreten. Regelmäßiger kehrt nur das Thema selbst wieder, das mitunter mit dem zweiten Kontrapunkt gepaart wird. Andererseits kommen ganze Taktgruppen ohne einen Themeneinsatz aus und basieren stattdessen auf der Abspaltung des Themenkopfs, die im vierten Kontrapunkt vorgebildet ist und in den fraglichen Takten als imitierendes Stimmpaar sequenziert wird. Über Orgelpunkten auf der Dominante bzw. Tonika ergibt sich eine dritte Konstellation durch die zweistimmige Engführung des Hauptthemas, das dabei modifiziert werden muss. Nachrangig ist dagegen die Verteilung des Spruchtextes (Joh. 3:1), dessen erstes Glied mit dem omnipräsenten Hauptthema verbunden ist (»Sehet, welch eine Liebe ...«), während das zweite dem Kontrapunkt zugeteilt wird (»daß wir Gottes Kinder heißen«). Bezeichnet man die Durchführungen des Hauptthemas, die Sequenzmodelle und Engführungen als A, B und C sowie die Orgelpunkte als OP, so ergibt sich folgendes Bild:

verwendet, jedoch den Zusatz »Alla breve« trägt, vgl. NBA I/3.1, hrsg. von Peter Wollny, 2000, S. 115. Allerdings sollte man solche Taktangaben nicht überschätzen, da sie schon in Quellen des späteren 17. Jahrhunderts – nicht selten von den gleichen Schreibern – durchaus wechselnd benutzt werden konnten.
86 Vgl. Oechsle, a. a. O., S. 163 ff.

1–24	24–29	30–41	41–46	47–63	63–68	69–73	73–81	82–87	87–92	93–102
A^1	B^1	A^2	B^2	A^3	B^3	C^1	C^2	A^4	B^4	Coda
S-A, T-B	S-A	A-S	T-B	T-B-A	B-T	B-T (OP)	S-A (OP)	B	A-T	(A)

Der einzigen vollständigen Durchführung des Hautthemas steht ein isolierter Basseinsatz vor der Coda gegenüber, während an den weiteren Durchführungen zumeist nur zwei Stimmen beteiligt sind. Sie wechseln regelmäßig mit den Taktgruppen, die vom Sequenzmodell geprägt sind, wogegen dessen dritter Phase die Engführungen über Orgelpunkt folgen. Gegenüber der harmonischen Beweglichkeit des Themas und seiner Varianten ist die Stufenfolge im Satzverlauf erheblich enger begrenzt als in BWV 179:1. Ungleich weiter reicht dagegen die instrumentale Prägung, die sich nicht auf die Abspaltung des Themenkopfs beschränkt. Mehr noch kommt sie in den langen Melismen zur Geltung, die zwar durchaus kantabel sind, sich vom Stile antico aber desto weiter entfernen, je mehr sie verlängert und durch Parallelführung verdoppelt werden. Der akkordischen Auffüllung des Beginns steht die Zusammenfassung der Stimmen in der Coda gegenüber. Unschwer ließe sich der Satz als instrumentale Fassung vorstellen, die ohne den Text nicht unverständlich würde. Dennoch ist der Themenkopf ebenso auf die ersten Worte berechnet wie die melismatische Fortspinnung auf die Verben »erzeiget« bzw. »heißen«. Indem die Fuge zwischen diesen Polen vermittelt, erreicht sie eine Balance der Stimmführung, die für die späteren motettischen Sätze Bachs charakteristisch werden sollte.

Der Eingangschor aus BWV 144 »Nimm, was dein ist, und gehe hin« ist der dritte und vorerst letzte der primär vokalen Sätze, die Bach im ersten Jahrgang schrieb. Die Bedenken, die einst Schweitzer, Schreyer und Schering gegen die Echtheit des Werks hegten, galten zwar primär den Arien, ohne aber den Chorsatz auszunehmen.[87] Obwohl sie sich als unbegründet erwiesen haben, hatten sie zur Folge, dass der Satz wenig Beachtung fand. Einerseits wird in ihm der Wechsel zwischen Fuge und Kanon aus BWV 179:1 aufgenommen, andererseits reicht die rhythmische Verflüssigung bis zu syllabisch textierten Achteln, die im Kontrasubjekt des Fugenthemas auftreten.[88] Da sich der Spruchtext (Mt. 20:14a) auf sieben Wörter beschränkt, muss er trotz wechselnder Motivik in allen Phasen verwendet werden. Das Fugenthema, das mit Quintfall und Sextsprung in Halben und Vierteln dem Alla-breve-Takt entspricht, wird bei Eintritt des Comes mit dem Kontrasubjekt kombiniert, der eine steigende Sequenz darstellt. In den kanonischen Phasen verschärft sich der Kontrast insofern, als das Kontrasubjekt mit den Kanonstimmen gepaart wird, die im Grunde nur aus einer formelhaften Folge synkopischer Vorhalte bestehen. Gegenüber dem Fugenthema und dem Kontrasubjekt hat der Kanon dennoch sein eigenes Gewicht.

---

[87]   Vgl. dazu die Zitate in NBA I/7, hrsg. von Werner Neumann, KB, 1957, S. 15.
[88]   Dass in NBA I/7 (1956) – anders als in BWV 179 und 64 – die colla parte geführten Instrumentalstimmen ausgeschrieben sind, beruht auf einer Entscheidung des Herausgebers Werner Neumann. Die autographe Partitur enthält dagegen – wie das Faksimile, ebd., S. VII, zeigt – nur die vier Vokalstimmen.

1–15–20	20–25	25–39	39–47	47–62	62–68
Fuge I	Kanon I	Fuge II	Kanon II	Fuge III + Kanon	Coda
Th + Ks	Kanon A. – S., Ks B. und T.	Th + Ks	vierst. Kanon, Ks im Bc.	Th + Ks. + Kanon	Ks akkordisch gerafft
T-B-S-A-B I-V-I-V-I		B-S-A-T V-I-IV-I		T-B-(T)-S V-I-(I)-I	

Das dreitaktige Fugenthema wird in der Exposition auf die Unter- und die Oberstimmen verteilt. Nach den paarigen Einsätzen werden jeweils zwei Takte eingeschaltet, und da ein überzähliger Einsatz des Basses nachfolgt, erweitert sich der Umfang des Abschnitts auf insgesamt 20 Takte. Demgegenüber nimmt sich die erste Kanonphase fast wie ein Zwischenspiel aus, während die zweite Durchführung das Schema in wechselnden Stimmlagen wiederholt. Dabei wird nicht nur die Folge von Comes und Dux vertauscht, sondern auch der zweite Einsatz des Dux verändert. Während ein zusätzlicher Einsatz diesmal ausbleibt, wird die nächste Kanonphase erweitert, sodass sich das Gewicht der Satzglieder verschiebt. Paarte die erste Kanonphase ein Stimmpaar mit dem Kontrasubjekt in den Gegenstimmen, so erfasst die zweite alle Stimmen, sodass das Kontrasubjekt hier nur im Generalbass erscheint. Die Verfahren, die zunächst ungleiches Gewicht hatten, überlagern sich fortan, bis ihre Differenzen in der Coda aufgehoben werden. Das Schema spiegelt freilich nicht die enge Verkettung der Schichten, die von dem kanonischen Einschub in der zweiten Fuge ausgeht (Tenor und Bass T. 28–32) und in der Kombinationsphase zur Geltung kommt.[89] Entsprechend verschränkt sich der dritte Ansatz mit dem vorangehenden Kanon, der zum Themeneinsatz des Tenors fortläuft (T. 47–50). Er überdeckt den vier Takte später beginnenden Einsatz des Basses, bis ein letzter Einsatz des Soprans nur noch mit dem Kontrasubjekt gepaart wird.[90]

Als gemeinsamer Nenner aller Phasen erweist sich das Kontrasubjekt, das die fugierten und die kanonischen Abschnitte bis hin zu ihrer Kombination durchzieht. In der Reihung syllabisch textierter Achtel führt es die Modifikationen des motettischen Satzes fort, die in den beiden früheren Chören begann. Kamen Achtelwerte im Eingangschor aus BWV 179 nur beiläufig vor, so verlängern sie sich in BWV 64 zu weiträumigen Ketten, bis sie in BWV 144 konstitutive Funktion gewinnen. Das bleibt nicht folgenlos für den Generalbass, der nicht nur als Basso seguente fungiert. Ergänzte er in BWV 179:1 die Abschnitte, die nicht die volle Stimmenzahl erreichten, so trat er in BWV 64:1 dort hervor, wo der Bass aussetzte oder an den kanonischen Sequenzen teilhatte. In BWV 144:1 hingegen löst er sich vielfach vom Vokalbass, um seinerseits zur Schärfung des rhythmischen Profils beizutragen.

Bei allen Differenzen folgen die drei Sätze nicht dem Prinzip motettischer Reihung, sondern bilden Kombinationen aus, die nur teilweise durch die Texte bedingt

[89] Die mehrdeutige Kreuzung der Schichten erlaubt eine andere Gliederung als bei Oechsle, a. a. O., S. 212.
[90] Während die Folge und Staffelung der Themeneinsätze im Autograph (P 134) praktisch fehlerfrei notiert ist, mehren sich kleine Korrekturen in den Gegenstimmen und besonders in der Coda. Das könnte dafür sprechen, dass das kontrapunktische Gerüst vorgreifend skizziert und erst bei der Niederschrift vervollständigt wurde.

3. Chorsätze 195

sind. Der Verzicht auf Instrumente, die die Voraussetzung für die Kreuzung kontrapunktischer und konzertanter Techniken waren, wird durch die Paarung unterschiedlicher Verfahren ersetzt. In BWV 179:1 werden die Textglieder auf fugierte und kanonische Abschnitte verteilt, doch rücken sie desto näher zusammen, je mehr sich die beiden Verfahren kreuzen. Da die Satzgruppen in BWV 64:1 durchweg vom ersten Textglied ausgehen, bleibt dem zweiten kein eigener Raum, sodass die Textverteilung vom Satzverlauf unterlaufen wird. In BWV 144:1 dagegen verkehren sich die Verhältnisse insofern, als der gleiche Text allen Teilen zugrunde liegt, sodass der Ablauf des Satzes nicht vom Text abhängt. Statt sich den Normen des strengen Satzes schrittweise zu nähern, setzen sich in den motettischen Sätzen die Prinzipien der Instrumentalisierung und Kombinatorik durch, die auch in den anderen Satzgruppen zu verfolgen sind.

g. Fuge versus Concerto (II)

Als Bach sich seit Weihnachten 1723 erneut der Verbindung fugierter und konzertanter Satzteile zuwandte, veränderten sich die Relationen von vornherein. Der Eingangschor aus BWV 40 »Darzu ist erschienen« setzt so entschieden konzertant an, dass sich dadurch der Kontrast zur Chorfuge verschärft, die dennoch im Zentrum des Satzes steht. Der Text umfasst zwei Glieder (»Darzu ist erschienen der Sohn Gottes« – »daß er die Werke des Teufels zerstöre«), die in allen Satzteilen aber gemeinsam erscheinen. Zugleich ist die formale Gliederung denkbar klar: Zwei konzertante Teile (T. 1–29 bzw. T. 63–80) umrahmen eine Fuge (T. 29–62), die ein Drittel des Umfangs beansprucht. Mehr als die Hälfte des Satzes wird jedoch durch die Rahmenteile ausgefüllt, die zudem auch den Ablauf der Fuge überlagern.

Zu Beginn des elftaktigen Vorspiels treten den Oboen zwei Hörner als eigene Gruppe gegenüber, die sich fortan von den Streichern ablöst. Das prägnante Kopfmotiv wird in einer umspielten Variante wiederholt und entsprechend fortgesponnen. Im Austausch der Figuren, die vielfach Liegetöne mit Wechselnoten umspielen, geben die drei Stimmgruppen das Material vor, in das sich der akkordische Chorsatz der Außenteile einfügt. Statt der instrumentalen Eröffnung werden am Ende nur die anschließenden chorischen Phasen wiederholt, sodass sich der Schlusteil als transponierte Variante des Anfangsteils erweist (T. 12–29 ~ T. 63–80). Während der erste Teil (A) von der Tonika zur Dominante lenkt, führt der zweite (A') von der Subdominante zur Tonika zurück, sodass sich beide eine Quinte aufwärts wenden. Neumann zufolge bestünde der A-Teil aus drei Taktgruppen, die in A' »durch Umstellung der Blöcke variiert« würden.[91] Werde die Abfolge bei Austausch der Oberstimmen beibehalten, so falle die Zwischengruppe durch das »schöne Permutationsbild« auf:

T. 12–18 ~ 63–70: »Umstellung der Blöcke«
T. 19–22 ~ 70–74: »Permutationsbild« unter Einschluss des Basses
T. 23–29 ~ 74–80: Austausch der »drei Oberstimmen«

---

91 Vgl. das Schema bei Neumann, a. a. O., S. 49 (dort auch die folgenden Zitate).

Während sich in der mittleren Gruppe die Modulation vollzieht, läuft die letzte in einer Quintkette mit synkopischen Dissonanzen aus. Allerdings kann die Zwischengruppe weniger als »Vorform der Permutationsfuge« denn als ein Beispiel dafür gelten, dass selbst scheinbar akkordische Blöcke kontrapunktisch gedacht sind. Neumann sah darin den »Beweis für die Richtigkeit« seiner »Vertikalthese«, der zufolge die Permutationsfuge vertikal konzipiert sei. Dass die »Einzelthemen« – die kaum mehr als melodische Formeln sind – »in unregelmäßigster Weise« vertauscht werden, liegt jedoch daran, dass die Stimmführung der Transposition angepasst werden muss, die ihrerseits durch die Anlage des B-Teils bedingt ist.

Der fugierte Mittelteil beginnt mit einer vokalen Exposition, in der das Hauptthema – anfangs mit einem Kontrasubjekt – wechselnd als Dux bzw. Comes eintritt (T. 29–38). An die C-Dur-Kadenz des A-Teils kann es dadurch anschließen, dass es von der Quinte (c) zum Grundton (f) sinkt, bevor das Kadenzglied folgt. In der zweiten Durchführung (T. 38–45), in der die Instrumente hinzutreten, folgen die beiden ersten Einsätze des Alts und Soprans demselben Schema. Der Sopraneinsatz wird jedoch als Engführung mit dem nächsten Einsatz des Basses verschränkt, der durch einen quintversetzten Einsatz des Tenors ergänzt wird. Zugleich wird ein Gegenthema eingeführt, das im Tenor mit Tonrepetitionen auf der Septime hervortritt. In syllabischer Deklamation ist ihm das zweite Textglied zugeordnet, das fortan mit dem eigentlichen Thema gepaart wird (T. 38, »daß er die Werke des Teufels zerstöre«). Dabei erweist sich das Gegenthema als vokale Variante einer Repetitionsfigur, die im Vorspiel als Signalmotiv der Hörner eingeführt und von den Oboen übernommen wurde (vgl. T. 6–10). In der Fuge gewinnt das Thema an Dominanz, da es nicht nur im Vokalpart, sondern auch in den Instrumenten erscheint (wie in T. 38 f., 42 f., 45 f. usw.). In gleicher Weise durchzieht es auch die dritte Durchführung, deren Einsätze als kanonische Engführung eintreten (T. 46–50). Zum einen wird jeder Themeneinsatz mit einem zweiten auf gleicher Stufe gekoppelt, zum anderen ergänzen sich die Einsatzpaare zu einer Quintschrittsequenz, in der an den Quintraum des Themas im nächsten Einsatz ein weiterer Quintraum anschließt (d-g-c-F-B-Es).[92] Wie sich zeigt, war das Thema von vornherein auf die Quintreihung hin entworfen, aus der sich damit ein Zirkelkanon ergibt, der allerdings – im Unterschied zum Eingangschor der Johannes-Passion – nicht vollständig ausgeschritten wird. Wo die Quintkette abbricht, würde ein weiterer Schritt genügen, um zum Ausgangspunkt zurückzukehren. Stattdessen folgen zwei Einsätze der Außenstimmen, in denen zwei Quinträume so verkettet werden, dass die Fuge auf der Subdominante endet und damit zum transponierten Rückgriff auf den A-Teil führt.

Das Autograph (P 63) spiegelt Bachs Verfahren, in fugierten Phasen weithin fehlerfrei zunächst den Vokalpart und anschließend die Instrumentalstimmen zu notieren (während in konzertanten Phasen oft umgekehrt vorgegangen wird).[93] Marshall erwähnte eine Korrektur in der vokalen Exposition der Fuge, deren Sopraneinsatz einen Takt verlegt wurde und damit eine Änderung des bereits konzipierten Tenors veranlasste,

---

92 Neumann, S. 88 f., beschrieb den Ablauf der Fuge, ohne ihre Beziehung auf die Außenteile zu erwähnen.
93 Zu den hier exemplarisch hervorgehobenen Takten vgl. die näheren Angaben in NBA I/3.1, KB, S. 15–21, • wo die strukturelle Bedeutung der Korrekturen nicht kommentiert wird.

während der Bass fehlerfrei ergänzt wurde.[94] Die Korrekturen mehren sich aber in der Themenkombination der zweiten Durchführung (T. 43), in der dem Basseinsatz des Gegenthemas eine Viertel später ein letzter Einsatz des Sopran folgt, sodass das Melisma des Alts nachträglich geändert wurden musste. Auch in der Engführung der dritten Durchführung sind die Einsätze der Vokalstimmen zunächst fast fehlerfrei geschrieben, während die übrigen Stimmen und zumal die Einsätze des Gegenthemas mehrere Korrekturen aufweisen (T. 47 f.). In der letzten Durchführung wurde nach dem Themeneintritt des Soprans der Continuo verändert (T. 56 f.), während nach dem letzten Einsatz des Basses der Wechsel zum freien Satz weitere Korrekturen nach sich zog (T. 60). Bemerkenswerter sind die Korrekturen des Instrumentalparts in den konzertanten Phasen. Bereits in Takt 1 tilgte Bach einen ersten Einsatz der Oboe I, die anfangs das Motiv des ersten Horns duplizieren sollte, analog verfuhr er in Takt 2 und korrigierte entsprechend die Oboe bei Zutritt des Chores in Takt 13.[95] In der Absicht, in Takt 23 die akkordische Raffung des Chorsatzes hervorzuheben, wurde der Abschluss des Instrumentalparts in der ersten Zählzeit auf eine Achtel verkürzt. Dass die komplementäre Führung des Alts nachträglich geändert wurde, hatte weitere Korrekturen im Tenor, im ersten Horn und in der zweiten Violine zur Folge.[96] Auch im Abschluss der Fuge begegnen mehrfache Korrekturen (T. 59–60), die auf Schwierigkeiten in der Koordinierung des Vokal- und Instrumentalparts zurückgehen dürften.[97]

Während das Fugenthema in BWV 136 in das Ritornell einbezogen wurde, tritt die Fuge hier dem konzertanten Beginn als klarer Kontrast gegenüber. Ihre Integration geht aber nicht vom Thema selbst, sondern von einem Gegenthema aus, das sich zugleich als Teilglied der konzertanten Eröffnung erweist. In dem Maß, in dem sich die Fuge über die Engführung zum Zirkelkanon verdichtet, wird sie mit dem Zutritt der Instrumente vom Material der Rahmenteile überlagert. Hat die Anlage der Fuge das Transpositionsverhältnis der Außenteile zur Folge, so wird sie ihrerseits durch deren konzertante Motivik aufgezehrt. Formelhaft gesagt: Die Fuge ist im Concerto aufgehoben, sodass sie als dessen Teilglied erscheint.

Die lückenhafte Überlieferung der Neujahrskantate BWV 190 ist deshalb so bedauerlich, weil gerade der Eingangschor nur unvollständig erhalten ist. In der autographen Partitur fehlen die ersten Seiten mit dem Chorsatz und dem folgenden Rezitativ, während nur die Vokal- und Violinstimmen des Aufführungsmaterials vorliegen. Den Angaben des Kopisten zufolge wurden in dem Satz drei Trompeten und Pauken sowie drei Oboen und Fagott verwendet.[98] Wie die erhaltenen Stimmen zeigen, wird die Kombination der Rahmenteile mit der Fuge durch zwei Zeilen aus dem Te Deum erweitert. Aus den Vokalstimmen geht der Grundriss der Fuge hervor, deren Thema einen Quartgang durchmisst, sodass der Dux zur Dominante führt, während der Comes zur Tonika zurücklenkt. In der ersten Durchführung lösen sich beide Blöcke ab, doch ist kaum von einer »Permutationsdurchführung« zu reden,

---

94 Robert Lewis Marshall, The Compositional Process, Bd. I, S. 139.

95 Vgl. KB, S. 15 f.

96 Vgl. ebd., S. 17. Bezeichnenderweise betreffen diese Änderungen die letzte der drei Taktgruppen, die Neumann, a. a. O., S. 49, als »Umstellung der Blöcke« kennzeichnete.

97 Vgl. KB, S. 20 f.

98 NBA I/4, hrsg. von Werner Neumann, KB, S. 9 f. und 14 ff.

weil bereits der erste Kontrapunkt Varianten aufweist, die später noch zunehmen.[99] Die zweite Durchführung besteht wie in BWV 40:1 aus einer Folge von Comes-Einsätzen, die eine fallende Quintkette umfassen (T. 108–120: cis-fis-h-E-A). Anders als dort ergibt sich aber keine Kanonkette, da die Einsätze variabel weitergeführt werden und bei Eintritt des Basses auslaufen.[100] Die flexible Fortführung des Themas wird in beiden Durchführungen von der Absicht geleitet, die Fuge mit dem instrumentalen Material der konzertanten Außenteile zu verknüpfen. Während der Vokalsatz der Rahmenteile akkordisch angelegt war, wurden die konzertanten Phasen vom obligaten Instrumentalpart geprägt. Den erhaltenen Violinstimmen ist zu entnehmen, dass das Vorspiel von den Bläsern eingeleitet wurde, zu denen repetierte Töne der Streicher traten, während sich die anschließende Figuration mit einer modulierenden Sequenz verband, die zum Tuttieinsatz in der Tonika zurückführte. Die Figuration, die im Wechsel mit den Tonrepetitionen die akkordischen Chorblöcke begleitete, setzte sich während der Fuge fort und bildete eine eigene Schicht, die den Satz zur Sechsstimmigkeit erweiterte und als Brücke zwischen den konzertanten Außenteilen und dem fugierten Mittelteil fungierte. Die augmentierten Zitate aus dem Te Deum, die die Fuge in akkordischem Satz umrahmten, waren auf andere Weise in den Zusammenhang einbezogen. Während das erste (T. 79–85) von den Violinen mit punktierten Ketten begleitet wurde, die dem Schlussglied des vorangehenden Chorblocks entstammten, war das zweite (T. 123–130) mit dem Kopf des Fugenthemas und zudem mit den Figurationsmotiven der Streicher verbunden. Allerdings ist ungewiss, wieweit die Kombination durch andere Instrumente bereichert und die Fuge durch weitere Themeneinsätze verdichtet war. Die mehrfach unternommenen Ergänzungsversuche können nicht den Verlust des Satzes ausgleichen, der angesichts des erhaltenen Fragments desto schmerzlicher ist.

Der Eingangschor der Kantate BWV 65 »Sie werden aus Saba alle kommen« wirkt zunächst etwas einfacher, weil er zur Verbindung der konzertanten Rahmenteile mit der zentralen Fuge zurückkehrt. Zudem beschränkt sich der Rahmen diesmal auf die instrumentale Eröffnung, die nur acht Takte umfasst und am Ende mit Choreinbau wiederkehrt (T. 45–53 ~ 1–8), sodass die Fuge weit mehr Raum als sonst einnimmt (T. 19–45). Dabei wird ihr ein zehntaktiger Abschnitt vorgeschaltet, der die instrumentale Motivik unter Beteiligung des Chores verarbeitet (T. 9–19), während die zweite Durchführung in einem vermittelnden »Anbau« ausläuft (T. 41–45).

1–9	9–19	20–31	32–40	41–45	45–53 (~ 1–9)
instru-mentales Ritornell	vokal-instrumentaler »Vorbau«	Fuge: 1. Durchführung	Fuge: 2. Durchführung	vokal-instrumentaler »Anbau«	Ritornell mit Chor-einbau
C – C	C – G	G – C	F – a	a – C	C – C

99 Vgl. Neumann, Bachs Chorfuge, S. 47, Anm. 84; während die Fortführung des Comes in Tenor und Sopran übereinstimmt, zeigt die des Dux Abweichungen zwischen Bass und Alt.
100 Neumann wies auf die »Viergliederreihe von Comes-Blöcken« der zweiten Durchführung hin, die zu einem »kanonisch wirkenden Quintenfall« führe und den »4-Quinten-Aufstieg des Zwischensatz-Themas (d-a-e-h)« ausgleiche. Doch wird der Aufstieg des »Zwischensatz-Themas« (T. 101–104) in seiner Fortführung erreicht, die ihr Ziel in der Dominante A-Dur findet (T. 108).

Mit der Gegenüberstellung von je zwei Corni da caccia, Blockflöten und Oboi da caccia samt Streichern gibt sich die Eröffnung betont konzertant. In zwei getrennten Ansätzen geben die Hörner den Themenkopf und seine Fortspinnung vor, die anschließend vom Tutti wiederholt werden (T. 1–5). Die umspielenden Figuren liefern dabei das Material, das im Wechsel der Stimmgruppen ausgesponnen wird (T. 5–7), bis sie in der Kadenz wieder zusammentreten (T. 7–9). Dass der mittlere Abschnitt auf einer Quintkette gründet (T. 5–7: G-C-F-h-E-a-d-G-C-F), fällt im Vorspiel weniger auf als im Choreinbau des Schlussteils, der die Stufenfolge durch synkopische Vorhalte markiert. Im »Vorbau« wird das Thema derart auf die Stimmen verteilt, dass der Themenkopf im Chorsatz imitiert wird, während die Fortspinnung den Instrumenten zugewiesen und vom Vokalpart ausgefüllt wird.

Dass das Fugenthema als Ableitung erscheint, obwohl es neu gebildet ist, hat zwei Gründe. Zum einen nimmt es den schwingenden Duktus im $^{12}/_8$-Takt auf, der dem Satz von Anfang an zu eigen ist. Zum anderen zeichnet sich in ihm eine Sequenz ab, die mehrfache Quintfälle durch Zwischenstufen verbindet und in der Folge der Einsätze eine Quintschrittsequenz ergibt (T. 19–20: G-C/E-a-D-G, T. 21–22: C-F/ A-d-G-C). Erstmals also beruht das Fugenthema auf einer Quintkette, die somit den gesamten Satzverlauf reguliert. Dabei folgt nur die erste – primär vokale – Durchführung dem Permutationsschema mit drei Kontrapunkten (T. 19–27), die in syllabischer Deklamation ansetzen und zu den abschließenden Verbformen in Melismen auslaufen (Jes. 60:6b, »Sie werden aus Saba alle *kommen*« – »Gold und Weihrauch *bringen*« – »und des Herren Lob *verkündigen*«). An die Exposition schließt sich in den Außenstimmen eine doppelte Engführung des Themenkopfes an, die von den Gegenstimmen ausgefüllt wird (T. 27–31). In welchem Maß die Fuge dem Satzplan angepasst wird, macht die zweite Durchführung sichtbar, indem sie auf der Subdominante beginnt und nur noch anfangs auf die drei Kontrapunkte zurückgreift, die wechselnd ineinander verschränkt werden (T. 31–40). Vor den letzten Themeneinsatz des Basses rückt nochmals eine Engführung des Themenkopfes, die diesmal in den Oberstimmen liegt und durch die obligaten Flötenstimmen ergänzt wird. Der Modifizierung des fugierten Satzes entspricht der modulierende Prozess, der im Wechsel von Sekund- und Quintrelationen zur Tonikaparallele hinführt. Die Schlussphase endlich, die hier als »Anbau« umschrieben wurde, geht nochmals von den thematischen Einsätzen der Oberstimmen aus, die mit dem zweiten Kontrapunkt kombiniert und durch zwei Einsätze des Themenkopfs ergänzt werden (T. 40–43). Die Fuge läuft in einer thematisch gearbeiteten Phase aus, die nach einer weiträumigen Sequenz zum Rekurs auf das Ritornell vermittelt (T. 43–45). Wie Neumann sah, wird die »Ansatzstelle« (T. 45–46) »verschleiert«, doch liegt ihr statt eines »fugischen Themenmaterials« eine melismatische Fortspinnung zugrunde, die dem Beginn des Ritornells angepasst wird.[101] Sofern seine Quintkette durch den Choreinbau erweitert wird, erscheint das Ritornell im Rückblick als Resümee des gesamten Satzverlaufs.

---

101 Neumann, a. a. O., S. 58, verglich die Takte 11–13 des »Vorbaus« mit den Takten 46–48 des Schlussteils und sah in ihrer unterschiedlichen Texturierung einen »Beweis für die Priorität des Instrumentalsatzes«. So instrumental jedoch die Motivik der Rahmenteile ist, so deutlich ist die Thematik der Fuge vokal geprägt.

Neben der autographen Partitur (P 147) ist eine Skizze zum Beginn der Fuge erhalten, die sich im Autograph der zum 30. Januar entstandenen Kantate BWV 81 »Jesus schläft, was soll ich hoffen« findet (P 120, fol. 9ᵛ).[102] Beide Quellen sind deshalb aufschlussreich, weil sie Bachs zielstrebige Arbeit an der Ausformung der Quintrelationen zeigen, die den gesamten Satzverlauf durchziehen. Marshall suchte der Skizze zehn Phasen der Ausarbeitung des Fugenthemas zu entnehmen, ohne auf ihre strukturelle Bedeutung einzugehen.[103] Unabhängig von der Abfolge der Arbeitsschritte lässt sich feststellen, dass der ersten Themengestalt die Quintrelationen der gültigen Fassung fehlten (T. 19 f.). In der Skizze springt der Bass nach der vierten Achtel (d^1) eine Septime abwärts (e), um dann in steigenden Sekundschritten die Dominantseptim zu erreichen und im nächsten Takt auf der Terz der Tonika zu enden. Die wohl erst nachträglich notierte Generalbassstimme bestätigt diese Deutung, die ebenso für den folgenden Themeneinsatz des Tenors gilt. Erst nach mehreren Korrekturen ergab sich die definitive Lösung, in der das auf zwei Takt erweiterte Thema die gestaffelte Quintfolge umschreibt, die sich in den folgenden Einsätzen fortsetzt. Es kann offenbleiben, ob die Skizze der Niederschrift des Satzes voranging oder nach Abschluss der vorangehenden Takte notiert wurde. Auffällig ist aber, dass die Quintschrittsequenz des Vorspiels (T. 5–7) durch Korrekturen im Continuo klarer markiert wurde.[104] Wie in BWV 40:1 wurden in den ersten Takten die Bläserstimmen geändert, um den Wechsel der Klanggruppen deutlicher hervorzuheben. So sollte in Takt 2 die Oboe da caccia II die steigende Linie der ersten Oboe (und Violine) übernehmen, bevor sich Bach für ihren rhythmischen Anschluss an die Hörner entschied. Dagegen entsprach die zweite Oboe in Takt 4–5 zunächst der ersten Oboe, bevor sie dann der zweiten Violine (bzw. Blockflöte) angeglichen wurde. Weitere Korrekturen begegnen in der vokalen Imitation des Kopfmotivs (T. 14–16),[105] während die Kombinationsphasen geringere Eingriffe zeigen.

Auf derart komplexe Kombinationen wie zwischen Weihnachten und Epiphanias kam Bach erst nach der Osterzeit zurück, als er in den Chorsätzen der Kantaten zu Quasimodogeniti, Misericordias Domini und Himmelfahrt ein Resümee der bisherigen Arbeit zog. Bei nochmals erweitertem Umfang ist den Sätzen nicht nur die Reduktion des Permutationsverfahrens, sondern die Verschränkung kontrapunktischer und konzertanter Verfahren gemeinsam.

In BWV 67:1 »Halt im Gedächtnis Jesum Christ« (zum 16. April 1724) werden zwei Durchführungen der Fuge (T. 33–54 und 91–114) von einem Zwischenspiel auf der Dominante getrennt (T. 71–76), das eine geraffte Version des eröffnenden Ritornells darstellt (T. 1–17). Wie in BWV 136 wird das Fugenthema im Ritornell vom Horn eingeführt, doch erhält es erhöhtes Gewicht, indem es in Basslage wiederholt und sequenzierend erweitert wird. Den Fugen sind primär akkordische Blöcke vorgelagert, in denen das Thema im Wechsel der Außenstimmen eintritt, bevor es erneut vom Horn übernommen wird (T. 17–33 und 76–91). Beide Fugen laufen in scheinbar freien Satzphasen aus, die sich als Rückgriffe auf das instrumentale Ritornell mit zusätzlichem Choreinbau erweisen.

---

102 Vgl. NBA I/5, hrsg. von Marianne Helms, 1976, KB, S. 27–30; die Skizze findet sich in P 120 »unter dem Schlußchoral« von BWV 81, vgl. KB, S. 28.
103 Robert Lewis Marshall, The Compositional Process, Bd. I, S. 134–138, und Bd. II, S. 41 ff.
104 Vgl. die Beschreibung dieser Korrekturen in NBA I/5, KB, S. 16.
105 Ebd., S. 17.

Notenbeispiel 8

1–17	17–33	33–54	54–71 (~ 1–17)	71–76	76–91	91–114	114–130 (~ 1–17)
Ritornell	1. Vorbau	Fuge I (vokal)	Ritornell mit Choreinbau	Zwischenspiel	2. Vorbau	Fuge II	Ritornell mit Choreinbau
A – A	A – E	E – gis	gis / E – E	E – fis	A – h	E – A	A – A

Die enge Verknüpfung aller Teile ist im Ritornell mit einem Thema vorgebildet (T. 1–6 und 10–13), das sich mit zwei ganzen Noten und anschließender Dreiklangsbrechung (Notenbeispiel 8) auf das lapidar deklamierte Textincipit bezieht (2. Tim. 2:8a: »Halt im Gedächtnis …«). Indem sein Ende die Quinte umkreist, kann sich eine Sequenzgruppe anschließen, die von der Dominante ausgeht und im erneuten Themeneinsatz des Basses mündet. Ebenso bedeutsam wie die Themenzitate sind die Figuren der Fortspinnung, deren Gerüstsatz zugleich eine doppelte Quintkette umschreibt (T. 6–10 und 13–17). Beide Fugen paaren das Thema zum ersten Textglied mit einem Kontrapunkt, dessen melismatische Fortspinnung auf die Verbform des zweiten Textglieds entfällt (»der auferstanden von den Toten«). Neumann zufolge lägen zwei Permutationsfugen mit vier Kontrapunkten vor,[106] doch bildet der dritte Kontrapunkt eine Variante des zweiten, während der vierte kaum mehr als eine ergänzende Formel darstellt. Während das Hauptthema mit Halteton und Dreiklangsbrechung auf den Beginn des Ritornells zurückgreift, gleichen sich die Kontrapunkte nicht nur im Quartsprung und Sekundfall der Kopfmotive, sondern auch in den Achtelketten der Fortspinnung. Je mehr die Einsätze sequenziert werden, desto eher wirken sie wie motivische Engführungen, die sich in die Quintketten einfügen. Wenn dann die zweite Durchführung mit einer Engführung der Kontrapunkte ansetzt, wird das Permutationsschema vom Modell einer Doppelfuge mit variablem Kontrasubjekt überlagert.

Die autographe Partitur (P 95) wirkt zunächst so klar, dass Marshall nur einzelne Korrekturen in den Instrumentalstimmen der zweiten Fuge nannte (T. 102 f.), um daraus zu

---

[106] Vgl. Neumann, a. a. O., S. 28 f. Das dort mittgeteilte Permutationsschema lässt nicht nur die Angleichung der Kontrapunkte unberücksichtigt, sondern zählt die verkürzte Vorwegnahme des zweiten Kontrapunkts im Tenor (T. 32 ff.) als eigenen Einsatz und übergeht zudem die Engführung zu Beginn der zweiten Fuge (T. 47 ff.).

folgern, »that – in these measures at least – the instrumental parts was composed and corrected before the vocal parts were set down«.[107] Doch konnte Bach hier deshalb so verfahren, weil er vom Modell der ersten Fuge ausging und dabei zuerst ihren Instrumentalpart überführte. In der vokalen Exposition dagegen endete das Hauptthema im Tenor und Alt (T. 39 und 47) nach dem Muster des Ritornells (T. 6) mit einer halben Note, die danach zur Viertel verkürzt wurde.[108] Offenbar geschah das, bevor das Gegenthema eingetragen wurde, das sich ohne Korrekturen anschließt. Dagegen ergab sich der eröffnende Quartsprung des Gegenthemas im Tenor (T. 33) durch die Korrektur von drei Vierteln gleicher Tonhöhe (h).[109] Die nachträgliche Änderung könnte darauf hindeuten, dass der Partitur nicht so umfassende Skizzen wie in BWV 65 vorangingen. Auch der instrumentale Satzbeginn zeigt neben Korrekturen im Figurenwerk der ersten Takte einen Eingriff in das kontrapunktische Gerüst, in dem die Vorhalte der Oboen (T. 12–14) nachträglich zu Vierteln mit eingefügten Quartfällen verkürzt wurden, um die erste Violine zu ergänzen.[110] Wo Chor und Orchester im Ritornell mit Choreinbau zusammentreten, zeigt die Hornstimme auffällige Änderungen (T. 55–65).[111] Dass ihr erster Ton (T. 55 ff.) von g (klingend e) zu h (klingend gis) geändert wurde, ergab sich wohl durch den Wechsel von der gis-Moll-Kadenz zum E-Dur-Zitat des Ritornells. Dass die Fortspinnung um einen Takt verschoben werden musste, dürfte auf ein Versehen bei der Übertragung des Ritornells zurückgehen.

Wie das Autograph zeigt, verdankt sich das motivische Netzwerk der planvollen Ausarbeitung des thematischen Fundus. Die als »Vorbau« bezeichneten Phasen bestehen aus transponierten Themenzitaten, die auf den Beginn des Ritornells zurückgehen und jeweils fünfeinhalb Takte umfassen.[112] Ihre Abfolge wird vor der zweiten Fuge deutlicher als vor der ersten, vor der zwei Einsatzpaare verschränkt werden (Sopran T. 17–22, Horn T. 20–25 usw.). Ähnlich verhält es sich mit den an die Fugen anschließenden Phasen, in denen der Rekurs auf das Ritornell durch den Choreinbau verschleiert wird. Da die erste Fuge nach gis-Moll führt, muss der folgende Chorblock über H- nach E-Dur lenken, bevor er sich als dominantische Transposition des Ritornells ausweist. Endet die zweite Fuge mit einem Halbschluss in A-Dur, so kann das abschließende Ritornellzitat mit Choreinbau in der Tonika anschließen. Gerade die chorisch erweiterten Ritornelle machen das Modell des Concertosatzes sichtbar, dessen Episoden durch die Fugen mit ihren Vorbauten vertreten werden. In dem Maß, in dem das Thema die fugierten Phasen und die Ritornellzitate prägt, wird der Verlauf des Satzes durch die Quintketten und Vorhaltdissonanzen reguliert.

Noch konsequenter kommt das Verfahren in dem Chorsatz BWV 104:1 »Du Hirte Israel, höre« (Ps. 80:2) zur Geltung, der eine Woche später zum 23. April 1724 entstand. Der gesamte Verlauf beruht auf dem Wechsel von Orgelpunkten und Quintketten, die die fugierten Teile lenken und durch modulierende Scharniere unterbrochen werden. Einerseits scheint der Concertosatz weniger deutlich als in

---

107 Robert Lewis Marshall, The Compositional Process, Bd. I, S. 145 f.
108 Vgl. NBA I/11.1, hrsg. von Reinmar Emans, 1988, KB, S. 19.
109 Vgl. ebd., S. 18, wonach die erste Fassung drei Tonrepetitionen vorsah, sodass der markante Quartsprung, der auch die folgenden Sequenzen eröffnet, erst die Folge einer nachträglichen Korrektur war.
110 Ebd., S. 17 f.
111 Ebd., S. 19 f.
112 Ebd., S. 64 f.

BWV 67 durch, da das Ritornell nicht als geschlossener Block wiederkehrt, andererseits durchdringt sein Material den ganzen Satz unter Einschluss der Fugen mehr noch als zuvor. Nach den sieben ersten Takten, die auf dem Grundton als Orgelpunkt basieren, wird in Quintfällen die Dominante erreicht, um dann nach einem zweitaktigen Orgelpunkt in Quintschritten zur Tonika zurückzukehren. Dem Bassgerüst, das durch gleichmäßige Viertelnoten geprägt ist, stehen triolische Ketten der Oberstimmen gegenüber, die sich vielfach in synkopischen Überbindungen stauen. Dem Vorspiel folgt ein erster Chorblock, der trotz eines Zwischenspiels als geschlossener »Vorbau« erscheint, bevor die erste Fuge ansetzt. Analog folgt dem zweiten »Vorbau« die zweite Fuge, die durch die Coda beschlossen wird.

1–25	25–52 (~ 1–11 und 1–7 mit Varianten)	53–71	72–83 (= 25–28 und ~ 1–7)	84–102 (partiell ~ 53–71)	103–114 (~ 19–22, 9–16)
Ritornell	1. Vorbau (partiell mit Choreinbau)	Fuge I (mit Permutation)	2. Vorbau (partiell mit Choreinbau)	Fuge II (mit Permutation)	Coda (mit Choreinbau)
G – D – G	G – E – A – D	E – A – D – G	G – A – D	G – A – D – G	G – D – G

Die Verzahnung der nicht fugierten Phasen mit dem Ritornell hat Neumann ebenso analysiert wie das Verhältnis zwischen den »Vorbauten« und den fugierten Phasen.[113] Statt von Fugen sprach er von »Fughetten«, ohne darauf hinzuweisen, weshalb nicht von Permutationsfugen zu reden ist. Die Glieder nämlich, die den dritten und vierten Kontrapunkt vertreten, dienen der akkordischen Füllung, da sie in Viertelnoten die »Rufmotive« übernehmen, die auch die anderen Satzteile durchziehen und auf die Worte »höre« und »erscheine« entfallen. Von diesen akkordischen Rufen heben sich demnach die beiden thematischen Stimmen ab, die durch melismatische Ketten geprägt sind, sodass der Verlauf weniger einer Permutationsfuge als einer akkordisch ergänzten Doppelfuge gleicht (Notenbeispiel 9).

Die reduzierte Bedeutung des Permutationsverfahrens hat mehrere Gründe. Zum einen basieren das Fugenthema und der Kontrapunkt auf Quintrelationen, die das Ritornell und die übrigen Satzglieder durchziehen und schon zu Beginn der Exposition hervortreten (T. 53–56: h-E-A-D, T. 57–64: E-A-D-G-C etc.). Zum anderen wird der Freiraum, der durch den Ausfall weiterer Kontrapunkte entsteht, dafür genutzt, in den Violinen die Motivik fortzuführen, die das Ritornell und die »Vorbauten« prägt. Die Reduktion der Permutationsfuge wird also durch die Instrumentalstimmen kompensiert, deren Vorhaltketten – wie Neumann sah – fast ostinate Funktion haben. So wenig aber die Satzglieder nur »in bekannter Weise« kombiniert werden, so wenig ist die vorgeblich mangelnde »Einheitlichkeit« des Choreinbaus auf das »unorganische Herausschneiden« aus dem Refrain zurückzuführen.[114] Vielmehr

---

113 Ebd., S. 29 sowie S. 56 ff., wo die hier im Schema angedeuteten Analogien tabellarisch belegt werden. Konrad Küster, a. a. O., S. 231, hob die Takte 8–10 hervor, die im Chorsatz »noch neunmal eintreten« und damit »30 der 114 Takte« bestimmen. Indes dürften hier nur rhythmische Formeln gemeint sein, während in Takt 9 der Wechsel von der I. zur VI. Stufe die erste der Quintketten eröffnet, die im Verlauf tatsächlich omnipräsent sind.
114 Vgl. Neumann, S. 29, wonach die »Fughetten« über »einem fünfmaligen Basso ostinato« durch »zwei- bzw. dreistimmige akkordliche Verdickung« eines dritten Kontrapunkts ausgefüllt werden«.

Notenbeispiel 9

3. Chorsätze

wird die vokale Fuge, die bisher chorisch eröffnet und instrumental aufgefüllt wurde, von vornherein mit der instrumentalen Motivik verbunden, die zugleich die Nahtstellen der Satzglieder überbrückt. Obwohl sich Vokal- und Instrumentalpart vielfach kreuzen, entsteht ein sechs- bis siebenstimmiger Satz, dessen motivisches Netzwerk ein Höchstmaß der Verdichtung beweist. Die Quintprogressionen beziehen ihr Gewicht aus den kontrapunktisch eingeführten Vorhalten, die zugleich harmonisch wirksam werden. Der Terminus »Choreinbau« genügt hier noch weniger als sonst, um die Kantabilität der vokalen Stimmführung anzudeuten. In der Struktur des Satzes gründet seine Ausdrucksmacht, deren pastorale Gestimmtheit durch die drängenden Rufmotive intensiviert wird.

Nachdem das Permutationsschema in BWV 104:1 durch die Dominanz der Ritornellmotivik verdrängt wurde, läge die letzte Konsequenz im Ersatz der Fuge durch das Material des Ritornells. Wird dieser Schritt in BWV 37:1 »Wer da gläubet und getauft wird« vollzogen, so fällt das Resultat ebenso stringent wie überraschend aus. Einerseits enthält der letzte große Eingangschor des Jahrgangs keine gesonderte Fuge (weshalb er von Neumann übergangen wurde). Andererseits beginnt er mit einem ausgedehnten Ritornell, das mehr als ein Viertel des Umfangs beansprucht. Dennoch liegt weniger ein konzertanter als ein motettischer Satz im ³⁄₂-Takt vor, der durch Viertel- und Achtelwerte ausgefüllt wird. Da nur die erste Hälfte des Bibelverses benutzt wird, kann jeder Satzteil den ganzen Text verwenden (Mk. 16:16a, »Wer da gläubet und getauft wird, der wird selig werden«). Dem Vorspiel folgen zwei Chorblöcke, die das Material des Ritornells aufgreifen, sodass Dürr sie als Varianten einer »Einleitungssinfonie mit Choreinbau« bezeichnete.[115] Da sich die Motivik des Ritornells auf die Deklamation der Textglieder bezieht, ließe sich mit gleichem Recht sagen, die »Sinfonie« sei vokal konzipiert. Dass beide Sichtweisen möglich sind, beruht auf der engen Verquickung von Instrumental- und Vokalpart (Notenbeispiel 10). Sie gründet im Primat eines Satzmodells, dessen erster Block aus vier übereinandergeschichteten Kontrapunkten besteht (T. 1–9). Zum eröffnenden Quartsprung der Oberstimme (a) tritt ein Kontrapunkt aus repetierten Vierteln (b), der durch Achtelketten in Gegenbewegung ergänzt wird. Von gleichem Gewicht wie die fallende Basslinie (e) sind die Gegenstimmen (c und d), die das Gerüst in Halben ergänzen.[116]

1–9 »Kern«	9–16 (~ 1–9)	16–19	19–24	24–27
a-b-c-d-e	Transposition	Modulation	Quintkette	Kadenz
A – E	E – h	h – fis	Cis – E	E – A

---

115 Dürr, Die Kantaten, Bd. 1, S. 280. Ähnlich meinte Konrad Küster, a. a. O., S. 235, der »gesamte Vokalteil« beruhe »auf der Grundlage des Ritornells«, in dessen »Ablauf« die Chorstimmen »eingebaut erscheinen«.

116 Dürr, a. a. O., S. 279, sah in der Basslinie eine Analogie zur letzten Zeile der Melodie »Wie schön leuchtet der Morgenstern« und in der kontrapunktierenden Viertelkette den Beginn von Luthers Weise zu »Dies sind die heilgen zehn Gebot«. Während die Basslinie nach den ersten Blöcken nur noch im »Vorbau« wiederkehrt (T. 28–42 und 33–36), fehlen im Kontrapunkt gegenüber Luthers Fassung zwei Tonrepetitionen. Derlei Allusionen mögen dem Satz zwar eine weitere Dimension hinzufügen, ohne jedoch seine Struktur zu tangieren.

Notenbeispiel 10

Wo der Block auf der Dominante wiederkehrt, führt er statt zur Doppeldominante zur Variante. Zugleich werden die Motive umgeschichtet, wiewohl kein strenger Stimmtausch vorliegt (T. 9–16). Die Fortspinnung setzt mit dem zweiten Kontrapunkt an und lenkt über eine Quintkette zur Tonika zurück (T. 16–27). Die Gliederung des Ritornells ist die Prämisse für die eigenwillige Umdeutung der Einbautechnik, doch kann die Übersicht nur die Relationen der Satzblöcke andeuten, ohne die Varianten der Stimmführung zu erfassen.

Ritornell	**Chorblock I**					
1–27 instrumental	27–32 vokal	32–40	40–45	45–50	50–55	55–63
a-b-c-d-e	a, c, e	(~ 1–9)	(~ 27–32)	(~ 8–13)	$c^v + e^v + b$	(~ 19–27)
	imitatorischer Vorbau	+ Chor	+ Chor	+ Chor	+ Chor	+ Chor
A – E – A	A	A – E	E	E	E – cis	cis – E

Chorblock II

63–71 (~ 32–40)	71–79 (~ 32–40)	79–87 (~ 55–63)
(~ 1–9)	(~ 1–9)	(~ 19–27)
+ Chor	+ Chor	+ Chor
E – h	H – fis	fis – A

Wie der vokale »Vorbau«, der mit den Motiven a und d einen quasi motettischen Vorspann bildet (T. 27–32), entstammt auch das nach cis-Moll modulierende Gelenkstück nicht dem Ritornell, obwohl es das Sequenzmotiv b mit Varianten der Glieder c und e verbindet (T. 50–55). Dass der zweite Chorblock weit kürzer als der erste ist, liegt nicht nur am Ausfall dieser beiden Gruppen, sondern auch an der Konzentration auf die Anfangs- und Schlussphase des Ritornells. Man müsste den Satz im Detail analysieren, um an scheinbar analogen Phasen zu zeigen, wie souverän die Stimmzüge umgeschichtet und gemäß der Harmonik modifiziert werden. Zudem tragen Exkurse nach h-, fis- und cis-Moll dazu bei, dass der Satz trotz ständiger Rekurse auf das Ritornell nicht redundant wirkt. Dennoch wäre der Begriff »Choreinbau« unpassend, da kein chorischer Block in einen Instrumentalsatz eingefügt wird, sondern Vokal- und Instrumentalstimmen motivisch verflochten und zugleich variiert werden. In der Verschmelzung kontrapunktischer und konzertanter Verfahren markiert der Satz den Endpunkt der Arbeitsphasen, die Bach in den Eröffnungschören des Jahrgangs durchmaß.

Die drei letzten Sätze zeigten, dass es Bach weniger um ein Fugenideal als um eine ebenso dichte wie flexible Kombinatorik ging, die in jedem Werk eine eigene Lösung fand. Es wäre ein Missverständnis, den Sätzen einen Mangel an Konsequenz vorzuwerfen. Maßgeblich ist die Variabilität, mit der ihre Elemente ineinandergreifen. In den Chorfugen bilden die fugierten Phasen nur eine Ebene neben anderen. Von der Tradition, auf die sich die motettischen Sätze konzentrieren, zehrt auch der Vokalpart der Chöre, die keine Fugen aufweisen. Gleiches Gewicht hat der konzertante Satz, sofern das Ritornell nicht nur der Gliederung dient, sondern einen motivischen Vorrat bietet, von dem der Instrumentalpart ausgeht. Das kommt vor allem den Phasen zugute, die man als »akkordisch« zu umschreiben pflegt. Doch sollte man nicht übersehen, dass diese Abschnitte auf Quintketten beruhen und sich durch ihre eindringliche Deklamation und ihren obligaten Instrumentalpart auszeichnen. Der Begriff »Choreinbau« wäre missverstanden, wenn man darunter nur den Zutritt des Vokalparts verstünde. Vielmehr handelt es sich um eine Kombinatorik, die auf keine Formel zu bringen ist.

Bevor der Jahrgang zu Pfingsten und Trinitatis mit Bearbeitungen früherer Werke endete, schrieb Bach mit BWV 44 zu Exaudi nochmals eine neue Kantate. Obwohl das Werk mit einem zusammenhängenden Bibelvers beginnt (Joh. 16:2), wählte er eine zweiteilige Anlage, wie sie zuvor im Probestück zu Estomihi 1723 begegnete (BWV 22:1–2). War sie dort im Wechsel von Anrede und Bericht begründet, so liegt hier ein an die Jünger gerichtetes Christuswort vor, dessen Aussagen auf ein Duett für Tenor und Bass mit zwei Oboen und ein kurzes Tutti für Chor und Orchester verteilt werden (»Sie werden euch in den Bann tun« – »Es kommt aber die Zeit…«). Während das Duett die kleine Reihe der geringstimmigen Dicta beschließt, verbleiben dem Tutti drei Textglieder, die dreimal durchlaufen werden. Wird die erste Gruppe (A = T. 1–14) in einer transponierten und zugleich gekürzten Fassung wiederholt (A' = T. 14–25), so bildet die dritte eine komprimierte Variante (A'' = T. 25–35). Im ersten Durchgang (A) steht zwei Akkordblöcken, in denen Chor und Instrumente taktweise wechseln (»Es kommt aber die Zeit«), am Ende eine Quintkette gegenüber, in der die führenden Außenstimmen von Mittelstimmen und Instrumenten ergänzt werden (»er tue Gott einen Dienst daran«). Das Zwischenglied (»daß, wer euch tötet, wird meinen«) wird durch eine chromatische Kette akzentuiert, in der ein nach g-Moll gerichteter D^v von Quartsextakkorden in b- und as-Moll abgelöst wird. Die Konstruktion basiert auf einer chromatisch sinkenden

Basslinie, die der Generalbass mit repetierten Achtelnoten markiert, während er sonst die Satzteile in Sechzehnteln zusammenfasst. Die Abstufung der Glieder wird in der letzten Gruppe (A″) durch ein Imitationsfeld ersetzt, in dem die Chromatik ihren konstruktiven Rang verliert.

So folgerichtig die Reihe zwischen den eingangs und den zuletzt genannten Sätzen wirkt, so wenig lässt sich von einer durchgehenden Entwicklung sprechen. Dazwischen lagen nicht nur Wiederaufführungen und Solosätze, sondern neben den Alla-breve-Sätzen auch die Choralkombinationen. Im Vergleich mit den letzten Weimarer Chorsätzen könnten die Eingangschöre aus BWV 75 und 76 fast als Rücksprung erscheinen, solange man nicht wahrnimmt, dass sie im Verhältnis freier und fugierter Phasen eine andere Lösung suchen. Wie die französischen Ouvertüren in BWV 119 und 194 entzieht sich auch der konzertante Satz aus BWV 109 einer teleologischen Sicht. Bemerkenswert sind zugleich die Ansätze zur Verschränkung fugierter und konzertanter Satzphasen. Dass sich die fugierten Abschnitte vom Permutationsschema lösten, war das Resultat ihrer Paarung mit einem genuin konzertanten Instrumentalsatz. Voreilig wäre jedoch die Annahme, Bach habe diesen Weg geradlinig fortgeführt. Der Concertosatz mit Ritornellen und obligaten Instrumenten war zwar eine Voraussetzung für die Eingangschöre der Choralkantaten im zweiten Jahrgang, doch implizierten die Choralweisen andere Prämissen als bisher. Eine Konstante blieb jedoch die reiche Kombinatorik, die den Eingangschören ihr individuelles Profil gab. Erst in ihrer Folge konnte ein Satz wie der Eingangschor der Johannes-Passion entstehen, dessen Quintketten mit dem in BWV 40 erprobten Zirkelkanon verbunden wurden.

4. Solistische Spruchvertonungen

Dem Eingangssatz des Probestücks BWV 22 liegen zwei Verse aus dem Lukas-Evangelium zugrunde, die eine zweiteilige Anlage bedingen. Der Chorfuge »Sie aber vernahmen der keines« (Lk. 18:34) geht ein erster Teil voraus, der nach den Eingangsworten (»Jesus nahm zu sich die Zwölfe und sprach«) sein Zentrum in der Leidensankündigung findet (»Sehet, wir gehn hinauf gen Jerusalem« (Lk. 18:31). Beide Verse werden durch ein Basssolo verbunden, das ariose Züge trägt, ohne als Arioso bezeichnet zu werden.[117] Während der Streichersatz durch eine Oboe erweitert wird, hat der Continuo partiell obligate Funktion. Im Vorspiel bildet eine fallende Skalenfigur des Continuo das Fundament für das dialogische Verhältnis der beiden Oberstimmen. Während die Oboe ein Thema einführt, das durch ein Motiv der ersten Violine ergänzt wird, fungieren zweite Violine und Viola als obligate, aber primär füllende Stimmen (T. 1–2). Das Modell der beiden ersten Takte wird im nächsten Zweitakter durch eine »Seufzerfigur« erweitert, die über dominantischem

---

117 Soweit den Kritischen Berichten der NBA zu entnehmen ist, werden derartige Sätze in den autographen Partituren nicht als »Arioso« bezeichnet. Zwar finden sich in den Stimmen mitunter Angaben wie »Aria tacet« oder Ähnliches, doch begegnet der Terminus »Arioso« offenbar nur in der Generalbassstimme zu BWV 154:5 (vgl. NBA I/5, hrsg. von Marianne Helms, KB, S. 82).

Notenbeispiel 11

Orgelpunkt zwischen der Oboe und der Violine wechselt (T. 3–4²) und anschließend vom Generalbass übernommen wird (T. 4³–5¹), bis das Vorspiel durch eine erweiterte Kadenz beschlossen wird (T. 5²–7¹). Die berichtenden Worte werden im Tenor deklamiert (T. 7–9), während der Generalbass an das zuvor in der Oboe eingeführte Motiv erinnert. Indem es von der Violine und Oboe übernommen wird, verklammert es die Kadenz des Tenors mit dem Wort »Siehe« in der Bassstimme (Notenbeispiel 11). Dass sich das Imitationsmotiv auf den Text der Leidensankündigung bezieht, zeigt sich erst bei den Worten »wir gehn hinauf« bzw. »und es wird alles« (T. 10 und T. 14). Obwohl die Bassstimme vom Material des Vorspiels zehrt, ist kaum von Vokaleinbau zu reden. Zwar beruhen die folgenden Takte auf dem Bassgerüst der ersten Takte (T. 10³–12³ ~ 1–2), doch bildet der Vokalbass eine Variante der Oboe, die ihrerseits den Part der ersten Violine variiert. Die nächste Taktgruppe (T. 14–15) stellt eine auf drei Stimmen reduzierte und zudem transponierte Variante dar, während ihre Fortspinnung auf die zweite Taktgruppe des Vorspiels zurückgeht (T. 16–17 ~ 3–4). Das Zwischenspiel erweist sich als Variante der ersten Takte, die auf die Subdominante transponiert und durch eine Kadenz ergänzt werden (T. 20–22). Beginnt danach im Bass ein zweiter Textdurchlauf, so wirkt er nicht als Rückgriff, sondern als neuer Ansatz in Es-Dur, der sich in eine dreistimmige Imitation des Eingangsmotivs einfügt (T. 23–24). An diesen Neuansatz, der dem tonalen Zentrum am fernsten steht, schließt sich die einzige Phase an, die auf Vokaleinbau in das Vorspiel beruht (T. 25–28 ~ 1–4, T. 31–34 ~ 3–6).

Die Beispiele mögen genügen, um deutlich zu machen, dass Bach durch den Text zu einer Lösung inspiriert wurde, deren Eigenart sich nicht in der Kombination solistischer und chorischer Teile erschöpft. Mit der Leidensankündigung war erstmals ein Text zu vertonen, der die Sphäre der Passionen berührte. So singulär die folgende Chorfuge ist, so individuell ist der Eingangsteil, dessen ariose Prägung mit dem Rückgriff auf das Vorspiel verbunden ist.

Bis Weihnachten wurde die Reihe der Eingangschöre nur ausnahmsweise von Solosätzen unterbrochen, die sich von anderen Arien nicht grundsätzlich unterscheiden, solange gedichtete Texte zugrunde liegen, wie es zuerst in BWV 167 zu Johannis der Fall ist. Am 22. und 24. Sonntag nach Trinitatis begegnen in BWV 89 und 60 erstmals solistische Eingangssätze mit Spruchtexten. Am Sonntag nach Neujahr wird dem Chor in BWV 153 nur ein eröffnender Kantionalsatz zugemutet, während hier wie in BWV 154 und 81 als Binnensatz ein »Arioso« mit Spruchtext erscheint. Erst die Werke zu Cantate, Rogate und Exaudi 1724 enthalten Solosätze, die durch ihre Texte aus dem Johannes-Evangelium eine gesonderte Gruppe bilden. Einen ähnlichen Text verwendet das eröffnende Duett der wohl schon 1723 begonnenen Pfingstkantate BWV 59, die vermutlich erst im folgenden Jahr aufgeführt wurde. Gern wüsste man, wie frei Bach in der Wahl seiner Vorlagen war. Geringstimmige Besetzungen waren zwar weniger aufwendig als Chorsätze, forderten aber bei Bibeltexten jeweils individuelle Lösungen. Die Weimarer Werke enthielten solche Texte nur in Binnensätzen, die dann in arioser Weise vertont wurden. Bei solistischen Eingangssätzen lag es dagegen nahe, sich weniger am Arioso als an der motivisch geschlossenen Arie zu orientieren. Anders als in den Chorsätzen handelt es sich hier zumeist um Texte, die als Worte Gottes erscheinen und viermal der Bassstimme übertragen werden, während sie zweimal als Duette gefasst sind.

In BWV 89 »Was soll ich aus dir machen, Ephraim« liegt dem Eingangssatz für Bass mit Oboen und Streichern ein mehrgliedriger Spruchtext zugrunde, der eine dreifache Frage mit einer abschließenden Zusage verbindet (Hos. 11:8).[118] Für den Satzverlauf ist gleichwohl das Ritornell konstitutiv, das nicht nur am Ende wiederkehrt, sondern auch den Rahmen für den Einbau des Vokalparts bildet. Die drei letzten Takte des Vorspiels kehren nach dem Eintritt der Bassstimme wieder, deren Schlussphase mit dem durch Stimmtausch variierten Ritornell gekoppelt wird (T. 42–50 ~ 1–9). Als transponierte Variante des Ritornells erscheint auch der Mittelteil (T. 32–40), und ähnlich lassen sich die weiteren Taktgruppen auf das instrumentale Material zurückführen. Während BWV 60 »O Ewigkeit, du Donnerwort« als »Dialogus zwischen Furcht u. Hoffnung« angelegt ist, verbindet das eröffnende Duett für Alt und Tenor die erste Strophe aus dem Lied von Rist mit dem Spruchtext »Herr, ich warte auf dein Heil« (1. Mose 49:18).[119] Mit der Liedstrophe beginnend, wirkt der Satz anfangs wie eine Choralbearbeitung, da der Spruchtext erst zum zweiten Stollen eintritt. Maßgeblich ist das Ritornell, das mit der Paarung von Oboen und Streichern weniger auf den Wortlaut als auf den Affektgehalt des Dialogs abgestimmt ist. Wellenförmigen Figuren der Oboi d'amore, die nach imitierendem Beginn zur Parallelführung wechseln, stehen die Streicher in akkordischem Satz gegenüber, der in

---

118 Zwar hielt es Glöckner für möglich, dass das Werk auf eine ältere Vorlage zurückging, vgl. NBA I/26, S. V; doch ist nur die Fassung von 1723 erhalten (der später eine Stimme für Corno da caccia hinzugefügt wurde).
119 Das Werk eröffnet die Reihe der Dialoge, die 1726/27 fortgeführt wurde, vgl. Verf., Gespräch und Struktur. Über Bachs geistliche Dialoge, in: Beiträge zur Bach-Forschung 9–10, Leipzig 1991, S. 45–59.

4. Solistische Spruchvertonungen **211**

repetierte Sechzehntel aufgelöst wird. Dass er dem Text der Choralstrophe entspricht, schließt nicht die Möglichkeit aus, dass die Motivik der Gruppen vertauscht werden kann. Dennoch ist sie prägnant und zugleich variabel genug, um die Choralzeilen zu überbrücken und sich mit der Vertonung des Spruchtextes zu verbinden. Während der Choral vom Alt ohne Dehnung oder Ornamentierung gesungen wird, greift der Tenor weniger das Incipit der Bläser als ihre fortspinnenden Figuren auf, die auch in die Violinen übergehen. Die Einbautechnik kann erst dort zur Geltung kommen, wo die Instrumente die Choralzeilen durch kurze Zwischenspiele trennen oder den Tenorpart begleiten. Dass der Satz trotz seiner Mehrschichtigkeit eine bemerkenswerte Geschlossenheit erreicht, liegt an Bachs Fähigkeit, die instrumentale Motivik ebenso konsequent wie flexibel auszuarbeiten.

Im Unterschied zu den Eingangssätzen werden die Spruchtexte in solistischen Binnensätzen als Ariosi für Bass und Continuo vertont. Ein erstes Beispiel findet sich in BWV 153 (Satz 3) zum Text »Fürchte dich nicht, ich bin mit dir« (Jes. 41:10). Das kurze Vorspiel kehrt am Ende in einer transponierten Variante wieder, doch fungiert es nicht als Ritornell, sondern bietet primär rhythmische Formeln, die im Vokalpart modifiziert werden. Statt dem bedeutsamen Text Nachdruck zu geben, werden seine Glieder trotz wechselnder Länge und Betonung dem Gefälle des ⅜-Takts untergeordnet. So wird das Wort »ich« aus dem Kontext gelöst und an den Textbeginn angeschlossen (»Fürchte dich nicht, ich –«). Am 2. und 4. Sonntag nach Epiphanias folgten zwei weitere Sätze mit neutestamentlichen Texten. In BWV 154:5 richtet sich die Frage des zwölfjährigen Jesus an die Eltern: »Wisset ihr nicht, daß ich sein muß in dem, das meines Vaters ist« (Lk. 2:49). Viermal setzt das erste Satzglied an, das am Beginn wie am Ende in fis-Moll steht, während die mittleren Abschnitte nach A-Dur und zurück nach fis-Moll lenken. Dagegen wird die Fortsetzung (»in dem, das meines Vaters ist«) mehrfach wiederholt und am Ende durch Melismen erweitert. Obwohl der erste und dritte Abschnitt der Frage gemäß in einem Halbschluss münden, endet der Satz mit einem Ganzschluss. Kunstvoller noch ist die Vertonung der Frage »Ihr Kleingläubigen, warum seid ihr so furchtsam?« (Mt. 8:26) in BWV 81:4. Trotz seiner Kürze wird der Text in zwei Glieder geteilt, doch weist der Satz fünf Abschnitte auf, die anfangs von h-Moll ausgehen, während der letzte mit einer »phrygischen« Klausel in H-Dur ausläuft. Auch wenn die mittleren Abschnitte nach A-Dur und fis-Moll führen, wird dabei ein Ganzschluss umgangen. Während das erste Glied mit einem Halbton oder einer Terz ansetzt, wird das zweite durch Sprünge in Achtelbewegung charakterisiert und in mehreren Varianten wiederholt. Beide Motive sind so erfunden, dass sie nicht nur imitiert, sondern auch simultan kombiniert werden können. Zwar ist ihr Verhältnis zu variabel, um von doppeltem Kontrapunkt zu reden, doch ist der knappe Satz ein Musterfall der kontrapunktischen Verarbeitung.

Im Unterschied zu diesen Sätzen war am Ende des Kirchenjahrs offenbar beabsichtigt, dreimal weitere Lösungen in solistischer Besetzung zu erproben. Die Worte »Wo gehest du hin«, die der Eingangssatz aus BWV 166 einer Rede Christi entnimmt, hätten eine chorische Vertonung zugelassen, zumal sie einer Frage der Jünger vorgreifen (Joh. 16:5). Trotzdem schrieb Bach einen Satz für Bass und Streicher (mit Oboe), der den fragenden Gestus der Worte in zweifacher Hinsicht aufnimmt. Zum einen besteht das Ritornell, das am Ende wiederkehrt und das thematische Reservoir des Instrumentalparts bildet, aus einem akkordischen Satz, dessen dreitaktige Gruppen durch Pausen durchbrochen werden, ohne dem Metrum des ³⁄₈-Takts zu gehorchen.[120] Zum anderen werden die Textworte in zwei- oder viertaktigen Gruppen deklamiert, die durchweg auftaktig ansetzen. Selbst wo die Frage »wohin« wiederholt und durch Pausen abgetrennt wird, folgt die Deklamation nicht dem rhythmischen Modus des Ritornells. Obwohl beide Ebenen voneinander unabhängig sind, werden sie durch den Instrumentalpart verklammert, der durchweg vom Material des Ritornells zehrt. Wie es zum Einsatz des Basses wiederkehrt, so kreuzt sich seine abschließende Wiederholung mit dem Ende des Vokalparts, während die ersten Takte mehrfach in den weiteren Verlauf eingefügt werden. Obgleich die Rahmenform einer Arie entspricht, lässt sich der Satz zum Umfeld der motivischen Accompagnati rechnen.

In andere Richtung weist die Vertonung des Textes »Wahrlich, wahrlich, ich sage euch« (Joh. 14:23) in BWV 86:1. Der motettische Satz für Bass und Streicher trägt dem Gewicht der Christusworte dadurch Rechnung, dass er auf den Stylus gravis zurückgreift. Obwohl das Vorspiel drei Themen in dreifachem Kontrapunkt verbindet, steht die Kombination dem Permutationsschema noch ferner als in den chorischen Sätzen. Geht man vom Abstand der Einsätze aus, so ergibt sich eine Reihe dreitaktiger Gruppen, wie sie die Übersicht bei Oechsle zeigt.[121] Doch läuft die melodische Gestalt der Themen erst im jeweils vierten Takt aus, sodass die dreitaktigen Gruppen miteinander verkettet werden. Indem sie bei Eintritt des Vokalparts getrennt und den Textgliedern zugeordnet werden, steht der dreitaktigen Gruppierung des Streichersatzes eine viertaktige Gliederung des Vokalparts gegenüber, die auch dann noch nachwirkt, wenn die vokalen Phrasen später verlängert werden. Sobald die Themen imitierend verarbeitet werden, tritt ihre Verbindung zurück. Das betrifft zumal das letzte Textglied, das nur noch zweimal auftritt (T. 39–46, 67–74 und 96–100, »so wird ers euch geben«). Zwar ließe es sich vom zweiten Kontrapunkt ableiten (»so ihr den Vater etwas bitten werdet«), der anfangs im Generalbass liegt, doch werden die fraglichen Takte als Sequenzfolge abgehoben und durch instrumentale Achtelketten ausgefüllt. Spätestens hier wird der Eindruck widerlegt, der Satz stelle eine verkappte Motette dar.[122] Seine Eigenart liegt in einer Stimmführung, die zwischen vokaler Kantabilität und instrumentaler Differenzierung vermittelt und sich damit vom Stile antico unterscheidet. Maßgeblich bleibt gleichwohl der Eindruck einer »Solomotette« im strengen Satz, wie Bach sie nicht ein zweites Mal schrieb.

Während ein Text, der eine chorische Fassung erlaubt hätte, in BWV 166 solistisch vertont wurde, entschied sich Bach in BWV 44:1 für einen Chorsatz, obwohl ein Wort Christi zugrunde lag (»Sie werden euch in den Bann tun«). Der Grund dürfte darin zu suchen sein, dass der Text – anders als in BWV 86:1 – nicht als direkte Rede verstanden werden muss. Dennoch schließt das Duett in zweifacher Hinsicht an den Satz aus BWV 86 an. Zum einen liegt eine ähnlich dichte Kontrapunktik vor, zum

---

120 Das Ritornell umfasst 15 Takte, die sich aus fünf dreitaktigen Gruppen zusammensetzen, da aber anfangs die betonte Zählzeit mehrfach durch Pausen ersetzt und erst später durch Viertelnoten gefüllt wird, scheint zunächst das Metrum zu stocken, bis es sich erst in den Schlusstakten durchsetzt.

121 Vgl. die Analyse bei Oechsle, a. a. O., S. 218–222 und hier besonders S. 221.

122 Vgl. Dürr, Die Kantaten, Bd. 1, S. 275.

4. Solistische Spruchvertonungen 213

anderen teilen Oboen, Tenor und Bass ein Material, das in kanonischer Imitation verarbeitet wird. Das Vorspiel beginnt mit einem Quintkanon der Oboen, der nach neun Takten von freier Fortspinnung abgelöst wird. Sobald die Vokalstimmen den Kanon übernehmen, wird er von den Oboen durch die Figuren der Fortspinnung ergänzt. Analog sind die beiden folgenden Textdurchläufe angelegt. Erscheint der Mittelteil als quintversetzte und zugleich gestraffte Variante des ersten Teils, so geht der letzte Abschnitt auf das Ritornell zurück. Während die kanonische Gruppe den Vokalstimmen zugewiesen und durch die Oboen ergänzt wird, bleibt die durch Vokaleinbau erweiterte Fortspinnung den Instrumenten überlassen. Da die Stimmführung aufgrund der Umschichtung modifiziert wird, wirkt der Schlussteil, der durch ein kurzes Nachspiel ergänzt wird, eher als Resümee denn als Wiederholung. Die motivische Kohärenz des Satzes wird durch die Kürze des Textes begünstigt, dessen Fortführung der Chor übernimmt. Desto größer ist der Kontrast der Teilsätze, deren Verhältnis wiederum einen Sonderfall bildet.

In diesen Zusammenhang gehört der Eingangssatz der Kantate BWV 59 »Wer mich liebet, der wird mein Wort halten«, die offenbar zum 1. Pfingsttag 1723 geschrieben, aber wohl erst ein Jahr später aufgeführt wurde. Bestimmt für die Universitätskirche, fordert das Werk, das sich auf vier Sätze eines Textes von Neumeister beschränkt, neben zwei Solostimmen und Streichern nur zwei Trompeten und Pauken. Zwar zählt es nicht zu den Kantaten für die Hauptkirchen, doch schließt der erste Satz mit einem Christuswort (Joh. 14:23) an die solistischen Spruchvertonungen an. Obwohl die Besetzung bescheidener als in anderen Festkantaten ist, verleiht sie dem eröffnenden Duett ein konzertantes Gepräge. Das siebentaktige Vorspiel, das am Ende wiederholt wird, teilt mit dem Vokalpart im Grunde nur das Kopfmotiv. Da seine Motivik nicht nur in den Zwischenspielen verwendet, sondern auch mit den Vokalstimmen kombiniert wird, erfüllt es zugleich die Aufgaben eines Ritornells. Der Vokalpart gliedert sich in fünf Teile, die den umfangreichen Text in jeweils acht Takten durchlaufen und durch instrumentale Taktgruppen getrennt werden. Nur die drei ersten Worte werden wiederholt, während der weitere Text syllabisch deklamiert und durch kleine Melismen bereichert wird. Gleichwohl werden die Abschnitte durch Imitationen eröffnet, die auch die weitere Stimmführung erfassen. Würden nicht die intervallischen Abstände wechseln, so wäre fast von zweistimmigen Kanons zu reden, die erst in den kadenzierenden Takten enden. Während die drei ersten Abschnitte zur V., VI. und II. Stufe lenken, führt der letzte von der IV. zur I. Stufe zurück. In der Kombination eines vokalen Duos mit konzertantem Instrumentalpart und kanonischer Imitation entspricht das Duett den Eingangschören, sodass es 1725 in BWV 74:1 durch zwei Vokalstimmen, drei Oboen und eine dritte Trompete zum Tuttisatz erweitert werden konnte. In der Kette der solistischen Spruchvertonungen ist der Satz aus BWV 59 ein letztes Glied, sofern seine Struktur die Grenze zu den Eingangschören unterläuft.

Das Spektrum der geringstimmigen Sätze reicht von der Arie und dem Arioso über den Choraldialog und die Solomotette bis zum kanonischen Quintett und konzertanten Duett. Es lässt damit erkennen, dass Bach nicht von vornherein über ein Modell verfügte. Mit der pragmatischen Absicht, den Chor zu entlasten, verbanden sich kompositorische Aufgaben, die auf höchst verschiedene Weise zu lösen waren.

Wollte man die Sätze auf einen Nenner bringen, so ließe sich nur sagen, dass ihre Qualität die Kehrseite ihrer Individualität ist.

5. Chorische und solistische Choralsätze

Dass die ersten zehn Choralsätze, die Bach in Leipzig schrieb, eine gesonderte Gruppe bilden, wurde erst sichtbar, als ihr Umfeld in den Blick trat. Auch wer sich scheut, die Sätze als Indizien eines »Finalproblems« aufzufassen,[123] wird ihre Eigenart nicht verkennen können. Nur noch einmal wird der Weimarer Typus mit instrumentaler Oberstimme aufgenommen, während alle anderen Sätze durch instrumentale Zwischenspiele charakterisiert werden. Dieser Satztyp zählte zum Repertoire der mitteldeutschen Tradition, die in Leipzig durch Bachs Vorgänger Kuhnau vertreten worden war. In den ersten Kantaten, mit denen sich Bach den Leipziger Hörern vorstellte, verband er das Vorhaben, möglichst vielfältige Werke zu präsentieren, mit der Absicht, der Tradition des Amtes Respekt zu zollen. Das mag spekulativ klingen, doch lässt sich andernfalls kaum die Frage beantworten, warum Bach anfangs derartige Choralsätze schrieb und sich erst danach für jenen Satztyp entschied, der gemeinhin als »Bachchoral« bezeichnet wird. Trotzdem folgen die Sätze keinem gleichbleibenden Typ, sondern zeigen ebenso vielgestaltige Varianten wie alle anderen Gruppen.

Die Reihe begann mit dem Schlusschoral der Kantate BWV 22, die als Probestück für Estomihi 1723 entstand (während die Choralbearbeitung aus BWV 23 wohl noch in Weimar begonnen wurde).[124] Doch blieb der Satz aus BWV 22 kein Einzelfall, sondern wurde zum Modell für die folgenden Choralsätze. Während für den 5. und 6. Sonntag nach Trinitatis keine Aufführungen belegt sind, griff Bach zu Mariä Heimsuchung und am folgenden 7. Sonntag nach Trinitatis auf die 1716 in Weimar entstandenen Kantaten BWV 147 und 186 zurück. Dabei wurden einzelne Sätze umgearbeitet, vor allem aber wurden beide Werke durch eingefügte Rezitative auf zwei Teile erweitert, die – wie zuvor BWV 75 und 76 – mit zwei Strophen desselben Chorals enden. Als am 3. Sonntag nach Trinitatis die Weimarer Fassung von BWV 21 aufgeführt wurde, unterblieb eine solche Erweiterung, da das Werk ohnehin zwei Teile enthielt, zu denen eine umfangreiche Choralbearbeitung gehörte. Doch bleibt festzuhalten, dass die Sätze dieser Phase einen obligaten Instrumentalpart aufweisen, auf den die folgenden Kantaten verzichten. Abgesehen vom Sonderfall in BWV 136 entsprechen alle übrigen Choräle dem Typus des durch Zwischenspiele erweiterten Kantionalsatzes.

---

[123] Vgl. Verf., Die Tradition in Bachs vokalen Choralbearbeitungen, in: Bach-Interpretationen, hrsg. von Martin Geck, Göttingen 1969, S. 29–56, hier S. 44 ff.

[124] Vgl. Christoph Wolff, Bachs Leipziger Kantoratsprobe und die Kantate BWV 23, in: BJ 1978, S. 88. Im Blick auf die Beteiligung von Zink und Posaunen musste der Schlusschoral als BWV 23 vor der Erstaufführung transponiert werden, sodass die Oboen durch Oboi d'amore ersetzt werden mussten, die Bach hier erstmals verwendete. Vgl. Christoph Wolff, a. a. O., S. 83 f., sowie Christian Ahrens, Johann Sebastian Bach, Johann Heinrich Eichentopf und die Hautbois d'amour in Leipzig, in: BJ 2014, S. 45–60.

Estomihi	22:5	Ertöt uns durch dein Güte	Kantionalsatz mit Ritornellen
1. p. Trin.	75:7	Was Gott tut, das ist wohlgetan, muß …	zwei gleiche Kantionalsätze mit Ritornellen
	75:14	Was Gott tut, das ist wohlgetan, dabei …	
2. p. Trin.	76:7	Es woll uns Gott genädig sein	zwei gleiche Kantionalsätze mit Zwischenspielen
	76:14	Es danken, Gott, und loben dich	
4. p. Trin.	24:6	O Gott, du frommer Gott	Kantionalsatz mit Zwischenspielen
Johannistag	167:5	Sei Lob und Preis mit Ehren	Kantionalsatz mit Ritornellen
Mariä Heimsuchung	147:6	Wohl mir, daß ich Jesum habe	zwei gleiche Kantionalsätze mit Ritornellen
	147:10	Jesus bleibet meine Freude	
7. p. Trin.	186:6	Ob sichs anließ, als wollt er nicht	zwei gleiche Kantionalsätze mit Ritornellen
	186:11	Die Hoffnung wart' der rechten Zeit	
8. p. Trin.	136:6	Dein Blut, der edle Saft	Kantionalsatz mit instrumentaler Oberstimme
9. p. Trin	105:6	Nun ich weiß, du wirst mir stillen	Kantionalsatz mit Zwischenspielen
10. p. Trin.	46:6	O großer Gott von Treu	Kantionalsatz mit Zwischenspielen

Breig unterschied zwischen Formen mit und ohne »Ritornellbildung«,[125] doch werden die Zeilen in beiden Varianten durch Pausen getrennt, die von den Instrumenten mit dem Material gefüllt werden, das zu den Choralzeilen verwendet wird. Breigs Analysen beschreiben demnach keine formalen Unterschiede, sondern eine satztechnische Differenzierung, die am Instrumentalpart sichtbar wird. Die Eigenart der Sätze wird klarer fassbar, wenn man ihr Verhältnis zu einer Tradition erfasst, die den Leipziger Hörern noch vertraut gewesen sein dürfte. Begründet durch die Sätze, die einst Johann Rosenmüller als Thomasorganist geschrieben hatte, war der Kantionalsatz mit instrumentaler Figuration in den Kantaten der mitteldeutschen Kantoren zur Norm geworden.[126] In der Regel handelte es sich dann um Skalen- oder Dreiklangsfiguren, die sich den Prämissen der Choralmelodien anpassen ließen. Obwohl der Thomaskantor Johann Schelle mitunter rhythmisch prägnantere Bildungen erfand, fungierten die Zwischenspiele noch nicht als Ritornelle. Diese Stufe, die die Kenntnis aktueller Ritornellformen voraussetzt, wurde erst von Johann Kuhnau erreicht, dessen Kantate »Wie schön leuchtet der Morgenstern« einen entsprechenden Satz enthält.[127] Das viertaktige Vorspiel, das am Ende wiederholt wird, besteht aus Varianten einer Figur, die komplementär zwischen den Streichern und dem Generalbass wechseln. Indem die Gruppe sequenziert und durch eine Kadenz beschlossen wird, erweitert sie sich zu einem kleinen Ritornell, dessen Motivik mit dem Vokalsatz kombiniert wird. Zwar werden die Zeilen blockweise zusammengefasst und durch kurze Pausen getrennt, in denen kein Raum für das komplette

---

125 Breig, Das Finalproblem in Bachs frühen Leipziger Kirchenkantaten, in: Festschrift Arno Forchert, hier S. 98.
126 Dazu Verf., Die Choralbearbeitung in der protestantischen Figuralmusik zwischen Praetorius und Bach, Kassel u. a. 1978, S. 284–289 und 318–328 sowie die Notenbeispiele 61–62 und 65–66 auf S. 515 f. und 520.
127 Vgl. die Edition in DDT 58–59, S. 292–300.

Ritornell bleibt. Da die Harmonisierung aber nicht über die Grundstufen hinausgeht, kann die instrumentale Motivik den gesamten Satz bestimmen.

Vor diesem Hintergrund zeichnet sich Bachs eigener Ansatz desto klarer ab. Der Satz aus BWV 22 enthält ein viertaktiges Ritornell, dessen ständige Sechzehntelbewegung an ältere Muster gemahnen könnte. Da die Unterstimmen an ähnlich starren Modellen festhalten, wird der Instrumentalpart durch seine gleichmäßige Rhythmik geprägt.[128] Zugleich bildet aber die Oberstimme eine melodische Linie aus, die auf einem zweitaktigen Akkordgerüst basiert, während der Vokalpart dem Typus des differenzierten Kantionalsatzes entspricht, den Bach schon in einigen Weimarer Sätzen ausgeprägt hatte. Dass das Ritornell auf den Stufenwechsel des Chorals berechnet ist, lässt bereits die erste Zeile erkennen, die von B-Dur nach g-Moll lenkt. Im Orchester erklingen dazu die beiden ersten Takte des Ritornells, die eine Terz abwärts versetzt und durch eine entsprechende Gruppe erweitert werden. Das Ritornell füllt also nicht nur die Pausen aus, sondern verbindet die Zeilen in dem Maß, in dem es mit ihnen verkettet wird.

In BWV 75 wird der Typus insofern modifiziert, als die instrumentale Figurenkette des Ritornells zugleich die Töne der ersten Choralzeile umspielen. Wie Breig gezeigt hat, besteht der Instrumentalsatz aus einer Figur, die einmal auf die Oberquinte versetzt wird, während ihre Position sonst von der Harmonik der vokalen Choralzeilen abhängt.[129] Dagegen greift der folgende Satz aus BWV 76 auf zwei Spielarten der älteren Tradition zurück, indem er ein rhythmisch geprägtes Ritornell mit dem Prinzip der doppelten Zeilenbearbeitung verbindet.[130] Die phrygische Weise zu »Ach Gott, vom Himmel sieh darein« vertrug sich kaum mit einer Ritornellform, die auf die Dur-Moll-Tonalität angewiesen war.[131] Bach entwarf daher eine obligate Violinstimme, die durch synkopische Vorhalte geprägt wird, während der Generalbass an einer halbtaktigen Formel festhält, mit der die Taktschwerpunkte akzentuiert werden. Die erste Zeile des Chorals wird durch die Trompete vorweggenommen, während den folgenden Zeilen nur ihre ersten Töne vorangehen, die anschließend vom Sopran wiederholt werden. Indem die Außenstimmen die Pausen überbrücken, verdecken sie die Nahtstellen zwischen den instrumentalen Zitaten und den vokalen Reprisen der Choralzeilen.

Statt mit einem Ritornell beginnt der Schlusschoral aus BWV 24 mit der ersten Choralzeile, nach der ein Zwischenspiel folgt, das zur zweiten Zeile fortgeführt wird und in der dritten Zeile endet. Der Instrumentalsatz bildet also kein Ritornell, sondern besteht aus Varianten einer Seufzerfigur, die die Akkorde des Choralsatzes umspielen. Wie die Phrasenlänge des Orchesterparts wechselt auch die Dauer seiner Paarung mit den Choralzeilen, die ohnehin nur ein oder zwei Takte umfassen.[132] In BWV 167 wird das Fehlen eines Eingangschors durch den ausgedehnten Schlusschoral ausgeglichen, dessen Länge durch den Umfang der Melodie des Liedes »Nun

---

128 Vgl. dazu die Analyse bei Breig, a. a. O., S. 98 f.
129 Ebd., S. 100 f.
130 Vgl. die in Anm. 126 zitierte Arbeit (S. 291 ff.) mit Hinweisen auf den in Leipzig gepflegten »Doppelzeilensatz« sowie Notenbeispiel 77 mit einem Satz Kuhnaus, dessen Ritornell primär rhythmisch geprägt ist.
131 Auch in BWV 2:1, 101:1 und 38:1 werden entsprechende Vorlagen in motettischer Weise verarbeitet.
132 Vgl. dazu die Angaben bei Breig, a. a. O., S. 102.

lob mein Seel den Herren« bedingt ist. Um die zwölf Zeilen zu verbinden, griff Bach auf ein Ritornell zurück, das desto mehr beansprucht werden muss. Als Gegengewicht dient die stufenreiche Harmonisierung des Chorals, an die der Instrumentalpart angepasst wird.[133] Den Ausgleich zwischen der motivischen Geschlossenheit und der harmonischen Vielfalt übernehmen die Figuren des Ritornells, die den Akkordverband umspielen. Die Qualität des Satzes gründet nicht zuletzt in dem Ritornell, dessen Figuration geradezu motivische Prägnanz besitzt.

Ebenso anspruchsvoll wie unterschiedlich sind die Sätze angelegt, mit denen die Teile der erweiterten Kantaten BWV 147 und 186 enden. In BWV 147 werden zwei Strophen eines Liedes von Martin Jahn mit der Melodie zu »Werde munter, mein Gemüte« verbunden, deren Zeilen mit Terzanstieg beginnen und in Gegenbewegung auslaufen. Dazu konzipierte Bach ein Ritornell, dessen Beginn das Initium der Zeilen mit triolischen Achten umspielt, während die Fortspinnung die Töne der ersten Zeile nachzeichnet. Gegliedert in zwei viertaktige Gruppen, die der Länge der Choralzeilen entsprechen, verleiht das mehrfach wiederholte Ritornell der Bearbeitung ein ungewohnt periodisches Gepräge. Die »Eingängigkeit«, die Breig dem Satz attestierte, verdankt er weniger dem Mangel an Kontrasten als der subtilen Verbindung seiner Schichten.[134] Von diesem intimen Satz hebt sich das Pendant aus BWV 186 (Satz 6) durch die erweiterte Besetzung ab. Zwei Strophen des Liedes »Es ist das Heil uns kommen her« werden mit einem Ritornell gekoppelt, das neben den Streichern zwei obligate Oboen verwendet. Beide Gruppen alternieren in halbtaktigem Abstand, bis sie in der Kadenz zusammengefasst werden. Dem halbtaktigen Wechsel entspricht eine Motivik, die sich flexibel in den Choralsatz einfügt. In ihren Dreh- und Skalenfiguren, die auf die Oboen und Violinen verteilt werden, verbergen sich Breig zufolge die Töne der ersten Choralzeile.[135] Je mehr sie sequenziert und transponiert werden, desto eher werden sie aber zu neutralen Bausteinen, die mit dem Choral nach Maßgabe seines Stufenwechsels verknüpft werden können. Während der Sopran die Zeilen anstimmt, setzen die Unterstimmen zwei Zählzeiten später ein. Indem sie auf wenige, in Achtel aufgelöste Töne gestrafft werden, erweitert sich zugleich der Spielraum der instrumentalen Motivik.

Dagegen verzichten die drei folgenden Sätze darauf, den Kantionalsatz mit Ritornellen zu verknüpfen. Am klarsten wird das im Schlusschoral aus BWV 136, dessen Zeilen nicht mehr durch Pausen getrennt werden. Sofern der Satz eine zusätzliche Violinstimme enthält, weist er auf die entsprechenden Weimarer Sätze zurück, von denen er sich zugleich durch die gleichmäßige Bewegung der Zusatzstimme unterscheidet. Zwei weitere Sätze zeigen zwar wieder Pausen zwischen den Zeilen, doch begnügen sich die Streicher in BWV 105 damit, die Akkorde des Vokalsatzes »Du wirst mein Gewissen stillen« in repetierte Töne aufzulösen. Das »Tremolo« war zwar bei affektvollen Texten ein traditioneller Topos, doch erhält es hier eine eigene Note durch seine zeilenweise Verlangsamung, die von Sechzehnteln über triolierte Viertel und Achtel bis zu Vierteln und einer halben Note reicht. Dass der

---

133   Ebd., S. 103.
134   Vgl. dazu aber ebd., S. 104.
135   Ebd., S. 104 f.

Satz damit dem Text entspricht, muss kaum eigens gesagt werden. Bemerkenswerter ist es, dass seine rhythmische Differenzierung auch die Zwischenspiele einschließt, die zugleich intervallisch aufeinander bezogen werden. Ausgehend von der Oktave oder Quinte der Schlussklänge der vorangehenden Zeilen, durchmessen sie in Halbtönen einen fallenden Quart- oder Terzrahmen, der in den Beginn der nächsten Zeile einmündet. Ähnlich wird in BWV 46:6 der Vokalsatz von den Streichern in repetierte Achtel zerlegt, während er zugleich durch zwei Flöten erweitert wird. Sie steuern jedoch nur kurze Zwischenspiele bei, deren Motivik nicht mit dem Choralsatz kombiniert wird. Der Grundriss der ersten Sätze wird also prinzipiell beibehalten und durch die instrumentalen Zusatzstimmen bereichert.

Obwohl die Sätze überaus affektvoll sind, wird der satztechnische Aufwand deutlich reduziert. Seit dem 11. Sonntag nach Trinitatis entschied sich Bach für den vierstimmigen Kantionalsatz, den er schon in Weimar ausgebildet hatte. Das schloss allerdings gelegentliche Ausnahmen nicht aus. In BWV 138 steht den beiden ersten Sätzen, die zwei Strophen aus »Warum betrübst du dich« verwenden, im Schlusschoral der dritte Vers desselben Liedes gegenüber. Der differenzierte Kantionalsatz wird mit dem Material eines Ritornells gepaart, das mit skalaren Zweiunddreißigsteln das Akkordgerüst umkreist. Mutet dieses Werk fast als erweiterte Choralkantate an, so folgt die Kantate BWV 109 »Ich glaube, lieber Herr« dem Ende der Reihe der Werke mit choralbezogenen Kopfsätzen. Dem konzertanten Eingangschor tritt der Schlusschoral »Wer hofft in Gott und dem vertraut« gegenüber, in dem die Weise »Durch Adams Fall ist ganz verderbt« im Sopran auf halbe Noten gedehnt wird, während die akkordisch gebündelten Unterstimmen erst nach Beginn der Zeilen folgen. Mit einem quasi motettischen Chorsatz verbindet sich ein ungewöhnlich eigenständiger Instrumentalpart. Seinen Nachdruck bezieht er aus der komplementären Markierung der Zählzeiten, die durch auftaktige Figuren ausgefüllt werden. Mit nahezu 90 Takten, die überwiegend von den Instrumenten bestritten werden, rückt der Satz wie keiner zuvor in das Vorfeld der Choralkantaten.

Gelegentlich kommt noch der Weimarer Typus mit Zusatz einer instrumentalen Oberstimme vor (BWV 95:7 »Weil du vom Tod erstanden bist«), während der Schlusschoral der Neujahrskantate BWV 190 an den Zeilenschlüssen durch Trompetenfanfaren bereichert wird (Satz 7 »Laß uns das Jahr vollbringen«). Trotz dieser Ausnahmen wurde der vierstimmige Kantionalsatz fortan zur Norm. Seinen begrenzten Rahmen suchte Bach durch eine differenzierte Stimmführung auszugleichen, die ihm Gelegenheit gab, die Affekte oder die Worte der Texte nachzuzeichnen.[136] Ein erstes Beispiel ist der Schlusschoral »Ich armer Mensch, ich armer Sünder« (BWV 179:6), mit dem die Reihe der Kantionalsätze am 8. August begann. Sein ungewöhnlicher Dissonanzreichtum ist das Resultat einer chromatischen, aber streng kontrapunktischen Stimmführung, die wiederholt zur Einführung von Sechzehnteln und in der vorletzten Zeile zur Trennung der vokalen Bass- und der Continuostimme führt.[137] Während eine Woche später in BWV 69a:6 ein Weimarer Satz wiederholt wurde

---

136 Vgl. dazu Werner Breig, Grundzüge einer Geschichte von Bachs vierstimmigem Choralsatz, in: AfMw 45, 1988, S. 165–185 und 300–319, hier besonders S. 300–310.
137 Vgl. die eingehende Analyse ebd., S. 301 ff.

5. Chorische und solistische Choralsätze **219**

(BWV 12:7), dessen obligater Instrumentalpart entfiel, ist der nächste Choralsatz ohne Text überliefert (BWV 77:6). Zum 3. Oktober entstand der Satz »Soll's ja so sein«, der in BWV 48 an dritter Stelle steht und sich vom Schlusschoral durch die extrem dissonanzreiche Stimmführung der letzten Zeilen unterscheidet (T. 6–10). Am 7. November folgte mit »Es ist genug« (BWV 60:5), der letzte Satz, der zwar der berühmteste aller »Bachchoräle« ist, aber trotzdem nicht als repräsentativ gelten kann.[138] Bezeichnender sind Sätze wie der Schlusschoral »Leit uns mit deiner rechten Hand« (BWV 90:5) oder der Binnensatz »Die Sünd macht Leid« (BWV 40:3), in denen einzelne Zeilen durch ihre kunstvolle und stufenreiche Stimmführung ausgezeichnet werden. Wo weitere Sätze Besonderheiten zeigen, müssen sie nicht immer durch die Texte motiviert sein. So fällt im Binnensatz »Was frag ich nach der Welt« (BWV 64:4) die Generalbassstimme auf, deren durchgängige Achtelbewegung die Zeilenenden überspielt, während der Schlusschoral »Hilf deinem Volk, Herr Jesu Christ« (BWV 119:9) ausnahmsweise in Halben notiert ist. Obwohl die Zahl der Kantionalsätze nach der Weihnachtspause durch sieben Binnenchoräle zunahm, finden sich erst im Sommer 1724 wieder zwei bemerkenswerte Fälle. In BWV 104:6 (»Der Herr ist mein getreuer Hirt«) ist die zweite Stollenzeile zu nennen, in deren Kadenz der Alt die Quinte der Tonika im Durchgang von der Terz der Dominante erreicht (gis^1-fis^1-e^1). Dagegen werden in BWV 37:6 (»Den Glauben mir verleihe«) die Stollenzeilen auffallend unterschiedlich gefasst. Zwar enden sie auf der Dominante E-Dur, doch wird der drittletzte Ton der ersten Zeile erniedrigt, während er in der dritten Zeile (»die Sünd mir auch verzeihe«) der A-Dur-Vorzeichnung entspricht. Obwohl die Differenz geringfügig wirkt, entspricht ihr eine unterschiedliche Führung der Gegenstimmen.

Der Eindruck zunehmender Regulierung wird durch solche Details nicht relativiert. Man darf wohl vermuten, dass dabei ein Moment von Arbeitsökonomie im Spiele war. Denn ein Blick auf die folgenden Kantaten zeigt, dass mit den motettischen Eingangschören und den modifizierten Choralbearbeitungen weitere Aufgaben in den Blick rückten. Dennoch waren bei der Wende zum Kantionalsatz nicht nur Aspekte der Arbeitsökonomie oder der Textdeutung maßgeblich. Vielmehr hatte der erweiterte Choralsatz eine Stufe erreicht, die bei konsequenter Fortführung über das hinausführen musste, was von einem Schlusschoral erwartet wurde. Zugleich war damit aber ein Modell gefunden, dessen weitere Entfaltung den Choralchorsätzen des zweiten Jahrgangs vorbehalten blieb.

Zu Beginn des ersten Amtsjahres dürfte Bach kaum schon konkrete Pläne für das nächste Jahr gehegt haben. Anders stand es ein Jahr später, als er den nächsten Jahrgang vorbereiten musste. Es fällt daher auf, dass die vier Kantaten zu Cantate, Rogate, Himmelfahrt und Exaudi erstmals solistische Choralsätze aufweisen. Seit dem 2. Weihnachtstag 1723 fanden sich mehrfach neben den Schlusschorälen weitere Strophen, die zumeist als Kantionalsätze gefasst wurden. Eine Ausnahme war der Vers »Valet will ich dir geben« aus BWV 95 (Satz 3), dessen Melodie durch komplementäre Figuren der Oboen kontrapunktiert wird. Zwar hat der Satz ein Gegenstück in der Weimarer Kantate BWV 199, doch schließt er mit dem vorgeschalteten

---

138 Zu BWV 48:3 und 60:5 vgl. ebd., S. 303 ff.

Rezitativ zugleich an die Verschränkung von Choral und Rezitativ an, die den Eingangssatz des Werkes kennzeichnet. Dagegen liegt es nahe, die solistischen Choralsätze, die sich erst am Ende des Jahrgangs finden, als Vorboten der nachfolgenden Choralkantaten aufzufassen.

Cantate	BWV 166:3	Ich bitte dich, Herr Jesu Christ	Sopran, Str. unisono, Bc.
Rogate	BWV 86:3	Und was der ewig gütig Gott	Sopran, Ob. d'am. I–II, Bc.
Himmelfahrt	BWV 37:3	Herr Gott Vater, mein starker Held	Sopran, Alt, Bc.
Exaudi	BWV 44:3	Ach Gott, wie manches Herzeleid	Sopran und Bc.

In Satz 3 aus BWV 166 wird der Cantus firmus auf Halbe gedehnt und durch die unisonen Streicher kontrapunktiert, deren Ambitus mit Rücksicht auf die Viola begrenzt bleibt. Das Vorspiel wird von einer mehrfach sequenzierten Figur eröffnet und in den letzten Takten durch Skalenfiguren erweitert, während sich der Generalbass auf rhythmisch markierte Achtelwerte beschränkt. Doch werden die Choralzeilen nicht in Ritornellzitate eingebaut, sondern mit variierten oder transponierten Motiven aus dem Vorspiel kombiniert. Wo die instrumentale Gegenstimme Haltetöne oder Pausen enthält, wird ihr Kopfmotiv vom Generalbass übernommen (T. 15 f., 37 f. und 30 f.). In BWV 86:3 treten zwei Oboen dem Cantus firmus und dem Generalbass gegenüber. Das Vorspiel stellt eine Motivik bereit, deren Varianten den Choralzeilen angepasst werden können. Auf sie greift der Generalbass in den Pausen des Vokalparts zurück, während er sonst nur die Zählzeiten des $^6/_8$-Takts markiert.

Gleiche Relationen könnten für den $^{12}/_8$-Takt des Satzes aus BWV 37 gelten, der jedoch ein vokales Duo mit motivisch geprägtem Generalbass darstellt. Von anderen Sätzen unterscheidet er sich durch das Verhältnis der Vokalstimmen zueinander wie zum Generalbass, der zu Beginn die drei ersten Töne der Choralweise auf Achtel verkürzt und den folgenden Quintsprung in Sechzehnteln umspielt. Da dieses Muster variiert und sequenziert wird, bildet das Vorspiel ein zweitaktiges Modell, das nicht nur vielfach abgewandelt wird, sondern wiederholt und mit dem Vokalpart verbunden werden kann. Die Choralzeilen werden vom Sopran und Alt in freier Imitation eingeführt und zugleich zunehmend ornamentiert, während ihre Fortführung eine kolorierende Erweiterung erfährt. Indem das Verhältnis der Imitationen ebenso wechselt wie das Ausmaß der Kolorierung, werden die Vokalstimmen dem Generalbass nicht nur rhythmisch angeglichen. Damit gleicht der Satz eher einer zweistimmigen Arie mit choralbezogener Motivik als einem Orgelchoral mit beibehaltenem Cantus firmus. Ein wiederum anderes Bild bietet Satz 3 aus BWV 44, dessen Zeilen vom Sopran in Vierteln gesungen und geringfügig ornamentiert werden. Begleitet vom Generalbass, werden sie durch zweitaktige Pausen getrennt. Da auch das Vor- und das Nachspiel nur zwei Takte umfassen, beschränkt sich der Umfang auf 19 Takte. Im Generalbass wird die erste Choralzeile auf Achtel diminuiert und zugleich durch einen chromatischen Quartgang erweitert, der steigend und fallend durchmessen wird. Das Motiv wird auf wechselnden Stufen den Choralzeilen vorangestellt und in verkürzter Form mit der ersten und der letzten Zeile kombiniert. Da es insgesamt siebenmal eintritt, fungiert es als quasi ostinates Modell, das im Choral gründet und zugleich den Zeilenwechsel überbrückt. Ein Jahr später kam Bach im

5. Chorische und solistische Choralsätze   221

zweiten Satz der Choralkantate BWV 3 auf dieses Verfahren zurück, um diesmal die solistischen Rezitative und die chorischen Choralzeilen durch ein ostinates Modell zu verketten, das auf einer Variante der ersten Melodiezeile beruht.

Gegenüber den erweiterten Kantionalsätzen zu Beginn des Jahrgangs zeichnen sich die solistischen Choralbearbeitungen an seinem Ende weniger durch Gemeinsamkeiten als durch Unterschiede aus. So unübersehbar die beiden ersten Sätze an Formen des Orgelchorals anschließen, so deutlich zeigen die beiden letzten ein anderes Gepräge, das dennoch nicht den Binnensätzen der folgenden Choralkantaten entspricht. Solange die Textstrophen beibehalten wurden, ließ sich von den geläufigen Satztypen ausgehen. Trotz mancher Modifikationen wurde aber nicht den Choralkantaten vorgegriffen, deren Binnensätze in der Regel gedichtete Texte bieten und nur einzelne Choralzeilen zitieren. Vielleicht stand noch nicht fest, wieweit die Strophen übernommen oder umgedichtet werden würden. Nicht ganz ausgeschlossen ist auch, dass Bach nach den ersten Solochorälen die Grenzen solcher Sätze absah und den Librettisten deshalb zu Dichtungen veranlasste, die als Rezitative und Arien vertont werden konnten. Bemerkenswert bleibt gleichwohl die Konstellation, die sich in den Choralsätzen des ersten Jahrgangs abzeichnet. Obwohl der nächste Jahrgang noch in der Ferne lag, lassen sich die erweiterten Kantionalsätze eher auf die späteren Choralchorsätze beziehen als auf die Solosätze, die kurz vor Beginn des zweiten Jahrgangs entstanden.

6. Die Instrumentalsätze aus BWV 75 und 76

Während die frühen Werke – ausgenommen BWV 71 – mit instrumentalen Einleitungen begannen, enthielten die Weimarer Kantaten sechs instrumentale Einleitungssätze, die zwar sehr verschieden, aber gleichermaßen kunstvoll angelegt waren. Desto auffälliger ist es, dass solche Sätze im ersten Jahrgang fehlen. Nur die zwei ersten Kantaten enthalten instrumentale Sätze (BWV 75:8 und 76:8), die jeweils die Seconda parte eröffnen.[139] Obwohl sie nur einen geringen Anteil des Jahrgangs bilden, müssen sie gesondert erwähnt werden. Ihre Position dürfte sich aus der Absicht erklären, den Chorsätzen, die den ersten Teil eröffnen, im zweiten Teil Instrumentalsätze gegenüberzustellen. Obwohl sie gleichermaßen als »Sinfonia« bezeichnet sind, unterscheiden sie sich grundlegend voneinander. Liegt in BWV 75:8 ein Choralsatz vor, in dem die in der Trompete liegende Melodie durch die Streicher kontrapunktiert wird, so handelt es sich in BWV 76:8 um einen Triosatz für Oboe d'amore, Gambe und Continuo. Während die Weimarer Einleitungen zu BWV 12 und 21 an langsame Sätze italienischer Solokonzerte erinnerten, übernahm Bach in den Leipziger Kantaten eigene Konzertsätze.[140] Dagegen sind die Sätze aus BWV 75 und 76 völlig anders angelegt.

---

139 Eine Möglichkeit zur Kontrolle bieten nicht nur die gedruckten Texte Francks, in denen die Einleitungen zu BWV 152 und 31 fehlen, sondern auch die späteren Kantaten BWV 188, 156 und 174, deren instrumentale Eingangssätze im Textdruck Picanders nicht vorgesehen sind.

140 Vgl. die Zusammenstellung bei Dürr, Die Kantaten, Bd. 1, S. 54 f.

Die »Sinfonia« aus BWV 75 gleicht weniger einem Orgelchoral als einem Konzertsatz mit hinzugefügter Choralmelodie. Die Choralzeilen, die von der Trompete vorgetragen werden, werden mit einer Motivik kontrapunktiert, die imitierend die Stimmen durchläuft. Beginnend mit drei repetierten Achteln, die in Sechzehnteln fortgesponnen werden, hat sie einerseits konzertanten Charakter, während ihre Vorhaltdissonanzen andererseits einem kontrapunktischen Satz entsprechen. Dass die Einsätze des Themas anfangs zwischen Sext- und Quintsprung wechseln, erinnert zwar an den Wechsel von Dux und Comes in der Fuge, doch wird die Einsatzfolge nicht konsequent fortgeführt. Das lässt sich vor allem bei Eintritt der Choralzeilen verfolgen, zu denen das Material der Gegenstimmen fortgesponnen wird, während es zugleich dem Cantus firmus angepasst werden muss. Innerhalb der Zeilen werden Terz- und Sextparallelen umgangen, die dem Ende der imitatorischen Abschnitte vorbehalten sind. Sucht man nach einem Gegenstück, so wird man an die als »Fantasia« bezeichnete Bearbeitung des Liedes »Komm, Heiliger Geist, Herre Gott« (BWV 651) denken müssen, deren Frühfassung in Weimar entstand. In der Sinfonia werden die Gegenstimmen nicht ebenso subtil auf den Cantus firmus bezogen, doch wird der Satz durch das Melodiezitat in den Kontext der Kantate integriert, deren Teile mit zwei Strophen desselben Chorals enden.

Dass Bach die Sinfonia BWV 76:8 – die keine Choralbearbeitung darstellt – um 1730 als Eingangssatz der ersten Orgelsonate verwendete (BWV 528:1), lässt sich als Bestätigung ihres kammermusikalischen Charakters auffassen. In der Verbindung einer kurzen langsamen Einleitung (T. 1–4) mit einem raschen Satz im ⅜-Takt (T. 5–65) widerspricht sie den Normen der italienischen Triosonate. Während der Generalbass als stützende Stimme fungiert, die im eröffnenden »Adagio« eine motivische Wendung der Oberstimme aufgreift (T. 3), bilden Oboe und Gambe im ausgedehnten »Vivace« einen kontrapunktischen Satz. Dass er nicht den tänzerischen Charakter hat, der die Arien im ⅜-Takt prägt, liegt an den Vorhaltdissonanzen, die im Thema angelegt sind und zur kontrapunktischen Faktur beitragen. Da sich die Stimmen über die Kopfmotive hinaus imitieren, wäre fast von kanonischen Imitationen zu reden, die allerdings kein durchgängiges Satzprinzip bilden. Auf den Kontext der Kantate bezieht sich der Satz durch die eigenartige Besetzung, die ebenso die letzte Arie des Werkes prägt (BWV 76:12 »Liebt, ihr Christen, in der Tat«). So sehr der Satz für eine Orgelbearbeitung geeignet war, so isoliert blieb er in Bachs Kantatenwerk.

Es ist nicht leicht zu sagen, warum Bach in den ersten Leipziger Kantaten instrumentale Sätze verwendete, die später erst wieder seit dem dritten Jahrgang häufiger begegnen. Will man nicht annehmen, er sei nach den ersten Werken vom Rat oder von der Kirche ermahnt worden, sich fortan kürzer zu fassen, so bleibt nur übrig, den Verzicht auf weitere Instrumentalsätze als seine eigene Entscheidung anzusehen, die sich mit der Fülle der weiteren Pflichten und mit der Konzentration auf die Ausarbeitung der folgenden Chorsätze erklären ließe. So isoliert die beiden Sinfonien sind, so deutlich zeigen sie, dass Bach von Anfang an mit Musikern rechnen konnte, deren Fähigkeiten weit über das hinausgingen, was Kuhnau zuvor von ihnen verlangt hatte.

7. Köthen versus Leipzig: Vorlagen und Parodien

Die wenigen Kantaten aus der Köthener Zeit müssten fast als Episode gelten, hätten sie nicht auf zweifache Weise ihre Spuren hinterlassen. Zum einen sind sie fast durchweg in Leipziger Kantaten aufgegangen, zum anderen sind sie mittelbar in weiteren Werken wirksam geworden.

Am 2. und 3. Ostertag und ebenso am 2. und 3. Pfingsttag 1724 griff Bach erstmals auf weltliche Kantaten zurück, die zuvor in Köthen entstanden waren. Die Texte wurden von einem unbekannten Dichter zu geistlichen Fassungen umgearbeitet, mit denen das Parodieverfahren, das in der Kantate für Störmthal erprobt worden war, in den ersten Jahrgang einzog. Wie Doris Finke-Hecklinger sah, zeichnen sich die Köthener Werke durch tänzerische Züge aus, die vor allem in den Arien hervortreten, während sie in den Chorsätzen stärker stilisiert werden.[141] Wenn solche Sätze parodiert wurden, mussten ihre Kennzeichen auch in die geistlichen Fassungen eingehen. Daher wäre zu fragen, wieweit solche tänzerischen Impulse auch in anderen Kantaten wirksam wurden. Am wenigsten dürfte das für Sätze mit Bibel- und Choraltexten gelten, die den Voraussetzungen in Leipzig Rechnung zu tragen hatten. Anders steht es mit den Arien und Chören, deren Texte sich nicht grundsätzlich von denen der Köthener Werke unterscheiden.

Friedrich Smend konnte 1951 nachweisen, dass Bach in Köthen zwischen 1718 und 1723 weit mehr Vokalwerke schrieb, als bis dahin bekannt war.[142] Am Neujahrstag und am Geburtstag des Fürsten Leopold wurden weltliche Kantaten aufgeführt, deren Komposition dem Hofkapellmeister oblag. Bis 1720 lieferte Christian Friedrich Hunold (1681–1721) unter dem Pseudonym Menantes die Texte, die in einer von ihm edierten Sammlung erschienen.[143] Nur für den 10. Dezember 1718 teilte er einen geistlichen Text mit, dessen Vertonung jedoch nicht erhalten ist. Dennoch lässt sich aus dem Sonderfall entgegen Smend nicht folgern, auch bei anderen Anlässen seien Kirchenkantaten aufgeführt worden.[144]

10.12.1718	BWV Anh. I 5	Lobet den Herrn, alle seine Heerscharen (verschollen)
10.12.1718	BWV 66a	Der Himmel dacht auf Anhalts Ruhm und Glück
10.4.1724	BWV 66	Parodie: Erfreut euch, ihr Herzen (2. Ostertag)
1.1.1719	BWV 134a	Die Zeit, die Tag und Jahre macht
11.4.1724	BWV 134	Parodie: Ein Herz, das seinen Jesum lebend weiß (3. Ostertag)

---

141 Doris Finke-Hecklinger, Tanzcharaktere in Johann Sebastian Bachs Vokalmusik (Tübinger Bach-Studien 6), Trossingen 1970, S. 134 ff.

142 Friedrich Smend, Bach in Köthen, Berlin 1951, S. 27–42; zuvor ders., Joh. Seb. Bach, Kirchen-Kantaten, Hefte V–VI, Berlin 1947/48, zitiert nach dem Reprint, Berlin 1966, S. V. 21.29 und S. VI. 5–20.

143 Auserlesene und theils noch nie gedruckte Gedichte unterschiedener Berühmten und geschickten Männer, Halle 1718–1721, vgl. Smend, Bach in Köthen, S. 174–203. Auf diese Sammlung verwies erstmals Philipp Spitta, Bachiana 1. Bach und Christian Friedrich Hunold, in: ders., Musikgeschichtliche Aufsätze, Berlin 1894, S. 89–100 (unter anderem Titel zuvor in der Festschrift für Ernst Curtius, Berlin 1884), doch ging erst Smend der Textsammlung Hunolds näher nach.

144 Ebd., S. 19, resümierte Smend, in Bachs Köthener Amtszeit seien »24 Kantaten, zur Hälfte kirchliche, zur Hälfte weltliche, einzusetzen.«

1.1.1720	BWV Anh. I 6	Dich loben die lieblichen Strahlen der Sonne (verschollen)
10.12.1720	BWV Anh. I 7	Heut ist gewiß ein guter Tag (verschollen)

Die Vorlagen weiterer Werke, die nicht auf Hunold zurückgehen, lassen sich dagegen nur aus den Quellen der geistlichen Parodien erschließen.[145]

10.12.1722 (?)	BWV 173a	Durchlauchtster Leopold
29.5.1724	BWV 173	Parodie: Erhöhtes Fleisch und Blut (2. Pfingsttag)
10.12.1721 (?)	BWV 184a	Text nicht überliefert
30.5.1724	BWV 184	Parodie: Erwünschtes Freudenlicht (3. Pfingsttag)
1.1.1723	BWV Anh. I 8	nur Titelblatt des Textdrucks erhalten
Datum ungewiss (4.6.1724)	BWV 194a BWV 194	Text unbekannt Parodie: Höchsterwünschtes Freudenfest (Störmthal, WA Trinitatis)

Wie die Daten zeigen, griff Bach zu Ostern 1724 auf die zwei ersten Köthener Kantaten zurück, während er am 2. Pfingsttag ein später entstandenes Werk verwendete. Für BWV 66 »Erfreut euch, ihr Herzen« liegt zwar nur die autographe Partitur vor, doch zeigt der Vergleich, dass die Metrik der Rezitative den Texten von Hunold entspricht und demnach den Vorlagen nachgebildet wurde.[146] Dagegen sind die autographen Partituren der beiden Kantaten BWV 134a »Die Zeit, die Tag und Jahre macht« und BWV 134 »Ein Herz, das seinen Jesum lebend weiß« erhalten. Während der erste Bogen der weltlichen Fassung BWV 134a im Zuge der Parodierung durch eine Kopie ohne Text ersetzt wurde, ist für BWV 134 der originale Stimmensatz überliefert, zu dem auch einige Köthener Instrumentalstimmen gehören.[147] Sie wurden offenbar ebenso wie die Köthener Partitur bei der ersten Aufführung von BWV 134 verwendet, während das erhaltene Partiturautograph eine spätere Fassung mit neuen Rezitativen enthält. Die autographe Partitur von BWV 173a »Durchlauchtster Leopold« bietet im eröffnenden Rezitativ den nachgetragenen Text der Parodie BWV 173 »Erhöhtes Fleisch und Blut«, die nur in einer Kopie von Christian Gottlob Meißner erhalten ist. Doch lässt sich auch hier verfolgen, dass die Rezitative dem Text der weltlichen Vorlage entsprachen.[148] Dagegen umfasst der Stimmensatz der Kantate BWV 184 »Erwünschtes Freudenlicht« einige Instrumentalstimmen der Köthener Vorlage, deren Text jedoch unbekannt ist. Als fünften Satz enthält er statt des später eingefügten Schlusschorals ein Rezitativ, von dem 36 Takte ohne Text erhalten sind, während weitere Korrekturen auf die Vorlage

---

145 Zur Datierung von BWV 173a und 184a vgl. BC IV, SG 8–9. Die nur in einer Kopie von 1730 vorliegende Kantate BWV 202 »Weichet nur betrübte Schatten«, entstand vielleicht schon in Köthen, wurde aber nicht für eine Parodie benutzt. Neben Satz 4 aus BWV 120 gehen eventuell auch Sätze aus BWV 193 auf Köthener Vorlagen zurück. Am 9. August 1722 wartete Bach in Zerbst mit der verschollenen Kantate »O vergnügte Stunden« (BWV deest) auf, vgl. Dok. II, 114, sowie Dok. V, B 113a.

146 Eine Ausnahme ist der ariose Schluss des Rezitativs Satz 4 gegenüber dem Text in Satz 3 aus BWV 66a, vgl. NBA I/10, hrsg. von Alfred Dürr, KB, S. 19–22, sowie NBA I/35, hrsg. von dems., KB, S. 59–62, doch lässt sich der Notentext von BWV 66a nicht zweifelsfrei nach der Parodie rekonstruieren.

147 Zu BWV 134a vgl. NBA I/35, KB, S. 62–65 und 86 ff.; zu BWV 134 vgl. NBA I/10, KB, S. 68 ff. und 70 f.

148 Vgl. NBA I/35, KB, S. 122–130, sowie NBA I/14, hrsg. von Alfred Dürr, KB, S. 7–15.

zurückweisen.[149] Auch zu BWV 194 »Höchsterwünschtes Freudenfest« sind nur die Stimmen der Parodie erhalten, zu denen jedoch die Instrumentalstimmen zählen. Als Satz 11 enthalten sie eine »Aria« im ³/₈-Takt mit drei Oboen und Streichern, die einen zweiteiligen Tanzsatz mit mittlerem »Trio« darstellt und vielleicht auf den ursprünglichen Schlusschor zurückgeht.[150] Wie das Rezitativ Satz 6 wurde sie in der Parodie durch einen Schlusschoral mit zwei Textstrophen ersetzt, wogegen unsicher ist, wieweit sich auch die Rezitative glichen.

Die folgende Übersicht nennt neben der Satzfolge der Fassungen den Textbeginn der Sätze mit Hinweisen auf die Besetzungen und die Takt- und Tonarten, während die rechte Spalte auf die zugrunde liegenden Tanztypen verweist.[151]

BWV 66a **Der Himmel dacht auf Anhalts Ruhm und Glück**[152]	**BWV 66** **Erfreut euch, ihr Herzen**	
[vgl. Satz 8]	1. Chor: Erfreut euch, ihr Herzen – S., A., T., B., Tr. ad lib., Ob. I–II, Fag., Bc. – D-Dur, ³/₈	Menuett/ Passepied
1. Rez. (Glückseligkeit): Der Himmel dacht auf Anhalts Ruhm und Glück	2. Rez.: Es bricht das Grab und damit unsre Not – B., Str., Bc. – h-Moll → A-Dur, 𝄴	
2. Aria (Glückseligkeit): Traget, ihr Lüfte, den Jubel von hinnen	3. Aria: Lasset dem Höchsten ein Danklied erschallen – B., Ob. I–II, Fag., Str., Bc. – D-Dur, ³/₈	Menuett/ Passepied
3. Rez. (Fama – Glückseligkeit): Die Klugheit auf dem Thron zu sehen	4. Rez. à 2: Bei Jesu Leben freudig sein – A., T., Bc. – G-Dur → A-Dur, 𝄴	
4. Aria (Fama, Glückseligkeit): Ich weiche nun / Ich weiche nicht	5. Aria (à 2): Ich furchte zwar / Ich furchte nicht – A., T., V. solo, Bc. – A-Dur, ¹²/₈	
5. Rez. (Glückseligkeit, Fama): Wie weit bist du mit Anhalts Götter-Ruhm	6. Choral: Alleluja, alleluja – fis-Moll, 𝄴	
6. Aria: Beglücktes Land von süßer Ruh und Stille	–	
7. Rez.: Nun, teurer Fürst	–	
8. Aria (Chor): Es strahle die Sonne	[vgl. Satz 1]	

---

149 Vgl. NBA I/14, KB, S. 140–151, hier S. 143. Der Schlusschor wurde 1733 erneut in BWV 213:13 verwendet, während Bach die Absicht, ihn zum »Ehre sei Gott« im Weihnachtsoratorium BWV 248:43 umzuarbeiten, zugunsten der erhaltenen Fassung aufgab, vgl. NBA I/14, KB, S. 175.

150 Vgl. NBA I/35, S. 148–151, sowie NBA I/31, KB, S. 98–107. Die folgenden Angaben beziehen sich auf die Fassung von 1723/24, ohne spätere, zum Teil gekürzte Fassungen und weitere Varianten zu berücksichtigen.

151 Finke-Hecklinger, a. a. O., S. 135 und passim.

152 Aufgrund der Quellenlage ohne Ton- und Taktarten sowie Besetzungen.

BWV 134a
Die Zeit, die Tag und Jahre macht

1. Rez. (Zeit): Die Zeit, die Tag und Jahre
macht – A., T., Bc. – F-Dur → B-Dur, **c**

2. Aria (Zeit): Auf, Sterbliche,
lasset ein Jauchzen ertönen – T.,
Ob. I–II, Str., Bc. –B-Dur, ⅜

3. Rez. (Göttliche Vorsehung):
So bald, als dir die Sternen hold –
A., T., Bc. – g-Moll → Es-Dur, **c**

4. Aria (Zeit, Vorsehung): Es streiten,
es siegen die künftigen / vorigen Zeiten –
A., T., Str., Bc. – Es-Dur, ¢

5. Rez. (Zeit, Vorsehung): Bedenke nur,
beglücktes Land – A., T., Bc. – c-Moll
→ g-Moll, **c**

6. Aria (Göttliche Vorsehung):
Der Zeiten Herr hat viel vergnügte
Stunden – A., Bc. –g-Moll, **c**

7. Rez. (Zeit): Hilf, Höchster, hilf,
daß mich die Menschen preisen –
A., T., Bc. – B-Dur → F-Dur, **c**

8. Chorus: Ergetzet auf Erden –
S., A., T., B., Ob. I–II, Str., Bc. –
B-Dur, ⅜

BWV 134
Ein Herz, das seinen Jesum
lebend weiß[153]

1. Rez.: Ein Herz, das seinen Jesum
lebend weiß – A., T., Bc. – B-Dur, **c**

2. Aria: Auf, Gläubige, singet – T.,
Ob. I–II, Str., Bc. – B-Dur, ⅜   Passepied

3. Rez.: Wohl dir, Gott hat an
uns gedacht – A., T., Bc. – g-Moll →
B-Dur, **c**

4. Aria: Wir danken und preisen   tänzerisch,
dein brünstiges Lieben – A., T.,   ²⁄4-Takt[154]
Str., Bc. – Es-Dur, ¢

–

–

5. Rez.: Doch wirke selbst den Dank
in unserm Munde – A., T., Bc. –
g-Moll → B-Dur, **c**

6. Chorus: Erschallet, ihr Himmel,   Passepied
erfreue dich, Erde – S., A., T., B.,
Ob. I–II, Str., Bc. – B-Dur, ⅜

BWV 173a
Durchlauchtster Leopold

1. Rez.: Durchlauchtster Leopold –
T., Str., Bc. – D-Dur, **c**

2. Aria: Güldner Sonnen frohe Stunden –
S., Str. + Trav. I–II, Bc. – D-Dur, **c**

3. Aria »Vivace«: Leopolds Vortreff-
lichkeiten – B., Str., Bc. – h-Moll, **c**

4. Aria »Al tempo di minuetto«: Unter
seinem Purpursaum – S., B., Trav. I–II,
Str., Bc. – G-Dur / D-Dur / A-Dur, ¾

5. Rez.: Durchlauchtster, den Anhalt
Vater nennt – S., B., Bc. – fis-Moll
→ h-Moll, **c**

BWV 173
Erhöhtes Fleisch und Blut

1. Rez.: Erhöhtes Fleisch und Blut –
T., Str., Bc. – D-Dur, **c**

2. Aria: Ein geheiligtes Gemüte –
T., Str. + Trav. I–II, Bc. – D-Dur, **c**

3. Aria »Vivace«: Gott will, o ihr
Menschenkinder – A., Str., Bc. –
h-Moll, **c**

4. Aria: Also hat Gott die Welt   Menuett
geliebet – S., B., Trav. I–II, Str.,
Bc. – G-Dur / D-Dur / A-Dur, ¾

5. Rez.: Unendlichster, den man
doch Vater nennt – S., T., Bc. – fis-Moll
→ h-Moll, **c**

---

153   Tonartangaben für Rezitative beziehen sich auf die späteren Fassungen, während die Verhältnisse in der
Erstfassung denen der Vorlage entsprechen.
154   Finke-Hecklinger, a. a. O., S. 143, Anm. 4.

6. Aria: So schau dies holden Tages Licht – S., Str. + Trav. I–II, Bc. – D-Dur, ¢	–	Bourrée
7. Aria: Dein Name gleich der Sonnen geh – B., Fag. + Vc., Cemb., Vne. – A-Dur, ¢[155]	–	Bourrée
8. Chorus: Nimm auch, großer Fürst, uns auf – S., A., T., B., Trav. I–II, Str., Bc. – D-Dur, ¾	6. Chorus: Rühre, Höchster, unsern Geist – S., A., T., B., Trav. I–II, Str., Bc. – D-Dur, ¾	Menuett

Da die Vorlagen für BWV 184 und 194 nicht erhalten sind, beziehen sich die nachstehenden Angaben nur auf die geistlichen Fassungen.

BWV 184 Erwünschtes Freudenlicht[156]

1. Rez.: Erwünschtes Freudenlicht – T., Trav. I–II, Bc. – G-Dur, ¢	
2. Aria: Gesegnete Christen, glückselige Herde – S., A., Trav. I–II, Str., Bc. – G-Dur, ⅜	Pastorale
3. Rez.: So freuet euch, ihr auserwählten Seelen – T., Bc. – C-Dur, ¢	
4. Aria: Glück und Segen sind bereit – T., V. solo, Bc. – h-Moll, ¾	Polonaise
5. Choral: Herr, ich hoff je, du werdest die – S., A., T., B. (+ Instrumente), Bc. – D-Dur, ¢	
6. Chorus: Guter Hirte, Trost der Deinen – S., A., T., B., Trav. I–II, Str., Bc. – G-Dur, ²⁄₂	Gavotte

BWV 194 Höchsterwünschtes Freudenfest

1. Chor: Höchsterwünschtes Freudenfest – S., A., T., B., Ob. I–III, Fag., Str., Bc. – B-Dur, ¢, ¾	
2. Rez.: Unendlich großer Gott – B., Bc. – B-Dur, ¢	
3. Aria: Was des Höchsten Glanz erfüllt – B., Ob. I, Str., Bc. – B-Dur, ¹²⁄₈	Pastorale
4. Rez.: Wie könnte dir, du höchstes Angesicht – S., Bc. – g-Moll → Es-Dur, ¢	
5. Aria: Hilf Gott, daß es uns gelingt – S., Str., Bc. – Es-Dur, ¢	Gavotte
6. Choral: Heil'ger Geist in's Himmels Throne – S., A., T., B., Ob. I–III (+ Str.), Bc. – B-Dur, ¢	
7. Rez.: Ihr Heiligen, erfreuet euch – T., Bc. – F-Dur → c-Moll, ¢	
8. Aria: Des Höchsten Gegenwart allein – T., Bc. – g-Moll, ¢	Gigue
9. Rez.: Kann wohl ein Mensch zu Gott – S., B., Bc. – F-Dur, ¢	
10. Aria: O, wie wohl ist uns geschehn – S., B., Ob. I–II, Bc. – F-Dur, ¾	Menuett
11. Rez.: Wohlan demnach, du heilige Gemeine – B., Bc. – B-Dur, ¢	
12. Choral: Sprich ja zu meinen Taten – S., A., T., B. (+ Instrumente), Bc. – B-Dur, ¾	

---

155 Der Satz wurde erst 1725 in BWV 175 wiederverwendet (Satz 4 »Es dünket mich, ich seh dich kommen«).
156 Die Vorlage verwendete in den Sätzen 1, 2 und 4 eine Sopranstimme, während in Satz 3 Sopran und Bass eingesetzt waren, vgl. NBA I/14, KB, S. 141 f.

Im Gegensatz zu seiner späteren Praxis übernahm Bach in diesen Parodien auch die Rezitative der Vorlagen. Maßgeblich war wohl weniger der Aspekt der Arbeitsentlastung als die Absicht, die Werke in den Turnus der Kirchenkantaten zu überführen, um damit ihre Substanz zu bewahren. Dem Librettisten fiel die schwierige Aufgabe zu, nicht nur für die Arien und Chorsätze, sondern auch für die Rezitative so geschickte Umdichtungen zu liefern, dass der Notentext möglichst wenig geändert werden musste. Ein Sonderfall war die nachträgliche Umformung der Rezitative aus BWV 134, obwohl ihr Text unverändert blieb. Weniger hier als in anderen Sätzen begegnen manche Unstimmigkeiten, wie in der Arie BWV 173:2, deren Kopfmotiv in der geistlichen Fassung modifiziert wurde, aber eher zum weltlichen Text passt. Angesichts der Schwierigkeiten, vor denen der Librettist stand, verdient seine Leistung allen Respekt, weil sie es Bach erlaubte, die Sätze ohne größere Eingriffe zu übernehmen.

Nur in BWV 66 wird eine Trompete verwendet, die aber wohl erst in Leipzig ergänzt wurde.[157] Obwohl kaum obligat geführt, ist die Stimme nicht leicht zu spielen, weil sie mehrfach die raschen Figuren der Flöten und Violinen übernimmt. Während in BWV 173 und 184 wie in den Vorlagen zwei Traversflöten eingesetzt werden, werden in BWV 66 und 134 zwei und in BWV 194 drei Oboen verwendet. Auffällig ist auch, dass vier Köthener Kantaten jeweils zwei Solostimmen vorsehen. In BWV 66 und 134 ist das durch die Vorlagen Hunolds begründet, die als allegorische Dialoge zwischen der »Glückseligkeit« und der »Fama« bzw. der »Zeit« und der »Göttlichen Vorsehung« angelegt sind. Ähnlich dürfte es sich auch in den verschollenen Vorlagen zu BWV 173 und 184 verhalten haben. Dagegen sieht die erhaltene Fassung von BWV 194 neben Sopran und Bass in den Sätzen 7–8 auch eine Tenorstimme vor, doch ließe sich eine Vorlage mit nur zwei Solisten annehmen, falls der Tenor (wie in BWV 184) die ursprünglich verwendete Sopranstimme ersetzte.

Die dialogische Anlage der Vorlagen wirkt sich auch auf die Chorsätze aus, die durch kürzere oder längere Phasen der Solostimmen unterbrochen werden. Eine Ausnahme ist der bereits erwähnte Eingangschor aus BWV 194, der als französische Ouvertüre angelegt ist. Stehen die Chorsätze der Osterkantaten BWV 66 und 134 im »tänzerischen ⅜-Takt«[158], so wird der ¾-Takt in BWV 173 durch eine »3« bezeichnet, wogegen sich die Angabe »2« in BWV 184 auf den ½-Takt bezieht. Während die Sätze im ⅜-Takt als Varianten der Gigue oder des raschen Menuetts gelten können, lassen sich die anderen Sätze auf das Menuett und die Gavotte zurückführen. Trotz ihrer Stilisierung wirken sich die Tanzmodelle auf die Anlage der Sätze aus, die durchweg dreiteilige Da-capo-Formen bilden und vielfach durch periodische Taktgruppen geprägt werden.

Der Schlusschor aus BWV 173 besteht aus drei Teilen mit jeweils 16 Takten, die von den Instrumenten eingeführt und unter Zutritt der Vokalstimmen wiederholt werden.[159] Dabei wird die Taktgruppierung durch die stufenreiche Harmonik differenziert, die zugleich die Zäsuren durch Kadenzen markiert.

---

157 Vgl. NBA I/10, KB, S. 20 f.
158 Finke-Hecklinger, a. a. O., S. 94.
159 Ebd., S. 48.

A^1	A^2	B^1	C^1	B^2	C^2
a^1–a^2	a^1–a^2	b^1–b^2	c^1–c^2	b^1–b^2	c^1–c^2
8 + 8	8 + 8	8 + 8	8 + 8	8 + 8	8 + 8
T – D D – D	T – D D – D	D – Dp Dp – Tp	Tp – D D – T	D – Dp Dp – Tp	Tp – D D – T
instrumental	+ Vokalstimmen	instrumental	instrumental	+ Vokalstimmen	+ Vokalstimmen

Das Schema gibt nicht die interne Staffelung des Vokalparts wieder, der trotz der Angabe »Chorus« in der Vorlage durchweg zweistimmig ist. In der Parodie dagegen beginnt die jeweils zweite Achttaktgruppe der vokalen Phasen (a^2, b^2 und c^2) mit vier zweistimmigen Takten, in denen die Solisten imitierend vorangehen, bevor das Tutti nachfolgt. Zudem tragen die umspielenden Figuren der Flöten zur klanglichen Nuancierung des Satzes bei. Obwohl der Schlusschor aus BWV 184 der Gavotte gleicht, entspricht nur der Rahmenteil einem Suitensatz mit vier- und achttaktigen Gruppen, die instrumental eingeführt und chorisch wiederholt werden. Der Mittelteil besteht dagegen aus zwei Abschnitten, die von der tänzerischen Rhythmik ausgehen, von der sie sich aber zunehmend entfernen, während die zweitaktigen Zwischenspiele an das Tanzmodell erinnern.

Die im ⅜-Takt notierten Chorsätze aus BWV 134 und 66 wurden von Finke-Hecklinger in die Nähe der Gigue gerückt.[160] Im Schlusschor aus BWV 134, der mit 180 Takten besonders umfangreich ausfällt, zeigen freilich nur die Rahmenteile eine ähnlich klare Periodik wie die Sätze aus BWV 173 und 184. Das 32 Takte umfassende Ritornell, das in der Mitte zur Dominante moduliert, setzt sich aus zwei Gruppen mit jeweils 16 Takten zusammen. Obwohl das Taktmaß mehrfach gestaut und nach der Mitte eine viertaktige Gruppe der Oboen eingeschaltet wird, bleibt die periodische Gruppierung davon unberührt. Dass die vokalen Abschnitte zuerst 34 und später nur noch 30 Takte erreichen, liegt an den zweistimmigen Taktgruppen, die dem Tutti vorangehen und wechselnd zwei oder vier Takte umfassen. Die solistischen Gruppen sind entweder auf die Stimmen verteilt oder imitierend angelegt, basieren aber durchweg auf dem periodischen Gerüst des Ritornells und greifen mehrfach auf die Einbautechnik zurück.[161] Dagegen besteht der Mittelteil aus drei imitierenden Duos, und da auch die nachfolgenden Tuttipartien durch paarige Imitation eröffnet werden, wechselt entsprechend auch der Umfang der Taktgruppen. Während der harmonische Verlauf die Parallelen der Grundstufen umkreist, beschränkt sich der Instrumentalpart auf die Füllung oder Verdopplung des Vokalparts.[162] All das trägt dazu bei, dass das Gerüst des Tanzsatzes zunehmend in den Hintergrund rückt.

Im Chorsatz aus BWV 66, der auf die erste erhaltene Köthener Kantate zurückgeht, wird die periodische Gliederung noch weiter modifiziert. Zwei Chorblöcke mit gleichem Text werden im A-Teil durch ein 24 Takte umfassendes Ritornell eingerahmt.

---

160 Ebd., S. 126 sowie S. 94 zur Form des Satzes aus BWV 134a.
161 So im ersten Abschnitt die Takte 33–40 und 44–48 sowie 49–52 und 66, die den Takten 1–8, 13–16 sowie quintversetzt T. 1–4 und 24–32 entsprechen.
162 Dabei nahm Bach es in Kauf, dass eine Achtelpause, die am Ende des B-Teils ursprünglich dem Wort »ruft« folgt (»ruft« – »jedermann aus«), den Text der Parodie sinnwidrig zerteilt (»und stellt« – »als Sieger sich dar«).

Ritornell 1	Chorblock I	Ritornell 2	Chorblock II	Ritornell 3
1–24	25–50	51–74	75–132	133–156
T – T	T – D	D – D	D – T	T – T

Das Ritornell, das aus drei achttaktigen Gruppen besteht, scheint ab Takt 6 zur Dominante zu modulieren. Statt auf ihr zu kadenzieren, lenkt der Bass zwei Takte später zur Tonika zurück. Die mittlere Taktgruppe wird durch eine steigende Sequenz ausgefüllt, die in Takt 16 die fünfte Stufe erreicht, um damit zugleich die Schlussgruppe zu eröffnen. Im ersten Chorblock werden zwei solistische Zweitakter durch vier chorische Takte ergänzt, die in einem Halbschluss enden. Ohne zu modulieren, schließen auf der Dominante zwei Zweitakter der Solisten an, die durch einen erweiterten Tuttiblock beantwortet werden. Da die Ober- und die Unterstimmen zweimal um einen Takt verschoben werden, verlängern sich die Abschnitte auf 14 Takte, ohne aber eine harmonische Zäsur zu zeigen. Dasselbe Verfahren bestimmt den zweiten Block, der innerhalb der Rückwendung zur Tonika erweitert wird. Die harmonische und die metrische Gliederung treten zumal im B-Teil auseinander, der weithin den Solostimmen zufällt. Wird der erste Block durch vier chorische Takte ergänzt, so wird das Tutti nach dem zweiten Block auf 24 Takte erweitert. In dem Maß, in dem die Solostimmen imitierend verschränkt werden, wird zugleich die metrische Gliederung durch die harmonische Disposition überformt.

Bach ging also nicht – wie man erwarten könnte – von den Tanzmodellen aus, um sie dann zunehmend zu stilisieren. Vielmehr enthalten die Köthener Kantaten auch Chorsätze, die keineswegs tänzerisch wirken, während spätere Chöre nicht selten auf Tanzformen zurückdeuten. Demnach schloss Bach zunächst an die Weimarer Werke an, deren Texte sich nur graduell von den Dichtungen Hunolds unterschieden. Offenbar fand er erst später die Verfahren, die es ihm erlaubten, die Tanzformen zu größeren Chorsätzen auszuarbeiten. Anders stand es, als er in Leipzig die Köthener Vorlagen in der Reihenfolge ihrer Entstehung benutzte. Fast drängt sich der Eindruck auf, dass das Parodieverfahren an eher neutralen Werken erprobt werden sollte, bevor die tänzerisch geprägten Sätze herangezogen wurden. Was an den Chören zu beobachten war, gilt auch für die Arien. Wie die Übersicht zeigte, enthalten die ersten Köthener Kantaten, die in BWV 66 und 134 verwendet wurden, jeweils nur eine tänzerisch geprägte Arie. Dagegen begegnen in den Pfingstkantaten BWV 173 und 184 zwei bzw. drei Arien mit tänzerischem Charakter. Zwar wurden in BWV 173 zwei Sätze nach Art der Bourrée ausgelassen, doch wurde mit Satz 6 aus BWV 134 eine Arie übergangen, die keinen Tanz repräsentierte. Die tänzerische Prägung dürfte also bei der Wahl der Vorlagen nicht ausschlaggebend gewesen sein. Denn in keinem anderen Werk dominierten die Tanzsätze so sehr wie in der Kantate BWV 194, die 1723 für Störmthal umgearbeitet wurde. Indem sie in Leipzig zu Trinitatis 1724 wiederholt wurde, beschloss Bach die erste Gruppe der Parodien – und damit den ersten Leipziger Jahrgang – mit einem Werk, das wie kein zweites durch stilisierte Tanzformen geprägt ist.

An den eröffnenden Arien der Osterkantaten lässt sich beobachten, dass die Sätze mit tänzerischem Charakter und akkordischem Instrumentalpart auf Vokaleinbau angewiesen sind. Ohne dem Schema des Suitensatzes zu folgen, sind beide

Arien im ⅜-Takt notiert. Indem »ein melodisch-rhythmisch prägnantes Kopfmotiv den ganzen Satz durchzieht«, gleichen sie einem Typus, den Finke-Hecklinger als Kreuzung von Passepied und Menuett charakterisierte.[163] In BWV 66:3 umfasst das Ritornell 32 Takte, doch wird es durch einen Zusatztakt erweitert, der nochmals den rhythmischen Impuls des Kopfmotivs markiert. Soweit der Vokalpart des A-Teils nicht in die achttaktige Eröffnung des Ritornells oder in die gleichfalls acht Takte umfassende Fortspinnung eingebaut ist, wird er entweder von der Oboe und Violine oder durch akkordische Ausfüllung begleitet (T. 67–80). Die instrumentalen Taktgruppen, die den Grundton bzw. seine Quinte umkreisen, scheinen auf die Kombination mit Haltetönen angelegt zu sein, die auf das Wort »ewige« (in der Vorlage »unsterbliches«) entfallen. Doch lassen sie sich zwanglos mit anderen vokalen Phrasen kombinieren, sodass das Verfahren auch im modulierenden B-Teil zur Geltung kommen kann. Eine Ausnahme bildet hier eine Dreiklangsbrechung (T. 150 ff.) zu den Worten »Jesus berufet« (bzw. »Leopold herrschet«). Ähnlich ist die Tenorarie BWV 134:2 angelegt, die ebenfalls durch das Ritornell und dessen einprägsames Kopfmotiv geprägt ist. Der Wechsel zwischen fanfarenhaften Dreiklängen und figurativen Klangbrechungen passt nicht nur zum Text »Auf, Gläubige, singet«, sondern eignet sich auch für den Einbau des sprungreichen Vokalparts. Soweit er nicht in die Taktgruppen des Ritornells eingefügt ist, wird er durch Akkordfolgen begleitet, die den Rhythmus des Kopfmotivs aufgreifen, sodass die Arie weithin vom Orchester beherrscht wird, das nur zu Beginn des B-Teils auf einzelne Instrumente reduziert wird.

In ähnlicher Weise entsprechen sich die beiden Duette, obwohl der Text der Vorlage zu BWV 66:5 als Dialog zwischen »Fama« und »Glückseligkeit« angelegt war, während die Stimmen der geistlichen Fassung erst in einem späteren Textdruck als »Furcht« und »Hoffnung« bezeichnet wurden.[164] Das Ritornell beginnt mit einem rhythmisch profilierten Kopfmotiv der Solovioline, dem sich eine längere Figurationskette anschließt. Während der Tenor das Kopfmotiv übernimmt (»Ich furchte nicht«), begnügt sich der Alt mit gleichmäßigen Tonrepetitionen (»Ich furchte zwar«). Da beide Stimmen weniger dialogisch als komplementär geführt sind, lässt sich die Figuration der Sologeige nahezu durchgehend mit dem Vokalpart verbinden. Dagegen mutet das Duett BWV 134:4 dank der straffen Rhythmisierung des Kopfmotivs deutlich tänzerischer an, obwohl die geistliche Fassung im Alla-breve-Takt notiert ist.[165] Wie in BWV 66:5 wird das Kopfmotiv durch Figuren der ersten Violine erweitert, die diesmal aber vom Tutti zu spielen sind und deshalb nicht ebenso virtuos ausfallen. In der Folge der gleichmäßigen Sechzehntel tritt zwar der anfängliche Impuls zurück, der sich aber desto nachdrücklicher bei Eintritt des Vokalparts zurückmeldet. Während die Abschnitte in Parallelführung beginnen, wechselt die Fortführung zu komplementärer Rhythmik. Doch werden die Stimmen nicht nur mit der Fortspinnung, sondern ebenso mit dem tänzerischen Beginn des Ritornells gekoppelt. Wie souverän Bach mittlerweile die Einbautechnik beherrschte, wird

---

163 Finke-Hecklinger, a. a. O., S. 104 und 111.
164 NBA I/10, KB, S. 11 f.
165 Vgl. NBA I/10, KB, S. 102 f., wonach die zusätzliche Tempoangabe »allegro« nur für im **c**-Takt notierte Stimmen gilt, während sie in anderen Stimmen »durch die Allabreve-Vorzeichnung kompensiert« wird.

in den Phasen sichtbar, in denen der Vokalpart mit der Kopfgruppe des Ritornells verbunden wird. Sie tritt nicht nur zur komplementären Fortspinnung der Vokalstimmen ein (T. 21 ff. und T. 44 ff.), vielmehr ergänzen sich Vokal- und Instrumentalpart in blockweiser Imitation des Kopfmotivs (T. 54 ff. und T. 95 f., variiert T. 101 ff.). Kunstvoller als in den Weimarer Duetten ist demnach nicht nur der Vokalpart angelegt, sondern auch seine Kombination mit den Phasen des Ritornells.

Von diesen Sätzen unterscheiden sich die Arien der Pfingstkantaten weniger im Prinzip als im Detail. Ebenso ungewöhnlich wie das Fehlen eines Chorals ist in BWV 173 der Beginn mit einem Rezitativ, an das sich drei Arien anschließen (während in der Vorlage dem zweiten Rezitativ zwei weitere Arien folgen).[166] Obwohl die Tenorarie »Ein geheiligtes Gemüte« (BWV 173:2) im ¢-Takt steht, ergibt sich durch den Wechsel zwischen punktierten und triolischen Sechzehnteln eine Rhythmik, die der Gigue nahekommen könnte. Da der Satz aber weder die fugierte Form noch den fließenden Duktus dieses Tanzes zeigt, changiert er auf eigentümliche Weise zwischen Gigue und Pastorale.[167] Der erste Teil scheint auf der Dominante zu schließen (T. 20), greift aber nach kurzem Zwischenspiel nochmals auf den Beginn zurück, um auf der Tonikaparallele zu enden (T. 22–24), in der dann der zweite, zur Tonika zurückkehrende Teil beginnt. Soweit die instrumentalen Phasen auf transponierte oder modifizierte Gruppen des Ritornells zurückgehen, beruht der Vokalpart auf dem Einbauverfahren. Dass sich die Stimmführung dieser Takte kaum von der in den anderen Abschnitten unterscheidet, die durch die Figuren der ersten Violine begleitet werden, ist ein weiterer Beweis für Bachs virtuose Beherrschung des Vokaleinbaus. Etwas einfacher ist die zweite Arie mit einer Da-capo-Form, deren Teile nur wenig abgehoben werden. Beginnend mit der Altstimme, verfügt der Satz über kein Ritornell, sondern über eine Begleitung, die aus gleichmäßiger Akkordumspielung besteht. Sie wird nur einmal in jedem Formteil mit dem Vokalpart gepaart, beschränkt sich aber zumeist auf kurze Einwürfe oder Zwischenspiele. Während die Figuration dem Bassgerüst entspricht, begnügt sich der Vokalpart zumeist mit syllabischer Deklamation. Dem auf der Dominante endenden A-Teil folgt nach einem zweitaktigen Zwischenspiel der zur Tonikaparallele modulierende Mittelteil, in dessen letztem Takt das Wort »ruhn« als »adagio« hervorgehoben wird. Nach einem instrumentalen Zwischentakt schließt sich sogleich der kurze Schlussabschnitt an, der deshalb nicht als regulärer Da-capo-Teil erscheint.

Ein Paradigma des Tanzsatzes ist die dritte Arie (»So hat Gott die Welt geliebt«, Satz 4), deren Vorlage als »Aria al tempo di minuetto« bezeichnet ist.[168] Den Kern des Satzes bildet ein ungewöhnlich kantables Menuett, dessen Teile jeweils zwölf Takte umfassen. Während sie im Vokalpart nacheinander erklingen, wird der erste Teil als Vorspiel vorangestellt, wogegen der zweite als Nachspiel wiederholt wirf. Da das Menuett auf vier Teile erweitert und zu drei Textstrophen wiederholt wird, verlängert

---

166 Da Satz 7 »Dein Name gleich der Sonnen geh« nicht in BWV 173, sondern erst ein Jahr später in BWV 175:4 verwendet wurde, ist erst im Kontext des zweiten Jahrgangs auf die Arie einzugehen.

167 Zum Typus vgl. Finke-Hecklinger, a. a. O., S. 107 ff., wo dieser Satz allerdings ungenannt bleibt.

168 Laut NBA I/14, KB, S. 12 f., strich der Schreiber der Partitur zur geistlichen Fassung nach der Überschrift »Aria« die Worte »al tempo di«. Vgl. ferner Finke-Hecklinger, a. a. O., S. 46.

sich die Arie auf insgesamt 144 Takte. Dennoch unterscheiden sich die Teile in mehrfacher Hinsicht. Das Grundmodell bildet die in G-Dur stehende erste Strophe des Basses, der in D-Dur die zweite für Sopran folgt, bis die letzte Strophe beide Stimmen in A-Dur vereint. Dem Wechsel der Stimmen entspricht demnach der zweifache Quintanstieg mit der Konsequenz, dass der Satz in G-Dur beginnt, um in A-Dur zu schließen. Ohne zu modulieren, genügen für den tonalen Wechsel geringfügige Varianten der Instrumentalstimmen, die zugleich eine weitere Differenzierung erfahren. Während die Melodie in der ersten Strophe auf Bass und Violine verteilt wird, liegt sie in der zweiten im Sopran, zu dem hier zwei Flöten hinzutreten, bis sie im Schlussteil zuerst von den Flöten und danach von den Violinen umspielt wird. In der geistlichen Fassung entfällt zwar die anschließende Köthener Arie, die dem Rhythmus der Gavotte entsprach, doch hat das zur Folge, dass in der Parodie mit der Arie und dem Schlusschor zwei Sätze aufeinanderfolgen, die dem Menuett nahestehen.

Auch die Kantate BWV 184 beginnt mit einem Rezitativ, das hier ein motivisches Accompagnato bildet, doch enthält das Werk nur zwei Arien, die durch ein Rezitativ getrennt werden. Geprägt durch das Pastorale, sind beide Arien trotz der Da-capo-Form nicht weniger tänzerisch als die Sätze aus BWV 173. Das Duett »Gesegnete Christen« (Satz 2) verbindet die Streicher mit zwei Flöten, die zumeist unison geführt sind. Im Wechsel punktierter Achtel und gleichmäßiger Sechzehntel greift das Ritornell auf die schwebende Rhythmik des Pastorales im ⅜-Takt zurück. Dazwischen aber stehen Taktgruppen mit figurativen Zweiunddreißigsteln, die sich auf Flöten und Violinen verteilen. Da die vokalen Abschnitte, in denen die Stimmen zumeist parallel geführt werden, das leicht variierte Material des Ritornells übernehmen, bleibt kaum Raum für die Einbautechnik, die nur im B-Teil zur Geltung kommt (T. 152–158). Der Instrumentalpart beschränkt sich auf Figurationen, die den geringstimmigen Phasen des Ritornells entlehnt und abwechselnd von den Flöten und Violinen übernommen werden. Dem tänzerischen Duktus des Satzes entspricht es, dass der Vokalpart weithin vom daktylischen Metrum des Textes geprägt wird, während nur der Mittelteil gelegentlich Melismen und Imitationen aufweist. Desto wechselvoller ist die Deklamation der Tenorarie »Glück und Segen sind bereit« (Satz 4), obwohl die Vorlage hier vierhebige Trochäen bietet. Das Ritornell entspricht dem Ton einer Polonaise, deren Achtelwerte in zwei- oder viertönige Figuren aufgelöst werden.[169] Obwohl der Vokalpart auf das Material des Ritornells zurückgreift, wird er fast durchweg mit der Solovioline kombiniert.

Wiewohl die beiden Sätze tänzerische Da-capo-Arien bilden, sind sie gleichzeitig Musterbeispiele für strukturelle Differenzen, die weniger durch die Texte als durch die Taktarten und Besetzungen bedingt sind. Dass diese Prämissen dasselbe Gewicht wie die Wahl eines Tanztypus haben, zeigen die Arien der Störmthal-Kantate BWV 194. Setzen die Sätze 3 und 5 bei vollem Instrumentalpart weithin auf die Einbautechnik, so sind die intimer besetzten Arien 8 und 10 auf andere Verfahren angewiesen. Trotz ihres tänzerischen Zuschnitts weist die Sopranarie »Hilf Gott, daß es uns gelingt« (Satz 5) »wohl die komplizierteste tektonische und rhythmische

---

169 Finke-Hecklinger, a. a. O., S. 45 und 57 sowie Smend, Bach in Köthen, S. 45.

Gestalt unter den Gavotte-Sätzen auf«.[170] Das Ritornell lenkt in den ersten acht Takten zur Dominante, während die zweite Gruppe nach einer Quintkette in einer Drehfigur ausläuft. Zwar scheint dieses Material bei Zutritt der Sopranstimme ständig präsent zu bleiben, doch kehren im A-Teil nur kurze Ausschnitte wieder (T. 19–22 und 48–51 ~ 1–4, T. 44–47 ~ 9–12 sowie T. 56–59 ~ 5–8), während die anderen Phasen – wiewohl sie den Tanzton wahren – auf weitere Varianten zurückgehen. Mutatis mutandis gilt das auch für den Mittelteil in dem der Vokalpart von den Violinen begleitet wird. Die Bassarie »Was des Höchsten Glanz erfüllt« (Satz 3) erhält durch wiegende Achtel »pastoraleartige Züge«[171], obwohl ihr die punktierte Rhythmik des Pastorale fehlt. Das Ritornell umfasst nur vier Takte, die mehr oder minder verändert in den vollstimmigen Phasen wiederkehren. In der ersten Wiederholung setzt der Vokalpart ein, der ausnahmsweise die Oberstimme oktaviert, während ein zweiter Rekurs in liegende Akkorde integriert ist, aber schon nach zwei Takten endet. Nach einem Gelenktakt schließen sich erneut die ersten Takte an, denen diesmal eine freie Phase der Bassstimme folgt, die von der Oboe mit einer Formel des Ritornells begleitet wird. Da der Mittelteil ähnlich angelegt ist, wird der gesamte Verlauf durch das Ritornell geprägt.

Etwas karger wirkt die Continuo-Arie »Des Höchsten Gegenwart« (Satz 8), deren punktierte Rhythmik der Gigue dort nahekommt, wo sie in triolische Ketten aufgelöst wird. Durch die Verdoppelung des Kopfmotivs erweitert sich das Ritornell auf fünf Takte, deren Wiederholung auf den Tenor und den Continuo verteilt wird. Desto subtiler wird das Menuett im Duett »O wie wohl ist uns geschehen« (Satz 10) umgeformt. Das Ritornell beginnt mit einer Drehfigur der Oboen, die später vom Sopran und Bass übernommen wird. Auf voller Zählzeit beginnend, werden die ersten Zweitakter synkopisch verkettet, während die folgenden Gruppen auftaktig ansetzen und zu komplementären Achtelketten wechseln. Treten die Stimmen imitierend auseinander, so greifen sie auf eine Wendung zurück, die eingangs in der Auflösung der Synkope begegnete. Die periodische Gliederung, von der die Formteile ausgehen, rückt also zunehmend in den Hintergrund. Entsprechend variabel wird das Material des Ritornells im vollstimmigen Satz verwendet, der sich zu einer motivisch differenzierten Da-capo-Form erweitert und nur gelegentlich auf die Einbautechnik zurückgreift. Mit einem Schlusssatz, der einem Passepied ähnelte, entsprach die Vorlage einer Suite, sodass man gern mehr über die Umstände der Erstaufführung wüsste, die vermutlich auch die hohe Lage der Vokalstimmen bedingten.[172]

Schließlich bleibt hier die Kantate BWV 181 »Leichtgesinnte Flattergeister« zu nennen, die am Sonntag Sexagesimae 1724 aufgeführt wurde und im Verdacht steht, auf eine Köthener Vorlage zurückzugehen. Doch handelt es sich dabei nur um eine Vermutung, da lediglich die Leipziger Stimmen vorliegen, die auf Johann Andreas Kuhnau und Christian Gottlob Meißner zurückgehen, aber von Bach korrigiert und später durch zwei Stimmen für Flöte und Oboe ergänzt wurden.[173] Da die erste

---

170 Ebd., S. 34 (die Taktangaben lassen die halbtaktigen Auftakte unberücksichtigt).
171 Ebd., S. 81.
172 In den späteren Leipziger Aufführungen wurde sie in den Rezitativen durch Ossia-Varianten modifiziert.
173 Vgl. NBA I/7, hrsg. von Werner Neumann, KB, S. 118–134, besonders S. 124.

7. Köthen versus Leipzig: Vorlagen und Parodien **235**

Leipziger Fassung ohne Flöte und Oboe auskam, dürfte sich auch das Urbild – im Gegensatz zu anderen Köthener Werken – mit Streichern begnügt haben, zu denen im Schlusschor eine Trompete trat. Dass das Werk mit anderen Parodien das Fehlen eines Choralsatzes teilt, ist zwar auffällig, aber nicht maßgeblich, weil andererseits die Köthener Vorlage zu BWV 194 um zwei Choräle erweitert wurde. Zudem konnte Finke-Hecklinger für BWV 181 keinen der Tanzsätze nennen, die sonst die Köthener Werke auszeichnen. Der leichte Ton der einleitenden Bassarie, der durch die von Pausen durchsetzten Achtel bewirkt wird, entspricht keinem bestimmten Tanzmodell und könnte auch durch den Text der geistlichen Fassung veranlasst sein. Das folgende Rezitativ ist derart auf den Text abgestimmt, dass man sich schwer vorstellen kann, es sei aus einer weltlichen Vorlage übernommen worden. Die Tenorarie »Der schädlichen Dornen unendliche Zahl« (Satz 3) steht zwar im ⅜-Takt, ohne jedoch einem Tanz nahezukommen. Da die instrumentale Solostimme verloren ist, lässt sich der Sachverhalt nicht beurteilen. Stutzig macht jedoch der Schlusschor »Laß, Höchster, uns zu allen Zeiten« (Satz 5), der als knappe Da-capo-Form angelegt ist. Dass der B-Teil ein Duett für Sopran und Alt mit Continuo darstellt, erinnert an die zweistimmigen Phasen der Köthener Chorsätze, die mehrfach dialogisch motiviert waren. Es gibt zu denken, dass der B-Teil nicht den Kopisten überlassen, sondern von Bach selbst geschrieben wurde. Dagegen lassen die Stimmen des A-Teils in der Textierung manche Korrekturen erkennen, die auf das Vorliegen einer Parodie deuten könnten.[174] Der fugenartige Vokalsatz (T. 9–35), der von einem achttaktigen Ritornell umrahmt wird, basiert auf einem zweistimmigen Gerüst, das in wechselnden Kombinationen sechsmal die Stimmen durchläuft und eine erweiterte Kadenz umschreibt (T-D-T-Tp-S-T). Als modulierende Gelenke dienen kurze Zwischenglieder, die mit der Imitation eines kleinen Zusatzmotivs bestritten werden und nur nach dem ersten und letzten Themeneinsatz fehlen. Da sie ebenso wie die thematischen Phasen jeweils drei Takte umfassen, setzt sich der gesamte Vokalteil aus acht dreitaktigen Segmenten zusammen, die mehrfach ineinandergeschoben werden. Zwar wird die Gliederung durch den Wechsel der vokalen und instrumentalen Gruppen verdeckt. Dass sie aber nicht der achttaktigen Anlage entspricht, die im Ritornell vorgegeben ist, steht im Widerspruch zu den Köthener Chorsätzen, deren Vokalpart durch die periodische Gliederung der Ritornelle geprägt ist. Das könnte dafür sprechen, dass der Schlusschor auf eine unbekannte Vorlage zurückgeht, die dann wohl eher in den Weimarer Jahren anzusetzen wäre. Da das aber nicht für die weiteren Sätze gilt, dürfte das Werk nicht zu den Parodien nach Köthener Vorlagen zählen.

Die Parodien, mit denen Bach am Ende des Jahrgangs erstmals auf weltliche Kantaten zurückgriff, machen nachträglich noch einmal sichtbar, dass die Leipziger Chorsätze trotz ihrer Prosatexte nicht nur die Weimarer, sondern auch die Köthener Modelle voraussetzen.

---

174 Ebd., S. 126 f.

236 Teil III · Strategien im Füllhorn: Der erste Leipziger Jahrgang (1723/24)

8. Gruppen und Arten der Arie

Welche Bedeutung dem Instrumentalpart der Arien zukommt, hat Alfred Dürr am Beispiel der Weimarer Werke gezeigt.[175] In der Instrumentalmusik pflegt man gemäß der zeitgenössischen Theorie zwischen Solokonzerten und Concerti grossi und zwischen Solo- und Triosonaten zu unterscheiden.[176] Die Frage, wieweit solche Kriterien auch für die Arien gelten könnten, wurde bisher kaum gestellt. In der Tat scheint sie überflüssig zu sein, wenn man die Arie mit Mattheson als vokale Gattung versteht.[177] Doch dürfte diese Sichtweise für Bach nur begrenzt gelten. Geht man hingegen vom Primat des Instrumentalparts aus, so könnte man versucht sein, von Solo-, Duo- oder Triosätzen zu sprechen. Allerdings wäre das verfänglich, weil eine solche Terminologie den Vokalpart außer Betracht lassen müsste. Trotzdem dürfte es nicht aussichtslos sein, die Arien nach Maßgabe ihrer instrumentalen Besetzung zu gruppieren.

An den Weimarer Arien wurde deutlich, dass chronologische Kriterien infolge der dichten Entstehungsfolge der Werke nur begrenzte Geltung haben. Ließen sich in den Weimarer Werken Sätze aus mehreren Jahren unterscheiden, so enthält der erste Leipziger Jahrgang eine weit größere Anzahl von Arien, die vielfach im Abstand einer Woche entstanden. Nach den ersten Kantaten mit jeweils vier Arien umfassen die folgenden Werke in der Regel zwei Arien. Während die Kantaten BWV 138 und 95 neben einem solistischen Choralsatz nur eine Arie enthalten, finden sich in späteren Werken wie BWV 154, 81, 83 und 181 jeweils drei Sätze, sodass Bach binnen eines Jahres rund 80 Arien zu vertonen hatte. Da es nicht der Orientierung dienen würde, wenn man die Fülle der Sätze in einem Zuge erfassen wollte, sei der Versuch einer Gruppierung gemacht, die sich freilich auf wechselnde Kriterien stützen muss.

Nahezu vier Monate trennten die Probestücke zu Estomihi von den zweiteiligen Kantaten, mit denen der Jahrgang begann. Nach dem Johannistag am 24. Juni folgte erst am 18. Juli eine neue Kantate zum 8. Sonntag nach Trinitatis, sodass sich die zwei ersten Werkpaare (BWV 22/23 und 75/76) mit den folgenden Kantaten (BWV 24 und 167) zu einer Gruppe zusammenfassen lassen. Deutliche Einschnitte ergaben sich durch das tempus clausum der Advents- und der Passionszeit, zumal die Pausen durch Parodien oder Wiederaufführungen verlängert wurden. Am 25. Sonntag nach Trinitatis endete mit BWV 90 die erste Werkreihe, eine zweite begann am 2. Weihnachtstag mit BWV 40 und reichte bis Sexagesimae, während eine letzte Gruppe zwischen Quasimodogeniti und Exaudi folgte. Anders gesagt: Nach einer ersten Serie von 16 Werken entstand eine fast zweimonatige Pause zwischen dem 4. November und dem 26. Dezember 1723. Nach einer zweiten Reihe mit elf Werken ergab sich ein noch längerer Abstand zwischen dem 13. Februar und dem 16. April

---

175 A. Dürr, Studien über die frühen Kantaten J. S. Bachs, 1951, S. 104–114, ²1977, S. 118–128.

176 Vgl. dazu Johann Mattheson, Der vollkommene Capellmeister, Hamburg 1739, S. 233 ff. und 344 f.

177 Ebd., S. 212, wird die Arie als »ein woleingerichteter Gesang« definiert, »der seine gewisse Ton-Art und Zeitmaasse hat«.

1724, an dem die letzte Gruppe begann, die bis zum 21. Mai nochmals sechs neue Kantaten enthielt. Gehörten zur ersten und zur letzten Gruppe jeweils 15 bzw. 12 Arien, so wuchs deren Zahl in den beiden Hauptreihen auf 28 bzw. 25 Sätze.

Innerhalb dieser Blöcke lassen sich die Sätze nach systematischen Aspekten gruppieren, ohne die chronologischen Verhältnisse aus dem Blick zu verlieren. Ein Indiz dafür ist eine Liste der »Sätze im einfachen Dreiertakt«, in der Finke-Hecklinger für das Jahr 1723 insgesamt zehn, für das folgende Jahr aber nur noch vier entsprechende Arien verzeichnete.[178] Doch dürfen solche Kriterien nicht starr verstanden werden, weil sich die Aspekte vielfach kreuzen. Bachs Experimentierfreude erweist sich nicht zuletzt darin, dass er innerhalb der Werkgruppen auf wechselnde Kombinationen bedacht war, die sich einer strikten Typologie entziehen. Wenn die Fülle der Lösungen wenigstens ansatzweise zur Sprache kommen soll, ist daher eine flexible Gruppierung erforderlich.

a. Von Estomihi bis Johannis

Wie sehr sich die Aspekte schon in den 15 Arien der ersten Werkgruppe kreuzen, zeigt ein Blick auf die folgende Übersicht, die neben den Besetzungen auch die Takt- und Tonarten nennt und in Stichworten auch auf die Form- und Tanztypen hinweist.[179] Wie man sieht, dominiert die variierte Da-capo-Arie mit neun Belegen, während neben vier regulären Da-capo-Formen zweimal andere dreigliedrige Anlagen stehen. Dass zu den variierten Da-capo-Arien drei Sätze im Rhythmus einer Giga zählen (22:2, 76:12 und 167:1), hat nicht viel zu besagen, weil zur selben Gruppe auch ein zwischen Menuett und Passepied stehender Satz gehört (BWV 22:4), während sich unter den regulären Da-capo-Arien eine Sarabande (75:3) findet. So folgenreich ein Tanztyp für die Satzstruktur sein kann, so wenig sollte man solche Schemata überschätzen. Während ein Tanzcharakter zum Affektgehalt des Textes passen musste, war die formale Disposition nicht von der Metrik der Textvorlagen zu trennen, die sich nur aus den Werken erschließen lassen. Davon unabhängig war die motivische Verarbeitung, die mit den Besetzungen und den Ton- bzw. Taktarten zusammenhing. Da deren Wahl in Bachs Ermessen lag, ist sie für seine Verfahren aufschlussreicher als formale Kriterien.

BWV 22 Jesus nahm zu sich die Zwölfe

2	Mein Jesu, ziehe mich nach dir	var. Dc (Giga)	A., Ob., Bc. – c-Moll, $\frac{9}{8}$
4	Mein alles in allem, mein höchstes Gut	var. Dc (Menuett / Passepied)	T., Str., Bc. – B-Dur, $\frac{3}{8}$

BWV 23 Du wahrer Gott und Davids Sohn

1	Du wahrer Gott und Davids Sohn	var. Dc	S., A., Ob. I–II, Bc. – c-Moll, **c**

---

178 Finke-Hecklinger, a. a. O., S. 137.
179 Vgl. ebd., S. 77, 113 und 137.

BWV 59 Wer mich liebet

4	Die Welt mit allen Königreichen	A B	B., V. solo, Bc. – C-Dur, **c**

BWV 75 Die Elenden sollen essen

3	Mein Jesus soll mein alles sein	Dc (Sarabande)	T., Ob. I–II, Str., Bc. – G-Dur, ¾
5	Ich nehme mein Leiden mit Freuden auf mich	Dc	S., Ob. d'am., Bc. – a-Moll, ⅜
10	Jesus macht mich geistlich reich	var. Dc	A., V. in unisono, Bc. – e-Moll, ⅜
12	Mein Herze glaubt und liebt	var. Dc	B., Tr., Str., Bc. – C-Dur, **c**

BWV 76 Die Himmel erzählen die Ehre Gottes

3	Hört, ihr Völker, Gottes Stimme	Dc	S., V. solo, Bc. – G-Dur, **c**
5	Fahr hin, abgöttische Zunft	dreiteilig	B., Tr., Str. + Ob. I–II, Bc. – C-Dur, **c**
10	Hasse nur, hasse mich recht	var. Dc	T., Bc. – a-Moll, ¾
12	Liebt, ihr Christen, in der Tat	var. Dc (Giga)	A., Ob. d'am., Va. da gamba, Bc. – e-Moll, ⅜

BWV 24 Ein ungefärbt Gemüte

1	Ein ungefärbt Gemüte	var. Dc	A., Str. in unisono, Bc. – F-Dur, ¾
5	Treu und Wahrheit sei der Grund	dreiteilig	T., Ob. d'am. I–II, Bc. – a-Moll, **c**

BWV 167 Ihr Menschen, rühmet Gottes Liebe

1	Ihr Menschen, rühmet Gottes Liebe	var. Dc (Giga)	T., Str., Bc. – G-Dur, ¹²⁄₈
3	Gottes Wort, das trüget nicht	Dc	S., A., Ob. da caccia, Bc., a-Moll, ¾

Anders als in Weimar begegnet vorerst nur eine **Continuo-Arie** (BWV 76:10 »Hasse nur«). Das zweitaktige Kopfmotiv des Ritornells kehrt vielfach wieder, ohne aber als Ostinato zu fungieren. Beginnend mit einem verminderten Septakkord, der sich wechselnd zur Dominante, Tonika oder Subdominante auflöst, wird der Continuo durch markante Achtel geprägt, an die sich als Septsprung der nächste verminderte Akkord anschließt. Statt das Kopfmotiv zu übernehmen, wird die Tenorstimme mit synkopisch übergebundenen Haltetönen in das Modell eingefügt, während die folgende Zeile zu neutraler Deklamation wechselt. Bei gleicher Rhythmik reduzieren sich im B-Teil die dissonanten Schärfen, sodass der Vokalpart geschlossene Taktgruppen mit Koloraturen auszubilden vermag. Sie tragen dem veränderten Affekt Rechnung (»Christum gläubig zu umfassen«), während die variierte Reprise auffällig straff ausfällt.

Den **Sätzen mit einem Soloinstrument** stehen fünf Arien mit größerem Ensemble gegenüber, während die übrigen Sätze mit zwei obligaten Instrumenten rechnen. Wie sich zeigen wird, bildet die Besetzung eine maßgebliche Prämisse für die Satzstruktur, während die Wahl der Form- und Tanztypen davon unabhängig ist.

Das zwölftaktige Ritornell der Arie »Mein Jesu, ziehe mich nach dir« (BW 22:2) scheint einer Gigue zu gleichen, doch wird das Gefälle des ⅜-Takts durch synkopierte Achtel verändert, die zum Wort »ziehe« zu punktierten Vierteln verlängert werden. Da die Altstimme nur einzelne Motive der Oboe übernimmt, ergibt sich unter Einschluss des obligaten Continuo ein kontrapunktischer Triosatz, der die periodische Gliederung des Tanzes unterläuft. Desto nachdrücklicher wirkt die »neapolitanisch« gefärbte Kadenz des Ritornells nach (T. 12), die am Ende des ersten Teils und der variierten Reprise mit Halbtönen die Dominante umkreist, um hier das Wort »Leiden« abzuheben (T. 31 bzw. 68). Dagegen ist der ⅜-Takt in der Arie »Ich nehme mein Leiden« (BWV 75:5) keinem Tanztyp, sondern dem daktylischen Metrum des Textes verpflichtet. Von ihm geht die viertaktige Gruppierung des Ritornells aus, die im Vokalpart nur dort zurücktritt, wo längere Koloraturen das Wort »Freuden« hervorheben. Beide Momente prägen auch den B-Teil, der ebenfalls vom Material des Ritornells ausgeht, um aber dessen Gliederung mit Haltetönen oder Melismen zu überspielen.

In der Da-capo-Arie »Hört, ihr Völker« (BWV 76:3) werden die Solisten so zurückhaltend beansprucht, als sollten zunächst ihre Fähigkeiten geprüft werden. Das Ritornell gliedert sich in zwei viertaktige Gruppen, deren Kopfmotiv eine punktierte Wendung mit einer dreitönigen Formel verkettet. Nach zwei Takten, in denen sich die Violine und der Continuo komplementär ergänzen, wird das Incipit zu einer skalaren Kette verlängert, die beide Stimmen zusammenfasst und am Ende zur Tonika lenkt. Zu Beginn und am Schluss des A-Teils werden Sopran und Violine colla parte geführt, sobald sie sich aber mit dem Kernmotiv ablösen, wird ihnen wechselweise der Generalbass zugeordnet. Die Disposition entspricht dem Text, dessen erste Zeile durch eine Pause geteilt wird (»Hört, ihr Völker« – »Gottes Stimme«), während die steigende Linie der zweiten Zeile in Koloraturen zum letzten Wort einmündet (»eilt zu seinem Gnadenthron«). Die Zeilen des zweiteiligen Mittelteils bilden dagegen syntaktische Gruppen, in denen die Violine den Bau des Ritornells nachzeichnet.

An dieser Stelle ist die Arie »Die Welt mit allen Königreichen« (BWV 59:4) zu erwähnen, da das Werk wohl schon 1723 entstand, aber erst ein Jahr später aufgeführt wurde.[180] Obwohl der Text zehn Zeilen umfasst, ist der Satz ungewöhnlich kurz, weil die Zeilen nicht wiederholt werden. Die vergleichsweise einfache Violinstimme könnte ebenso wie der schlichte Vokalpart die Annahme stützen, das kleine Werk sei für den Gottesdienst in der Universitätskirche entstanden. Da der Instrumentalpart keine Spielfiguren aufweist, zeigen beide Stimmen die gleiche Diktion, wiewohl sie nur das Kopfmotiv teilen. Der erste Abschnitt, der die beiden ersten Zeilen aufnimmt, wird zum nächsten Zeilenpaar wiederholt (T. 8^b–12^a ~ 12^b–16^a) und durch das dritte Zeilenpaar ergänzt. Nach einem zweitaktigen Zwischenspiel, das auf der Dominante endet, folgen im zweiten Teil die beiden letzten Zeilenpaare, die mehrfach durch Melismen erweitert werden. Auf den Satz ist später zurückzukommen, weil er 1725 als Vorlage der Arie »Komm, komm, mein Herze steht dir offen« (BWV 74:2) verwendet wurde.

In den Arien BWV 75:10 und 24:1 ändern sich die Voraussetzungen insofern, als der Instrumentalpart von den Violinen in unisono zu spielen ist. Obwohl er deshalb weniger konzertant ist, sind beide Sätze sehr verschieden angelegt. In BWV 75:10

---

180 Vgl. NBA I/13, KB, S. 79.

(»Jesus macht mich geistlich reich«) dient der erste Viertakter des Ritornells als vokale Devise, deren Wiederholung erweitert wird, sodass der Vokalpart erst später mit weiteren Teilen des Ritornells kombiniert werden kann. Auch wo er eigenständig fortgeführt wird, bleibt die viertaktige Gliederung des Instrumentalparts spürbar, die ebenso den Mittelteil und die variierte Reprise prägt. Dagegen beginnt das Ritornell der Arie BWV 24:1 (»Ein ungefärbt Gemüte«) mit einem Kopfmotiv, dessen repetierte Achtelnoten mit einer Akkordbrechung verbunden werden, bevor sie anschließend sequenziert und durch eine analoge Kadenzgruppe ergänzt werden. Von dieser instrumental erfundenen Motivik hebt sich die Altstimme mit einer kantablen Prägung ab, die vom Continuo mit dem Kopfmotiv des Ritornells begleitet wird. Der Vokalpart übernimmt nur ausnahmsweise die instrumentale Motivik (T. 17 f. und 65 ff.), sodass die Stimmen weithin eigenständig geführt werden.

Die **Arien mit zwei obligaten Instrumentalstimmen** unterscheiden sich von den Sätzen mit Soloinstrument nicht in dem Maß, das man erwarten könnte. Fungiert der Generalbass in der einen Gruppe als obligate Stimme, so dient er in der anderen als Stütze eines zweistimmigen Satzes, der durch den Vokalpart zur Dreistimmigkeit erweitert wird. In der variierten Da-capo-Arie »Liebt, ihr Christen, in der Tat« (BWV 76:12) werden die Oboe und die Gambe komplementär verzahnt, ohne einander zu imitieren. Finke-Hecklinger rückte den Satz in die Nähe einer Giga im $^{12}/_{8}$-Takt,[181] doch wird der Tanzcharakter durch die wechselnde Akzentuierung der Zählzeiten relativiert, sodass der Arie die rhythmische und periodische Prägung eines Tanzsatzes fehlt. Da der Vokalpart weder die Initien noch die Fortspinnung der Instrumente übernimmt, ergibt sich ein Satz mit drei getrennten Stimmen, die gemeinsam vom Generalbass gestützt werden (Notenbeispiel 12a). Allerdings kommt es dazu erst am Ende der Rahmenteile, die nur die erste Textzeile verwenden, während sich die Instrumente auf kurze Einwürfe beschränken. Obwohl der Mittelteil drei weitere Zeilen enthält, wird er deutlich knapper gefasst, zugleich aber durch längere vollstimmige Phrasen ausgezeichnet. Bei gleicher Zeilenzahl lässt sich der Text der Tenorarie BWV 24:5 (»Treu und Wahrheit sei der Grund«) in drei syntaktische Einheiten gliedern, die drei zweizeilige Teile ergeben. Besetzt mit zwei

Notenbeispiel 12a

---

[181] Vgl. Finke-Hecklinger, a. a. O., S. 113.

Oboen, beginnt das Ritornell mit einer Einklangsimitation, die rasch zu paralleler Fortspinnung wechselt. Der Tenor übernimmt das Kopfmotiv, das von den Oboen umspielt und imitiert wird, doch setzt sich diese Verdichtung nicht fort, weil der syllabisch deklamierende Vokalpart mit kurzen Ausschnitten aus der Fortspinnung des Ritornells verbunden wird. Je mehr das Kopfmotiv zurücktritt, desto schwächer wird die motivische Prägung der Stimmen.

Wie die Arien machen auch die Duette BWV 23:1 und 167:3 nur begrenzt von der Einbautechnik Gebrauch, die in Weimar noch dominierende Geltung hatte. Der Eingangssatz aus BWV 23:1 (»Du wahrer Gott und Davids Sohn«) verbindet Sopran und Alt mit zwei Oboen zu einem Quartett, in dem die Vokalstimmen weithin im Quintkanon geführt und durch triolische Drehfiguren der Oboen begleitet werden. Die Triolen prägen nicht nur das Kopfmotiv des Ritornells, das im Einklangskanon eingeführt wird, sondern ebenso die Fortspinnung, in der sich die Oboen komplementär ablösen, bevor sie in Sextparallelen zusammengefasst werden. Den drei Teilen der variierten Da-capo-Form, die auf der V. bzw. IV. und I. Stufe von c-Moll enden, liegen vier bzw. drei Textzeilen zugrunde. Im A-Teil, dem die erste Zeile als Devise vorangeht, werden beide Stimmen erst nach Auslauf des Kanons mit den Oboen kombiniert, die sich zuvor mit kurzen Einwürfen begnügen. Der B-Teil beginnt mit einem vierstimmigen Kanon, an dem die Stimmpaare mit jeweils eigener Motivik beteiligt sind. Während der Kanon der Oboen rasch zur Parallelführung wechselt, wird er in den Vokalstimmen mit der triolischen Motivik der Instrumente verbunden. Die variierte Reprise beschränkt sich nicht auf eine zur Tonika zurückführende Wiederholung des A-Teils. Vielmehr wirkt der Mittelteil in der simultanen Paarung aller Stimmen in einem Maße nach, das den Schlussteil zur Krönung des kunstvollen Satzes macht. Dass das Duett aus BWV 167 (»Gottes Wort, das trüget nicht«) etwas einfacher ist, dürfte sich durch seine Position als Binnen- statt als Kopfsatz erklären. Zu den weiträumigen Figurenketten, mit denen die Oboe da caccia das Ritornell bestreitet, kontrastiert die knappe Diktion der Vokalstimmen, die anfangs in syllabischer Deklamation parallel geführt werden. Selbst wo sie sich imitierend oder kanonisch trennen, lösen sie sich nur mit kurzen Formeln ab, die von der Oboe mit Varianten des Ritornells begleitet werden. Das Verfahren ändert sich erst im Mittelteil, der vom ¾-Takt zu geradem Takt wechselt und als kanonisches Vokalduett beginnt, während die Oboe dreimal das Kopfmotiv zitiert (T. 58–69). Sobald der B-Teil zum ¾-Takt zurückkehrt, wird der Satz durch Melismen bereichert, die jedoch an der Parallelführung der Stimmen festhalten.

In den **Sätzen mit größerem Instrumentalensemble** lassen sich nach Taktmaß und Besetzung zwei Gruppen unterscheiden. In den Arien BWV 75:3, 22:4 und 167:1, die mit Streichern rechnen, verbindet sich das ungerade Taktmaß mit einer tänzerischen Rhythmik. Dagegen zeichnen sich die Bassarien BWV 75:12 und 76:5, die bei geradem Taktmaß in C-Dur stehen, durch eine obligate Trompetenstimme aus. Alle Sätze greifen bei primär akkordischem Instrumentalpart weit mehr als sonst auf Varianten der Einbautechnik zurück.

Die beiden Bassarien schließen in Taktmaß und Besetzung an die letzte Weimarer Arie an (BWV 147a »Laß mich der Rufer Stimme hören«), die für die Wiederaufführung 1723 nochmals umgearbeitet wurde. Wie dort begnügt sich der Instrumen-

Notenbeispiel 12b

talpart aus Rücksicht auf die Trompete mit kleingliedrigen Spielfiguren, die zumeist nur die Grundstufen umspielen, ohne eine periodische Taktgliederung auszubilden. In Satz 12 aus BWV 75 beschränken sich die Außenteile der variierten Da-capo-Form auf die mehrfach wiederholte erste Zeile (»Mein Herze glaubt, mein Herze liebt«), während die übrigen Zeilen im Mittelteil weit knapper behandelt werden. Das fanfarenhafte Kopfmotiv wird durch triolische Sechzehntel der Streicher erweitert, die von der Trompete übernommen und in modulierenden Phasen den Streichern überlassen werden (Notenbeispiel 12b). Am Mittelteil dagegen, der zur Tonika- und zur Dominantparallele moduliert, ist die Trompete nur mit kurzen Einwürfen beteiligt. Demgemäß wird der Vokalpart in den Rahmenteilen mit Auszügen aus dem Ritornell verbunden, während er im Mittelteil zumeist nur von Streichern begleitet wird. Auch in Satz 5 aus BWV 76 konzentrieren sich die Rahmenteile auf die erste Textzeile »Fahr hin, abgöttische Zunft«, während die drei übrigen Zeilen im Mittelteil doppelt durchlaufen werden.

Rit.	**A**	Zwischen-spiel		**B¹**	Zwischen-spiel	**B²**	Rit.	**A'**	Rit.
	(Zeile 1)			(Zeile 2–4)		(Zeile 2–4)		(Zeile 1)	
1–6	6–8 (vokale Devise)	8–13 (~ 1–6)	13–18 (~ 1–6)	18–24	24–28 (~ 2–6)	28–37	37–42	42–48 (~ 6–10)	49–54
T	T	T	T – D	D–Tp	Tp	Tp	Tp	T	T

8. Gruppen und Arten der Arie 243

Das Verfahren wird zugleich dadurch modifiziert, dass das Trompetensignal des Ritornells durch eine Spielfigur ergänzt wird, die auf der Dominante kadenziert. Zur Tonika führt erst der Basseinsatz zurück, der sich als vorgezogene Devise erweist, an die sich eine erste Variante des Ritornells anschließt. Wenn danach die erste Version wiederkehrt, wird der Vokalpart in sie eingebaut (T. 14–17 ~ 2–5). Erklingt das Ritornell im A-Teil also dreimal, so verwendet der B-Teil nur einmal eine transponierte Fassung, während sich die Instrumente im Übrigen mit wenigen Einwürfen begnügen, in denen der Trompetenpart auf Tonrepetitionen reduziert wird. Desto effektvoller ist die unerwartete Zäsur, die der zur Dominantparallele modulierende Mittelteil kurz vor der Schlusskadenz durch einen doppeldominantischen Quintsextakkord mit zusätzlicher Fermate erfährt (T. 36 »adagio«). Indem sie ein Pendant im analogen Abschluss des A'-Teils findet, erweitern die beiden Eingriffe das Spektrum des Satzes in einer Weise, die sein energischer Tonfall zuvor nicht vermuten ließ.

Die Arie »Mein alles in allem« (BWV 22:4), die Finke-Hecklinger zufolge zwischen dem Menuett und dem Passepied im ⅜-Takt steht,[182] kann dagegen als Muster eines tänzerischen Satzes gelten. Das Schema eines zweiteiligen Ritornells, dessen Teile zur Dominante bzw. zur Tonika lenken, wird durch das Verhältnis der viertaktigen Glieder in doppelter Hinsicht modifiziert. Einerseits wird das auftaktige Kopfmotiv, dessen punktierte Achtel die federnde Rhythmik des Tanzes auslösen, durch eine Fortspinnung ergänzt, die den tänzerischen Impuls durch synkopisch verkettete Zweiunddreißigstel unterläuft. Andererseits wird die dominantische Richtung der ersten Gruppe in die viertaktige Fortspinnung verlagert, ohne kadenzierend abgeschlossen zu werden. Dagegen weist die zweite Gruppe zunächst zur Subdominante, während die Fortspinnung zur Tonika zurückführt. Beide Gruppen werden getrennt oder verbunden eingesetzt und mittels der Einbautechnik auf den Vokal- und Instrumentalpart verteilt. So stimmt der Tenor anfangs das Kopfmotiv an, während eine Variante der Fortspinnung den Streichern zufällt. Ein weiteres Beispiel ist die rhythmische Stauung im Mittelteil des Satzes: Verharrt der Tenor zum Wort »Frieden« auf einem Halteton, so zitieren dazu die Streicher das Kopfmotiv, um dann erst auf einer Fermate innezuhalten (T. 61–64).

Die Tenorarie »Mein Jesus soll mein alles sein« (BWV 75:3) – die erste Arie, die Bach den Leipziger Hörern bot – trifft den Ton der innigen Jesusliebe derart bezwingend, dass sich die Frage aufdrängt, worin dieser Charakter begründet ist. Entscheidende Bedeutung hat das Ritornell, dessen zweitaktiges Modell an eine Sarabande erinnert und vor allem die Rahmenteile prägt.[183] Die Oberstimmen setzen mit einer auftaktigen Achtelbewegung an, die den im Bass gehaltenen Grundton mit Sextakkorden umkreist. Verharren sie im zweiten Takt auf der Dominante, so machen sie zugleich den Orgelpunkt zu einer Dissonanz, mit deren Auflösung der Impuls der Oberstimmen in die Bassstimme übergeht. Dieser Wechsel der Stimmen setzt sich in einer Sequenz fort, nach der ein dritter Ansatz um einen Takt erweitert und mit den folgenden Gruppen verkettet wird (T. 5–7 und 8–11). Die periodische Gliederung wird demnach durch eine melodische Steigerungswelle überlagert, die

---

182 Vgl. ebd., S. 104 mit Angaben zum omnipräsenten Kopfmotiv, die aber nicht die Fortspinnung erfassen.
183 Zum Typus der Sarabande vgl. Finke-Hecklinger, a. a. O., S. 62.

von der dreitaktigen Kadenzgruppe abgefangen wird (T. 11–13). Sie benutzt eine unscheinbare Wendung, die zuvor die beiden ersten Takte verband. Bestehend aus zwei Sechzehnteln und einer Achtel, wird sie durch zwei zusätzliche Achtel zu einer hemiolischen Zelle erweitert, mit deren Reihung die Bewegung in einer fallenden Sequenz verebbt.

Ritornell	A (Zeile 1)					Zwischen-spiel				Ritornell
1–15	15–16 (~7–15)	16–32 (~1–7)	32–36	36–39 (~1–4)	39–42	42–50 (~1–7)	50–64	64–67 (~1–4)	67–70	71–84 (~1–15)
	vokal	+ Instr.	vokal	+ Instr.	vokal		vokal	+ Instr.	vokal	
T	T	T	T–D	D		D	D	Tp–D	T	T

B¹ (Zeilen 2–3)	Zwischen-spiel	B² (Zeilen 4–5)	A' (Zeile 1)			Ritornell
85–95	95–99	100–112	113–125	125–128	128–131	131–145
vokal + Oboe	(~12–15)	vokal + Oboe (110–118 var. Ritornellzitat)	+ Instr.	(~1–4)	vokal	(~1–15)
T–Dp	Dp	Dp–Tp–D	T			T

Das Ritornell ist so genau auf den Text bezogen, dass es in den Rahmenteilen abwechselnd vom Vokalpart übernommen und von den Instrumenten variiert werden kann, ohne seine Prägnanz einzubüßen. So tritt der Tenor mit einer syllabisch textierten Version ein, die das Orchester in einer transponierten Wiederholung mit Vokaleinbau fortführt (T. 18–32 ~ 7–15 bzw. 1–7). Selbst wo der Vokalpart lediglich von der Oboe begleitet wird, basiert er auf Varianten der Ritornellmotivik (T. 50–70). Nur einmal wird sie durch steigende Dreiklänge unterbrochen, wenn der Mittelteil zum Wort »Freudenwein« in vokalen Melismen ausläuft, die gleichwohl vom Kopfmotiv ausgehen. Wenn einen Takt später die gestraffte Reprise beginnt, so wird den ersten Takten die letzte und ihrer Sequenzierung die erste Zeile unterlegt, sodass die Textzeilen und die Formteile ineinandergreifen. Dass man des omnipräsenten Modells nicht müde wird, ist in seiner bestrickenden Klangfülle begründet, die die intrikate Struktur des Satzes vergessen lässt.

Nicht ganz so kompliziert ist die Eingangsarie aus BWV 167 »Ihr Menschen, rühmet«, die klarer als sonst dem Typus einer Gigue im $^{12}/_8$-Takt entspricht.[184] Von anderen Sätzen dieser Art unterscheidet sie sich durch ihre fließende Achtelbewegung, die keine Stauungen oder Synkopen kennt. Auch wo die Oberstimmen punktierte Werte zeigen, werden sie durch Achtelfolgen im Continuo ausgeglichen. Mit zwölf Takten, die sich in zwei sechstaktige Hälften gliedern, hat das Ritornell einen

---

184 Im Unterschied zur punktierten Rhythmik des Siciliano wird die Achtelbewegung der Gigue sonst meist durch eingefügte Viertel oder Sechzehntel modifiziert. Vergleichbar wären Sätze wie BWV 104:1 (1724) oder BWV 170:1 (1726), deren Bewegung aber auf Orgelpunkten basiert, vgl. Finke-Hecklinger, a.a.O., S. 36–42 und 67–77. Die Angabe, solche Sätze seien nur bis 1724 entstanden (ebd., S. 77), ist im Blick auf spätere Arien wie BWV 13:1, 88:1 und 170:1 (alle 1726) zu ergänzen.

ähnlichen Umfang wie in BWV 75:3. Nicht ungewöhnlich ist auch die harmonische Disposition, die in der ersten Hälfte über eine Quintkette zur Dominante führt und in der zweiten analog zur Tonika zurückkehrt. Der gestaffelte Anstieg des Kopfmotivs ist mit der fließenden Fortspinnung so eng verwoben, dass man ihre Wiederholung noch dort zu hören meint, wo die Figuren bei Zutritt des Vokalparts abgewandelt werden. Beispielsweise wird der zweite Ansatz der Singstimme (T. 17–21) mit dem auf die Dominante versetzten Kopfmotiv der Violine kombiniert, dem die Fortspinnung in der ursprünglichen Fassung folgt. Dass das bruchlos möglich ist, liegt am Ausfall der Wendung, mit der das Kopfmotiv die Dominante schon vor Beginn der Fortspinnung erreichte (T. 2f.). Ein weiteres Beispiel ist die echoartige Taktwiederholung, mit der die Kadenzgruppe des Ritornells verlängert wird (T. 9–10 bzw. 69–70). Sie kehrt viermal auf wechselnden Stufen mit Vokaleinbau wieder, doch wird dann der Vokalpart in den Rahmenteilen (T. 27f. bzw. 57f.) mit ausgedehnten Koloraturen ganz anders gefasst als mit der bündigen Deklamation des Mittelteils (T. 37f. bzw. 42ff.). Die Einbautechnik wird also durch ein Netz von Varianten differenziert, die ebenso den Vokal- wie den Instrumentalpart erfassen.

Wie die Weimarer Sätze deuten die ersten Leipziger Arien darauf hin, dass die Wahl der Besetzungen zugleich Präferenzen für die Verarbeitung implizierte. Eine weitere Prämisse, die in Weimar nicht so deutlich wie in Köthen hervortrat, war die Wahl eines Tanzmodells, das gleichwohl weniger formale als satztechnische Konsequenzen hatte. In keiner Gruppe sind die Korrelationen zwischen Besetzung und Taktart auf der einen und Tanztyp und Satzart auf der anderen Seite so klar zu erkennen wie in den zuletzt genannten Arien. Wie in Weimar verbindet sich mit einem vollstimmigen Instrumentalpart der häufige Rekurs auf den Vokaleinbau, während kleinere Besetzungen eine kontrapunktisch differenzierte Stimmführung zur Folge haben. Für die Arien mit einem Soloinstrument gilt das freilich nur in dem Maße, wie der Instrumentalpart nicht auf Figurationen über einem Akkordgerüst beruht, das eine Gelegenheit für den Vokaleinbau bietet. Dagegen tendieren die Sätze mit zwei Instrumenten zu einer eher kontrapunktischen Stimmführung. Eine eigene Gruppe bilden die Duette, in denen die Stimmen wechselnd parallel oder imitierend geführt werden. Bezeichnend ist jedoch, dass die Tanzcharaktere weit seltener bei kleinerer Besetzung begegnen und dann eine stärkere Stilisierung als im vollstimmigen Satz erfahren.

b. Vom 8. bis zum 25. Sonntag nach Trinitatis

Mit der Erfindung der Ritornelle, die dem Affekt des Textes entsprechen mussten, war zugleich das Material vorgegeben, auf das sich die Ausarbeitung der Satzstruktur richtete. Obwohl sie in den üblichen Formanalysen zumeist übergangen wird, stand sie für Bach im Zentrum seiner Arbeit. Wie eine Da-capo-Form auf eine geeignete Textvorlage angewiesen ist, so setzt eine vorgezogene Devise einen passenden Textbeginn voraus. Eine Typologie, die sich nur von formalen Merkmalen leiten ließe, liefe Gefahr, die Sätze an Prämissen zu messen, über die der Komponist nur begrenzt zu entscheiden hatte. Da nicht feststeht, wie frei Bach in der Wahl seiner Vorlagen war, zeugen strukturelle Kategorien eher als formale Aspekte vom Kunstrang seiner Werke.

Weithin unabhängig von den Texten war dagegen die Entscheidung über Taktmaß, Tonart und Besetzung. Weil diese Faktoren als maßgebliche Prämissen der Ausarbeitung gelten müssen, muss von ihnen ein Versuch ausgehen, der die Arien nach sachlichen Kriterien zu gruppieren sucht. Die folgende Übersicht verweist auf die Besetzungen und Ton- bzw. Taktarten, um anschließend ein paar bezeichnende Beispiele herauszugreifen. Zwar kann diese Auswahl nicht »objektiv« sein, doch ist zu hoffen, dass die Vielfalt der Lösungen wenigstens annähernd zum Vorschein kommt.[185]

BWV 136 Erforsche mich, Gott, und erfahre mein Herz

| 3 | Es kömmt ein Tag, so das Verborgne richtet | var. Dc | A., Ob. d'am. I, Bc. – fis-Moll, 𝄴 (Adagio, B-Teil: Presto) |
| 5 | Uns treffen zwar der Sünden Flecken | A – B – Rit. (Giga / Pastorale) | T., B., V. I–II (in unisono), Bc. – h-Moll, $^{12}/_8$ |

BWV 105 Herr, gehe nicht ins Gericht

| 3 | Wie zittern und wanken | dreiteilig | S., Ob., Str. (ohne Bc.) – Es-Dur, $^3/_4$ |
| 5 | Kann ich nur Jesum mir zum Freunde machen | Dc (Gavotte) | T., Corno da tirarsi, Str., Bc. – B-Dur, 𝄴 |

BWV 46 Schauet doch und sehet, ob irgendein Schmerz

| 3 | Dein Wetter zog sich auf von weitem | var. Dc | B., Tr., Str., Bc. – B-Dur, $^3/_4$ |
| 5 | Doch Jesus will auch bei der Strafe | dreiteilig | A., Fl. dolce I–II, Ob. I–II da caccia (ohne Bc.) – g-Moll, 𝄴 |

BWV 179 Siehe zu, daß deine Gottesfurcht nicht Heuchelei sei

| 3 | Falscher Heuchler Ebenbild | A – B – Rit. | T., Str. + Ob. I–II, Bc. – e-Moll, 𝄴 |
| 5 | Liebster Gott, erbarme dich | var. Dc | S., Ob. da caccia I–II, Bc. – a-Moll, $^3/_4$ |

BWV 69a Lobe den Herrn, meine Seele

| 3 | Meine Seele, auf, erzähle | Dc (Giga) | T., Fl., Ob. da caccia, Bc. – C-Dur, $^9/_8$ |
| 5 | Mein Erlöser und Erhalter | A – B – B – Rit. (Sarabande) | B., Ob. d'am., Str., Bc. – h-Moll $^3/_4$ |

BWV 77 Du sollt Gott, deinen Herrn, lieben

| 3 | Mein Gott, ich liebe dich | A – B – Rit. | S., Ob. I–II, Bc. – a-Moll, 𝄴 |
| 5 | Ach, es bleibt in meiner Liebe | Dc (Menuett) | A., Tr., Bc. – d-Moll, $^3/_4$ |

BWV 25 Es ist nichts Gesundes an meinem Leibe

| 3 | Ach, wo hol ich Armer Rat | A – B – Rit. | B., Bc. – d-Moll, 𝄴 |
| 5 | Öffne meinen schlechten Liedern | A – B – Rit. (Menuett) | S., Fl. I–III, Str. + Ob. I–II, Bc. – C-Dur, $^3/_8$ |

185 Die Hinweise auf Tanztypen folgen den Angaben bei Finke-Hecklinger, a. a. O., S. 137.

BWV 119 Preise, Jerusalem, den Herrn[186]

| 3 | Wohl dir, du Volk der Linden | Dc (Giga/ Pastorale) | T., Ob. da caccia I–II, Bc. – G-Dur, ¢ [¹²/₈] |
| 5 | Die Obrigkeit ist Gottes Gabe | var. Dc (Gigue) | A., Fl. dolce I–II (in unisono), Bc. – g-Moll, ⁶/₈ |

BWV 138 Warum betrübst du dich, mein Herz

| 4 | Auf Gott steht meine Zuversicht | Dc (modifiziert) (Menuett) | B., Str., Bc. – D-Dur, ³/₄ |

BWV 95 Christus, der ist mein Leben

| 5 | Ach, schlage doch bald, letzte Stunde | Dc | T., Ob. d'am. I–II, Str., Bc. – D-Dur, ³/₄ |

BWV 48 Ich elender Mensch, wer wird mich erlösen

| 4 | Ach, lege das Sodom der sündlichen Glieder | A – B – B – Rit. (Menuett) | A., Ob., Bc. – Es-Dur, ³/₈ |
| 6 | Vergibt mir Jesus meine Sünden | var. Dc | T., Str. + Ob. I–II, Bc. – g-Moll, ³/₄ |

BWV 109 Ich glaube, lieber Herr

| 3 | Wie zweifelhaftig ist mein Hoffen | Dc | T., Str., Bc. – e-Moll, ¢ |
| 5 | Der Heiland kennet ja die Seinen | Dc (Menuett/ Sarabande) | A., Ob. I–II, Bc. – F-Dur, ³/₄ |

BWV 89 Was soll ich aus dir machen, Ephraim

| 3 | Ein unbarmherziges Gemüte | var. Dc | A., Bc. – d-Moll, ³/₄ |
| 5 | Gerechter Gott, ach rechnest du? | A – B – Rit. (Menuett) | S., Ob., Bc. – B-Dur, ⁶/₈ |

BWV 60 O Ewigkeit, du Donnerwort (Dialogus)

| 1 | O Ewigkeit, du Donnerwort/Herr, ich warte auf dein Heil | Choral/Dialog | A., T., Corno, Ob. d'am. I–II, Str., Bc. – D-Dur, ¢ |
| 3 | Mein letztes Lager will mich schrecken | dreiteilig dialogisch | A., T., Ob. d'am., V. I solo, Bc. – h-Moll, ¢ |

BWV 90 Es reißet euch ein schrecklich Ende

| 1 | Es reißet euch ein schrecklich Ende | Dc (Giga) | T., Str., Bc. – d-Moll, ³/₄ |
| 3 | So löschet im Eifer der rächende Richter | var. Dc | B., Tr., Str., Bc. – B-Dur, ¢ |

Abgesehen von Sonderfällen wie den dialogischen Arien in BWV 60 und den dreiteiligen Sätzen BWV 105:3 und 46:5, stehen sieben Da-capo-Formen acht zweiteiligen

---

186 Beide Arien nicht erwähnt bei Finke-Hecklinger.

Arien gegenüber, während das Da-capo-Schema in neun Sätzen mehr oder minder stark variiert wird. Dabei können die zweiteiligen Sätze durch Teilwiederholungen und die Da-capo-Formen durch wiederholte Textzeilen modifiziert werden. Dass Bach auf formale Straffung und zugleich auf klangliche Abwechslung bedacht war, lässt sich auch an den Besetzungen erkennen. Neben zwei Continuo-Sätzen finden sich zwei Arien senza basso, während Sätze mit instrumentaler Ensemblebesetzung fast ebenso häufig sind wie Arien mit ein oder zwei Soloinstrumenten.

Die beiden **Continuo-Arien** enthalten viertaktige Ritornelle, die quasi ostinate Funktion haben, sodass sie im zweistimmigen Satz nur begrenzt Varianten zu erlauben scheinen. In dem Maß jedoch, in dem die Kopfmotive vom Vokalpart übernommen oder abgewandelt werden, müssen darauf auch die Bassmodelle reagieren. Das Vorspiel der Bassarie »Ach, wo hol ich Armer Rat« (BWV 25:3) exponiert zunächst synkopische Achtel, die von Achteln und Sechzehnteln abgelöst und danach sequenzierend verlängert werden. Das Modell kehrt in den drei ersten und drei letzten Perioden unverändert wieder (T. 1–12 und 36–48) und umrahmt damit die Binnenglieder, deren Varianten durch die harmonische Erweiterung des Bassmodells bedingt sind. Obwohl die vierte Periode zur V. Stufe moduliert, wird sie auf drei Takte verkürzt, während die nächste Phase auf gleicher Stufe bleibt und dennoch sechs Takte umfasst (T. 13–21). Dagegen lösen sich die Zwischenglieder, die nach g-Moll modulieren, zunehmend vom Bassmodell (T. 22–18 und 29–35), um damit der Ausweitung des Vokalparts Raum zu geben. Denn er folgt nur anfangs den intervallischen Konturen des Continuo, die später in syllabisch deklamierte Achtelwerte aufgelöst oder durch Koloraturen erweitert werden. Die Altarie »Ein unbarmherziges Gerichte« (BWV 89:3) basiert auf demselben Prinzip, das hier jedoch flexibler abgewandelt wird. Das punktierte Kopfmotiv des Ritornells umkreist mit Quintfall und vermindertem Septsprung die Grundstufen und läuft in Sechzehnteln aus, bevor es auf der IV. Stufe wiederkehrt und in der Tonika kadenziert. Die Paarung des Kopfmotivs mit einer variablen Sechzehntelkette und mit internem Stufenwechsel erlaubt größere Varianten, die sich auf den Mittelteil konzentrieren, während die umrahmenden Perioden das Grundmodell bewahren (T. 1–8 bzw. T. 35–42/43). Moduliert die dritte Phase über B-Dur nach a-Moll, so führt die nächste über d-Moll erneut nach a-Moll T. 9–13 bzw. T. 14–18). Doch wird das Bassgerüst danach durch Sechzehntelketten verdrängt (T. 19–22), bis es erst in den nächsten Phasen wieder hervortritt. Weil sie nach F-Dur und c-Moll lenken (T. 23–27 bzw. T. 28–32), werden zwei Quintfälle erforderlich, um nach d-Moll zurückzukehren. Demgemäß kann der Vokalpart so variabel geformt werden, dass der Ostinato als Basis einer Folge freier Varianten fungiert.

Den Gegenpol vertreten zwei **Arien senza basso**, die zugleich die Gruppe der kammermusikalisch besetzten Sätze erweitern. Durch ihre Besetzung, in der die Streicher als akkordische Basis für Oboe und Sopran fungieren, vertritt die Arie »Wie zittern und wanken der Sünder Gedanken« (BWV 105:3) einen anderen Ansatz. Der bestrickende Klang, der sich aus der Paarung von zwei Oberstimmen gleicher Lage mit einem Streichersatz ergibt, gewinnt durch die Aufspaltung des Akkordgerüsts zugleich expressive Wirkung. Während die Achtel der Violen als Basis der repetierten Sechzehntel der Violinen dienen, geht das Duo der Oberstimmen vom Material des

Notenbeispiel 13

Ritornells aus.[187] Die auftaktigen Ansätze der Oboe, die anfangs nach vier Tönen abbrechen, werden später sparsam ornamentiert, bis sie sich zu langen Melismen erweitern (Notenbeispiel 13). Sobald der Sopran einsetzt, imitieren sich beide Stimmen im Abstand einer Viertelnote, um sich erst dann zu trennen, wenn Haltetöne in der einen Stimme durch Melismen in der anderen ausgefüllt werden. Das Modell wird zu den beiden ersten Zeilen eingeführt, während es nach dem Zwischenspiel auf die weiteren Zeilen übertragen wird.

A^1				A^2			B	A^1
Ritornell	Zeile 1–2	Zwischenspiel	Zeile 1–4	Ritornell	Zeile 1–4	Zwischenspiel	Zeile 5–6	Ritornell
1–17	17–21 (∼ 1–4)	21–25 (∼ 14–17)	26–45 (∼ 1–8)	45–53	54–74 (∼ 14–17)	74–78	79–94	94–110 (= 1–17)
T	T	T – D	D	D	D – Tp	Tp	Tp – T	T

Dem zur Dominante modulierenden ersten Teil folgt ein zweiter, der zur Tonikaparallele moduliert, während die beiden letzten Zeilen dem Schlussteil überlassen bleiben. So begrenzt der harmonische Radius der Teile ist, die sich zudem in ihrer Disposition entsprechen, so reich wird er durch »neapolitanische« Trübungen und

---

187 Vgl. dazu Robert Lewis Marshall, The Genesis of an Aria Ritornello: Observation on the Autograph Score of »Wie zittern und wanken«, BWV 105/3, in ders., The Music of Johann Sebastian Bach, S. 143–160.

Vorhalte differenziert. Mit diesem Satz teilt die Arie BWV 46:5 »Doch Jesus will auch bei der Strafe«, die eine Woche später folgte, die dreiteilige Anlage und den Verzicht auf den Continuo. Wie dort gehen dem ersten Teil die beiden ersten Textzeilen voran, die nach dem Zwischenspiel durch die beiden folgenden ergänzt werden, während die übrigen Zeilenpaare den weiteren Teilen zugrunde liegen. Trotz der formalen Analogien unterscheiden sich die Sätze insofern, als die Arie BWV 45:3 einen Triosatz bildet, der durch den Alt auf vier Stimmen erweitert wird. Zwei Oboi da caccia in unisono, die zunehmend an der Motivik partizipieren, fungieren als Basis der beiden Blockflöten, die im Kopfmotiv parallel geführt werden, um sich danach wechselweise zu überlagern. Dagegen variiert der Alt nur eingangs das Kopfmotiv, das in syllabischer Deklamation fortgeführt und durch Melismen ergänzt wird, die auf die Fortspinnung des Ritornells zurückgehen.

Die Norm der **geringstimmigen Arien** wird durch drei Sätze vertreten, in denen der Vokalpart mit einer Oboe gepaart wird. Ohne besonders virtuos zu sein, ist das Ritornell der Arie »Es kömmt ein Tag« (BWV 136:3) von vornherein so instrumental geprägt, dass der Alt auf eine eigene Version des Kopfmotivs angewiesen ist. Da der A-Teil auf der Dominante endet, fällt der variierten Reprise die Rückführung zur Tonika zu. Den Mittelteil bildet ein »presto« im $^{12}/_8$-Takt, das dem Alt überlassen ist und von den Rahmenteilen unabhängig bleibt. Die beiden anderen Arien entsprechen sich durch die zweiteilige Form und das ungerade Taktmaß, doch haben sie mit dem Menuett kaum mehr gemeinsam als den rhythmischen Impuls.[188] Beidemal teilen Oboe und Vokalpart dieselbe Motivik, von der beide Stimmen über motivisch neutralem Generalbass gleichermaßen zehren. In der Altarie »Ach legt das Sodom der sündlichen Glieder« (BWV 48:4) reichen die motivischen Analogien so weit, dass die Oboe entweder im Wechsel mit dem Vokalpart eintritt oder als dessen Umspielung erscheint. Etwas variabler ist das Material der Sopranarie »Gerechter Gott, ach rechnest du?« (BWV 89:5), deren Kopfmotiv in einer umspielten Version eingeführt und sequenzierend fortgesponnen wird, sodass sich die Stimmen ebenso entsprechen, wie sie sich voneinander unterscheiden. Folgt dem Sopran einen Takt später die Variante der Oboe, so wird damit ein Verfahren verwendet, das zwischen Imitation und Kanon vermittelt und weite Phasen des Satzverlaufs beherrscht.

Notiert im $^6/_8$-Takt, entspricht die Arie »Die Obrigkeit ist Gottes Gabe« dem rhythmischen Muster der Gigue, deren Achtelketten in Sechzehntel aufgelöst und in der Kadenzgruppe hemiolisch gestaut werden. Zwei Blockflöten in unisono bilden mit der Altstimme ein konzertierendes Duo, an dem sich der Generalbass nur dort beteiligt, wo die Flöten auf getupften Tonrepetitionen verweilen. Das Schema der variierten Da-capo-Arie wird insofern modifiziert, als der Mittelteil zur Subdominante moduliert, während seine Schlusszeile der auf gleicher Stufe ansetzenden Reprise vorangeht. Dass die Altarie »Ach, es bleibt in meiner Liebe« (BWV 77:5) etwas einfacher anmutet, liegt weniger am Einsatz einer Solotrompete als an der tänzerischen Rhythmik. Das Ritornell besteht aus zwei achttaktigen Phrasen, die Finke-Hecklinger zufolge »der Bewegungsart des langsameren Menuetts im $^3/_4$-Takt«

---

[188] Finke-Hecklinger zufolge (a. a. O., S. 137) vermittelt die Rhythmik zwischen Menuett und Passepied.

nahestehen.[189] Im Vokalpart zu den ersten Zeilen wiederholt, werden sie von der Trompete ornamental umspielt, bis im Nachspiel nur die erste Phrase wiederkehrt. Im Mittelteil wird das Schema auf die drei übrigen Zeilen übertragen und durch zusätzliche Takte modifiziert, während die Harmonik modulierend erweitert wird. Dagegen kann die Bassarie BWV 138:4 nur dann als Parallele gelten, wenn man die unterschiedlichen Vorgaben der Form und Besetzung übersieht.[190] Zu den Sätzen mit solistischem Instrumentalpart ließen sich auch die Arien BWV 179:3 und 109:3 zählen, auf die aus anderen Gründen gesondert zurückzukommen ist.

Dass sich die Besetzung und die Satztechnik gegenseitig bedingen, zeigen besonders die Arien, die den Vokalpart mit **zwei Instrumenten gleicher Lage** verbinden und demgemäß zwischen paralleler und komplementärer Stimmführung wechseln. Im Ritornell der Sopranarie »Mein Gott, ich liebe dich« (BWV 77:3) verlaufen die beiden Oboenstimmen nicht nur im Kopfmotiv, sondern auch während der Fortspinnung in Terzparallelen, bis sie sich in den letzten Takten komplementär ablösen. Um sie analog auch weiterhin einzusetzen, geht der Vokalpart von einer eigenen Prägung aus, die sich nur in den umspielenden Sechzehntelfiguren auf das instrumentale Incipit bezieht. Die Unterscheidung hat zur Folge, dass Vokal- und Instrumentalpart weithin gekoppelt werden können, ohne ihre motivische Prägung aufzugeben. Wenn andere Arien ähnlich angelegt sind, muss das nicht an ihrem tänzerischen Gepräge liegen. So ähnelt die Arie »Der Heiland kennet ja die Seinen« (BWV 109:5) der Rhythmik einer Sarabande,[191] doch werden die Oboen wie in BWV 77:3 parallel verkettet, um sich erst während der Fortspinnung zu trennen. Der motivische Fundus ist groß genug, um es dem Alt zu erlauben, das instrumentale Incipit zu übernehmen, ohne den Spielraum der Oboen zu vermindern. So wird der Vokalpart im Kopfmotiv mit jeweils einer Oboe zusammengeführt und von der anderen durch die Spielfiguren des Ritornells kontrapunktiert. Mitunter kann daran auch der Continuo beteiligt werden, der sonst primär stützende Funktion hat.

Eine weitere Variante bietet die Tenorarie »Wohl dir, du Volk der Linden« (BWV 119:3), die dem Pastorale insofern nahesteht, als die punktierte Rhythmik in Triolen aufzulösen ist (vgl. T. 44–48).[192] Obwohl der Text zwei Teile enthält und damit eine Da-capo-Form nahelegt, werden die Zeilen mehrfach wiederholt und zunehmend verkettet.

Rit.	A	Zwischen-spiel	B	Zwischen-spiel	A'	Zwischen-spiel	B' – A''	Rit.
	Zeilen 1–2		Z. 3–6		Z. 1–2		Z. 3–6, 1–2	
1–12	12–17	17–20	21–26	27–28	29–35	35–38	38–44–51	51–63
T	T – D	D	D – Tp	Tp	Tp – Dp	Dp	T – Sp – T	T

Die Imitation, mit der die Oboen das Ritornell eröffnen, wird sequenzierend verlängert, bis sie vor der Kadenz in Terzparallelen ausläuft. Der Tenor übernimmt zwar das

---

189 Ebd., S. 51.
190 Vgl. dazu die Angaben bei Finke-Hecklinger, ebd., S. 51.
191 Finke-Hecklinger zufolge (ebd., S. 137) steht der Satz zwischen der Sarabande und dem Menuett.
192 Zu den Kennzeichen der beiden Tanzformen vgl. ebd., S. 79–83.

rhythmische Muster, greift aber das instrumentale Kopfmotiv nur dort auf, wo die Oboen pausieren. Obwohl er nur selten an den Imitationen beteiligt ist, wird der Satz durch die charakteristische Rhythmik geprägt, die zusammen mit der Besetzung zu seinem pastoralen Charakter beiträgt.

Dagegen beweist die Sopranarie »Liebster Gott, erbarme dich« (BWV 179:5), dass die Kombination von zwei Instrumenten gleicher Lage nicht zwangsläufig zur Parallelführung tendieren muss. Zwei Oboi da caccia lösen sich mit einer Motivik ab, deren betonte Dissonanzen einen Terzrahmen erweitern, während die Haltetöne der Fortspinnung in Vorhaltdissonanzen einmünden, deren Auflösung dissonierend umschrieben wird. Gegenüber dem Instrumentalpart, der alle Teile der variierten Da-capo-Form beherrscht, bewahrt der Vokalpart eine Differenzierung, die nicht ohne den Text verständlich ist. In den Rahmenteilen geht der Sopran von einer Variante der Ritornellmotivik aus, die sich durch eingestreute Sechzehntel vom Bläserduo abhebt. Dagegen werden die Zeilen des Mittelteils in zwei- und eintaktige Exklamationen aufgetrennt (T. 63 ff., »Hilf mir – Jesu – Gottes Lamm«). Während der A-Teil von a-Moll nach d-Moll lenkt, moduliert der Mittelteil zunächst nach e-Moll, um danach über fünf Quinten nach c-Moll abzufallen (»ich versink im tiefen Schlamm«). Der Instrumentalpart bildet demnach die Folie des expressiven Vokalparts, dessen Teilkadenzen durch »neapolitanische« Sextakkorde akzentuiert werden. Die Tenorarie »Meine Seele, auf, erzähle« (BWV 69:3), die den Typus der fugierten Gigue modifiziert, verbindet mit einer Blockflöte und einer Oboe da caccia zwei Instrumente, die sich nach Klang und Lage derart unterscheiden, dass die kontrapunktische Struktur besonders klar hervortritt. Das Muster des Ritornells, dessen Kopfmotiv im Einklang imitiert und danach figurativ fortgesponnen wird, wird auf den Vokalpart im Wechsel mit einem der beiden Instrumente überführt. Da der Generalbass als obligate Stimme fungiert, ergibt sich ein drei- bis vierstimmiger Satz, dessen Partner gleichermaßen vom figurativen Material der Fortspinnung zehren. Der Mittelteil beginnt mit einer neuen motivischen Variante, gerade hier aber erinnert der Continuo an das Kopfmotiv des Ritornells (T. 64 f.), das sonst zumeist den Oberstimmen vorbehalten ist.

Ähnlich wie die Arien unterscheiden sich die beiden Duette aufgrund ihrer instrumentalen Besetzung, sofern die Vokalstimmen im einen Fall mit den unison geführten Violinen verbunden werden, während sich im anderen mit Solovioline und Oboe d'amore zwei verschiedene Instrumente gegenüberstehen. Das Ritornell des Duetts »Uns treffen zwar der Sünden Flecken« (BWV 136:5) gleicht mit seinem sprungweisen Kopfmotiv und der skalaren Fortspinnung eher einer Gigue als einem Pastorale.[193] Die tänzerische Violinstimme, die den gesamten Verlauf durchzieht, bildet das einigende Band eines Vokalparts, der in beiden Teilen sehr verschiedene Textglieder zu durchlaufen hat. Statt das instrumentale Kopfmotiv zu übernehmen, treten Tenor und Bass mit einem Quintkanon ein, dessen Melismen sequenzierend erweitert und mit der ersten Textzeile verbunden werden. Davon hebt sich der B-Teil durch Koloraturen ab, in denen die Stimmen zweimal in Terz- oder Sextparallelen gekoppelt und durch die Violinen bzw. den Continuo mit Tonrepetitionen gestützt

193 Vgl. ebd., S. 107–113.

werden. Man mag das mit dem Text motivieren, der vom »Strom« des Bluts aus »Jesu Wunden« redet, doch sollte man nicht übersehen, dass dabei der Vokalpart zugleich die instrumentale Rhythmik aufgreift.

Dass die Textworte weniger maßgeblich als die Struktur der Vorlage und die Wahl der Besetzung sind, zeigt das Duett »Mein letztes Lager will mich schrecken« (BWV 60:3). Der Text besteht aus drei Reimpaaren, in denen je eine Zeile der »Furcht« und der »Hoffnung« zugewiesen ist. Der Satz ist demgemäß als dreiteiliges Duett angelegt, in dem der Alt und der Tenor mit Solovioline und Oboe d'amore kombiniert werden. Wider Erwarten differieren aber weniger die Vokal- als die Instrumentalstimmen, sofern sich die Skalenfiguren der Violine von den punktierten Achteln abheben, die abwechselnd in der Oboe und im Continuo erscheinen. Dass die punktierte Rhythmik einmal auch in die Altstimme eindringt, ließe sich zwar durch das Wort »schrecken« motivieren (T. 23 f.), doch halten die Oboe und der Continuo an ihrer Rhythmik ebenso fest wie die Violine an ihren Figurationen. In diesen Triosatz wird der vokale Dialog eingefügt, dessen Partner sich nicht den Instrumentalstimmen zuordnen lassen. Im Mittelteil werden zwar Worte wie »trägt« oder »sinket« gebührend hervorgehoben (T. 45 ff.), und im Schlussteil erweitern sich die Skalenfiguren der Violine zum Wort »Friedenshaus« zu langen Koloraturen, die auf einem umschriebenen Orgelpunkt basieren (T. 76–80). Unabhängig davon setzen aber Alt und Tenor in allen drei Teilen mit der gleichen Motivik ein, die entweder imitiert oder geringfügig variiert wird, während sie sich rhythmisch zugleich vom Instrumentalpart unterscheidet. Statt dem Wortlaut der Vorlage zu folgen, schrieb Bach ein besonders kunstvolles Quintett, das zwei aufeinander bezogene Vokalstimmen mit einem instrumentalen Triosatz kombiniert.

Von der kammermusikalischen Faktur dieser Sätze heben sich die **Arien für größeres Ensemble** durch ihren kompakten Orchestersatz ab. Es dürfte kein Zufall sein, dass diese Sätze vielfach auf stilisierte Tanztypen zurückweisen. Auch wo der Vokalpart mittels der Einbautechnik in Ausschnitte des Ritornells eingefügt wird, erweist er sich als eigenständiger Widerpart des Orchesters. Drei Sätzen mit führender Oberstimme und begleitendem Tutti folgt eine Gruppe von Arien, die konzertante Züge mit Varianten des Vokaleinbaus verbinden, während sich die Kennzeichen in den letzten Sätzen kreuzen.

Ein Beispiel für die Sätze mit figurierender Oberstimme ist die Arie »Kann ich nur Jesum mir zum Freunde machen« (BWV 105:5), in der die Fortspinnung des Ritornells durch die Figurationen der ersten Violine überlagert wird. Der vierzeilige Text verbindet zwei elfsilbige Rahmenzeilen mit zwei achtsilbigen Binnenzeilen, während die zwischen Viertel- und Achtelwerten wechselnde Rhythmik an eine Gavotte erinnert.[194] Obwohl der Continuo volltaktig ansetzt, wird der akkordische Streichersatz durch ein auftaktiges Modell geprägt, das besonders in der Hornstimme hervortritt.[195] Dass es trotzdem nicht redundant wirkt, liegt an der wechselnden

---

194 Vgl. ebd., S. 34.
195 Zwar zeigt die Hornstimme in der Arie wie im Eingangschor nur die Angabe »Corno«, sofern der Satz aber in B-Dur steht, erinnert die Stimme an die Arie BWV 5:5, deren Obligatstimme von Bach als »Tromba da tirarsi« bezeichnet wurde. In NBA I/19 erhielt die Hornstimme aus BWV 105:5 den Zusatz »da tirarsi«, sodass die Arie die erste wäre, in der ein »Corno da tirarsi« als obligate Solostimme eingesetzt wird.

Aufteilung der Notenwerte und an der Taktgruppierung, die im A-Teil auf die Deklamation der Textzeilen abgestimmt ist. Indem anfangs zweimal sechs Zählzeiten aufeinanderfolgen, ergeben sich zwei Gruppen mit jeweils eineinhalb Takten, die als stufenweise Sequenzen die erste Zeile aufnehmen. Die viertaktige Folgezeile wird dagegen in einem Takt untergebracht und durch mehrfache Wiederholung zu einer achttaktigen Periode erweitert. Der A-Teil wird mit transponierten Varianten dieser Gruppen bestritten (T. 9–14 ~ 1–6, 22–24 und 28–29 ~ 6–8), während die modulierenden Glieder dem Vokalpart vorbehalten sind (T. 15–21, 25–27). Obwohl der Mittelteil zwei analoge Zeilen enthält, ist er sehr viel lockerer geformt. Zwar greift der Instrumentalpart zweimal auf die Kopfgruppe des Ritornells zurück (T. 42 f. und 47 f.), doch werden die Textglieder bei mehrfacher Wiederholung erheblich freier als zuvor deklamiert.

In der Bassarie »Dein Wetter zog sich auf von weitem« (BWV 46:3) wird die obligate Trompete mit einem akkordischen Streichersatz verbunden, der in repetierte Achtel oder Sechzehntel aufgespalten wird.[196] Zwar wird das Kopfmotiv, dessen Dreiklangsbrechung die Trompete intoniert, im Tutti durch punktierte Achtel ersetzt, die aber im »Tremolo« auslaufen, sobald das Initium in der Trompete zu einer großen Septime erweitert wird. In der Fortspinnung (T. 5–7) wird der Streichersatz durch fallende Skalen erweitert, während die Trompete zu kettenweisen Sechzehnteln wechselt und das Kopfmotiv in den Continuo übergeht. So kompakt das Ritornell anmutet, so folgenreich ist es für den Satzverlauf. So wird der Vokalpart mit dem Incipit der Trompete in die erste Gruppe des Ritornells eingebaut (T. 14–16 ~ 1–4), während die Fortsetzung auf das Material der Fortspinnung zurückgeht (vgl. T. 16–22 mit T. 5–12).

A			B^1		B^2		A′	
Rit.	Zeilen 1–2	Zwischenspiel	Zeile 3	Zwischenspiel	Zeilen 4–7	Zwischenspiel	Zeile 1	Rit.
1–12	13–36 (12–21 ~ 1–4 bzw. 5–8)	37–44 (~ zweimal 1–2 bzw. 9–12)	45–58	58–66 ohne Trompete (~ dreimal 1–2)	66–77, 78–84	84–87 (~ 1–4)	88–102	103–110
T–D	T–D	D	D–Tp	Tp	Tp–Tv	Tv	T	T

Ähnlich variabel wird der weitere Verlauf erweitert, in dem die instrumentalen Figuren im Bass zu kettenweisen Koloraturen verlängert werden (T. 27–34). Im B-Teil hingegen wird das Material derart umgeschichtet, dass eher von einer Umbau als von einer Einbautechnik zu reden wäre (T. 45–84). Da die Zeilen 4–7 doppelt durchlaufen werden, fällt der Mittelteil deutlich länger aus als die variierte Reprise (T. 88–102), während das modulierende Glied des Ritornells in den Zwischenspielen und im Nachspiel durch gekürzte Varianten ersetzt wird.

196 Während die entsprechende Stimme des Eingangschors als »Corno da tirarsi« bezeichnet ist, fehlt für Satz 3 eine nähere Angabe. Auf das gemeinte Instrument ist anlässlich der Arie »Verstumme, Höllenheer« (BWV 5:5) zurückzukommen, deren Trompetenstimme die autographe Bezeichnung »Tromba da tirarsi« zeigt (vgl. Bd. 2, Teil V).

Mehr noch dominiert die Oberstimme – gespielt von erster Violine und Oboen – in der Tenorarie »Falscher Heuchler Ebenbild« (BWV 179:3), deren Ritornell mit einem Septakkord beginnt und damit – wie in der Weimarer Arie BWV 54:1 – auf den Text hinweist. Umrahmt von Zweiunddreißigsteln, wird die frei eintretende Septime durch eine Synkope betont, die auch in die Sechzehntel der Fortspinnung einfließt, während das Tutti als akkordische Stütze fungiert. Abgesehen vom modulierenden Gelenk (T. 11–12) wird der A-Teil mit dem viertaktigen Ritornell bestritten, in dessen Varianten der Vokalpart eingebaut wird, der nur das Kopfmotiv des Ritornells übernimmt und danach frei fortgeführt wird. Im B-Teil wird das Verfahren durch vokale Haltetöne modifiziert, die mit Ritornellzitaten kombiniert werden, während der Tenor sonst vom Continuo und nur einmal durch die Oberstimme begleitet wird (T. 29–30). Trotz analoger Voraussetzungen werden Vokal- und Instrumentalpart in der Tenorarie »Wie zweifelhaftig ist mein Hoffen« (BWV 109:3) weithin voneinander getrennt. Nur in den ersten drei Takten wird die Tenorstimme mit dem variierten Beginn des Ritornells verbunden, während sie im Übrigen nur vom Continuo oder von der ersten Violine mit Varianten der Fortspinnung begleitet wird. Dass sich weitere Ritornellzitate – besonders im B-Teil – auf die Zwischenspiele beschränken, dürfte an der Struktur des Ritornells liegen, dessen punktierte Rhythmik derart instrumental anmutet, dass sie im Vokalpart zu triolischen Sechzehnteln umgebildet werden muss. Je weniger beide Ebenen zusammentreten, desto deutlicher tritt ihr eigenes Gepräge hervor.

Dagegen gründet die Bassarie »Mein Erlöser und Erhalter« (BWV 69a:5) auf einem akkordischen Satzgerüst, das durch seine tänzerische Rhythmik im ¾-Takt geprägt ist. Dass das Ritornell mit punktierten Achtelwerten beginnt, veranlasste Finke-Hecklinger dazu, den Satz als Sarabande zu bezeichnen.[197] Wie das Kopfmotiv zeigen aber die Kadenzgruppen und die vokalen Melismen triolische Achtel, sodass es näherläge, von unterschiedlich notierten Triolen auszugehen. Nähert sich der Satz mithin einer Gigue im ⁶⁄₈-Takt, so verweist die Kreuzung der Tanztypen zugleich auf ihre hochgradige Stilisierung. Obwohl der Text zwei Teile mit je drei Zeilen enthält, wird die zweite Hälfte doppelt vertont, sodass sich insgesamt drei Teile ergeben. Der rhythmischen Differenzierung entspricht eine harmonische Disposition, die durch vielfachen Stufenwechsel modifiziert wird. Während sich die beiden ersten Takte zur Tonikaparallele wenden, münden die folgenden Takte in einen Orgelpunkt ein.

Ritornell	A (Zeilen 1–3)	Ritornell-zitat	B¹ (Zeilen 4–6)	Ritornell-zitat	B² (Zeilen 4–5)	Ritornell
1–8	9–32 (8–16 ~ 1–8, 23–28 ~ zweimal 3–4)	33–36	37–52	53–56	57–77 (70–77 ~ 1–8)	78–85
T	D	D–Tp	Tp	Tp	Tp–T	T

Im Unterschied zum A-Teil, in dem der Vokalpart in Ritornellzitate eingebaut wird, wird im Mittelteil das Wort »Leiden« durch Melismen betont, die sich zum Wort »Freuden« zu Sechzehntel-Sextolen erweitern, während der Instrumentalpart durch

---

197 Ebd., S. 65.

seine Einwürfe an das Ritornell erinnert. Besonders eindringlich wirkt eine Kette von Septakkorden, die über einer chromatisch fallenden Basslinie mehrfach zu verminderten Akkorden geschärft werden (T. 37–41). Indem der Schlussteil diese Schärfung zurücknimmt (T. 57–60), führt er auf die letzte Vokalphase hin, die zum anfänglichen Vokaleinbau zurückkehrt (T. 70–77).

Die Da-capo-Arie »Öffne meinen schlechten Liedern« (BWV 25:5) ähnelt einem konzertanten Menuett, dessen Orchestersatz auf Streicher und Blockflöten verteilt wird. Das Ritornell besteht aus vier- und zweitaktigen Gliedern, in denen sich die Klanggruppen wechselweise ablösen. Dieser Gruppierung entspricht die harmonische Disposition, die zunächst die Tonika und die Dominante umkreist, um nach einer steigenden Sequenz (C-F, D-G) zur Tonika zurückzuführen. Der Sopran wird in die viertaktigen Phrasen einbezogen, die durch instrumentale Einwürfe in eintaktige Glieder getrennt werden, während der modulierende Mittelteil zwischen zwei- und viertaktigen Gruppen wechselt.

Dass der Tanzcharakter wenig für die Satzstruktur besagt, zeigt die Bassarie »Auf Gott steht meine Zuversicht« (BWV 138:4). Der erste Viertakter könnte zwar einem Menuett entstammen, sobald aber das Kopfmotiv vom Continuo übernommen und zu Oktavsprüngen erweitert wird, wechselt die erste Violine zu fortspinnenden Figuren, die später auch in die Mittelstimmen eindringen (T. 5–13), bis sich die Relationen in der Kadenzphase verkehren (T. 14–20). Das Ritornell bietet mit seiner Thematik und ihrer Umspielung ein ungewöhnlich variables Material für die Kombinationen mit dem Vokalpart. Das Da-capo-Schema, das der Text vorgibt, wird dabei in doppelter Hinsicht modifiziert. Indem die fünf Zeilen der zweiten Texthälfte auf den Mittel- und den Schlussteil verteilt werden, ergibt sich eine dreiteilige Form, die zugleich als variierte Da-capo-Anlage erscheint, weil der letzte Teil durch die ersten Zeilen eingerahmt wird.

A			B		A′	
Ritornell	Zeilen 1–2	Ritornellzitat	Zeilen 3–4	Ritornellzitat	Zeilen 1, 5–7, 1–2	Ritornell
1–21	21–45	46–59	59–74	74–82	82–90, 91–118,	145–165
	(~ 1–12)	(~ 1–3, 13–19)		(~ 13–21)	119–145 (~ 21–28)	
T – D – T	T – D	D	D – Tp	Tp	T Tp – Dp T	T – D – T

Während die erste Zeile als Devise vorangestellt wird, geht der A-Teil auf eine Variante der Einbautechnik zurück. Die Oberstimme des Ritornells wird vom Vokalpart übernommen und durch die Figuren der Fortspinnung umspielt, während das letzte Wort (»walten«) durch ausgedehnte Koloraturen ausgezeichnet wird. In den modulierenden Phasen wird das Material mit den weiteren Zeilen verknüpft, deren Schlüsselworte (»plagen« bzw. »Freude«) Anlass zu längeren Melismen geben. So prägnant der Vokalpart den Text deklamiert, so genau ist er in den Orchestersatz integriert.

Der Satz »Ach, schlage doch bald, selge Stunde« (BWV 95:5) bildet die einzige Arie der Kantate BWV 95. Dem Gewicht, das er dadurch erhält, entspricht eine klangliche Struktur, die an die Sopranarie BWV 105:3 erinnert. Stehen dort zwei Oberstimmen einem in Repetitionen aufgeteilten Akkordgerüst gegenüber, so werden hier die Oboen von den Streichern im Pizzicato begleitet. Von dieser Grundierung, die

Notenbeispiel 14

zugleich an Todesglocken gemahnt, hebt sich die ruhige Melodik der Oboen ab. Das Ritornell besteht aus drei Viertaktern und drei kadenzierenden Takten ($3 \times 4 + 3$), bei deren Abschluss der Tenor einsetzt (T. 16). Kreisen die beiden ersten Takte um die Tonika und Dominante, so klingt im dritten Takt die Subdominante an, während der vierte Takt mit einem Halbschluss endet (Notenbeispiel 14). Auf seiner letzten Zählzeit wird die erste Oboe von der zweiten im Echo wiederholt, während die übrigen Stimmen pausieren. Die Oberstimmen bilden eine Kette von Sextakkorden, in denen die Oboen durch die zweite Violine ergänzt und durch die übrigen Stimmen ausgefüllt werden. An das dominantische Ende der ersten Gruppe schließt sich auf der zweiten Stufe die nächste Gruppe an. Wo sie auf der Dominante endet, beginnt die dritte auf der Subdominante, sodass H-Dur und G-Dur gleichsam mediantisch aufeinandertreffen. Hält die Kadenzgruppe für zwei Takte auf einem verminderten Klang inne, so verharren die Oboen auf Liegetönen, die sich auf der Dominante in Sechzehntelfiguren auflösen und gleichzeitig zur Tonika zurücklenken (T. 13–16). Von diesem Klanggrund hebt sich der Vokalpart ab, der die Worte so frei deklamiert, als läge ein Prosatext vor. In der ersten Zeile wechseln kurze Exklamationen mit kantablen Bögen, während die Stimmführung zugleich ein Beispiel für die Anwendung der Einbautechnik ist. Sie lässt vergessen, dass der gesamte A-Teil auf transponierten Ausschnitten aus dem Ritornell beruht. Im B-Teil hingegen setzen die Instrumente mehrfach aus, während die Tenorstimme geschlossene Phrasen ausbildet, die zu den letzten Worten durch Pausen getrennt werden (»du längst erseufzter – du längst erseufzter Sterbenstag«). Da der Mittelteil in Fis-Dur endet, ergibt sich mit dem Beginn der Reprise in D-Dur eine mediantische Relation, wie sie zuvor im Ritornell begegnete.

Dass die Tenorarie »Vergibt mir Jesus meine Sünden« (BWV 48:6) trotz ihrer akkordischen Struktur ganz anders wirkt, liegt weniger an der variierten Da-capo-Form als an der intrikaten Rhythmik, die zugleich deutlich macht, dass Bach keines Tanzmodells bedurfte, um einen tänzerischen Tonfall zu finden. Durch die Folge von drei punktierten Vierteln ergeben sich im ¾-Takt hemiolische Taktgruppen, die besonders dort hervortreten, wo sie mit Phasen im regulären Taktmaß wechseln. Zudem werden die Violinen in akkordischem Satz mit den Vierteln der Viola und des Basses gekoppelt. In diese Satzstruktur wird auch der Vokalpart einbezogen, der parallel zur ersten Violine verläuft, während sich die zweite Violine den Unterstimmen anschließt. Der Vokalpart trennt sich vom Streichersatz nur in den Teilkadenzen, die dadurch besonders hervorgehoben werden.

In der Kantate BWV 90 wird der Verzicht auf einen Chorsatz durch den reichen Orchesterpart der beiden Arien ausgeglichen. Das Ritornell der Arie »Es reißet euch ein schrecklich Ende« erinnert mit seinem energischen Kopfmotiv und der figurativen Fortspinnung an das Muster eines Concertosatzes. Die Begleitung ordnet sich der dominierenden Oberstimme unter, während der Vokalpart entweder mit Koloraturen hervorgehoben oder in das Ritornell eingebaut wird. Aufgrund der Länge des Ritornells ergibt sich eine umfangreiche Anlage, deren rollende Figurationen mehrfach durch Pausen mit Fermaten unterbrochen werden. Ähnliche Zäsuren begegnen auch in Satz 3 (»So löschet im Eifer der rächende Richter«), in dem der Streichersatz durch eine Trompete erweitert wird. Die Unterstimmen bilden wiederum einen akkordischen Satz, über dem sich die Trompete und die erste Violine mit raschen

Skalenfiguren ablösen. Beide Stimmen sind derart instrumental konzipiert, dass sich der Vokalpart der Rhythmik der Unterstimmen anschließt, soweit er nicht nur vom Continuo begleitet wird.

c. Von Weihnachten bis Sexagesimae

Auf den ersten Blick scheinen sich die formalen Relationen in dieser Gruppe kaum zu ändern. Mit jeweils sieben Belegen sind reguläre und variierte Da-capo-Arien fast ebenso häufig vertreten wie die anderen Formen. Indessen fällt auf, dass die Da-capo-Arie vor allem in den Werken zur Weihnachtszeit und nach Epiphanias vorkommt, während sonst andere Lösungen begegnen, unter denen sich mehrfach dreiteilige Sätze finden. Zieht man die Vorlagen zu Rate, so zeigt sich, dass Bach die Da-capo-Formen vor allem zu Texten schrieb, deren ersten Zeile syntaktische Einheiten bildeten und damit ein Da capo erlaubten, während er sich sonst für zwei- oder dreiteilige Lösungen entschied.[198] Deutet das darauf hin, dass die Wahl der Formen von der Anlage der Texte abhing, so gewinnen die Besetzungen an Bedeutung, mit denen Bach über die Vorgaben der Satzstruktur entschied. Während Continuo-Arien hier und ebenso in der letzten Gruppe fehlen, rechnen acht Sätze mit obligaten Instrumenten. Dagegen dominieren die vollstimmigen Besetzungen, die eine weitere Differenzierung erforderlich machen.

BWV 40 Darzu ist erschienen der Sohn Gottes

| 4 | Höllische Schlange, wird dir nicht bange? | A – B – B | B., Ob. I–II, Str., Bc. – d-Moll, ⅜ |
| 7 | Christenkinder, freuet euch | var. Dc (Giga / Pastorale) | T., Corno I–II, Ob. I–II, Bc. – F-Dur, ¹²⁄₈ |

BWV 64 Sehet, welch eine Liebe hat uns der Vater erzeiget

| 5 | Was die Welt in sich hält | Dc (Gavotte) | S., Str., Bc. – h-Moll, ¢ |
| 7 | Von der Welt verlang ich nichts | Dc | A., Ob. d'am., Bc. – G-Dur, ⁶⁄₈ |

BWV 190 Singet dem Herrn ein neues Lied

| 3 | Lobe, Zion, deinen Gott | A – B – Rit. | A., Str., Bc. – G-Dur, ¾ |
| 5 | Jesus soll mein alles sein | dreiteilig | T., B., Ob. d'am. (oder V. solo?), Bc. – D-Dur, ⁶⁄₈ |

BWV 153 Schau, lieber Gott, wie meine Feind

| 6 | Stürmt nur, stürmt, ihr Trübsalswetter | A – B – Rit. | T., Str., Bc. – a-Moll, ¢ |
| 8 | Soll ich meinen Lebenslauf | dreiteilig (Sarabande) | A., Str., Bc. – G-Dur, ¾ |

---

198 Eine Ausnahme bilden die Arientexte aus BWV 64, die auf Johann Oswald Knauer zurückgehen, vgl. oben, Anm. 16. Werner Neumann, J. S. Bach. Sämtliche Kantatentexte, Leipzig 1967, gab die Texte in der Regel – wiewohl nicht ausnahmslos – in der Form wieder, in der er sie aus den Vertonungen erschloss, ohne freilich die syntaktische Textgliederung zu berücksichtigen.

BWV 65 Sie werden aus Saba alle kommen

| 4 | Gold aus Ophir ist zu schlecht | A – A′ – B – Rit. | B., Ob. da caccia I–II, Bc. – e-Moll, 𝄵 |
| 6 | Nimm mich dir zu eigen hin | A – B – B′ – Rit. (Menuett) | T., Corno I–II, Fl. I–II, Ob. da caccia I–II, Str., Bc. – C-Dur, $3/8$ |

BWV 154 Mein liebster Jesus ist verloren

1	Mein liebster Jesus ist verloren	var. Dc	T., Str., Bc. – h-Moll, $3/4$
4	Jesu, laß dich finden	A – B – Rit. (Pastorale)	A., Ob. d'am. I–II, Cembalo (+ Str. in unisono all'o^{va}), A-Dur, $12/8$
7	Wohl mir, Jesus ist gefunden	A – A′ – B – Rit.	A., T., Str. + Ob. d'am. I–II, Bc. – D-Dur, 𝄵, $3/8$

BWV 73 Herr, wie du willt, so schicks mit mir

| 2 | Ach senke doch den Geist der Liebe | Dc | T., Ob. I, Bc. – Es-Dur, 𝄵 |
| 4 | Herr, so du willt | dreiteilig | B., Str., Bc. – c-Moll, $3/4$ |

BWV 81 Jesus schläft, was soll ich hoffen

1	Jesus schläft, was soll ich hoffen	var. Dc	A., Fl. I–II, Str., Bc. – e-Moll, 𝄵
3	Die schäumenden Wellen von Belials Bächen	var. Dc	T., Str., Bc. – G-Dur, $3/8$
5	Schweig, schweig, aufgetürmtes Meer	Dc	B., Ob. d'am. I–II, Str., Bc. – e-Moll, 𝄵

BWV 83 Erfreute Zeit im neuen Bunde

1	Erfreute Zeit im neuen Bunde	Dc	A., Corno I–II, Ob. I–II, V. concertato, Str., Bc. – F-Dur, 𝄵
2	Herr, nun lässest du deinen Diener – Was uns als Menschen schrecklich scheint	dreiteilig	B., Str. in unisono, Bc. – B-Dur, $6/8$
3	Eile, Herz, voll Freudigkeit	Dc	T., V. I concertato, Str., Bc. – F-Dur, 𝄵

BWV 144 Nimm, was dein ist, und gehe hin

| 2 | Murre nicht, lieber Christ | Dc | A., Str. (+ Ob. I–II), Bc. – e-Moll, $3/4$ |
| 5 | Genügsamkeit ist ein Schatz in diesem Leben | var. Dc | S., Ob. d'am. solo, Bc. – h-Moll, 𝄵 |

BWV 181 Leichtgesinnte Flattergeister

| 1 | Leichtgesinnte Flattergeister | var. Dc | B., Str. (WA + Trav. + Ob.) Bc. – e-Moll, $6/8$ |
| 3 | Der schädlichen Dornen unendliche Zahl | A – A′ – Rit. | T., Bc. [V. solo verloren], Bc. – h-Moll, $3/8$ |

Die **Sätze mit einem Soloinstrument** zeichnen sich weniger durch virtuose Figuration als durch kantable Stimmführung aus, die vom Kopfmotiv ausgeht und auch die Phasen der Fortspinnung beherrscht, sodass sich in Verbindung mit dem Vokalpart ein kontrapunktisches Duo ergibt. Dass das Ritornell der Arie »Von der Welt verlang ich nichts« (BWV 64:7) auf den Textbeginn hin entworfen wurde, wird bei Eintritt der Altstimme sichtbar, die das Kopfmotiv nur durch eine Sechzehntelpause zu unterbrechen braucht, um die Worte ebenso angemessen wie eindringlich zu deklamieren. Der Vokalpart geht von Varianten des Incipits aus, die von der Oboe d'amore imitiert oder fortgesponnen werden. Die Fortspinnung hebt sich vom Vokalpart durch die vielfach variierte Synkopierung ab, die auf das Modell der beiden ersten Takte zurückgeht. Denselben Typus vertritt die Tenorarie »Ach senke doch den Geist der Freuden« (BWV 73:2), in der die Sequenzfigur des Kopfmotivs dem Textbeginn entspricht und gleichzeitig die Fortspinnung der Oboe prägt. Doch kann sie zu weiträumigen Figuren verlängert werden, um Worte wie »Freudigkeit« oder »wanken« auszuzeichnen (T. 15 ff. bzw. 38 ff.), während sie im B-Teil mehrfach im Generalbass erscheint.

Ein weiteres Beispiel ist die Sopranarie »Genügsamkeit ist ein Schatz« (BWV 144:5), deren Vokalpart mit einer Oboe gepaart wird. Auch das Duett »Jesus soll mein alles sein« (BWV 190:5) begnügt sich mit einer Instrumentalstimme, deren Besetzung allerdings ungewiss ist.[199] Zwar übernehmen die Vokalstimmen – hier der Tenor und der Bass – das instrumentale Incipit, das zu Beginn der Teile imitierend eingeführt wird. Doch ist die fortspinnende Figurenkette des Ritornells so instrumental geprägt, dass sie nur in den Melismen des Vokalparts anklingt. Damit ergibt sich eine zweischichtige Satzstruktur, in der das kantable Vokalduett durch den figurativen Instrumentalpart ergänzt und durch den Continuo gestützt wird. Dagegen lässt sich das Verhältnis der Stimmen in der Arie BWV 181:3 nicht beurteilen, weil der Instrumentalpart verschollen ist.[200] Einen Sonderfall bildet die Bassarie »Herr, nun lässest du deinen Diener in Friede fahren« (BWV 83:2), deren Instrumentalpart von den Violinen und Violen im Unisono gespielt wird. Die Außenteile verbinden die Verse des Canticum Simeonis (Lk. 2:29–31) mit der liturgischen Intonation, deren Rezitationstöne mit den traditionellen Klauseln enden. Die instrumentale Motivik, die als zweistimmiger Kanon zwischen Streichern und Continuo eingeführt wird, ist so variabel geformt, dass sie die Töne des Cantus firmus zu überspielen vermag. Der Mittelteil hingegen, der den Bibeltext durch freie Dichtung kommentiert, besteht aus einem Seccorezitativ, dessen Abschnitte durch Varianten der Ritornellmotivik gegliedert werden. Die heterogenen Formteile werden demnach durch den Instrumentalpart verklammert, in dessen kanonischen Phasen der Intervallabstand der Stimmen wechselt.

Ein gemeinsames Kennzeichen der geringstimmigen Sätze ist die Formulierung der instrumentalen Incipits, die in der Regel vom Vokalpart übernommen werden.

---

199 Da der Instrumentalpart in der autographen Partitur nicht näher bezeichnet ist und auch in den erhaltenen Stimmen fehlt, wurde in der Edition in NBA I/4, hrsg. von Werner Neumann, die Wahl zwischen Oboe d'amore und Solovioline gelassen. Doch dürfte eine Oboe näherliegen, da die Stimmführung den Oboenstimmen entspricht, ohne die idiomatischen Möglichkeiten der Violine auszunutzen.
200 Vgl. NBA I/7, KB S. 119 f.

Daher ist der Instrumentalpart auf Imitationen des Kopfmotivs und Varianten der Fortspinnung angewiesen, deren Flexibilität ebenso bemerkenswert ist wie die lineare Formung des Vokalparts.

Obwohl die beiden **Sätze mit zweistimmigem Instrumentalpart** dicht nacheinander entstanden, sind sie denkbar unterschiedlich angelegt. Die Eigenart der Arie »Gold aus Ophir ist zu schlecht« (BWV 65:4) erschließt sich erst im Vergleich mit dem Text, der aus sechs Zeilen mit vierhebigen Trochäen besteht (7a, 8b, 7a, 8b, 7c, 7c). Obwohl jeweils drei Zeilen syntaktisch zusammengehören und damit eine Zweiteilung nahelegen, schrieb Bach einen dreiteiligen Satz, in dessen A-Teil er die beiden letzten Zeilen wiederholte:

Ritornell	A (Zeilen 1–2)	Zwischenspiel	A' (Zeilen 2–3)	Zwischenspiel	B (Zeilen 4–6)	Ritornell
1–7	7–19	19–25	25–30	30–32	32–40	40–46
T	T – Tp	Tp	Tp – S	S	S – T	T

Statt die erste Silbe zu betonen, fasste Bach sie mit der nächsten zu einem Binnenauftakt zusammen, der sich auf die zweite Hebung richtet. Mit dieser quasi »wegwerfenden« Geste, die dem Textsinn entspricht, erfand er zugleich ein höchst prägnantes Kopfmotiv, das den gesamten Satz durchzieht und nur zu Beginn des letzten Teils zurücktritt, um dessen erstem Wort Raum zu geben (»*Jesus* soll das Herze haben«). Das Ritornell wird durch ein imitiertes Kopfmotiv eröffnet, wogegen die Fortspinnung zwischen paralleler und komplementärer Stimmführung wechselt. Die Struktur des Ritornells entspricht mithin den Phasen, die sich in Arien mit solistischem Instrumentalpart bei Eintritt des Vokalparts ergeben. Übernimmt der Bass das Kopfmotiv, so geht ihm eine Vorimitation des Continuo voraus, während die Oboen auf Varianten der Fortspinnung zurückgreifen. Dabei werden die ersten Töne so abgewandelt, dass sie imitiert werden können (T. 13–17), um später nur noch im Continuo anzuklingen.

Ein wiederum anderes Bild bietet die Altarie »Jesu, laß dich finden« (BWV 154:4), deren Ritornell von den Oboi d'amore in Terzparallelen eröffnet und beschlossen wird, während die fortspinnende Binnengruppe zu komplementärer Figuration wechselt. Da sich die Altstimme weithin den Oboen anschließt, könnte sich ein homogener Satz im $^{12}/_8$-Takt ergeben, stünde dagegen nicht der eigenartig kontrastierende Continuopart. Gespielt vom Cembalo, das durch die Violen und Violinen oktaviert wird, insistiert der Generalbass auf einer rhythmischen Formel, die durch mehrfache Synkopierung charakterisiert wird. Indem sie wiederholt und sequenziert wird, bevor sie in Tonrepetitionen einmündet, fungiert sie wie ein Basso quasi ostinato, der zur Rhythmik des Bläsersatzes quersteht. Der unruhige Zug, der vom Bassmodell ausgeht, dringt auch in die Oboenstimmen des A-Teils ein, um sich dann vollends im B-Teil durchzusetzen, der von der ersten Textzeile umrahmt wird. In den drei folgenden Zeilen hält der Vokalpart an der wiegenden Rhythmik des Ritornells fest, während die Oboen das Bassmodell aufgreifen und mit dem Generalbass einen kontrapunktischen Verband bilden, der den pastoralen Charakter des Satzes modifiziert.[201]

201 Vgl. Finke-Hecklinger, a. a. O., S. 81.

Notenbeispiel 15

Eine ähnlich homogene Gruppe bilden die **Arien mit akkordischem Streichersatz**. Notiert im Alla-breve-Takt, erinnert die Sopranarie »Was die Welt in sich hält« (BWV 64:3) an eine Gavotte, allerdings mit dem Unterschied, dass sich die erste Violine im Ritornell vom akkordischen Satzverband mit Figurationen abhebt, die man eher im Double eines Tanzes erwarten sollte. Ohne den tänzerischen Charakter zu verdecken, sind sie flexibel genug formuliert, um den Vokalpart dort zu begleiten, wo er das instrumentale Incipit übernimmt und modulierend erweitert. Auf andere Weise klingt der Tanzsatz im B-Teil an, in dessen erstem Abschnitt die Streicher mit unisonen Achteln – wechselnd mit kurzen Ritornellzitaten – den Continuo vertreten, sodass sich der Eindruck eines Alternativo einstellt. Trotz einer Rhythmik, die »polonaisenartig« anmutet,[202] ist die Altarie »Lobe, Zion, deinen Gott« (BWV 190:3) ein Beispiel für akkordischen Streichersatz mit Vokaleinbau. Mit einem viertaktigen Vordersatz, der tongetreu wiederholt wird, und einem Nachsatz aus zwei sechstaktigen Gruppen, die zur Dominante bzw. zur Tonika führen (4 + 4, 6 + 6), entspricht das Ritornell der additiven Gruppierung eines Tanzsatzes. Indem es am Ende wiederkehrt und mit einer transponierten Variante die beiden Vokalteile trennt, bestreitet es nicht weniger als 44 von insgesamt 75 Takten. Der A-Teil geht von den Viertaktern des Vordersatzes aus, deren Oberstimme vom Alt übernommen wird (T. 21–28 ~ 1–8). Da die Fortführung zur Tonikaparallele moduliert, muss der Nachsatz entsprechend umgeformt werden (T. 33–43). Der B-Teil wendet sich zur Tonika, um den ersten Takt des Ritornells mit einer Gruppe des Nachsatzes zu verbinden (T. 49–53 ~ 12–16), die durch einen zweitaktigen Vokalanhang ergänzt wird. Ein ähnliches Verfahren zeigt die Altarie »Soll ich meinen Lebenslauf« (BWV 153:8), deren Rhythmik zwischen Sarabande und Menuett vermittelt.[203] Mit zwei wiederholten Abschnitten, die erst von den Streichern gespielt und dann vom Alt wiederholt werden, gleichen die ersten Teile formal einem Tanzsatz (Notenbeispiel 15). Doch wird der zweite Teil durch einen Einschub erweitert (T. 56–62), während seine

---

[202] Ebd., S. 57 f. und 137.
[203] Nach Finke-Hecklinger, a. a. O., S. 62, stünde der Satz »an der Peripherie« einer durch die Sarabande geprägten Gruppe, doch fehlt ihm die punktierte Rhythmik, die zur Sarabande gehört, während der fließende Verlauf im ¾-Takt eher dem Muster eines maßvoll schnellen Menuetts entspricht.

letzte Gruppe durch eine Überleitung zum dritten Teil ersetzt wird (T. 70–89), der trotz der Angabe »allegro« eine Variante des Modells bildet und mit der Schlussgruppe des zweiten Teils endet.

a	a′	b	b′			c »allegro«	Nachspiel
instrumental	vokal	instrumental	vokal			vokal	instrumental
1–12	13–24 (~ 1–12)	25–48	49–56 (~ 25–34)	56–62	63–70 (~ 33–40)	70–89	90–106 (~ 33–48)
T – D	T – D	D – Tp – T	D – Tp	Tp – Sp	Tp – T	T	

Je weiter die Tanzmodelle stilisiert werden, desto mehr tritt ihre Gruppierung zurück. Die Tenorarie »Mein liebster Jesus ist verloren« (BWV 154:1), die nur noch mittelbar an den Typus der »punktierten Sarabandenart« erinnert,[204] wandelt das Da-capo-Schema in einer Weise ab, die ohne den Text kaum ganz verständlich ist.

Ritornell	A (Zeilen 1–2)	Ritornell	B (Zeilen 3–4)	A′ (Zeilen 1 + 4)	Ritornell
1–9	9–25	25–33	33–44	44–54	54–62
I	I – V	V – III	III	III° – I	I

Den Zeilen 1–2 im A-Teil folgen im B-Teil die Zeilen 3–4, während der Schlussteil die erste und die letzte Zeile zusammenfasst (»Mein liebster Jesus ist verloren« – »O Donnerwort in meinen Ohren«). Die gezackte Linie der ersten Violine richtet sich auf die betonten Zählzeiten der Folgetakte, die mit Vorhalten die Grundstufen umspielen. Da der Vokalpart die melodische Linie des Ritornells übernimmt, wird sie in der ersten Violine durch Sechzehntelfiguren ersetzt. Wendet sich der A-Teil zur Dominante, so setzt der B-Teil eine Quinte höher an, um später zur Tonikaparallele zu modulieren. Während die Tenorstimme die punktierte Motivik beibehält, wechselt der Instrumentalpart zu repetierten Sechzehnteln, die im Tremolo auf die Textworte verweisen (»o Schwert, das durch die Seele bohrt, o Donnerwort in meinen Ohren«). Der klangliche Kontrast wird durch den Vokalpart überbrückt, der zugleich den motivischen Zusammenhang verbürgt. Dagegen beginnt der Schlussteil mit einem Ritornellzitat in der Mollvariante der Parallele, um anschließend mit einer Sequenz zur Tonika h-Moll zurückzukehren (T. 44–50). Wenn am Ende die letzte Zeile wiederkehrt, so klingt das Tremolo nur noch in zwei kurzen Einwürfen des Orchesters nach (T. 51–52).

Etwas schlichter ist die Altarie BWV 144:2, deren Da-capo-Form durch die Silben- und Reimfolge des Textes vorgezeichnet war (A: 3a, 3b, 7a; B: 8c, 8c, 7b). Die dreisilbigen Kurzzeilen »Murre nicht, lieber Christ«, die den A-Teil eröffnen, zog Bach zu einer zweitaktigen Gruppe zusammen, in der das Wort »Murre« den ersten Takt ausfüllt, während das Wort »nicht« im zweiten Takt durch einen Hochton auf betonter Zählzeit akzentuiert wird. Die eigenartige Deklamation, die im akkordischen Satz deutlich hervortritt, prägt auch das periodisch gebaute Ritornell, dessen Melodik vom Vokalpart übernommen wird. Soweit die Altstimme nicht

---

204 Vgl. ebd., S. 65, wo allerdings nicht dieser Satz genannt wird.

die erste Violine verdoppelt, wird sie im Vokaleinbau eingefügt. Da die Zeilen des B-Teils eine andere Betonung verlangen, werden sie dem Alt überlassen, während sich der Instrumentalpart auf knappe Einwürfe und ein kurzes Zwischenspiel beschränkt. Eine ähnliche Struktur zeigt die Bassarie »Leichtgesinnte Flattergeister« (BWV 181:1), die ursprünglich nur Streicher vorsah und – entgegen manchen Vermutungen – nicht zwingend auf eine Köthener Vorlage zurückweist.[205] Der leichte Tonfall des Ritornells, der durch die ersten Textworte veranlasst ist, paart sich mit einem durchweg akkordischen Satz, in dem die Bassstimme entweder mit der Oberstimme zusammengeführt oder in den Instrumentalpart eingefügt wird. Im Mittelteil wird dasselbe Material selbst dort noch beibehalten, wo ein Einzelwort durch eine Dehnung hervorgehoben wird (»Belial«, T. 27f.).

Die satztechnischen Prämissen ändern sich nur graduell, wenn das akkordische Gerüst durch eine **konzertierende Oberstimme** erweitert wird. Dabei ist es zweitrangig, ob diese Stimme den ersten Geigen oder einer Solovioline zugewiesen wird. Ein Unterschied liegt allerdings in der Möglichkeit, den Vokalpart entweder mit den figurativen Varianten der Zusatzstimme oder mit dem Orchestersatz des Ritornells zu verbinden. In der zweiteiligen Bassarie »Höllische Schlange, wird dir nicht bange« (BWV 40:4) hebt sich die erste Violine vom Tutti durch Sechzehntelfiguren ab, die geradezu konzerthaften Charakter haben, ohne freilich so anspruchsvoll wie der Solopart eines Violinkonzerts zu sein. Zugleich ordnen sie sich der punktierten Rhythmik unter, die nur noch von fern an eine Gigue erinnert.[206] Die unisonen Oboen fungieren als Oberstimme des Orchestersatzes, in den die Bassstimme vielfach durch Vokaleinbau eingefügt wird. Zwar ist sie der Rhythmik des Orchesterparts verpflichtet, während ihre syllabische Textierung im zweiten Teil durch Koloraturen erweitert wird. Bemerkenswert ist aber nicht nur, wie eigenständig der Vokalpart ist, sobald er sich von der anfänglichen Verdoppelung der instrumentalen Oberstimme löst. Vielmehr werden seine Phrasen mehrfach durch die erste Oboe ergänzt, die sich dann vom kompakten Orchestersatz abhebt (vgl. T. 33 ff. und T. 52 ff.). Ähnlich verhält es sich mit dem Satz »Wohl mir, Jesus ist gefunden« (BWV 154:7), wiewohl er als Duett für Alt und Tenor zugleich einen Sonderfall darstellt. Wieder verstärken die beiden Oboen die Violinen, während sich die Oberstimme durch lebhafte Figuration auszeichnet. Obwohl der Text eine Da-capo-Form nahelegen könnte, entschied sich Bach für einen dreiteiligen Satz, in dessen ersten Teilen die Vokalstimmen zumeist parallel verlaufen. Die beiden letzten Zeilen hingegen, die sich durch ihr daktylisches Metrum von den vorangehenden Trochäen unterscheiden, werden unter Wechsel vom ⁴⁄₄- zum ³⁄₈-Takt als vokales Duo mit kanonischer Imitation vertont und erst in den letzten Takten instrumental bereichert. Dass nach diesem Kontrast das eröffnende Ritornell wiederkehrt, erscheint als Ausgleich für die vom Text intendierte Da-capo-Form.

Auch die Tenorarie »Stürmt nur, stürmt, ihr Trübsalswetter« (BWV 153:6) mutet den Streichern rasche Läufe in Zweiunddreißigsteln zu, die in den Kadenzgruppen sogar in die Unterstimmen eindringen. Beherrscht durch punktiere Sechzehntel, die

---

205 Zur Quellenlage und den später ergänzten Stimmen für Flöte und Oboe vgl. Anm. 123.
206 Finke-Hecklinger, a. a. O., S. 42.

im Vokalpart syllabisch textiert werden, setzt der Satz ein gemäßigtes Tempo voraus. Bei einer Länge von 34 Takten umfasst der A-Teil lediglich 17 Takte, die fast durchweg mit der Motivik des Ritornells bestritten werden. Nach Einschub eines vokalen Taktes wird das Ritornell mit Vokaleinbau wiederholt, und da es am Ende auf der Dominante wiederkehrt, bleiben dazwischen nur vier Takte, in denen der Tenor mit kurzen Einwürfen der Instrumente kombiniert wird. Im B-Teil dagegen, der erst am Schluss auf das Ritornell zurückkommt, wird dem Vokalpart ein größerer Anteil überlassen, während sich der Instrumentalpart auf eingestreute Figuren beschränkt, die vielfach im Unisono erklingen. Die einzige Ausnahme ist ein Halteton zum Wort »Ruh«, der auf einen verminderten Septakkord zuläuft und von den Streichern durch ein Zitat des ersten Taktes kommentiert wird, um damit an den Textbeginn zu erinnern. Obwohl sich dieser Verweis vom Kontext abhebt, ist er in den thematischen Zusammenhang integriert.

Dem Text der Tenorarie »Die schäumenden Wellen von Belials Bächen« (BWV 81:3) entsprechen skalare Figurenketten der ersten Violine, die von den übrigen Instrumenten durch repetierte Sechzehntel oder Achtel begleitet werden. In den ersten und letzten Takten des Ritornells werden sie von Dreiklangsfiguren in Sechzehnteln unterbrochen, die in variierter Gestalt auch in den Vokalpart eingehen. Obwohl der Tenor vielfach mit den instrumentalen Figuren kombiniert wird, bleibt er durchweg selbstständig. Nur zu Beginn des Mittelteils setzt das Orchester kurz aus, um der zweiten und dritten Textzeile in einem »adagio« Raum zu geben (»Ein Christ soll zwar wie Felsen stehn …«). Ein Gegenstück zu diesem Satz ist die Da-capo-Arie »Eile, Herz, voll Freudigkeit« (BWV 81:3), in der die triolischen Sechzehntelketten der ersten Geige durch repetierte Töne der Unterstimmen begleitet werden. Der Vokalpart setzt mit dem instrumentalen Incipit ein, das vom Orchester mit dem Beginn des Ritornells imitiert wird (T. 11). Etwas später folgt ein längeres Ritornellzitat mit Vokaleinbau (T. 14–19 ~ 1–2 + 5–9), und entsprechend ist auch der letzte Abschnitt des A-Teils angelegt, während der Vokalpart des B-Teils mit figurativen Varianten der Ritornellmotivik verbunden wird.

Wenn der **Instrumentalpart durch Bläserstimmen** erweitert wird, ergeben sich durch den Wechsel der Klanggruppen reichere Möglichkeiten. Ein Verfahren, das sich in BWV 40:7 andeutete, gewinnt damit in drei weiteren Sätzen konstitutive Bedeutung (BWV 65:6, 81:3 und 83:1). Mit je zwei Hörnern, Blockflöten und Oboi da caccia verfügt die Tenorarie »Nimm mich dir zu eigen hin« (BWV 65:6) über eine besonders umfangreiche Besetzung, die bereits in der Gruppierung des Ritornells zur Geltung kommt. Verteilt auf Tutti und Bläser, umrahmen zwei viertaktige Glieder zwei achttaktige Abschnitte, die wechselnd dem Tutti und den Bläsern zufallen. Die Gruppen lösen sich mit kurzen Einwürfen ab und greifen auf rhythmische Formeln zurück, die anfangs den Bläsern vorbehalten und am Ende vom Tutti übernommen werden.

a Tutti	b Bläser	a′ Tutti	b′ Bläser	a″ Tutti	b″ Tutti
1–4	5–8	9–16	17–24	25–28	29–32
I	V	I – V	sequenzierend	I –V	I

Die als a bezeichneten Gruppen entsprechen einem »konzertierenden Menuett« im ⅜-Takt,[207] das in den »Episoden« (b) durch Sechzehntel und Zweiunddreißigstel stilisiert wird. Zur Abstufung der Taktgruppen trägt die Harmonik bei, die in den umrahmenden Gruppen die Grundstufen umkreist, während die »Zwischendominanten« der Sequenzgruppe durch verminderte Septakkorde betont werden. Vom Wechsel der Gruppen profitieren die drei Formteile in verschiedener Weise. Zehrt der A-Teil, der die zwei ersten Zeilen umfasst, fast durchweg vom Ritornell, so fallen die anderen Teile, denen die übrigen Zeilen zugrunde liegen, zumeist dem Vokalpart zu, der mit der Motivik der Kontrastgruppen verbunden wird.

Ritornell	A (Zeilen 1–2)	B¹ (Zeilen 3–6)	Ritornellzitat	B² (Zeilen 3–6)	Ritornell
1–32	33–56	57–84	85–96	97–116	117–148
I – V – I	I – V	I – VI	VI	V – I	I – V – I

Im A-Teil wird der Beginn des Ritornells vom Tenor intoniert und vom Orchester fortgesetzt (T. 33–40), während das Thema in der nächsten Taktgruppe durch ein modulierendes Gelenk unterbrochen wird, an das sich die ersten acht Takte des Ritornells auf der Dominante anschließen. Daher entfällt ein nochmaliges Ritornellzitat vor dem B-Teil, den der Tenor mit den ersten Takten des Ritornells eröffnet. Sie werden jedoch mit der konzertanten Motivik der »Episoden« weitergeführt, die auch die vokale Fortführung begleitet. Nach einem Ritornellzitat auf der Subdominantparallele folgt ein zweiter Abschnitt, in dem der Vokalpart durch Koloraturen die Rhythmik der Bläser variiert, die darauf – gestützt von den Streichern – mit ihrer eigenen Motivik antworten, bevor abschließend das Ritornell wiederholt wird.

Von diesem Satz unterscheidet sich die Altarie »Jesus schläft, was soll ich hoffen« (BWV 81:1) trotz mancher Analogien nicht nur durch ihren Tonfall und ihre Besetzung, sondern auch durch die Anlage des Textes, die sich auf die harmonische Disposition des Ritornells auswirkt. Den Rahmenteilen liegt die erste Zeile zugrunde, die als Frage formuliert ist. Demgemäß endet der Vokalpart mit einem Halbschluss, dem die Instrumente die zur Tonika zurücklenkende Kadenzgruppe hinzufügen. Die Disposition ist im Ritornell vorgegeben, dessen erste Taktgruppe auf der Dominante endet und durch eine viertaktige Kadenzgruppe ergänzt wird. Anders als in BWV 65:6 und 83:1 werden die Bläser – hier zwei Blockflöten – mit den Streichern colla parte geführt und nur zu Beginn des Mittelteils obligat eingesetzt (T. 15–18).

Ritornell	A (Zeile 1)	B (Zeilen 2–4)		Ritornellzitat	A' (Zeile 1)		Ritornell
1–9	9–10, 11–14 (~ 1–2, 1–4)	15–19	19–27 (~ 11–14, 1–4)	27–32 (27–30 ~ 10–14)	32–36	37–44 (39–40 ~ 11–12)	44–53 (= 1–9)
T – D – T	T – D	S		S	S – T	T – D	T – S – T

Allen Abschnitten ist die motivische Prägung durch drei Achtel gemeinsam, die jeweils zwei Halbtöne umgreifen und damit den klagenden Affekt des Satzes bewir-

---

207 Ebd., S. 52 und 137.

ken. Selbst dort, wo die Oberstimmen zu chromatischen Linien in Halben wechseln, bleibt im Continuo die Achtelbewegung erhalten (T. 23 f.). Davon hebt sich der Vokalpart im A-Teil, der fast durchweg auf Vokaleinbau basiert, mit einer quasi ariosen Diktion ab, die im Wechsel gedehnter und abbrechender Phrasen die Worte zur Geltung bringt. Die Deklamation setzt die ständige Präsenz des Orchesters voraus, das den motivischen Zusammenhang zu sichern hat.

Die Altarie »Erfreute Zeit im neuen Bunde« (BWV 83:1) gleicht fast einem Violinkonzert, in dem das Tutti durch je zwei obligate Hörner und Oboen erweitert wird. Abgesehen vom Kopfmotiv, das den ersten Worten angepasst ist, wird der Satz durch die Figuration der Solovioline beherrscht, während die Bläser die auftaktigen Impulse der Taktgruppen markieren. Mit zwei syntaktisch geschlossenen Zeilenpaaren legt der Text eine Da-capo-Anlage nahe, wie sie im Kopfsatz des Violinkonzerts BWV 1042 vorliegt. In der Tat mutet die Arie fast wie ein Violinkonzert an, in dessen A-Teil der Vokalpart in transponierte Phrasen des Ritornells eingebaut wird.[208] Etwas anders verhält es sich in dem kürzeren B-Teil, dessen erste Worte denen des A-Teils entsprechen und damit analoge Koloraturen erlauben (vgl. T. 29 f. und 40 f. »erfreute« und T. 74 f. »wie freudig«). Da die Schlusszeile vom »Grab« als »Ruhestatt« redet, musste die Altstimme mit sinkenden Linien hier neu gefasst werden, während der Instrumentalpart mit ständigem Saitenwechsel und Bariolage die spieltechnischen Möglichkeiten des Soloinstruments ausnutzt.

Ein Sonderfall unter den gemischten Besetzungen ist die Bassarie »Schweig, schweig, aufgetürmtes Meer« (BWV 81:5), in der die Streicher und der Continuo das unisone Fundament der beiden konzertierenden Oboi d'amore bilden. Die imitierend eingeführten Oboen unterscheiden sich von den begleitenden Figuren durch den Quartsprung des Incipits, während sich beide Schichten in ihrer motorischen Bewegung gleichen. Der Vokalpart verbindet den Quartsprung des Kopfmotivs mit den ersten Tönen der Begleitung, während die syllabisch textierte Fortführung mit den instrumentalen Figuren verbunden wird. Wo sie zu vokalen Koloraturen umgeformt werden, begnügen sich die Instrumente mit begleitenden Akkorden. Zwar wird das Verfahren im Mittelteil modifiziert, doch steht der Satz trotz seiner umfangreichen Besetzung den geringstimmigen Arien näher als den akkordischen Tuttisätzen.

Eine weitere Variante zeigt die Tenorarie »Christenkinder, freuet euch« (BWV 40:7), in der zwei Hörner und zwei Oboen miteinander konzertieren. Da auf Streicher verzichtet wird, lassen sich die Stimmpaare sowohl gemeinsam als auch getrennt einsetzen. Das Kopfmotiv des viertaktigen Ritornells ist mit seiner Dreiklangsbrechung auf die Hörner abgestimmt, die im Wechsel mit den Oboen die Fortspinnung übernehmen. Die Rücksicht auf die Hörner nötigt zu einer harmonischen Stabilität, die es nicht leichter macht, das Ritornell mit den Erfordernissen des Vokalparts zu verbinden. Im A-Teil erscheint zwar ein kurzes Zitat als Zwischenspiel, da der Tenor aber die fortspinnenden Figuren aufgreift, müssen sich die Hörner mit kurzen Einwürfen und repetierten Tönen begnügen und die übrige Begleitung den Oboen überlassen. Der kompakte Orchestersatz hat zur Folge, dass die Instrumente

---

[208] T. 17–24 ~ 1–8, T. 25–28 ~ 1–4, T. 29–35 ~ 9–14 (mit eingefügten Zitaten aus T. 1) sowie T. 37^3–41^3 ~ 1^3–5^3.

am modulierenden Mittelteil nur anfangs beteiligt sind und erst wieder zu Beginn der variierten Reprise eintreten. Dass der Tenor hier in Ausschnitte aus dem Ritornell eingebaut wird (T. 43–49), wird durch die ebenso virtuose wie geschmeidige Stimmführung ermöglicht.

Die Bassarie »Herr, so du willt« (BWV 73:4) bildet in mehrfacher Hinsicht einen Sonderfall. Die Vorlage besteht aus drei vierzeiligen Strophen, in denen die erste Kurzzeile als Motto wiederkehrt (5a, 7b, 7b, 8a). Statt eines Ritornells setzt der Vokalpart – gestützt vom Continuo – mit dem Motto ein, das nach der dritten Strophe variiert wiederholt wird. Danach erst schließt sich ein Zwischenspiel an, dem eine erweiterte Variante im Nachspiel entspricht. Allen Strophen gemeinsam ist der Beginn mit der dreifach deklamierten ersten Zeile, während die übrigen Zeilen in der Regel nur einmal durchlaufen werden.

1–2	2–7	7–20	20–25	25–38	38–42	42–56–59	59–69	69–75
Motto	Vorspiel	Strophe I	Zwischen-spiel	Strophe II	Zwischen-spiel	Strophe III + Zwischenspiel	Motto	Nachspiel
c	c	C – g	g	g – B	B – Es	E – As	As – c	c

Wie der Übersicht zu entnehmen ist, wechselt nicht nur der Umfang der Strophen, sondern auch die Länge der instrumentalen Satzglieder. Die Formteile werden dadurch verkettet, dass die Kadenzen mit dem Beginn der folgenden Teile zusammenfallen. Das Vorspiel bildet einen kontrapunktischen Satz, dessen Motivik in den Violinen imitiert und vom Continuo übernommen wird. Während es eine Quintschrittfolge umschreibt, verharren die Zwischenspiele auf den Stufen, die im modulierenden Verlauf der Strophen erreicht werden. Eine Ausnahme bildet das zweite Zwischenspiel, das zur dritten Strophe führt. Während das erste das Modell des Vorspiels variiert, schließen die folgenden Zwischenspiele an die Motivik der vorangehenden Zeilen an. Sie entsprechen durch knappe Seufzermotive den Worten der ersten Strophe, während die entsprechende Zeile in der zweiten Strophe durch repetierte Viertel der Instrumente begleitet wird, bis zu den Worten »so schlagt, ihr Leichenglocken« in der letzten Strophe gebrochene Akkorde im Pizzicato erklingen. Die subtilen Varianten haben zur Folge, dass der strophische Bau der Vorlage nur noch an der Wiederkehr der Mottozeile spürbar ist.

d. Zwischen Ostern und Pfingsten

Während acht Arien der letzten Gruppe mit größerem Ensemble rechnen, verwenden fünf Sätze ein oder zwei obligate Instrumente. Begegnen in sieben Arien Da-capo-Formen, so treten zweiteilige Sätze und weitere Varianten zurück. Dass den Da-capo-Arien stets Texte mit zwei Sätzen zugrunde liegen, dürfte darauf hinweisen, dass Bach sich an den Vorlagen orientierte, sodass die Wahl der Formen nicht als seine Entscheidung gelten kann. Auffälliger ist es, dass die geringstimmigen Sätze zumeist an vorderer Stelle stehen, wogegen die größeren Besetzungen den jeweils folgenden Arien vorbehalten bleiben.

BWV 67 Halt im Gedächtnis Jesum Christ

| 2 | Mein Jesus ist erstanden | A – B – B′ | T., Trav. + Ob. d'am., Str., Bc. – E-Dur, ¢ |
| 6 | Friede sei mit euch – Wohl uns, Jesus hilft uns streiten | dialogische Anlage | B. – S., A., T. – Trav., Ob. d'am. I–II., Str., Bc. – A-Dur, ¢ |

BWV 104 Du Hirte Israel, höre

| 3 | Verbirgt mein Hirte sich zu lange | var. Dc | T., Ob. d'am. I–II, Bc. – h-Moll, ¢ |
| 5 | Beglückte Herde, Jesu Schafe | Dc | B., Str. + Ob. d'am. I, Bc. – D-Dur, $^{12}/_8$ |

BWV 166 Wo gehest du hin

| 2 | Ich will an den Himmel denken | Dc | T., Ob. (+ V. I solo), Bc. – g-Moll, ¢ |
| 5 | Man nehme sich in acht | Dc | A., Str. + Ob., Bc. – B-Dur, ¾ |

BWV 86 Wahrlich, wahrlich, ich sage euch

| 2 | Ich will doch wohl Rosen brechen | Dc | A., V. solo Bc. – A-Dur, ¾ |
| 5 | Gott hilft gewiß | A – B – B′ | T., Str., Bc. – E-Dur, ¢ |

BWV 37 Wer da gläubet und getauft wird

| 2 | Der Glaube ist das Pfand der Liebe | Dc | T., (V. solo), Bc. – A-Dur, ¢ |
| 5 | Der Glaube schafft der Seele Flügel | A – B – C | B., Str., Bc. – h-Moll, ¢ |

BWV 44 Sie werden euch in den Bann tun

| 3 | Christen müssen auf der Erden | Dc | A., Ob. I solo, Bc. – c-Moll, ¾ |
| 6 | Es ist und bleibt der Christen Trost | Dc | S., Str. + Ob. I–II, Bc. – B-Dur, ¢ |

BWV 59 Wer mich liebet

| 4 | Die Welt mit allen Königreichen | A – B – Rit. | B., V. I solo, Bc. – C-Dur, ¢ |

Die **Arien mit einem Soloinstrument** zeigen erneut, dass die Satzstruktur vom Verhältnis der Stimmlagen abhängt. In den Altarien wird der Vokalpart mit einem Instrument höherer Lage gepaart, sodass er die instrumentale Motivik desto weniger übernehmen kann, je mehr die Möglichkeiten des Instruments ausgenutzt werden. In der Arie »Christen müssen auf der Erden Christi wahre Jünger sein« (BWV 44:3) fällt das weniger auf, weil die Alt- und die Oboenstimme die melodischen und rhythmischen Konturen teilen. Das Ritornell liegt jedoch zu hoch, um vom Alt übernommen zu werden, sodass eine vokale Variante erforderlich wird, die im A-Teil in ein längeres Ritornellzitat eingebaut wird (T. 21–27 ~ 1–7), während sich der B-Teil auf die Triolenketten der Fortspinnung stützt. Mehr noch unterscheiden sich die Stimmen in der Arie »Ich will doch wohl Rosen brechen« (BWV 86:2), in der die Solovioline weiträumige Arpeggien zu spielen hat. Ohne besonders virtuos zu sein, setzt der Violinpart einen derart gewandten Spieler voraus, wie Bach ihn in den bisherigen

8. Gruppen und Arten der Arie **271**

Notenbeispiel 16

Kantaten noch nicht gefordert hatte. Da die einleitenden Skalenfiguren und die Arpeggien der Fortspinnung jeweils liegende Akkorde umkreisen, ist der Satz auf das Profil der Generalbassstimme angewiesen, die ein Musterfall linearer Stimmführung ist (Notenbeispiel 16). Sie verbindet in gleichmäßiger Achtelbewegung die Gerüsttöne der Akkorde zu kantablen Linien, die bei Akkordwechsel des Soloparts zu Quint- und Oktavsprüngen erweitert werden. Der Vokalpart fügt sich mit einer syllabischen Diktion ein, die zu Schlüsselwörtern wie »Rosen« oder »brechen« durch kleine Melismen bereichert wird. Besonders eindringlich ist der Schluss des B-Teils, in dem ein sechstaktiger Orgelpunkt in Repetitionen aufgelöst wird, während die Arpeggien der Violine die expressive Deklamation des Vokalparts umranken (T. 60–65, »daß mein Bitten und mein Flehen«).

Wieweit sich der Befund bei Stimmen gleicher Lage ändert, lässt sich an der Tenorarie »Der Glaube ist das Pfand der Liebe« (BWV 37:2) nicht mehr prüfen, weil die Stimme der Solovioline verloren ist.[209] Der Vokalpart setzt mit einer vorgeschalteten Devise ein, in der die Violine vermutlich – wie in BWV 44:3 – pausierte, weil die Bassführung nicht mit dem Beginn des Ritornells übereinstimmt (vgl. T. 9–10 mit T. 1–2). Erst in einer späteren Taktgruppe, in der die Tenorstimme wohl in ein Ritornellzitat integriert war, entspricht der Continuo dem Ritornell (T. 15). Da das auch für die Wiederholung gelten dürfte (T. 18–22 ~ 4–8), dürfte der Devise im A-Teil ein Neuansatz mit Vokaleinbau gefolgt sein. Der bezifferte Bass verläuft in steter Achtelbewegung, deren Stufenwechsel keine gleichmäßigen Akkordbrechungen

---

[209] Vgl. Dürr, NBA I/12, KB, S. 245 f. Während die autographe Partitur fehlt, sind vom originalen Stimmensatz nur die Dubletten der Violinstimmen erhalten, die aber nicht den Solopart dieser Arie enthalten.

wie in BWV 86:2 erlaubte. Dagegen wirken die »geschuppten« Sechzehntel, die im Vokalpart auf das Wort »hegt« entfallen, nicht genuin vokal (T. 18 f.). Sie legen daher die Vermutung nahe, dass sie der verschollenen Violinstimme entstammen.

Auch für einen der **Sätze mit zwei Instrumenten gleicher Lage** fehlt eine Stimme. Für den A-Teil der Tenorarie »Ich will an den Himmel denken« (BWV 166:2) konnte Dürr auf das Orgeltrio BWV 584 zurückgreifen, während er den B-Teil überzeugend zu rekonstruieren vermochte.[210] Damit wurde ein Triosatz wiedergewonnen, der sich durch die Imitation des Kopfmotivs und die komplementäre Fortspinnung auszeichnet. Der Vergleich mit dem Orgeltrio (in dem der Vokalpart ausgelassen wurde) beweist Bachs Fähigkeit, in den ursprünglichen Triosatz eine vierte Stimme einzufügen, deren motivische Prägung der des übrigen Instrumentalparts nicht nachsteht. Der Tenor übernimmt zunächst das Kopfmotiv, das im Abstand einer Viertel durch die Violine ergänzt wird, während die Oboe als Zusatzstimme dient (T. 7 f.). Umgekehrt kann der Vokalpart als Ergänzung fungieren, wenn die Motivik in den Instrumentalpart verlegt wird (T. 13 ff.). Die größte Verdichtung erreicht der dritte Abschnitt des A-Teils, in dem der Tenor in die instrumentalen Imitationen einbezogen wird (T. 19–27). Dass das Verfahren durch Stimmen gleicher Lage begünstigt wird, zeigt sich an der Arie »Verbirgt mein Hirte sich zu lange« (BWV 104:3), in der die Tenorstimme mit zwei Oboen gekoppelt wird. Ähnlich wie in BWV 37:2 umschreibt das Kopfmotiv einen Quintrahmen, der in steigenden Achteln durchschritten wird, sodass sich bei einer Einklangsimitation in halbtaktigem Abstand Terzparallelen ergeben. Da die Fortspinnung zur Parallelführung wechselt, ergibt sich insgesamt ein etwas schlichteres Satzbild. Dass das auch für den Mittelteil gilt, mag Bach dazu veranlasst haben, eine variierte Da-capo-Form zu wählen, deren dominantischer Schluss eine Neufassung des A-Teils nach sich zog.

Die **Ensemblesätze** gehen von akkordischem Satz aus, in dem die Oboen gelegentlich von den Streichern mit kurzen Einwürfen abgelöst werden. Doch wäre es voreilig, daraus auf eine hochgradige Typisierung zu schließen. Eher scheint es, als sei Bach darauf bedacht gewesen, dem sonst zumeist en bloc benutzten Vokaleinbau weitere Facetten abzugewinnen. Am besten lässt sich das in den Tenorarien BWV 67:2 und 86:2 verfolgen, die beide in E-Dur stehen und sich auch thematisch ähneln. Beidemal könnten die Ritornelle als Material für Konzertsätze dienen, wenn sie nicht zugleich auf die Texte abgestimmt wären. Zudem liegen beiden Sätzen fünfzeilige Vorlagen zugrunde, in denen jeweils zwei bzw. drei Zeilen auf den relativ kurzen A-Teil entfallen, während die weiteren Zeilen im längeren B-Teil doppelt erscheinen, sodass sich insgesamt ein dreiteiliger Grundriss ergibt.

Das sechstaktige Ritornell der Arie »Mein Jesus ist erstanden« (BWV 67:2) besteht aus zwei Taktgruppen, die zugleich zwei verschiedene Motive bieten. Repetierte Achtel des Kopfmotivs (α) werden von einer steigenden Sechzehntelfigur der Bässe getragen, die in der zweiten Takthälfte in die Oberstimme übergeht. Im zweiten Takt werden sie durch zwei kurze Pausen unterbrochen (β), die durch auftaktige Zweiunddreißigstel ergänzt werden und sich auf die zweite Textzeile beziehen

---

210 Vgl. ebd., S. 18. Wie im Fall von BWV 37 sind nur die Dubletten erhalten, in denen der Solopart fehlt. Im Orgeltrio, das sich als Arrangement der Arie erwiesen hat, wurde der Violinpart übergangen, vgl. ebd., S. 23 ff.

(»allein, was schreckt mich noch?«). Dieselbe Folge begegnet in den vier nächsten Takten, in denen das Kopfmotiv sequenzierend auf zwei Takte verteilt und durch eine Kadenz vervollständigt wird. Man muss die Motive so genau unterscheiden, weil ihr Verhältnis die Bedingung der kunstvollen Varianten im A-Teil ist. Obwohl der Vokalpart fast ständig von der Ritornellmotivik begleitet wird, ist nur ausnahmsweise von Vokaleinbau zu reden. Zwar zitiert der Tenor zweimal die ersten zwei Takte des Ritornells, doch besteht die Begleitung zumeist aus Varianten der steigenden Figur (α), die in den Bässen eingeführt und von den Violinen übernommen werden. Das Ritornell erscheint nur in der modulierenden Sequenz des Zwischenspiels (T. 9–12), um danach den A-Teil mit einem Ritornellzitat auf der Dominante zu beenden.

Ritornell	Zeilen 1–2	Zwischenspiel	Zeilen 1–2	Zeile 2	Ritornell
$\alpha - \beta$	$\alpha - \beta$	$\alpha - \beta$	$\alpha - \beta$	β	$\alpha - \beta$
1–6	7–8 ($\sim$ 1–2)	9–12 ($\sim$ 3–6)	13–14 ($\sim$ 1–2)	15–16 ($\sim$ 2)	17–22 ($=$ 1–6)
I	I	I – VI, II – V	I – V	V	V

Der zweistufige B-Teil verbindet dieses Verfahren mit einer weiteren Variante. Die vokale Deklamation der letzten Zeile wird mit kurzen Einwürfen der Oboe gekoppelt, die auf den Annex des Ritornells (β) zurückgehen (T. 25 f., 29 f. und 37 f.). Eine letzte Pointe zeigt die mehrfach wiederholte Schlusszeile, in die Zitate der steigenden Figur (α) eingeblendet werden (T. 41–43), bis der Satz durch ein Ritornellzitat auf der Tonika beschlossen wird. Die Arie »Gott hilft gewiß« (BWV 86:2) entspricht demselben Bauplan – freilich mit dem Unterschied, dass das Ritornell aus zwei Viertaktern besteht, die zunächst zur Dominante und dann zur Tonika führen. In der Schlusszeile wird der Wortlaut der ersten Kurzzeile wiederholt, die den A-Teil mit dem zweigliedrigen B-Teil verbindet und mehrfach wie ein Motto wiederkehrt.

A						B		B'	
Ritornell	Z. 1	Z. 2	Z. 1	Z. 1–3	Zwischenspiel	Z. 4–5 (1)	Zwischenspiel	Z. 4–5 (1)	Ritornell
1–8	9–11	12–13 ($\sim$ 2–3)	14–15	16–19 vokal	20–22 ($\sim$ 1–3)	22–28	28–30 ($\sim$ 6–8)	31–33, 34–36 ($\sim$ 1–3)	37–44 ($=$ 1–8)
I – V – I	I	I – V	I – VI, II – V	V	V	I – VI	V	II – V – I	I – V – I

Dass der Satz nicht so verschiedene Motive wie sein Pendant enthält, bedeutet nicht, dass das Material weniger differenziert verwendet wird. So verteilen sich anfangs zur mehrfach wiederholten Kurzzeile motivische Varianten auf Vokal- und Instrumentalpart. Erst das den A-Teil beschließende Zwischenspiel enthält ein verkürztes Ritornellzitat, während es am Ende des B'-Teils in drei Takten zu blockweisem Vokaleinbau kommt. Indem die Einbautechnik durch die Arbeit mit motivischen Varianten ergänzt wird, bilden beide Sätze Stationen auf dem Weg zur weiteren Differenzierung der Arien.

Auf den ersten Blick scheint das nicht ebenso für die Bassarie »Beglückte Herde, Jesu Schafe« (BWV 104:5) zu gelten. Der Vokalpart wird fast durchweg in transponierte oder wenig veränderte Ritornellzitate eingebettet, wie es schon in den späteren Weimarer Arien üblich war. Man muss genauer hinsehen, um zu erfassen, wie differenziert hier das Verfahren angewandt wird. Die Achtelbewegung im $^{12}/_8$-Takt, die sich mit akkordischem Satz verbindet, entspricht dem Typus der Pastorale. Indem das Ritornell in den zwei ersten Takten die Tonika und Subdominante über einem Orgelpunkt umkreist, ergeben sich durch die Nebenstufen harmonische Spannungen, die am Ende des zweiten Takts in einen Dominantseptakkord über dem gehaltenen Grundton münden und sich erst im Halbschluss des dritten Takts auflösen. Die zweite Dreitaktgruppe setzt hingegen mit einem Aufschwung zur Dezime an, um danach in einer fallenden Linie zur Dominante zu führen. Die harmonische Disposition erinnert an die Arie »Ach, schlage doch bald« (BWV 95:5), doch kommen hier die harmonischen Spannungen in enger Lage weit mehr zur Geltung als dort. Damit gewinnt die Harmonik zugleich eine klangliche Qualität, auf die sich die Ausarbeitung der Satzstruktur richtet. So sehr sie von der Einbautechnik zehrt, so entscheidend ist deren Differenzierung bereits im A-Teil.

Ritornell	Zeilen 1–2	Zeilen 2, 1–2		Zwischenspiel	Zeilen 1–2	Zeilen 2, 1–2		Ritornell
1–6	7–9	10–12	13–15	16–19	20–22	23–25	25–26	29–32
	(~ 1–3)	vokal	(~ 4–6)	(~ 1–2, 5–6)	(~ 1, 2, 3)	vokal	(~ 4–6)	(~ 15–19)
T – D	T – D	D		D	T^7 – S – D	T		T

Bei Eintritt der Bassstimme scheinen sich die ersten Takte des Ritornells zu wiederholen, in die der Vokalpart im Austausch mit Tönen der Oberstimme eingefügt wird. Sobald die Bassstimme im dritten Takt die melodische Führung übernimmt, erscheint ein instrumentales Ritornellzitat, das mit den Worten »Die Welt ist euch ein Himmelreich« verbunden wird. Eine weitere Nuance enthält die zweite Dreitaktgruppe (T. 13–15 ~ 4–6), in der der Wechsel zwischen erniedrigten und erhöhten Leittönen vom Vokalpart verschärft wird (T. 13 zweimal *g* versus *gis*). Noch deutlicher wird das, wenn der zweite Abschnitt mit einem Septakkord ansetzt (T. 20 f.). Vermehrt gilt das für den Mittelteil, in dem die Ritornellzitate von D-Dur nach Fis- bzw. H-Dur versetzt werden. Wo hier vom »Todesschlafe« die Rede ist, werden die Haltetöne der Bassstimme mit neapolitanischen Sextakkorden verbunden (T. 37 f. und 46 f.). Die Arbeit richtet sich also weniger auf die intervallische als auf die harmonische Struktur, die dadurch quasi thematischen Rang gewinnt.

Nach diesen Neuansätzen scheint die Bassarie »Der Glaube schafft der Seele Flügel« (BWV 37:5) in gewohnte Bahnen zurückzulenken. Im A-Teil des Satzes werden jedoch zwei weitere Spielarten des Vokaleinbaus erprobt. Zunächst übernimmt der Bass die beiden ersten Takte des Ritornells, deren Begleitung dem Orchester überlassen ist (T. 7–8 ~ 1–2). Fast unmerklich lenkt die Fortspinnung aber zur Durparallele, auf der sich zwei Takte später erneut die Kopfgruppe anschließt. Diesmal erscheint sie jedoch im Orchester, während der Vokalpart mit einer eigenen Variante aufwartet (T. 11 f.). Wenn danach die letzten Takte des Ritornells mit Vokaleinbau folgen, so lenken sie nun zur Dominante statt zur Tonika (T. 13–16). So wenig es sich um eine Übernahme des Ritornells handelt, so variabel wird sein Material auch weiterhin eingesetzt. Um dem Vokalpart Raum zu geben, zitiert der Mittelteil nur die erste Zweitaktgruppe der instrumentalen Oberstimme, während die Begleitung im Continuo anklingt (T. 22 f.). Im Schlussteil werden die Sequenzglieder der Fortspinnung und die Kadenzgruppe durch Pausen getrennt, während am Ende die Kopfgruppe mit Vokaleinbau folgt (T. 30–34 und T. 37 f.).

Die in B-Dur stehenden Da-capo-Arien aus BWV 166 und BWV 44 zeigen weitere Nuancen des Verfahrens. Die Altarie »Man nehme sich in acht« (BWV 166:5) wird weniger durch das Kopfmotiv als durch die Fortspinnung des Ritornells geprägt, die sich aus sequenzierten Gruppen gebundener Sechzehntel zusammensetzt. Nur anfangs wird das Ritornell mit Vokaleinbau wiederholt, doch wird der Vokalpart danach mit den Gliedern der Fortspinnung kombiniert, die aber – anders als im Ritornell – nach einer vorangestellten Pause ansetzen. Das Kopfmotiv wird dagegen zu neutralen Achtelketten geglättet, denen zumeist eine Achtelpause vorangeht (T. 23, 25 und 31). Fast hat es den Anschein, als sei es Bach darum gegangen, die Glieder des Ritornells auf Formeln zu reduzieren, um sie desto vielfältiger einsetzen zu können. In der Sopranarie »Es ist und bleibt der Christen Trost« (BWV 44:6) ändern sich die Bedingungen insofern, als der Vokalpart die triolischen Figuren ignoriert, die das Kopfmotiv und die Fortspinnung des Ritornells prägen. Je selbstständiger die Sopranstimme ist, desto eher kann der A-Teil auf blockweisen Vokaleinbau zurückgreifen (T. 12–16 ~ 1–4, T. 22 f. ~ 7 f.). Anders verhält es sich im Mittelteil, der auf die »geschuppten« Sechzehntel des Ritornells zurückgreift (T. 5). Wo der Text davon redet, dass sich »die Wetter türmen«, werden sie zu steigenden Akkordketten umgebildet (T. 36–41).

Die Arie BWV »Friede sei mit euch BWV 67:6, die schon zu Beginn dieser Phase entstand, ist als Dialog ein Sonderfall, der deshalb erst hier genannt werden kann. Die erste Zeile zitiert die Worte »Friede sei mit euch« (Joh. 20:19), die dem Bass zugeteilt werden.

A	B	A′	B′	A″	B″	A‴ (+ B)	B‴
Vorspiel	Zeile 1	Zeilen 2–4	Zeile 1	Zeilen 5–7	Zeile 1	Zeilen 6–8 (+1)	Zeile 1
Str.	B. + Bl.	Ch. + Str.	B. + Bl.	B. + Bl.	Ch. + Str.	Ch, Str.+ B.	B. + Bl. + Str.
1–9	9–25	25–36 (~ 1–9)	36–53 (36–45 ~ 9–17)	53–65	65–81	81–94	94–111 (94–103 ~ 9–18)
¢	¾	¢	¾	¢	¾	¢	¾
I	V–i	I	I–VI	VI	IV	IV–I	I

Dem dreimal wiederholten Bibelspruch (B) folgen drei gedichtete Zeilen, die vom Sopran, Alt und Tenor gesungen und von den Streichern begleitet werden (A′). Die Abschnitte kontrastieren nicht nur durch ihre Besetzung, sondern vor allem durch ihre Taktart und Rhythmik. Während die Dreiklangs- und Skalenfiguren der Streicher in geradem Takt stehen, wechseln die Bläser zu punktierten Achteln im ¾-Takt. Die Kontraste werden erst in der letzten Zeile zurückgenommen, die mit dem Friedensgruß des Basses verbunden wird. Die Abschnitte werden zwar in den Kadenz- und Einsatztakten verkettet, doch ist ihre Motivik zu unterschiedlich, um ihre simultane Kombination zu erlauben. Daher beschränkt sich der Bass im vorletzten Abschnitt auf ein variiertes Zitat der Melodik, das mit dem Chor und den Streichern gekoppelt wird (T. 53–65). Hier und in den analogen Abschnitten wird der Chorsatz in das Material des Vorspiels eingebaut, das dabei entsprechend modifiziert wird. Das gilt auch für die solistischen Abschnitte, deren harmonische Struktur aber differenzierter ist, als es sich in dem vereinfachten Schema andeuten lässt. Während das Vorspiel zur VI. Stufe lenkt, um danach die Subdominante zu erreichen und mit einem Halbschluss zu enden, führen die solistischen Abschnitte zur Subdominante bzw. Dominante.

Es dürfte nicht leicht sein, in Bachs Œuvre eine Arie mit einem ähnlich dramatischen Dialog zu finden. Das harte Urteil, das Spitta über die Parodie des Satzes im Gloria der A-Dur Messe BWV 234:2 fällte, ist daher nicht völlig unbegreiflich.[211] Um die rhythmischen und klanglichen Kontraste des Satzes zu bewahren, bedurfte die Parodie einer planvollen Textverteilung. Während die Worte »et in terra pax« bzw. »adoramus te« auf die solistischen Abschnitte entfielen, wurden die chorischen Phasen mit den lobpreisenden Worten verbunden. Indem die Eingangsworte in das Vorspiel eingefügt und die Schlusstakte zum »Gratias agimus« erweitert werden, ergab sich eine durchaus stimmige Interpretation der Vorlage.[212]

Vor einem abschließenden Resümee sind noch zwei Werke zu nennen, die bisher übergangen wurden. Die Pfingstkantate »Wer mich liebet« (BWV 59) scheint zwar schon 1723 begonnen worden zu sein, wurde aber wohl erst ein Jahr später in der Universitätskirche aufgeführt.[213] Dazu passt der auffällig einfache Violinpart der einzigen Arie (Satz 4, »Die Welt mit allen Königreichen«), der sich durchweg in der ersten Lage spielen lässt. Das ließe sich damit erklären, dass Bach zur Rücksicht auf einen wenig geübten Spieler genötigt war. Doch wurde die Arie 1725 mit dem fast unveränderten Violinpart parodiert (BWV 74:2 »Komm, mein Herze steht dir offen«). Da aber die Bassstimme nun dem Sopran zufiel, musste der Satz transponiert und zugleich an den neuen Text angepasst werden.

Da die einzige Quelle für BWV 148 »Bringet dem Herrn Ehre« erst im späteren 18. Jahrhundert geschrieben wurde, muss vorerst offenbleiben, ob das Werk 1723 oder 1725 entstand. Dass der Eingangschor aus der Satzreihe des Jahres 1723 herausfällt, wurde bereits gesagt. Auch die Arien entsprechen kaum den Sätzen dieser Zeit. In BWV 148 folgt einer variierten Da-capo-Arie ein weiterer Satz im Da-capo-Schema. Zwar enthalten die ersten Kantaten nach Bachs Amtsantritt (BWV 75 und 76) jeweils mehrere Da-capo-Arien, die aber in den folgenden Werken hinter anderen Formen zurücktreten. Im ersten Jahrgang würden beide Arien auch durch ihre Besetzung Sonderfälle bilden. Ein figurativer Violinpart wie in der Tenorarie »Ich eile, die Lehren des Lebens zu hören« (Satz 2) wäre erst im Sommer 1724 denkbar, und ein Satz mit dreistimmigem Oboenchor wie die Altarie »Mund und Herze steht dir offen« (Satz 4) begegnet erst im zweiten Jahrgang. Zwar kam der Oboenchor in

---

211 Spitta II, S. 513, wo es heißt, die »wunderherrliche Poesie des Originals« sei in der Parodie »fast gänzlich zerstört« worden.

212 Vgl. dazu Verf., Bachs Weg in der Arbeit am Werk – eine Skizze (Veröffentlichung der Joachim-Jungius-Gesellschaft der Wissenschaften Hamburg 89), Göttingen 2001, S. 66 f.

213 Vgl. oben, Anm. 4.

8. Gruppen und Arten der Arie **277**

einer Arie aus der »Jagdkantate« (BWV 208:7) vor, deren geistliche Fassung aber erst 1725 entstand (BWV 68:4 »Du bist geboren«). Aus diesen Gründen ist auf den Satz erst später zurückzukommen.

e. Schlussbemerkung

Angesichts der Fülle der Arien lassen sich nur generelle Tendenzen resümieren, die freilich nicht die Vielfalt der Sätze erfassen können:

1. Nur zu Beginn des ersten Jahrgangs begegnen in größerer Zahl Da-capo-Arien, die sich mitunter auch in einem Werk finden, wie es erst wieder im Sommer 1724 der Fall ist. Da das partiell durch die Texte bedingt ist, sollte man dem Befund nicht zu viel Bedeutung beimessen.
2. In den umfangreichen Satzreihen vor und nach Weihnachten mehren sich neben den variierten Da-capo-Arien vor allem zwei- und dreiteilige Sätze, deren Anlage nicht unabhängig von den Texten war, aber erst vom Komponisten ausgearbeitet wurde.
3. Daneben erscheinen vor der Weihnachtszeit und vermehrt danach individuelle Lösungen wie die dialogischen Duette in BWV 60, die variierte Strophenarie in BWV 73:4, die Kombination mit liturgischem Cantus firmus in BWV 83:2 und der Wechsel zwischen chorischen und solistischen Abschnitten in BWV 67:6.
4. Anfangs begegnen zwar einige Continuo-Arien (BWV 76:10, 25:3 und 89:3), doch wird der Ostinatosatz, der in Weimar maßgebliche Bedeutung hatte, durch freiere Verfahren ersetzt. Ausgehend von knappen Ritornellen, werden die Sätze durch die Verarbeitung ihrer rhythmisch profilierten Motivik geprägt.
5. Den Gegenpol vertreten zwei Sätze senza basso, wie sie schon in den Weimarer Arien BWV 31:8 und 80a:5 vorkamen. Erst in Leipzig fungiert dieser Typus als Grundlage für so unterschiedliche Arien wie BWV 46:5 einerseits und BWV 105:3 andererseits.
6. Während in den Arien mit einem Soloinstrument anfangs die Oboe bevorzugt wird, werden später auch andere Instrumente verwendet, wobei der Violine in BWV 83:1 oder 86:2 besonders anspruchsvollere Aufgaben zufallen.
7. Die Arien mit zwei obligaten Instrumenten greifen zunächst auf die kontrapunktischen Verfahren zurück, die in Weimar prägende Bedeutung hatten. Zunehmend wird es aber zur Regel, dass die Instrumente komplementär oder parallel geführt werden, sodass sich die Sätze den Arien mit größerem Ensemble nähern.
8. Auffällig ist die wachsende Dominanz der Arien mit Streichersatz, dessen Oberstimmen durch Oboen verstärkt werden können. Selbst wenn sich die Oboen in kurzen Phasen vom Tutti abheben, erreichen sie dabei nicht den Rang obligater Stimmen.
9. Wie schon in BWV 25:5 gewinnen die Bläserstimmen seit Weihnachten eine konzertierende Funktion. Obwohl vor allem die Flöten hervortreten (BWV 65:6 und 81:1), erhalten mitunter die Hörner maßgeblichen Anteil am konzertanten Satz (so in BWV 40:7 und 83:1).

10. Eine weitere Variante bilden die Arien mit vollstimmigem Instrumentalpart, dessen Oberstimme in konzertierender Funktion hervortreten kann. Eine Sondergruppe stellen die Sätze dar, an denen eine obligate Trompete beteiligt ist (BWV 75:12, 76:5, 46:3 und 90:3).

11. Besonders aparte Lösungen bieten einige Sätze, die weniger durch profilierte Motivik als durch die Spielweise der beteiligten Instrumente geprägt sind (Pizzicato in BWV 95:6 und 73:4, Tremolo in BWV 106:3 und klangdichter Streicherpart in BWV 104:5).

12. Zwar fällt den Tanzsätzen ein höherer Anteil als in Weimar zu, doch werden die Modelle zunehmend stilisiert, um dann nach Weinachten zurückzutreten. Ihre Voraussetzungen lagen in den Köthener Werken, auf die Bach zu Ostern und Pfingsten 1724 zurückgriff.

13. Wie in Weimar begegnet die Einbautechnik vor allem in Arien mit akkordischem Ensemble, während sie bei kleiner Besetzung nicht in gleichem Ausmaß verwendet wird. Überdies erfährt sie wachsende Differenzierung, bis sie im Sommer 1724 durch motivische Arbeit ergänzt wird.

14. Auffallend selten sind dagegen Duette zu finden. Während das Duett aus BWV 60 durch den »Dialogus« bedingt ist, unterscheiden sich die übrigen Sätze nicht derart signifikant von anderen Arien, dass sie als gesonderte Gruppe gelten können (BWV 23:1, 167:3, 190:5 und 154:7).

15. Selbstständige Instrumentalsätze finden sich lediglich in BWV 75 und 76, ebenso begegnen nur wenige Arien mit instrumentalen Choralzitaten. In BWV 82:3 war die Verwendung des Cantus firmus durch den Text veranlasst, und Sonderfälle blieben auch die entsprechenden Sätze aus der Johannes-Passion und dem Magnificat (BWV 245:32 und BWV 243:10).

9. Akkordisches und motivisches Accompagnato

Während sich die Rezitative der Weimarer Kantaten auf das Jahr 1714 konzentrierten, enthalten die Leipziger Vorlagen regelmäßig rezitativische Texte. Trotz ihrer großen Zahl lassen diese Sätze keine Entwicklung erkennen, weil Bach das Secco bereits in Weimar beherrschte. Nicht im gleichen Maß wuchs im ersten Jahrgang der Anteil der Sätze, die als Arioso oder Accompagnato zu bezeichnen wären. Wegen ihrer besonderen Bedeutung seien hier wenigstens die wichtigsten Beispiele genannt.[214]

Bereits die beiden Probestücke enthalten zwei Accompagnato-Rezitative, von denen das eine (BWV 22:3) mit akkordischem Streichersatz der Weimarer Norm

---

[214] Vgl. Reinmar Emans, Gedanken zu Bachs Accompagnato-Rezitativ, in: »Die Zeit, die Tag und Jahre macht«. Zur Chronologie des Schaffens von Johann Sebastian Bach. Bericht über das Internationale wissenschaftliche Colloquium aus Anlaß des 80. Geburtstages von Alfred Dürr, hrsg. von Martin Staehelin (Abhandlungen der Akademie der Wissenschaften zu Göttingen, Phil.-Hist. Klasse, Dritte Folge, Nr. 240), Göttingen 2001, S. 103–120; ders., Das Arioso bei Bach und seine italienische Tradition, in: Die Quellen Johann Sebastian Bachs. Musik im Gottesdienst (Bericht über das Symposion 4.–8. Oktober 1995 in der Internationalen Bachakademie Stuttgart), hrsg. von Renate Steiger, Heidelberg 1998, S. 261–280.

entspricht, die auch in der ersten Leipziger Kantate begegnet (BWV 75:2 und 9). Dagegen überrascht der zweite Satz aus BWV 23 durch das instrumentale Zitat der Weise zu »Christe, du Lamm Gottes« (die im Schlusschoral wiederkehrt). In Es-Dur endend, beginnt das Rezitativ eine Quinte tiefer in As-Dur, sodass die Choralmelodie nicht auf dem Grundton, sondern auf dessen Quinte ansetzt. Obwohl der Choralsatz nicht motivisch geprägt ist, werden die Zeilen in der ersten Violine durch Pausen getrennt, die in der zweiten Violine und der Viola durch »Seufzermotive« ausgefüllt werden. Besonders kunstvoll geschieht das nach der zweiten Zeile, die auf der Terz des Grundtons endet und zugleich in einen Quintsextakkord eingefügt wird, während die anschließende Kadenz nach f-Moll statt nach As-Dur führt.

Ähnlich bemerkenswert ist das Accompagnato »So lässt sich Gott nicht unbezeuget« (BWV 76:2). Nach drei akkordisch begleiteten Takten wechselt der Streichersatz zu Sechzehnteln, die keine festen Motive ausbilden, aber die rhythmische Prägung der Tenorstimme vorausnehmen (T. 4–12 »andante e arioso«). Das ariose Schlussglied des Seccorezitativs BWV 24:4 wird durch den rhythmisch profilierten Generalbass geprägt, dessen Sechzehntelketten durch eingestreute Intervallsprünge motivische Funktion gewinnen (T. 13–19, »mit Gnad und Liebe zu erfreun«).

Dagegen kann der Satz »Wohl aber dem, der seinen Bürgen weiß« (BWV 105:4) als ein frühes Paradigma des motivisch geprägten Accompagnato gelten. Der Hinweis »A tempo« dürfte sich auf die Sechzehntelbewegung der Streicher beziehen, die im Wechsel zwischen höheren Tönen und gebundenen Wechselnoten motivische Funktion erhält. Zwar setzen die Instrumente einmal kurz aus, doch wird die Motivik von der Oberstimme fortgeführt, während die Mittelstimmen zu den Worten »den man zu Grabe trägt« auf Haltetönen verharren, bis sie am Ende des Satzes durch Pausen unterbrochen werden (T. 13–19). Der letzte Abschnitt basiert auf einer chromatischen Basslinie, die zu den Worten »Der Heiland öffnet dir die ewgen Hütten« in einer chromatisch erweiterten Kadenz ausläuft. Eine Woche später entstand das Rezitativ »So klage, du zerstörte Gottesstadt« (BWV 46:2), das wiederum die Angabe »a tempo« zeigt. Zum akkordischen Streichersatz treten zwei Blockflöten mit einer Motivik, die durch den Wechsel zwischen Sechzehnteln und Achteln charakterisiert ist. Der Satz gewinnt damit ein motivisches Gepräge, in das sich die Deklamation der Altstimme einfügt.

Wiewohl die motivische Prägung dieser Sätze von den Texten ausgeht, sollte man den Worten nicht zu viel Gewicht beimessen. Wenn im Accompagnato die instrumentale Motivik beibehalten werden soll, so kann sie nicht nur auf den Wechsel der Worte reagieren. Vielmehr muss sie profiliert genug sein, um dem Satz ein eigenes Gepräge zu geben, während sie zugleich so flexibel sein muss, dass sie den wechselnden Worten entsprechen kann. Der Kunstrang solcher Sätze bemisst sich demnach weniger an der Wortausdeutung als am Ausgleich zwischen den konträren Prämissen. Zugleich lassen sich einzelne Worte deklamatorisch oder harmonisch hervorheben, sodass sie gegenüber dem Streicherklang zur Geltung kommen können. Ein pointiertes Beispiel ist das Accompagnato »O Schmerz, o Elend, so mich trifft« (BWV 48:2). Dass der in Es-Dur beginnende Satz zur Mollvariante der Dominante moduliert, wäre so wenig überraschend wie der anschließende Quintsextakkord, dem im Vokalpart die verminderte None zugefügt wird (T. 8–9). Indem sie aber enharmonisch verstanden wird (*ces* = *h*), wird der B-Dur-Nonenakkord von einem H-Dur-Sekundakkord abgelöst (T. 9 f., »den stärksten Gift«), während der Rückweg in Quintfällen nach g-Moll führt, sodass der Satz in B-Dur enden kann.

Während die folgenden Rezitative nur ariose Taktgruppen aufweisen, ergänzte Bach die Weimarer Kantate BWV 70 durch vier Rezitative. Dabei stehen zwei Seccorezitativen (Satz 4 bzw. 6) zwei Accompagnati gegenüber, die durch eine obligate Trompete ausgezeichnet werden. Im zweiten Satz (»Erschrecket, ihr verstockten Sünder!«) wird die rezitativische Diktion der Bassstimme durch Einwürfe markiert, in denen die Instrumente zu akkordischen Tonrepetitionen zusammengefasst werden. Wo der Vokalpart das Wort »Freude« durch Koloraturen hervorhebt, wechseln die Streicher zu gebundenen Achteln, die in triolischen Sechzehnteln auslaufen (T. 9–13). Das »Recit*ativo* col accompagna*mento*« Satz 9 (»Ach, soll nicht dieser große Tag«) wird von den Streichern durch Dreiklangs- und Skalenfiguren unterbrochen, die bei dem Wort »Erbarmen« von gebundenen Achteln abgelöst werden. Eine Besonderheit des Satzes ist der Zutritt der Choralmelodie »Es ist gewißlich an der Zeit«, deren Zeilen von der Trompete intoniert werden. Obwohl die Kombination an einen Satz aus den Probestücken erinnert (BWV 23:2), erfand Bach eine neue Variante. Streng genommen handelt es sich um kein motivisch geprägtes Accompagnato, doch bedingt der Choral ein festes Zeitmaß, das dem Rezitativ sonst fremd ist. Zugleich wird die Choralweise in einen Kontext eingefügt, in dem sie eine ähnlich überraschende Harmonisierung erfährt wie in den Kantionalsätzen dieser Phase. In C-Dur stehend, beginnt die erste Zeile auf dem Grundton, der jedoch als Quinte der Subdominante fungiert, während er anschließend zur Septime eines D-Dur-Quintsextakkords wird, bis die Zeile auf der Terz endet, die als Grundton eines E-Dur-Sekundakkords fungiert. Die zweite Zeile wird mit einer chromatischen Basslinie verbunden, und in ähnlicher Weise werden auch die übrigen Zeilen in den Satzverlauf integriert.

Der ungewöhnliche Satz ist ein Anlass, um auf die Rezitative zurückzukommen, die zuvor in zwei Weimarer Werke eingefügt wurden. Bereits am 2. Juli 1723 erklang die Kantate BWV 147 mit zwei arios bereicherten Seccorezitativen (Sätze 2 und 4) und einem Accompagnato, dessen motivische Prägung den Holzbläsern übertragen wird (Satz 8, »Der höchsten Allmacht Wunderhand«). Zwei parallel geführte Oboi da caccia begleiten den Alt mit Sechzehntelfiguren, die nach einer Pause ansetzen und zu den Worten »hüpft und springet« durch gebrochene Dreiklänge unterbrochen werden. Obwohl die Stimmen am Ende komplementär verschränkt werden, wird das Bewegungsmaß – unabhängig vom Wechsel der Worte – im gesamten Verlauf beibehalten. Am 11. Juli folgte die Kantate BWV 186 mit vier zusätzlichen Rezitativen, von denen aber nur eines ein akkordisches Accompagnato darstellt (Satz 7), während die anderen ariose Abschnitte enthalten.

Ein motivisch geprägtes Accompagnato begegnet nochmals in dem Satz »Die Schlange, so im Paradies« (BWV 40:5). Die Sechzehntelfiguren, die den gesamten Satz durchziehen, mag man zunächst auf das Wort »Schlange« beziehen, doch spricht der Text später vom »Gift« und wendet sich am Ende an den »betrübte[n] Sünder«. Die Motivik musste also neutral genug sein, um zu sehr verschiedenen Begriffen zu passen. Mit gebrochenen Dreiklängen, die in auf- und absteigende Intervalle zerlegt werden, erinnert sie an den schon erwähnten Satz aus BWV 105. Obwohl sie nicht ganz so profiliert anmutet, ist sie flexibel genug, um zur Rede vom »Sünder« die harmonische Eintrübung der Schlussklausel zu unterstreichen die von der Variante b-Moll über es-Moll und die verminderte Doppeldominante zur Tonika B-Dur führt. Nach diesem Satz zum 2. Weihnachtstag findet sich in der Kantate des folgenden Tages ein Seccorezitativ, in dem der Continuo durch steigende oder fallende Skalen beherrscht wird (BWV 64:3 »Geh, Welt! behalte nur das Deine«). Im zweiten Satz der Neujahrskantate BWV 190 werden die rezitativischen Abschnitte, die sich auf den Bass, den Tenor und zuletzt den Alt verteilen, mit den beiden ersten Zeilen des Te Deum verbunden, die bereits im Eingangschor erklingen und hier wie dort als Kantionalsatz gesungen werden. Im Unterschied zu BWV 23:2 und 70:9 alternieren beide Ebenen, ohne simultan kombiniert zu werden. Da nur die duplierenden Streicherstimmen erhalten sind, lässt sich nicht beurteilen, wieweit die Satzteile durch Oboen bzw. Trompeten ergänzt oder verbunden wurden.

Nach Neujahr fallen vergleichbare Sätze aber aus. Obwohl nach wie vor ariose Partien in Seccorezitativen vorkommen, ist aus dem Sommer 1724 nur noch ein akkordisches Accompagnato zu nennen (BWV 37:4 »Ihr Sterblichen, verlanget ihr mit mir«), das aber ohne motivische Prägung auskommt. Damit entspricht der Befund dem Eindruck, der sich im Blick auf die kunstvoll ausgearbeiteten Kantionalsätze ergab. Wie sie nach Epiphanias zurücktreten, so fehlen bis Ostern auch derart groß dimensionierte Eingangschöre wie zuvor. Offenbar konzentrierte sich Bach in den Wochen vor der Johannes-Passion vor allem auf die Ausarbeitung der Arien, unter denen sich nach wie vor höchst komplexe Lösungen finden, während so kunstvolle Chorsätze wie zuvor erst wieder nach Ostern begegnen. Unabhängig davon bleibt festzuhalten, dass die hervorgehobenen Sätze (BWV 105:4, 46:2 und 40:5) maßgebliche Voraussetzungen für das motivisch geprägte Accompagnato enthalten, das seine endgültige Gestalt erst in der Matthäus-Passion finden sollte.

10. Sanctus und Magnificat

a. Quellen und Fassungen

Die Werke, in denen Bach erstmals liturgische Texte vertonte, nehmen im ersten Jahrgang eine Sonderstellung ein.[215] Die lateinischen Texte, die im Leipziger Gottesdienst vorkamen, wurden nicht immer figuraliter musiziert, doch wurden figurale Vertonungen des Kyrie und Gloria verwendet, und zu hohen Festen wie dem Johannistag, Mariä Heimsuchung und dem 1. Weihnachtstag erklang das Sanctus, während in der Weihnachtsvesper ein mehrstimmiges Magnificat aufgeführt wurde. Offenbar erwartete man vom Kantor aber keine eigenen Kompositionen, denn Bach schrieb solche Werke in der Regel nicht selbst, sondern griff – wie schon sein Vorgänger Kuhnau – auf die Musik anderer Autoren zurück.[216] Erst nach 1738/39 entstanden

---

215 Für einen Festakt innerhalb der Universität am 9. August 1723 hatte Bach in »einer vortreflichen Music [...] gedruckte Lateinische Oden componiret«, doch ist dieses erste Leipziger Gelegenheitswerk nicht erhalten, vgl. Dok. II, Nr. 156 und Dok. V, Nr. 156 a.

216 Neben den Vertonungen des Sanctus ist das nur abschriftlich überlieferte Kyrie F-Dur BWV 233a zu nennen, das später in die F-Dur-Messe BWV 233 überführt wurde. Beispiele für von Bach bearbeitete Sätze

die sogenannten »Lutherischen Messen« (BWV 233–236), die nur das Kyrie und das Gloria umfassen und vielfach aus Parodien früherer Kantatensätze bestehen.[217]

Von fünf Vertonungen des Sanctus, die Bach früher zugeschrieben wurden, haben sich nur drei autograph überlieferte Werke als authentisch erwiesen. Während das Sanctus D-Dur BWV 232[III], das später in die h-Moll-Messe einging, erst 1725 komponiert wurde, entstanden 1723 die beiden Sätze in C-Dur und in D-Dur BWV 237 und 238, die damit ebenso wie die erste Fassung des Magnificat in den Zusammenhang des ersten Jahrgangs gehören. Da die Schriftformen der Stimmen des C-Dur-Werks auf den Sommer 1723 deuten, ist BWV 237 möglicherweise zum Johannistag entstanden. Dagegen wurde das Material für BWV 238 erst später geschrieben, sodass eine Aufführung zu Weihnachten in Betracht zu ziehen ist.[218]

Gewichtiger ist das Magnificat BWV 243, dessen Prosatext (Lk. 2:46b–55) sich weder für Rezitative noch für Da-capo-Formen eignete. Gegen die These Glöckners, das Werk könne bereits zu Mariä Heimsuchung aufgeführt worden sein, sprechen vor allem zwei Umstände.[219] Die Erstfassung in Es-Dur BWV 243a, die nach dem Befund der autographen Partitur 1723 entstand, enthält vier Einlagesätze mit deutschen Texten. In Bachs Autograph, das eine Konzeptpartitur voller Korrekturen darstellt, wurden sie erst nach dem Magnificat notiert, wobei weitere Vermerke auf ihre Platzierung verweisen.[220] Sie belegen eine Aufführung, für die eher Weihnachten als Mariä Heimsuchung in Betracht kommt. Nähme man eine frühere Gelegenheit an, bei der die Einlagen entfallen wären, so würde das heißen, das Werk sei binnen eines halben Jahres zweimal aufgeführt worden.[221] Eine Wiederholung nach so kurzer Zeit ist aber wenig plausibel, da Bach seinen Hörern im ersten Jahr stets neue Werke bot. Auch die Wiederholung der Johannes-Passion ein Jahr nach ihrer Erstaufführung galt ihm offenbar als Notlösung, die ihn zu eingreifenden Änderungen veranlasste. Da die Es-Dur-Fassung des Magnificat als Partitur und nicht in Stimmen überliefert ist, die spätere Aufführungen bezeugen könnten, bleibt ungewiss, ob sie nach 1723 nochmals benutzt wurde. Nur in ihr verwendete Bach Trompeten in Es, die sonst kaum belegt sind,[222] sodass nicht auszuschließen ist, dass ihm die Frühfassung als

---

bilden das Christe eleison g-Moll (BWV 242, 1727/31) aus einer Messe von Francesco Durante und später das Sanctus einer Missa in C von Johann Kaspar Kerll (BWV 241, 1747/48) sowie Satz 3 (»Suscepit Israel«) aus einem Magnificat von Antonio Caldara (BWV 1082, 1739/42). Erst um 1747/49 ergänzte Bach das Credo einer Messe von Giovanni Battista Bassani durch eine neue Intonation (BWV 1081). Vgl. Christoph Wolff, Der stile antico in der Musik Johann Sebastian Bachs, S. 160–162.

217 Vgl. NBA II/2, hrsg. von Emil Platen und Marianne Helms, Kassel u. a. 1978, sowie die Angaben von Platen im zugehörigen KB, ebd., 1982, 169 ff. und 180 f. sowie S. 184 und 200 f.; ferner Verf., Bachs Weg in der Arbeit am Werk, S. 66–77, sowie Peter Tenhaef und Walter Werbeck (Hrsg.), Messe und Parodie bei Johann Sebastian Bach (Greifswalder Beiträge zur Musikwissenschaft 12), Frankfurt a. M. 2004.

218 Vgl. dazu die Angaben zu E 10 und E 11 (BWV 237/238) in BC III, S. 1220 f.

219 Vgl. oben, Anm. 11.

220 Vgl. NBA II/3, hrsg. von Alfred Dürr, Faksimiles S. VI und VIII, sowie KB, S. 9 und 11. Nach freundlicher Mitteilung von Peter Wollny deuten die Formen des C-Schlüssels auf den Herbst des Jahres 1723.

221 Bei beiden Gelegenheiten griff Bach auf Weimarer Kantaten zurück, während zu Mariä Heimsuchung die erweiterte Kantate 147 aufgeführt wurde, die eine Trompete in C vorsieht. Am 1. Weihnachtstag wurde vermutlich die Kantate 63 verwendet, die vier Trompeten und Pauken in C fordert.

222 Zur Stimmung der Trompeten vgl. Ulrich Prinz, J. S. Bachs Instrumentarium, Stuttgart / Kassel u. a. 2005, S. 47–50.

einmaliges Experiment galt. Desto weniger spricht für die Hypothese, ein solches Experiment sei in einem derart kurzen Abstand wiederholt worden. Dagegen stellt die autographe Partitur der D-Dur-Fassung eine »Reinschrift von seltener Deutlichkeit« dar,[223] und die erhaltenen Stimmen belegen, dass das Werk in dieser Fassung später mehrfach – und ohne die Einlagen – aufgeführt worden ist.

Obwohl die Es-Dur-Fassung in den Kontext des ersten Jahrgangs gehört, wird im Folgenden von der D-Dur-Fassung ausgegangen, während für die Einlagesätze die Erstfassung zugrunde gelegt werden muss.[224] Das mag widersprüchlich wirken, doch ist die D-Dur-Fassung ungleich bekannter, da sie schon in der alten Gesamtausgabe zugänglich war, während die Es-Dur-Fassung erst 1955 vorgelegt wurde.[225] Ginge man von ihr aus, so ließen sich die früheren Studien, die sich auf die D-Dur-Version bezogen, nicht ohne Mühe heranziehen.[226] Zudem ist die Es-Dur-Version lediglich als Konzept erhalten, und da die zugehörigen Stimmen fehlen, spiegeln die Quellen nicht die Fassung, in der das Werk 1723 aufgeführt wurde. Überdies differieren die Fassungen nur in manchen Details der Stimmführung, die zwar keineswegs belanglos sind, aber trotzdem nicht die satztechnischen Grundlagen tangieren.[227] Als wichtigste Differenz kann der Flötenpart gelten, der sich in der Erstfassung auf zwei Blockflöten in Satz 9 beschränkt, während die D-Dur-Fassung zwei Querflöten fordert, die zudem an drei Tuttisätzen beteiligt werden. Die folgende Übersicht nennt neben den Incipits und Besetzungen die unterschiedlichen Tonarten und verweist zugleich auf die Einlagesätze der D-Dur-Fassung.

1. Magnificat anima mea S. I–II, A., T., B., Tr. I–III, Timp., Ob. I–II, Str., Bc. – ¾		Es-Dur	D-Dur (+ Trav. I–II)
2. Et exsultavit spiritus meus S. II, Str., Bc. – ⅜		Es-Dur	D-Dur
	A. Vom Himmel hoch, da komm ich her S. I–II, S., T., B. (senza Bc.)	Es-Dur	–
3. Quia respexit humilitatem S. I, Ob., Bc. – ¢		c-Moll/ g-Moll	h-Moll/fis-Moll
4. Omnes generationes S. I–II, A., T., B., Ob. I–II, Str., Bc. – ¢		g-Moll	fis-Moll (+ Trav. I–II)

---

223 Ebd., S. 18.

224 Vgl. NBA II/3, KB, S. 30 ff. Da in der autographen Partitur das letzte Blatt fehlt, ist der vierte Einlagesatz (»Virga Jesse floruit«) nur unvollständig überliefert. Immerhin lässt sich aus der deutschen Fassung in BWV 110:5 (»Ehre sei Gott in der Höhe«) »ein (leider nur) ungefähres Bild« seines Umfangs gewinnen, vgl. KB, S. 15.

225 Eine erste Edition der Es-Dur-Fassung war zwar schon 1811 erschienen, doch enthielt sie nur den dritten Einlagesatz (»Gloria in excelsis«), vgl. NBA II/3, KB, S. 30 f. Auf die Bedeutung der Einlagen insgesamt machte erst Spitta aufmerksam (vgl. Spitta II, S. 199–203).

226 Das gilt besonders für die fugierten Chorsätze, für deren Verständnis die Analysen Neumanns unentbehrlich sind.

227 Vgl. dazu Dürr, KB, S. 37–51.

5. Quia fecit mihi magna B., Bc. – ¢		B-Dur	A-Dur
	B. Freut euch und jubiliert S. I–II, A., T., Bc.	B-Dur	–
6. Et misericordia a progenie A., T., Str., Bc. – ¹²⁄₈		f-Moll	e-Moll
7. Fecit potentiam in bracchio suo Besetzung wie Satz 1 – ¢		As-Dur – Es-Dur	G-Dur – D-Dur
	C. Gloria in excelsis Deo S. I–II, A., T., B., V. I (+ Ob., Str.), Bc.	Es-Dur	–
8. Deposuit potentes T., Str. in unisono, Bc. – ¾		g-Moll	fis-Moll
9. Esurientes implevit bonis A., Fl. dolce I–II, Bc. – ¢		F-Dur	E-Dur (Trav. I–II)
	D. Virga Jesse floruit S. I, B., Bc.	F-Dur	–
10. Suscepit Israel puerum suum S. I–II, A., Tr. (Ob.) – ¾		c-Moll (mit Tr.)	h-Moll (mit Ob.)
11. Sicut locutus est ad patres S. I–II, A., T., B., Bc. – ¢		Es-Dur	D-Dur
12. Gloria Patri Besetzung und Taktmaß wie Satz 1		Es-Dur	D-Dur (+ Trav. I–II)

b. Chorsätze

Während das Sanctus in C-Dur BWV 237 mit dem Magnificat die festliche Besetzung teilt, verwendet das D-Dur-Werk ein Verfahren, das auch zwei Sätzen des Magnificat zugrunde liegt. Beides ist Grund genug, um sich zunächst diesen beiden kurzen Werken zuzuwenden, bevor auf das Magnificat eingegangen wird.

Trotz der Besetzung mit Chor, Streichern und Oboen samt Trompeten und Pauken ist das Sanctus in C-Dur das knappere und einfachere Werk. An eine akkordische Einleitung im geraden Takt, in der der Chor durch instrumentale Spielfiguren begleitet wird (T. 1–11, »Sanctus est Dominus Deus Zebaoth«), schließt sich ein zweiter Teil im ¾-Takt an (T. 12–37, »Pleni sunt coeli et terra«). Der Text wird auf ein- bis dreistimmige Gruppen verteilt, die durch instrumentale Dreiklangsfiguren oder Tonrepetitionen aufgefüllt und bei Eintritt der Vokalstimmen zu einer Imitationskette gestaffelt werden. Als abschließende Coda dient eine akkordische Zusammenfassung, in der die Streicher und Oboen colla parte geführt werden, während sich die Trompeten auf fanfarenhafte Einwürfe beschränken.

Das Sanctus in D-Dur BWV 238 begnügt sich zwar mit vierstimmigem Chorsatz, der von den Streichern dupliert und durch eine obligate Violinstimme ergänzt wird. Doch ist das Werk nicht nur länger, sondern mit zwei fugierten Abschnitten auch erheblich aufwendiger. Dass die Fugen auf die Permutationstechnik zurückgreifen, die im ersten Jahrgang nur noch anfangs verwendet wurde, dürfte sich aus der knappen Form erklären, die keine Verschränkung fugierter und konzertanter Verfahren erlaubte. Beide Fugen beschränken sich auf den Vokalpart, während die Violine nur mit Repetitions- oder Skalenfiguren beteiligt ist. Neumann sprach von der »Regelmäßigkeit« des Aufbaus, ohne jedoch auf die Abweichungen vom Permutationsschema hinzuweisen.[228] Die erste Fuge (T. 1–25, »Sanctus«) verfügt über fünf Kontrapunkte, die sieben zweitaktige Perioden ausfüllen und die Stimmen in steigender Folge durchlaufen. Wie Neumanns Übersicht zeigt, bricht die Fuge ab, bevor in den Oberstimmen der fünfte Kontrapunkt erscheint, der im Bass und Alt eingeführt wird und danach im Continuo auftritt (T. 11), während er im Tenor ausfällt, der stattdessen die beiden ersten Kontrapunkte wiederholt. Mit der letzten Periode würde nach Neumann die gleichmäßige Folge der Dux- und Comes-Blöcke durchbrochen, da zwei Einsätze auf der Dominante aufeinanderfolgen.[229] Doch bleibt es bei dem Wechsel zwischen Tonika und Dominante, während die zweite Fuge mit weiteren Abweichungen aufwartet (T. 26–48, »Pleni sunt coeli«). Als »vivace« bezeichnet, wechselt sie zum ¹²⁄₈-Takt und führt ein Thema ein, das von der Quinte zur Oktave aufsteigt und danach zum Grundton zurückkehrt. Der Satz umfasst neun eintaktige Perioden mit vier Kontrapunkten, da aber die Violine als fünfte Stimme fungiert, wird eine Umschichtung der Stimmen erforderlich, die mit der Einführung von zusätzlichem Material einhergeht (T. 30–32). Nach den vier ersten Einsätzen, die in fallender Richtung angeordnet werden, erscheinen in der Violine die drei ersten Kontrapunkte. Zwar wird die Einsatzfolge im Tenor fortgeführt, doch begnügt sich der Bass mit den drei ersten Kontrapunkten, während im Sopran und im Alt weitere Varianten eingeführt werden.[230] Da die Permutationsfuge nur neun Takte ausfüllt, wird der weitere Verlauf mit der Verarbeitung der Fortspinnung bestritten (T. 35–48).

Zu den Besonderheiten des Magnificat gehört der auf fünf Stimmen erweiterte Vokalpart. Der Eingangschor wird durch ein Vorspiel eröffnet (T. 1–31), dessen zweite Hälfte als Nachspiel verwendet wird (T. 76–90 ~ 17–31), während die vorangehenden Takte dem ersten Teil des Chorsatzes entsprechen (T. 37–45 ~ 5–13) und in Quinttransposition im dritten Teil wiederkehren (T. 67–75 ~ 5–13). Dem Rückgriff auf das Vorspiel geht eine sechstaktige Gruppe voran, deren mittleres Glied auf die Eröffnung zurückweist (T. 33–34 ~ 1–2), während die beiden anderen Zweitakter eine vokale Variante darstellen (T. 31–32 und 34–35). Von dieser Variante geht der Mittelteil aus, in dem sich die Instrumente auf füllende Einwürfe beschränken (T. 45–60). Dazwischen wird ein Zweitakter eingefügt, der den bisher nicht genutzten Takten des Vorspiels entspricht (T. 34–35 ~ 3–4).

Vorspiel	Chor Teil 1		Chor Teil 2			Chor Teil 3	Nachspiel
1–16, 17–31	32–36 (aus 1–4)	37–45 (~ 5–13)	45–58	59–60	61–66 (~ 3–4)	67–75 (~ 5–13)	76–90 (~ 17–31)
T – D – T	T – D		D – T	T	T – S	S – T	T

228 Werner Neumann, J. S. Bachs Chorfuge, S. 35 f.
229 Ebd., S. 35, werden die beiden letzten Blöcke als B bezeichnet. Wenn die Abkürzungen A und B aber für die Blöcke auf der Tonika bzw. Dominante gelten, müsste die letzte Periode – wie Neumanns Tafel 19 zeigt – als A bezeichnet werden, da sie auf der Tonika ansetzt (T. 13–14).
230 In Neumanns Schema (a. a. O., S. 36) werden sie als x, y und z bezeichnet.

Notenbeispiel 17

Als Spitta die Anlage des Satzes beschrieb, charakterisierte er zugleich das Einbauverfahren, in dem der Chor »als das untergeordnete Element« erscheine: »Seine Gänge schließen sich bald im Einklange bald in der Octave den Instrumentalstimmen an, nicht zwar ganz auf Selbständigkeit verzichtend, sondern sich loslösend und wieder mit ihnen zusammenfließend in Bewegungen von bewundernswerther Leichtigkeit«.[231] Das motivische Netzwerk umschließt jedoch auch den Vokalpart, der von der dem ersten Chorblock vorangehenden Variante ausgeht (Notenbeispiel 17). Sie weist ihrerseits auf eine Wendung zurück, die im Vorspiel in der ersten Trompete erklingt (T. 4). Gekoppelt mit den eröffnenden Figuren der Violinen, tritt sie in den Sopranen als Devise hervor (T. 32–36), die vom Alt und Tenor wiederholt wird und nach einem akkordischen Einschub im Stimmtausch erscheint (T. 32–36). Im Rückgriff auf diese Kombination setzt der chorische Mittelteil an (T. 45–51), der beide Varianten in einer doppelmotivischen Imitation verbindet (T. 52–58), bevor sie nach einem Tuttiblock (T. 59–60) auf der Tonika bzw. der Subdominante wiederholt werden (T. 61–66). Der Konzentration des Satzes steht die »bewundernswerthe Leichtigkeit« gegenüber, mit der die Motive in wechselnden Konstellationen benutzt werden, ohne dass man der Rückgriffe gewahr wird.[232]

Die motivische Variante, von der zuvor die Rede war, ist zugleich eine Voraussetzung für das Verhältnis zwischen dem Eingangssatz und dem Schlusschor, dem eine gewichtige Eröffnung mit dem Beginn der Doxologie vorausgeht. Ihr Zentrum bilden drei Gruppen über dreitaktigen Orgelpunkten auf der Dominante, der Doppeldominante und der Subdominante. Die Vokalstimmen werden dabei in triolischen Ketten gestaffelt, deren imitierende Einsätze wechselnd in steigender und fallender Richtung angeordnet werden. Ihre Krönung bilden machtvolle Quintsextakkorde in punktierten Vierteln und Halben, zu denen die Streicher und Holzbläser hinzutreten. Während sie in den beiden ersten Gruppen zur Dominante und zur Doppeldominante führen, fallen die Trompeten vor der erweiterten Schlusskadenz ein,

---

[231] Spitta II, S. 205. Zutreffend charakterisierte Spitta die Einleitung, die »weniger im Charakter eines Ritornells als in demjenigen eines Concert-Tuttis gehalten« sei (ebd., S. 204).
[232] Das Autograph der Es-Dur-Fassung enthält in Satz 1 nicht wenige Korrekturen (vgl. NBA II/3, KB, S. 53 ff.), die sich aber auf Details der Stimmführung beschränken, ohne das Konzept des Satzes zu berühren.

die in der Dominante mündet. Obwohl die Einleitung nur 19 Takte umfasst, mutet sie als Vorstudie zum Sanctus in D-Dur an, das Bach zwei Jahre danach schrieb und später in die h-Moll-Messe überführte (BWV 232[III]). Der Schlussteil dagegen (T. 20–42) greift auf den Eingangssatz zurück, wiewohl er einen längeren Text zu bewältigen hat. Dem Wortlaut des ersten Satzes (»Magnificat anima mea«) stehen im Schlusschor zwölf Worte gegenüber, die Bach mit mehrfacher Wiederholung in vier Gruppen gliederte: »Sicut erat in principio« – »in principio et nunc« – »nunc et semper et in saecula« – »et in saecula saeculorum«. Damit gewann er vier Textglieder, die sich in jeweils eineinhalb Takten unterbringen ließen (vgl. T. 22–32). Sie greifen erneut auf das Modell zurück, das im Eingangssatz der ersten Einbauphase voranging (T. 35–36) und das motivische Material des chorischen Mittelteils bildete. Im Schlusssatz geht ihnen ein Zitat der ersten Takte des Eingangschors voran, die anschließend nochmals wiederholt werden (T. 20–22 und 24–25). Als verstünde es sich von selbst, schließt sich der Kreis mit dem Rückgriff auf die ersten und letzten Takte des Vorspiels, deren Instrumentalpart umgeschichtet wird, um den Einbau des Chores zu ermöglichen (vgl. Satz 12, T. 36–42 mit Satz 1, T. 1–2 und 86–90). Die Coda bildet also zugleich den Schlussstein im eng vernetzten Gefüge der Ecksätze.[233]

Obwohl der Chorsatz »Omnes generationes« in den Ausgaben als Nr. 4 bezeichnet wird, ist er sprachlich und musikalisch mit der vorangehenden Arie »Quia respexit« verbunden. Sie endet auf der Dominante mit den Worten »beatam me dicent«, an die sich auf der gleichen Stufe ihre chorische Ergänzung anschließt. Maßgeblich sind die fünf Vokalstimmen, denen die Instrumente – mit geringen Differenzen der Stimmführung – zugeordnet sind. Neumann beschrieb den Satz als Kette von Quint- und Sekundkanons, deren halbtaktiger Einsatzfolge ein Oktavkanon im Abstand eines Taktes vorgelagert ist.[234] Ergänzend sei auf die Verschränkung der Kanons hingewiesen, die in der folgenden Übersicht angedeutet wird:

1. T. 1–2: zweigliedriger Oktavkanon (auf *fis*) in eintaktigem Abstand
2. T. 2–4: viergliedriger Oktavkanon (auf *cis*) in halbtaktigem Abstand
3. T. 5–9: achtgliedriger Sekundkanon (*fis-gis*) in halbtaktigem Abstand
4. T. 10–13: fünfgliedriger Quintkanon (*a-e-h-fis-cis*) in halbtaktigem Abstand (mit zwei bzw. drei Einsätzen auf *e* und *cis*)
5. T. 14–21: zehngliedrig steigender Sekundkanon (*gis-cis*) in halbtaktigem Abstand
6. T. 21–23: fünfgliedriger Oktavkanon (auf *cis*) im Abstand einer Viertelnote

Die Prämisse der Konstruktion ist ein Thema, das mit vierfacher Tonwiederholung und skalarer Fortführung um die Tonika und die Dominante kreist, sodass die Einsatzfolge mit konstantem Stufenwechsel gekoppelt ist.[235] Davon ausgenommen sind zwei modulierende Scharniere, die zur Durparallele und zur Tonika lenken (T. 7 und T. 12). Fraglich ist allerdings, ob die Einsätze auf gleicher Stufe, die in

---

233 Desto erstaunlicher ist es, dass das Autograph nur wenige Korrekturen enthält (vgl. NBA II/3, KB, S. 74 f.).

234 Neumann, a. a. O., S. 11, Anm. 7.

235 Das Autograph der Es-Dur-Fassung zeigt unter dem letzten System der vorangehenden Arie das Thema in einer Variante für Bass (vgl. NBA II/3, KB, S. 60).

den Quintkanon eingeschaltet werden, mit Neumann als gesonderter Oktavkanon angesehen werden können.[236] Zwar halten sie den halbtaktigen Abstand der Einsatzfolge ein, doch werden sie durch eineinhalb Takte getrennt, sodass sie eher als Wiederholungen erscheinen (Sopran I und Tenor T. 10 f. sowie Tenor, Sopran II und Bass T. 14 f.). Das gilt ähnlich für die umrahmenden Oktavkanons, die als bloße Auffächerung des Akkordverbands erscheinen, obwohl sie an der zweitaktigen Themengestalt festhalten. Auf der Quinte ansetzend, weist der zweite Oktavkanon auf den anschließenden Quintkanon voraus, während der erste Sekundkanon auf den nächsten vorausdeutet, in dem die Folge der Einsätze verlängert wird. Durchläuft die erste Staffel mit acht Einsätzen eine Oktave, so erweitert sich die zweite mit zehn Einsätzen zur Undezime. Beginnend auf *gis*, setzt sie als Fortführung des Quintkanons an und erreicht am Ende die V. Stufe, die das Ziel der Konstruktion bildet. Um ihrem Eintritt Nachdruck zu geben, wird der vorherige Einsatz leittönig erhöht, sodass sich die Einsatzfolge am Ende zu einer übermäßigen Sekunde ausweitet (T. 19–20, *a-his*). Gegenüber dem ersten Sekundkanon, an dem die Soprane erst zuletzt beteiligt sind, tritt der zweite deutlicher hervor, da die Folge der Einsätze in den Oberstimmen beginnt. Zu dem krönenden »Kanon im Unisono« trennen sich die Instrumente erstmals vom Vokalpart, um ihn fortan mit Akkorden in halbtaktigem Abstand zu begleiten (T. 21–24). Die Fortführung hingegen, die ständig die V. Stufe umkreist, bleibt dem Vokalpart überlassen, bis die Schlusstakte Chor und Orchester erneut zusammenführen.

Obwohl die Chorsätze Nr. 7 und 11 höchst unterschiedlich anmuten, stellte Neumann sie unter dem Aspekt der Permutationsfuge nebeneinander.[237] Das komplizierte Schema, das sich für Satz 7 »Fecit potentiam« ergab, kam dadurch zustande, dass jeder Takt der Themenblöcke gesondert gezählt wurde, um die »ungeheuer feine Mosaiktechnik« des Satzes zu erfassen, wobei die Kontrapunkte mit jeweils vier Ziffern bezeichnet wurden (1111, 2222 etc.).[238] Trotz des akribischen Schemas ergibt sich ein anderes Bild, wenn man die Partitur heranzieht. Im Grunde handelt es sich nur um akkordische Blöcke, in die das Thema integriert wird. Eingeführt im Tenor, wird seine Koloraturenkette durch die Oberstimmen verdeckt, sodass sie sich als Thema erst dort hervorhebt, wo sie die Stimmen in steigender Folge durchläuft (Notenbeispiel 18). Die Gegenstimmen stellen keine Kontrapunkte dar, sondern ergeben sich aus der konstanten Akkordfolge, in der die Lage der Töne nur umgestellt wird. Von der Tonika aus wendet sie sich zum Sextakkord der Subdominante, um danach zur Tonika zurückzukehren (T-T^2-S^6-T^6-S-D$^6_5$). Bemerkenswert ist die Systematik, die – wie Neumann wahrnahm – in den Gegenstimmen eingehalten wird. Sie beschränken sich zwar auf Dreiklangsbrechungen und Tonrepetitionen, die aber die Stimmen mit einer Regelmäßigkeit durchlaufen, die in der Tat an das Permutationsverfahren erinnern kann.

So wenig es sich um eine Fuge mit linearen Kontrapunkten handelt, so deutlich wirkt im scheinbar akkordischen Satz das Permutationsprinzip nach.[239] Dem entspricht

---

236 Vgl. Neumann, a. a. O., S. 24
237 Ebd.
238 Ebd.
239 Das Verfahren erinnert an den schon erwähnten Eingangschor aus BWV 40, der etwas später entstand.

Notenbeispiel 18

10. Sanctus und Magnificat

der Wechsel der Dux- und Comes-Blöcke, die zugleich die stereotype Folge von Tonika und Dominante umgehen. Die erste Phase dient als auf die Subdominante versetzter Dux, an den die nächste als Comes auf der relativen Dominante anschließt und von einem Dux-Block abgelöst wird. Indem danach zwei dominantisch gerichtete Dux-Blöcke folgen, wird am Schluss die Tonika erreicht, sodass sich in der D-Dur-Fassung die folgende Reihe ergibt: G-D, D-G, G-D, D-A, A-D, D-G).[240] Die Ausweitung des harmonischen Radius setzt sich in einer Reihe wechselnd fallender und steigender Quintschritte fort (T. 24–26), die am Ende auf der Dominante innehalten. Zugleich löst sich der Satzverband in eine fallende Folge einzelner Stimmen auf (T. 27 f., »dispersit«), um in einem verminderten Septakkord abzubrechen (T. 28, »superbos«). Ihr Ziel findet sie im anschließenden »adagio« zu den Worten »mente cordis sui«, die zu Halben und Vierteln gedehnt werden (T. 29–35). Einer h-Moll-Kadenz, die durch Vorhalte und verminderte Akkorde erweitert wird, folgt die Schlusskadenz, die im Eintritt der Trompeten kulminiert.

> Das Autograph der Es-Dur-Fassung ist für den Schluss des Satzes instruktiv. Während im fugierten Teil nur einige Details der Stimmführung verbessert werden mussten, wurden in Takt 25 die Vokalstimmen (mit Ausnahme des ersten Soprans) durchstrichen und anschließend in den frei gebliebenen Systemen erneut notiert. Soweit der gestrichene Text zu entziffern ist, wurde er im Kritischen Bericht kommentarlos mitgeteilt.[241] Im Vergleich mit der definitiven Fassung lässt sich erkennen, dass es Bach darum ging, die Hauptstimmen in der harmonischen Progression klarer zu konturieren. Zwar stand von vornherein die Akkordfolge fest, die das Schlussglied einer Folge von steigenden Quintschritten bildet (T. 24: Es-As und F-B, T. 25: C-F und G-c). Maßgeblich sind dabei die leittönigen Stimmzüge, die durch Wechsel zu Achteln und Sechzehnteln von der durchgehenden Sechzehntelbewegung abgehoben werden. In der Erstfassung lag diese Formel in den Instrumenten, während die Vokalstimmen – mit Ausnahme des Alts – durch Sechzehntelketten ausgefüllt waren. In der Endfassung dagegen wird sie auf je zwei Stimmen in Sextparallelen verteilt (Sopran I und Alt bzw. Sopran II und Tenor) und in der ersten Trompete getilgt. Zwei weitere Änderungen (die im Kritischen Bericht übergangen wurden) sind in der Fortführung dieser Progression und in der Schlusskadenz hervorzuheben. Zum Wort »superbos« (T. 28) wurden nach einer Sechzehntel zuerst zwei Viertel in tieferer Lage notiert, die nachträglich durch zwei Achtel und eine Viertelpause ersetzt wurden, um damit den Abbruch der Progression zu markieren. Im vorletzten Takt (T. 34) war im Sopran II zuerst eine Kadenzformel vorgesehen (Halbe f^1 und zwei Viertel g^1-as^1), an deren Stelle dann eine ganze Note (f^1) trat, um die Schlussklausel der ersten Trompete deutlicher hervortreten zu lassen.

Kaum zufällig verbindet sich die Auflösung der Permutationsfuge mit dem Wort »dispersit«, während der Abbruch der Progression mit dem Worte »superbos« zusammenfällt. Statt der Übersetzung Luthers zu folgen, in der sich die Worte »in ihres Herzens Sinn« auf die »Hoffärtigen« beziehen, verstand Bach den lateinischen Wortlaut »mente cordis sui« offenbar als Hinweis auf den »Sinn« oder Ratschluss Gottes.[242]

---

240 Neumann, a. a. O., S. 24, Anm. 30. Die Verdoppelung eines Dux-Blocks begegnet erstmals im Schlusschor aus BWV 182 (Satz 8), vgl. ebd., S. 22 f.

241 NBA II/3, KB, S. 67 f.

242 In seiner Auslegung des Magnificat (1521) gab Luther den griechischen Wortlaut wieder (διανοίᾳ καρδίας αὐτῶν), ohne auf die Worte näher einzugehen (vgl. Luthers Werke, Weimarer Ausgabe, Bd. 7, S. 544–604).

Statt aber über die Auslegung des Textes zu reden, sollte man den konstruktiven Prozess erfassen, den der Satz in 35 Takten durchmisst. Wie in den Chorsätzen der Kantaten dient das Permutationsverfahren nur als Ausgangspunkt einer sehr viel weiter reichenden Planung.

Ungleich regelmäßiger wirkt dagegen die Anlage der Fuge »Sicut locutus est« (Nr. 11), die sich auf fünf Vokalstimmen und den Generalbass beschränkt. Der Satz schließt zugleich an den Stile antico an, der zuvor in drei Kantatensätzen verwendet wurde. Statt ähnlich wie dort modifiziert zu werden, dient er hier als Basis einer strengen Permutationsfuge. Zur Verständigung sei das Permutationsschema im Anschluss an Neumann wiedergegeben.[243]

Phasen	I	II	III	IV	V	VI	VII	VIII	IX
S. I						1	2	3	1
S. II				1	2	2	x	y4	i4
A.			1	2	1		1	2	3
T.		1	2	3	4	3		1	2
B.	1	2	3	4	3				1
Bc.						4/3	3		
Blöcke	A	B	A	B	A	B	A	B	A

Einerseits wird der Wechsel von Dux- und Comes-Blöcken (A und B) mit neun viertaktigen Phasen zunächst ungewöhnlich genau beibehalten (T. 1–36). Andererseits häufen sich die Unregelmäßigkeiten in der Abfolge der Kontrapunkte, sobald die Exposition durchlaufen ist. Sie sind vor allem darin begründet, dass nur vier Kontrapunkte für fünf Stimmen zur Verfügung stehen, sodass kein fünfstimmiger Block möglich ist, ohne eine Stimme pausieren oder frei eintreten zu lassen. In Phase V wird der erste Kontrapunkt im Bass durch eine anders textierte Variante vertreten, die das letzte Glied des dritten Kontrapunkts mit einer Kadenzformel verbindet (T. 17–20).[244] An den folgenden Phasen (VI–VII) sind nur drei Stimmen beteiligt, während der sonst als Basso seguente fungierende Generalbass den Beginn des vierten Kontrapunkts mit dem Endstück des dritten Kontrapunkts kombiniert, das danach nochmals wiederholt wird.[245] Die letzten Phasen (VIII–IX) sind insofern unvollständig, als der vierte Kontrapunkt im zweiten Sopran durch die Gebilde »y« und »i« ersetzt wird, die sich von der anfänglichen Gestalt noch weiter entfernen. Demnach wird der Stimmverband zunehmend gelockert, um damit den Satzschluss vorzubereiten (T. 37–53, »Abraham et semine eius«), in dem die Stimmen zur akkordischen Coda mit einem abschließenden Themeneinsatz des Basses zusammengezogen werden.

---

243 Vgl. Neumann, a. a. O., S. 25.

244 Neumann zufolge wird hier der vierte Kontrapunkt »auf seine Kernmelodie zurückgebildet«.

245 Obwohl das Autograph der Es-Dur-Fassung nur wenige Korrekturen bietet, zeigt es in Takt 25 eine Änderung, die in NBA II/3 (KB, S. 74) erwähnt wurde. Offenbar sollte der Continuo zunächst dem Alt folgen, doch wurden die Viertel in der zweiten Takthälfte getilgt und durch eine Halbe Pause ersetzt.

Nicht ohne Bedauern konstatierte Neumann, dass »die Fuge nicht mehr die konsequente Durchgestaltung« zeige, »die man von den früheren Beispielen her gewöhnt ist.«[246] Damit aber wird die Planung verkannt, von der Bach sich leiten ließ. Der Exposition, in der die Einsätze in steigender Folge gestaffelt werden (T. 1–21), steht die fallende Einsatzfolge des zweiten Abschnitts gegenüber, dessen Ende mit dem Beginn des Schlussteils zusammenfällt (T. 21–37). Die Einsatzkette beginnt mit dem Eintritt des ersten Soprans, der den fünfstimmigen Satz vervollständigt. Dass er den vorangehenden Einsatz des zweiten Soprans wiederholt, ist durch die regelmäßige Folge der Dux- und Comes-Phasen bedingt. Um nicht den einstimmigen Beginn des Satzes wiederholen zu müssen, muss der Bass schon zuvor austreten. Der vierte Kontrapunkt, der dem Schema nach zu erwarten wäre, wird deshalb im Bass durch eine Variante ersetzt, während der Alt entsprechend umgebildet wird (T. 17–20/21). In gleicher Absicht wird die Reihe der Kontrapunkte im zweiten Sopran und im Tenor fortgeführt, während der Continuo die Bassstimme vertritt. Auf die weitere Differenzierung des Schemas richten sich auch die Varianten der Sopranstimmen in den beiden letzten Phasen.

Wie in Satz 5 dient das Permutationsprinzip als Voraussetzung einer Disposition, die über jedes Schema hinausgreift. Trotzdem stellt sich die Frage, warum Bach im Magnificat auf die Permutationsfuge zurückgriff, die er schon in Weimar modifiziert und im ersten Jahrgang aufgegeben hatte. Maßgeblich war wohl die Einsicht, dass die Sätze zu gedrängt sein mussten, um eine ähnliche Kreuzung fugierter und konzertanter Momente zu erlauben, wie sie für die vorangehenden Kantatensätze charakteristisch war. Mussten demnach die Fugen knapp ausfallen, so erhielt das Permutationsverfahren – wie der Vergleich der Sätze 5 und 11 zeigt – zugleich sehr verschiedene Bedeutung. Beiden Sätzen stehen mit der Kanonkette des vierten Satzes und – um mit Spitta zu reden – der »Concertidee« der Rahmensätze völlig andere Verfahren gegenüber.[247] Insgesamt hat es den Anschein, als habe Bach in diesen fünf Sätzen all das zusammengefasst, was er innerhalb des Chorsatzes bis dahin erreicht hatte.

c. Arien

Wie die Chöre können die Arien als Summe der Verfahren gelten, die Bach in früheren Sätzen erprobt hatte. Allerdings sollte man nicht übersehen, dass der liturgische Text andere Prämissen mit sich brachte. Dass die Chorsätze auf biblischen Prosatexten basierten, war seit Beginn des Jahrgangs die Regel. Dagegen lagen den Arien gedichtete Texte zugrunde, die für die formale Anlage maßgeblich waren. Anders steht es im Magnificat, in dessen Arien kurze Bibelverse zu vertonen waren. Bei solistischer Besetzung waren solche Texte bisher meist als »Ariosi« gefasst worden. Die Feststellung, der Text des Magnificat lasse keine Da-capo-Formen zu, bliebe eine Leerformel, wenn nicht erörtert wird, welche Lösungen vorliegen.

---

246 Ebd., S. 25. Die »früheren Beispiele«, auf die sich Neumann bezog, entstammen Werken, die noch in Mühlhausen und Weimar entstanden (BWV 71, 196, 21 und 182).
247 Spitta II, S. 204.

294 Teil III · Strategien im Füllhorn: Der erste Leipziger Jahrgang (1723/24)

Vorgreifend lässt sich konstatieren, dass Bach zumeist an der zweiteiligen Anlage festhielt, die mitunter in den vorangehenden Arien begegnete. Da den Formteilen im Magnificat – anders als in gedichteten Vorlagen – der gleiche Text zugrunde liegt, konnte sich eine zweiteilige Anlage erst durch die musikalische Disposition ergeben. Ein Sonderfall ist der dritte Satz, dessen Text sich in zwei Glieder teilen lässt (»Quia respexit …« – »Ecce enim beatam …«). Anders verhält es sich mit dem Ostinato-Modell in Satz 5 (»Quia fecit mihi magna«), das sich mit der Kürze des Textes verträgt, während ein ähnliches Verfahren in Satz 6 (»Et misericordia«) modifiziert wird. Auch in den übrigen Sätzen griff Bach auf Prinzipien zurück, die für die überwiegende Mehrzahl anderer Arien galten. Einer tänzerischen Arie im ⅜-Takt, deren Streichersatz mehrfachen Vokaleinbau begünstigt (Nr. 2), folgt ein kontrapunktischer Satz mit Oboe (Nr. 3), und einer Arie mit Violinen in unisono (Nr. 8) steht ein Satz mit zwei obligaten Flöten gegenüber (Nr. 9), während zwischen diesen Satzpaaren die beiden Ostinato-Sätze stehen (Nr. 5–6).

Die Arie »Et exsultavit« (Satz 2) ist ein instruktives Beispiel für Bachs Vermögen, den Prosatext unter genauer Beachtung der Syntax und Akzentuierung in einen periodischen Satz zu integrieren, der zugleich den Charakter eines Tanzes im ⅜-Takt hat (Notenbeispiel 19).[248] Einem steigenden Dreiklang im ersten Takt (»et exsultavit«) folgt im zweiten Takt die Fortsetzung (»spiritus meus«), deren erste Silbe durch zwei Sechzehntel mit Hochton akzentuiert wird (T. 21–24). Der nächste Zweitakter erscheint zunächst als sequenzierende Wiederholung, doch wird das Kopfmotiv auf die Dominante versetzt und mit der transponierten Fortspinnung des Ritornells kombiniert (T. 25–30 ~ 1–6). Anschließend wird die zweitaktige Gruppierung durch eine viertaktige Koloratur erweitert, die das Wort »exsultavit« auszeichnet und zugleich auf die folgenden Worte hinzielt (»spiritus meus in Deo salutari meo«). So beschwingt der Satz wirkt, so kompliziert ist seine Struktur, sobald man das Ritornell in den Blick nimmt. In ihm ist nur das zweitaktige Kopfmotiv vorgegeben, dessen Fortspinnung im zweiten Takt des Kopfmotivs ausläuft (T. 1–6). Der zweite Ansatz umfasst ebenfalls sechs Takte, und da er mit dem transponierten Kopfmotiv beginnt, wäre eine entsprechende Fortspinnung zu erwarten. An ihre Stelle tritt jedoch eine

Notenbeispiel 19

248 Finke-Hecklinger, a. a. O., S. 104 und 137, bezeichnete den Satz als »menuettartig«.

scheinbar neue Wendung, deren letzter Takt den Schlussakkord in Zweiunddreißigsteln umspielt (T. 7–12), während sie am Ende der vorangehenden Taktgruppen im Continuo erschien (x).

1–2	3–6	7–8	9–12
Kopfmotiv + x	Fortspinnung 1 + x	Kopfmotiv + x	Fortspinnung 2+ x
T – D	D	D^D – D	D – T

Der vokalen Phase geht eine viertaktige Devise mit zwei Varianten des Kopfmotivs voraus, an die im Zwischenspiel die zweite Taktgruppe des Ritornells angehängt wird (T. 17–20 = 9–12). Allerdings ist das Verhältnis zwischen Vokal- und Instrumentalpart nicht immer so kompliziert. Sobald die Worte »in Deo salutari meo« mit der Sequenzierung einer synkopischen Wendung verbunden und melismatisch erweitert werden, begnügen sich die Streicher mit Einwürfen, die auf das Schlussglied des Ritornells (x) zurückgehen. Ähnlich verfährt der zweite Teil, dem derselbe Text zugrunde liegt, während die Einbautechnik erst am Ende verwendet wird (T. 70–78 ~ 12 + 5–8 + Kadenz). Während das Nachspiel das Ritornell wiederholt, wird im Zwischenspiel das sequenzierte Kopfmotiv mit der zweiten Fortspinnung verbunden. Der Satz gleicht demnach einem Mosaik aus zwei- oder viertaktigen Gruppen, in deren Kombinationen der Vokalpart eingebaut wird.

In der zweiten Arie (Satz 3 »Quia respexit«) werden Instrumental- und Vokalpart ähnlich subtil aufeinander bezogen. Der Sopran übernimmt die beiden ersten Takte des Ritornells, deren Fortspinnung jedoch der Oboe überlassen bleibt. Dabei genügt eine kleine Variante des Kopfmotivs, um das Wort »Quia« zu betonen und den fallenden Ansatz der Fortspinnung für die syntaktische Ergänzung auszunutzen (»humilitatem ancillae suae«).

Der zur Dominante führende erste Teil wird durch ein Zwischenspiel auf gleicher Stufe von der kürzeren Fortsetzung getrennt, die durch den anschließenden Chorsatz vervollständigt wird (»Omnes generationes«). Da ausnahmsweise ein neues Textglied zugrunde liegt (»Ecce enim ex hoc beatam«), muss der Vokalpart neu formuliert werden. Der Ausgleich fällt dem Generalbass zu, der zuvor nur als stützende Stimme fungierte. Indem er hier das Kopfmotiv des Ritornells übernimmt, ergibt sich ein zweistimmiges Satzgerüst, in dessen Rahmen der Vokalpart dem neuen Text Rechnung tragen kann (T. 18–21). Dabei wird das Wort »Ecce« durch einen sequenzierten Quartsprung hervorgehoben und in einer ornamentalen Variante wiederholt, die auf die zweite Takthälfte des Kopfmotivs zurückgeht. Sobald die syllabische Deklamation zum Wort »beatam« von Melismen abgelöst wird, kehrt der Continuo zu seiner früheren Rolle zurück (T. 22–25). Wie schon erwähnt wurde, endet der Satz auf der Dominante, um den Anschluss des nachfolgenden Chorsatzes zu ermöglichen.

Dass sich die beiden ersten Arien in ihrer Stimmlage entsprechen, wird durch ihre unterschiedliche Faktur verdeckt. Da gilt ähnlich für die Arien des zweiten Satzpaars, die vom Alt und vom Tenor gesungen werden. In der Tenorarie »Deposuit potentes« (Satz 8) werden die Violinen zu einer Figuration zusammengefasst, die durch das punktierte Kopfmotiv des Ritornells ausgelöst wird. Die fallende Skala der ersten Gruppe (a) wird auf der Quinte wiederholt und von einer markanten Akkordbrechung abgelöst (b), die mit einer steigenden Skalenfigur endet (c). Wie das Kopfmotiv wird auch die zweite Figur vom Continuo imitiert, der nur im Schlussglied als stützende Stimme fungiert. Obwohl das Ritornell höchst instrumental anmutet, werden seine Glieder in der Tenorstimme nur geringfügig modifiziert. Der Satz besteht durchweg aus Varianten der im Ritornell eingeführten Figuren, die von vornherein auf ihre variable Kombination hin entworfen sind. Dabei übernimmt der Vokalpart im Austausch mit den Violinen eine ähnliche Funktion, wie sie im Ritornell dem Continuo zufiel. Die ungewöhnliche Konzentration, die den Satz auszeichnet, resultiert aus dem motivischen Wechselspiel der drei beteiligten Stimmen. Werden die ersten acht Takte des Ritornells – verteilt auf Tenor und Generalbass – anfangs wiederholt (T. 15–22 ~ 1–8), so wird in der nächsten Gruppe (T. 23–28), die zur Durparallele lenkt, eine Koloratur des Vokalparts durch die Violinen mit einer Variante der Akkordbrechungen (b) kontrapunktiert. Während die Skalenfigur des Ritornells (c) im Zwischenspiel übergangen wird, erscheint sie im Vokalpart des zweiten Teils, in dem sie von den Violinen imitiert wird (T. 39–41). Doch wird sie hier durch eine ähnliche Kombination wie im ersten Teil abgelöst, an der diesmal Tenor und Violinen beteiligt sind (T. 41–45 ~ 21–24). Erst kurz vor Schluss verharrt der Tenor für drei Takte auf dem Grundton, um damit das Wort »humiles« hervorzuheben (T. 48–50). Zugleich laufen jedoch die Figurenketten der Violinen fort, die hier durch ihre Phrasierung im Legato modifiziert werden.

Auch der anschließende Satz beweist, dass die Kürze des Textes für Bach weniger eine Einschränkung als eine Herausforderung war. Kein Kommentator der Altarie »Esurientes implevit bonis« (Satz 9) versäumt den Hinweis auf den Schluss des Satzes, in dem die Flöten aussetzen und dem Generalbass die Finalis überlassen, um auf das Wort »inanes« (»leer«) hinzuweisen. Doch sollte man nicht übersehen, dass selbst ein solches Detail in der Struktur des Satzes angelegt ist. Seine helle Tönung erhält er durch die Paarung zweier Flöten mit einer Generalbassstimme, deren Achtelbewegung pizzicato zu spielen ist. Ähnlich kapriziös wirkt das Kopfmotiv, dessen synkopierte Achtelnoten, an den »lombardischen Geschmack« erinnern.[249] Im zweiten Takt wird es von einer Sechzehntelkette abgelöst, die in der zweiten Takthälfte abbricht. Wird sie anschließend auf der zweiten Stufe sequenziert, so wird die Pause diesmal durch eine synkopierte Viertelnote überbrückt, die zugleich die Sechzehntelketten der Fortspinnung auslöst. Während die Flöten bisher in parallelen Sexten verliefen, treten sie in der Fortspinnung imitierend auseinander, um in einer Achtel auf betonter Zählzeit auszulaufen. Die Pausen und ihre Füllung prägen den Satz in gleichem Maß wie der Wechsel zwischen paralleler und imitierender Stimmführung. Analog ist der erste vokale Teil angelegt, der zunächst als bloße Variante des Ritornells erscheint (T. 8–13 ~ 1–6). Das »lombardische« Kopfmotiv wird jedoch im Alt so umgebildet, dass es einen halben Takt später von den Flöten wiederholt

---

249 Vgl. Johann Joachim Quantz, Versuch einer Anweisung, die Flöte traversiere zu spielen, Berlin 1752, Reprint hrsg. von Hans-Peter Schmitz, Kassel u. a. 1953 (Documenta musicologica I, Bd. 2), S. 309, wonach man im »sogenannten lombardischen Geschmack« mitunter »von zwo oder drey kurzen Noten, die anschlagende kurz machet, und hinter die durchgehende einen Punct setzet«.

Notenbeispiel 20a

werden kann. Während die Fortspinnung entsprechend modifiziert wird, führt das modulierende Gelenk eine weitere Variante ein (T. 14–16). Sie besteht aus drei Achtelnoten, die im Vokalpart mit den Worten »dimisit« – »inanes« verbunden und von den Flöten übernommen werden. Entspricht das Zwischenspiel den ersten Takten des Ritornells, so schließt der zweite Teil an den Beginn des ersten Teils an. Doch setzt der Vokalpart zwei Takte später zu einer Koloraturenkette an, die von den Flöten mit nachschlagenden Achteln begleitet wird (T. 23–26). Wenn man die Funktion erfasst, die dem »Spiel mit den Pausen« zukommt, dann erscheint der Schluss des Satzes nur als letzte Pointe der motivischen Prägung.

Ein Sonderfall ist die Bassarie »Quia fecit mihi magna« (Satz 5), deren Ostinatomodell neunmal wiederholt und zugleich variiert wird. Die viertaktige Grundform, die den Satz als Ritornell umrahmt, beginnt mit einem Kopfmotiv, das sequenziert und durch eine Kadenz ergänzt wird (Notenbeispiel 20a). Während das Kopfmotiv für die Deklamation der ersten Textworte erfunden ist, gehen die Koloraturen, die auf die Worte »magna« und »potens« entfallen, von der skalaren Kadenzfigur aus. Verteilt sich das Modell in den beiden anschließenden Perioden auf den Bass und den Continuo, so wird am Ende der vierten Periode durch eine Variante der Kadenz die Dominante erreicht (T. 12), auf der das Ostinatomodell anschließend wiederkehrt. Weil es in der fünften Periode in der Mollparallele eintritt, wird ein modulierendes Gelenk erforderlich, das einen halben Takt ausfüllt und dem Vokalpart zufällt (T. 17). Da die sechste Periode in der Dominantparallele beginnt, wird die Kadenzgruppe um zwei Takte erweitert (T. 22–23). Der Ansatz der nächsten Periode wird auf das Kopfmotiv verkürzt (T. 24–25), an das sich die beiden letzten Perioden mit dem ursprünglichen Bassmodell anschließen.

Auf die Arien war genauer einzugehen, weil sich ihre Texte von denen der Kantaten unterscheiden und damit Bach zu besonders individuellen Lösungen herausforderten. So knapp und konzis die Sätze wirken, so subtil und konsequent wird ihre Motivik ausgearbeitet.

d. Ensemblesätze

Die Sätze 6 und 10, die den Gruppen mit jeweils drei bzw. zwei Arien folgen, führen zugleich auf die anschließenden Chorsätze hin, sodass ihnen in doppelter Hinsicht eine besondere Position zukommt. Während Satz 6 auf den vorangehenden Ostinatosatz antwortet, wird Satz 10 durch ein instrumentales Cantus-firmus-Zitat erweitert.

Obwohl das Duett »Et misericordia« (Satz 6) nicht als Ostinatosatz gelten kann, zeichnen sich deutlich acht Phasen ab, die durch Analogien der Basslinie oder der Oberstimme gekennzeichnet sind. Das Modell wird in dem viertaktigen Ritornell eingeführt, dessen Streichersatz in der D-Dur-Fassung die Anweisung »col sordino« trägt. Ob der Satz wegen der Bewegung im ¹²⁄₈-Takt als »Pastorale« gelten kann, mag offenbleiben.[250] Nicht zu übersehen ist jedoch der chromatisch fallende Bassgang, dessen Töne einen Quartraum durchmessen und in mehrfachem Oktavwechsel wiederholt werden. Zwischen Viertel- und Achtelnoten wechselnd, bildet das Bassgerüst die Basis der Oberstimmen, deren Achtelbewegung durch synkopisch verlängerte Viertel gestaut wird. Reduziert auf die Vokalstimmen, wiederholt sich das Modell in der anschließenden Phase. Obwohl die nächste Gruppe in den Streichern ansetzt, als solle das Ritornell wiederholt werden, führt sie infolge der veränderten Basslinie zur Dominante (T. 8–11). Zwar schließt sich wiederum das transponierte Bassmodell an, doch wird es diesmal um einen halben Takt verschoben, während die Stimmgruppen in kürzere Segmente gegliedert werden (T. 11–15). Auf diese Varianten folgt ein erster Einschub, in dem der chromatische Bassgang verändert wird (T. 15–18). Die nächsten Takte entsprechen zwar noch dem transponierten Modell (T. 17–20), doch setzt sich danach eine diatonische Variante durch, die mit dem Wechsel der Stimmgruppen zusammenfällt (T. 21–26). Erst die vorletzte Phase (»timentibus eum«) kehrt zum Grundmodell zurück (T. 27–30), das jedoch eine bedeutsame Erweiterung erfährt. Der Continuo markiert in Achteln eine »neapolitanisch« erweiterte Kadenz, die durch die engräumige Führung der Vokalstimmen besonderen Nachdruck gewinnt. In dem Maß, in dem der Satz vom Ostinatomodell ausgeht, entfernt er sich von ihm durch das Spektrum der satztechnischen Varianten.

Die Eigenart des »Suscepit Israel« (Satz 10) liegt nicht nur im Zutritt des Tonus peregrinus in einer Fassung, die sich in der lutherischen Kirche eingebürgert hatte.[251] Eine weitere Besonderheit ist die Kombination von zwei Sopranstimmen und Alt, die vom Continuo gestützt und durch den Cantus firmus ergänzt werden. Wiewohl der Generalbass nicht motivisch geprägt ist, fungiert er nicht nur als stützende

---

250 Vgl. Finke-Hecklinger, a. a. O., S. 81 und 140; ebd., S. 82 und 13 (wo die Autorin auch den Eingangschor der Matthäus-Passion zu dieser Gruppe zählte).

251 Vgl. Otto Brodde, Evangelische Choralkunde, in: Leiturgia. Handbuch des evangelischen Gottesdienstes, hrsg. von Karl Ferdinand Müller und Walter Blankenburg, Bd. 4: Die Musik des evangelischen Gottesdienstes, Kassel 1961, S. 486 f.

Notenbeispiel 20b

Stimme. Gleichmäßig in Vierteln verlaufend, die sich vielfach mit Tonrepetitionen paaren, folgt er zumeist dem Alt, der dann die tiefste Stimme bildet, sodass sich dann ein Triosatz senza basso ergibt (vgl. T. 9–18 und 26–30). Erst in den letzten Takten, die an die Klauseln der Choralweise anschließen, wird der Continuo an die Achtelbewegung der Altstimme angeglichen (T. 14 ff. und T. 35). Maßgeblich ist der Tonus peregrinus, der auf punktierte Halbe gedehnt und durch die Tonrepetitionen geprägt wird, die seiner ursprünglichen Funktion als Psalmton entsprechen.[252] Die Aufgabe bestand also darin, dem kontrapunktischen Vokalsatz ein motivisches Gepräge zu geben, das zugleich flexibel genug sein musste, um sich den Tönen des Cantus firmus anzupassen. Für die erste Phase (T. 1–17) erfand Bach ein Modell, das nach eröffnendem Halbton einen Quintraum in Achtelbewegung durchmisst und in einer punktierten Viertel ausläuft. Wird seine steigende Version von den Sopranen in Einklangsimitation eingeführt, so fügt der Alt dazwischen eine fallende Variante ein, bis beide Gestalten anschließend gekoppelt werden. Bewundernswert ist der Reichtum der Varianten, die in paralleler imitierender Stimmführung die Töne des Cantus firmus kontrapunktieren. Prägnanter noch ist das Motiv, das Bach für die zweite Phase des Cantus firmus formulierte (T. 18–37). Drei fallende Quartintervalle werden mit eingeschobenen Halbtönen so verbunden, dass sie gemeinsam einen Oktavraum umfassen (Notenbeispiel 20b). Eingeführt im Alt, wird das Motiv in der Oberquinte vom ersten Sopran imitiert, dem auf gleicher Stufe einen Takt später der zweite Sopran folgt. Zu den Tonrepetitionen des Cantus firmus wird es durch eine Fortspinnung ersetzt, die das Wort »misericordiae« hervorhebt und in Melismen ausläuft. So entrückt der Satz wirkt, so kunstvoll ist seine kontrapunktische Struktur.

Wer vom Magnificat eine zyklische Symmetrie erwartet, sollte zu Kuhnaus Vertonung desselben Textes greifen, in der der Chorsatz »Fecit potentiam« die Mitte des elfteiligen Zyklus bildet. Entsprechend könnte es sich in Bachs Werk verhalten,

---

[252] In der Erstfassung wurde der Cantus firmus von der Trompete gespielt, die in der D-Dur-Fassung durch unisone Oboen und Violinen ersetzt wurde.

wenn nicht die Worte »Omnes generationes« von der vorangehenden Arie getrennt würden. In einer Zählung, wie sie Bachs Autograph nicht kennt, müssen sie jedoch als eigener Satz rechnen. Die Symmetrie, die sich andernfalls ergäbe, war für Bach offenbar nicht bedeutsam genug, um ihn davon abzuhalten, diesen Worten als Chorsatz ein eigenes Gewicht zu geben. Unabhängig davon bleibt die Gliederung in zwei Gruppen, deren Arien von Ensembles gefolgt und durch Chorsätze umrahmt werden. Sie entsprach der Versfolge der Vorlage und bildete zugleich ein Gerüst, in dessen Rahmen sich das individuelle Profil der Sätze entfalten konnte.

Der Rang des Magnificat liegt nicht nur in der Frische der Themen oder in der Kürze der Sätze. Vielmehr bündelte Bach in seinem ersten großen Vokalwerk die Verfahren, über die er verfügte, zu einem Zyklus von Sätzen, deren Konzentration er nicht mehr übertreffen sollte.

e. Einlagesätze

Wie eingangs erwähnt, enthält die Es-Dur-Fassung vier Sätze, die auf den letzten Seiten der Partitur notiert wurden. Sie heben sich vom Kontext – unabhängig von den Modalitäten der Aufführung[253] – durch ihre reduzierte Besetzung ab, die (abgesehen vom Gloria) nur Vokalstimmen verwendet. Einem Hinweis Spittas folgend, nannte Schering mit Kuhnaus Weihnachtskantate »Vom Himmel hoch, da komm ich her« ein früheres Werk, das die von Bach benutzten Texte enthält.[254] Wolfgang Irtenkauf konnte zeigen, dass die Einlagen auf ältere Traditionen zurückgehen.[255] Dass sie in Werken protestantischer Autoren des 16. und 17. Jahrhunderts begegnen, wies Martin Geck mit zahlreichen Belegen nach, zu denen ein Lübecker Textdruck mit den von Bach verwendeten Texten gehörte.[256] Allerdings ist fraglich, was Bach von diesen Traditionen wissen konnte. Sätze mit den von ihm vertonten Texten sind jedoch in anonymen Stimmen aus Leipzig überliefert, die wohl vor 1700 entstanden und vielleicht als Einlagen für ein Werk Kuhnaus dienten.[257]

Die zahlreichen Korrekturen des Autographs beweisen, dass Bach die Einlagesätze trotz ihres kleinen Formats nicht weniger sorgsam als das Magnificat ausarbeitete.[258]

---

253 Spittas Annahme (a. a. O., S. 203), die Mitwirkenden seien gesondert platziert gewesen, wurde von Dürr (KB, S. 41) durch den Hinweis auf die räumlichen Gegebenheiten widerlegt.

254 Spitta II, S. 199 ff.; Arnold Schering, Über die Kirchenkantaten vorbachischer Thomaskantoren, in: BJ 1912, S. 86–123, hier S. 95.

255 Wolfgang Irtenkauf, Bachs »Magnificat« und seine Verbindung zu Weihnachten, in: Musik und Kirche 26, 1956, S. 257–259.

256 Martin Geck, J. S. Bachs Weihnachts-Magnificat und sein Traditionszusammenhang, in: Musik und Kirche 21, 1961, S. 257–266, hier S. 265 f. sowie S. 264, wo auch Scherings Verweise auf die »Laudes« genannt werden, die schon in der Amtszeit von Kuhnaus Vorgänger Johann Schelle üblich waren. Vgl. auch Albrecht Tunger, Johann Sebastian Bachs Einlagesätze zum Magnificat. Beobachtungen und Überlegungen zu ihrer Herkunft, in: Festschrift für Helmut Walcha zum 70. Geburtstag, Frankfurt a. M. 1978, S. 22–35, sowie Robert M. Cammarota, The Sources of the Christmas Interpolations in J. S. Bach's Magnificat in E-flat Major (BWV 243a), in: Current Musicology 36, 1983, S. 79–99.

257 Darauf verwies A. Glöckner in seiner Einführung zu einer Aufnahme unter Hermann Max (EMI 1992).

258 KB, S. 57 f., 62 f., 68 f. und 71. Da die Korrekturen während der kompositorischen Arbeit vorgenommen wurden, erübrigt sich die von Geck (a. a. O., S. 266, Anm. 36) »mit aller Vorsicht« gestellte Frage, ob die Einlagesätze »wirklich von Bach stammen«.

Der erste Satz »Vom Himmel hoch, da komm ich her« (Satz A) ist im Autograph als vierstimmiger Vokalsatz ohne Generalbass notiert. Die Bearbeitung entspricht damit dem »Pachelbel-Typ«, von dem im Zusammenhang mit BWV 4 die Rede war. Die auf Halbe gedehnte Melodie liegt im Sopran und wird von den Gegenstimmen in Achtelnoten kontrapunktiert, sodass sich ein ungewöhnlich gleichmäßiger Verlauf ergibt. Den Zeilen gehen nicht nur die üblichen Vorimitationen voraus, vielmehr nutzte Bach die ersten Töne – mitunter auch in Umkehrung – für Binnenimitationen, deren motivische Verdichtung mit größter Sorgfalt der Stimmführung gepaart ist. Ein Sonderfall ist die erste Zeile, die vom Alt und Tenor in Vierteln eingeführt wird und danach in Achtelbewegung übergeht. Da die zweite und dritte Zeile mit einem Quartsprung beginnen, begrenzen sich die Vorimitationen hier auf die Initien, die mehrfach auch in Binnenimitationen verwendet werden. Zugleich werden kleine Melismen eingefügt, die in der dritten Zeile das Wort »viel« betonen und in der letzten Zeile zu kantablen Linien erweitert werden.

Als zweite Einlage dient die vierzeilige Strophe »Freut euch und jubiliert« (Satz B), deren letzte Zeile die zweite Strophe aus dem Lied »Vom Himmel hoch« zitiert (»das soll euer Freud und Wonne sein«). Da der Bass pausiert, ergibt sich ein vokaler Quartettsatz, der durch den als Obligatstimme fungierenden Continuo ergänzt wird. Das Kopfmotiv der Oberstimmen verbindet einen in Vierteln steigenden Dreiklang mit einer Fortspinnung, die in einer wellenförmigen Achtelbewegung verläuft. Während es von den Oberstimmen imitiert wird, bildet der Tenor eine Gegenstimme, die im Stimmtausch mit den Oberstimmen verarbeitet wird. Im Continuo wird das Kopfmotiv durch eingefügte Sechzehntel zu einer fallenden Formel umgebildet, die in jedem zweiten Takt ansetzt und mitunter auch in den Vokalpart eindringt. In den mittleren Zeilen, die sich auf das »herzliebe Jesulein« beziehen, wird sie zu einer liedhaften Variante umgebildet, die in Terzparallelen die Stimmpaare durchläuft. Die Vorimitation der letzten Zeile wird zu einer Fugette erweitert, deren Thema zunächst die Vokalstimmen durchläuft und zuletzt im Continuo eintritt, der ausnahmsweise als thematische Stimme fungiert. In seiner Kürze ist der Satz ein Muster der Kunst, eine vergleichsweise schlichte Melodik mit überaus konzentrierter Arbeit zu verbinden.

Das »Gloria in excelsis Deo« (Satz C) fordert neben duplierenden Streichern und Oboen eine gesonderte Violinstimme, die allerdings erst nachträglich hinzugefügt wurde und nur begrenzt obligat ist.[259] Der Satz beweist, dass Bach in knapp 20 Takten eine überaus effektvolle Steigerung zu erreichen wusste. Von der punktierten Rhythmik der Unterstimmen heben sich die beiden Soprane mit einer umspielenden Figur ab, die im nächsten Block in die Mittelstimmen und zuletzt in den Bass übergeht. Nach zwei Takten, die zu den Worten »in terra pax« an einen Kantionalsatz erinnern, kehrt die kleine Figur zum Textglied »bona voluntas« in einer verkürzten Variante wieder, die den sequenzierend erweiterten Schlussteil durchzieht.[260] Ähnlich bescheiden bleibt der Aufwand in der letzten Einlage »Virga Jesse floruit« (Satz D). Das viertaktige Ritornell des Generalbasses besteht aus zwei Gliedern, die einen steigenden Dreiklang mit einer skalaren Sequenzgruppe verbinden. Die syllabisch dekla-

---

259 Vgl. KB, S. 41.
260 Zur Formulierung »bona voluntas«, die schon früher in Lübeck und Leipzig belegt ist, vgl. KB, S. 33.

mierten Textglieder laufen in ausgedehnten Koloraturen aus, in denen die Stimmen komplementär geführt und mit motivischen Varianten des Continuo begleitet werden. Im Autograph, in dem ein Blatt offenbar fehlt, bricht der Satz in T. 30 ab.[261] Zwar diente er später als Vorlage des Duetts »Ehre sei Gott in der Höhe« (BWV 110:5), doch lässt sich die ursprüngliche Fassung nur annäherungsweise rekonstruieren, da die Bearbeitung erhebliche Abweichungen aufweist.[262]

11. Zu BWV 50 »Nun ist das Heil und die Kraft«

Der »gewaltige Doppelchorsatz« (BWV 50) erschien Neumann als »erschöpfende Verwirklichung aller im Permutationsprinzip beschlossenen Gestaltungsmöglichkeiten«.[263] Das Werk ist in einer undatierten Partiturabschrift überliefert, die nach Schulze auf Carl Gotthelf Gerlach zurückgeht.[264] Weil Gerlach bis 1729 an Bachs Aufführungen beteiligt war, darf seine Kopie als verlässliche Quelle gelten.[265] Da er aber keinen Autor nannte, stützt sich die Zuschreibung auf eine spätere Abschrift, auf deren Titeletikett der Name Bachs nachträglich von Kirnberger ergänzt wurde,[266] sodass »strenggenommen sogar die Frage nach der Echtheit des Werkes zu stellen wäre«.[267]

Scheide wies auf zahlreiche Oktav- und Einklangsparallelen hin, die sich zwischen dem Continuo und den Kontrapunkten 1 bis 3 ergeben.[268] Neben weiteren Unstimmigkeiten fänden sich zudem Quintparallelen zwischen den Kontrapunkten 1 bzw. 2 und 6, sodass man fragen müsse, ob derartige Fehler Bach zuzutrauen seien. Befremdlich sei ferner, dass der Satz eine doppelchörige Permutationsfuge mit obligaten Instrumenten darstelle. Bach habe das Permutationsverfahren nur bis 1724 verwendet,[269] während doppelchörige Sätze mit obligatem Orchester erst aus späteren Jahren überliefert seien.[270] Desto auffälliger sei es, dass Gerlach den zweiten Chor unterhalb des Continuo notiert habe. Da die sechs Kontrapunkte nur einmal gemeinsam auftreten (T. 90–96), scheine der Satz auf eine fünfstimmige

---

261 Vgl. KB, S. 15 und 71 f.

262 In einer praktischen Ausgabe der Es-Dur-Fassung (Kassel 1959) ergänzte Dürr die fehlenden Takte nach der Bearbeitung in BWV 110:5.

263 Werner Neumann, J. S. Bachs Chorfuge, S. 37 ff. (vgl. hier auch Tafel 22).

264 Vgl. Hans-Joachim Schulze, »Das Stück in Goldpapier«. Ermittlungen zu einigen Bach-Abschriften des frühen 18. Jahrhunderts, in: BJ 1978, S. 19–42, hier S. 33–37.

265 Gerlach (1704–1761) war bis 1723 Thomaner, wurde auf Bachs Empfehlung Organist an der Neuen Kirche und überließ ihm das von ihm geleitete Collegium musicum, vgl. Dok. II, Nr. 261, sowie Andreas Glöckner, Art. Carl Gotthelf Gerlach, in: MGG², Personenteil, Bd. 7, Sp. 787 f.

266 Zur Abschrift Am. B. 84 vgl. NBA I/30, hrsg. von Marianne Helms, KB, S. 137).

267 Hans-Joachim Schulze, Studien zur Bach-Überlieferung im 18. Jahrhundert, Leipzig 1984, S. 125.

268 William H. Scheide, »Nun ist das Heil und die Kraft« BWV 50: Doppelchörigkeit, Datierung und Bestimmung, in: BJ 1982, S. 81–96, hier S. 81 f. Da Kontrapunkt 5 eine freie Umkehrung des Kontrapunkts 1 bildet, wurde er von Scheide als Kontrapunkt 1^{inv} bezeichnet. Dagegen wird hier die Zählung Neumanns übernommen, die sich in der weiteren Diskussion durchgesetzt hat.

269 Neumann zufolge begegnen Permutationsfugen noch in späteren Jahren, doch handelt es sich dann um Eingangsphasen aus Sätzen, die dem Kombinationsprinzip verpflichtet sind.

270 Ebd., S. 82. Scheide bezog sich auf den Eingangschor aus BWV 216 (1735), der später als Vorlage für das Osanna der h-Moll-Messe diente (BWV 232^{III}).

Originalfassung zurückzugehen. Die erhaltene Fassung habe deshalb als nachträgliche Erweiterung zu gelten, die »ein unerfahrener Komponist als Bach […] zu verantworten« habe.[271] Zur Begründung verwies Scheide auf die »melodische Armut« der »Innenstimmen«, die lediglich akkordische Füllstimmen seien.[272] Da Bach nach 1724 keine Permutationsfugen geschrieben habe, müsse die Frühfassung schon 1723 entstanden sein.[273] Die folgende Übersicht basiert auf Neumanns Schema, ohne jedoch die duplierenden Instrumentalstimmen zu berücksichtigen.[274]

Trompete					1										1
Oboen						5									
Violinen							1								
S. I				1	2	3	4	2	1*	1	2	3	4	6	5
A. I			1	2	3	4	6	6		1	2	3	4		5
T. I		1	2	3	4	2	3	4			1	2	3		5
B. I	1	2	3	4	0	1	2	3				1	2		5
S. II					5		1		1*	2	3	4	4	1	2
A. II					5		1				5	6	3	1	6
T. II					5		1					5	2	1	3
B. II					5		1						5	1	4
Block	A	B	A	B	A	A	A	A	A	B	A	B	A	B	B
Stufen	D	A	D	A	D	A/a	e	h-fis	D	A	D	A	D	A	D-G/g♭
Takte	1	8	15	22	29	36	50	56	69	76	83	90	97	104	111

*= verteilt auf Sopran I–II

Wie das Schema zeigt, setzen die Kontrapunkte 1 bis 4 in regelmäßiger Folge ein, während die Kontrapunkte 5 und 6 in wechselnden Abständen und Stimmlagen eintreten. Klaus Hofmann griff 1994 auf Neumanns Thementafel zurück, die zwei »Unregelmäßigkeiten« belege.[275] Während Kontrapunkt 5 vorzeitig ende, zeige Kontrapunkt 6 »regelwidrige Stimmführungsparallelen« gegenüber den Kontrapunkten 1, 2 und 5.[276] Da die Kontrapunkte 5 und 6 »von der regelmäßigen ›Aufrollung‹ des Themas ausgeschlossen« seien, müsse man annehmen, dass sie erst später hinzugefügt worden seien.[277] Während die Stimmen in der ersten Satzhälfte in steigender

271 Scheide, a. a. 0., S. 84 f.
272 Vgl. die Beispiele ebd., S. 85–87. Auf Scheides Rekonstruktion der Erstfassung (ebd., S. 88 f.) ist hier nicht einzugehen, weil er seinen Vorschlag später nicht wieder aufgriff (vgl. ders., Nochmals BWV 50 »Nun ist das Heil und die Kraft«, in: BJ 2001, S. 117–130). Das gilt für Scheides Versuch, den Satz auf die verschollene Köthener Kantate BWV Anh. I 5 zurückzuführen, vgl. ders., BJ 1982, S. 90–95.
273 Vgl. ebd., S. 90. Dagegen meinte Stein, Scheides Argumentation laufe auf die »Schematisierung eines kreativen Musikers hinaus«, vgl. Klaus Stein, Stammt »Nun ist das Heil und die Kraft« (BWV 50) von Johann Sebastian Bach?, in: BJ 1999, S. 51–66, hier S. 62.
274 Vgl. Neumann, a. a. O., S. 37.
275 Klaus Hofmann, Bachs Doppelchor »Nun ist das Heil und die Kraft« (BWV 50). Neue Überlegungen zur Werkgeschichte, in: BJ 1994, S. 59–73, hier S. 61.
276 Vgl. das Notenbeispiel ebd., S. 63.
277 Ebd., S. 62 und das Schema auf S. 61.

Folge einsetzen, ergebe sich in der zweiten Hälfte eine analoge Folge in fallender Richtung. Eine Ausnahme sei der erste Einsatz (T. 69–75), der durch Chorwechsel und akkordischen Satz ausgezeichnet werde und vermutlich schon in der Erstfassung ähnlich hervorgehoben worden sei. Da die Kontrapunkte 5 und 6 primär im zweiten Chor lägen, müsse man sich die Erstfassung als vierstimmige Permutationsfuge mit vier Kontrapunkten und duplierenden Instrumenten vorstellen, die später zur doppelchörigen Fassung erweitert worden sei.[278]

Hofmann versuchte zu zeigen, dass der Bearbeiter »niemand anders als Johann Sebastian Bach« gewesen sein könne.[279] Die von Scheide genannten Satzfehler seien unbedenklich, weil es sich zumeist nur um Akzentparallelen handele.[280] Dagegen seien die Oktavparallelen zwischen Continuo und Kontrapunkt 3 (T. 25 f., 83 f. und 86 f.) als »Flüchtigkeitsfehler« anzusehen, die auf den Zeitdruck bei der Erweiterung zurückgehen dürften.[281] An den Quintparallelen zwischen den Kontrapunkten 2 und 6 (T. 96 und 117) sei zwar nichts »zu beschönigen«, doch könne man sie tolerieren, weil die beteiligten Stimmen »verschiedenen Chören« angehören. Die Parallelen zwischen den Vokalstimmen und den Einwürfen des Orchesters seien unmaßgeblich, da den Regeln des Kontrapunkts im mehrchörigen Satz nur begrenzte Geltung zukomme. Auch die Einklangsparallelen zwischen Oboe I und Kontrapunkt 2 sowie Oboe II und Kontrapunkt 5 (T. 34 bzw. 116) seien nachrangig, da die Oboenstimmen »nicht ohne weiteres als selbständige Stimmen« gelten können.[282] Scheides Bedenken seien zwar »kaum zu bestreiten«, aber »letztlich unfruchtbar«.[283] Sein Verweis auf die »melodische Armut« der Binnenstimmen gehe an der Sache vorbei, weil die Bearbeitung die Absicht beweise, den »thematischen Obligatsatz« durch eine akkordische Gruppe zu erweitern.[284] Da es Bach darum gegangen sei, die Fuge »in die Dimension der Mehrchörigkeit« zu entfalten, sei er mit den »Schulregeln« ungewöhnlich frei umgegangen.[285]

Joshua Rifkin stellte hingegen die Authentizität des Satzes aus drei anderen Gründen in Frage.[286] Zum einen sei Scheides Annahme nicht zwingend, dass Gerlachs Partitur auf eine Vorlage zurückgehe, die den zweiten Chor als Zusatz enthalten habe. Zum anderen habe sich Kirnberger als wenig verlässlicher Gewährsmann erwiesen, sodass seine Angabe nicht »über jeden Zweifel erhaben« sei.[287] Drittens sei nicht allein die Vielzahl der regelwidrigen Fortschreitungen, sondern auch eine doppelchörige Permutationsfuge bei Bach ohne Parallele.[288] Die Anlage der Partitur suchte Rifkin dadurch zu erklären, dass Gerlach die obligate Funktion des zweiten

---

278 Ebd., S. 64 ff.
279 Ebd., S. 67.
280 Zu den nachfolgenden Angaben vgl. ebd., S. 68 ff.
281 Ebd., S. 68.
282 Ebd., S. 70.
283 Ebd., S. 69.
284 Ebd., S. 70 f.
285 Ebd., S. 71.
286 Joshua Rifkin, Siegesjubel und Satzfehler. Zum Problem von »Nun ist das Heil und die Kraft« (BWV 50), in: BJ 2000, S. 67–86.
287 Ebd., S. 77–82, zum Zitat S. 82.
288 Ebd., S. 82–86.

Chors erst verspätet bemerkt habe.[289] Wenn die doppelchörige Besetzung aber auf die Erweiterung einer vier- oder fünfstimmigen Erstfassung zurückgehe, dann sei es plausibel, dass die Bearbeitung in der Kopie ihre Spuren hinterlassen habe.[290]

Rifkins Zweifel an der Verlässlichkeit der Angabe Kirnbergers lassen sich weder ignorieren noch mit der Gegenfrage beantworten, ob ein anderer Autor als Bach in Frage komme. Dennoch bleibt festzuhalten, dass Gerlachs Verzicht auf eine Autorangabe kein Anlass zu Bedenken sein sollte.[291] Selbst wenn man Kirnbergers Zuweisung misstraut, wird man zugeben müssen, dass seine Angabe ebenso falsch wie richtig sein kann. Sie sollte also kein Grund sein, Bachs Autorschaft von vornherein zu bestreiten. Rifkin konzedierte, dass es sich bei den fraglichen Fortschreitungen meist nur um verdeckte bzw. Akzentparallelen handele. Und man könnte hinzufügen, dass solche Parallelen – ungeachtet der theoretischen Verbote – in der kompositorischen Praxis »gang und gäbe waren«.[292] Erst recht ist mit solchen Freiheiten im lizenziösen Kontrapunkt des 18. Jahrhunderts zu rechnen.[293] Rifkin bestand dennoch darauf, dass die Oktaven zwischen Kontrapunkt 3 und Continuo dort fragwürdig seien, wo sie in den Außenstimmen aufträten.[294] Indessen unterschied die Theorie bei Akzentparallelen nicht ausdrücklich zwischen der Lage der beteiligten Stimmen. Gleichwohl konstatierte Rifkin, man werde »nicht umhin können, dem Komponisten von BWV 50 eine gewisse Nachlässigkeit in puncto Stimmführung zu bescheinigen«.[295] Die Frage, »ob es ein zweites unter Bachs Namen bekanntes Werk« gebe, »das so viele erklärungsbedürftige Fälle« enthalte, beantwortete Rifkin mit dem Hinweis auf die Fuge aus BWV 69a:1 (»Lobe den Herrn, meine Seele«), die auf engstem Raum drei Einklangsparallelen aufweise (T. 52, 54 und 56).[296] Überdies beweist die Permutationsfuge »daß er meines Angesichtes Hilfe« (BWV 21:6b), dass Bach sogar offene Oktaven tolerierte, wenn sie unvermeidlich waren.[297]

289 Ebd., S. 76.

290 Dass Gerlach die dritte Trompete im Sopranschlüssel notierte, dürfte darauf hindeuten, dass ihm nicht das Autograph, sondern eine Zwischenquelle vorlag (vgl. dagegen Rifkin, ebd., S. 84 f.).

291 Freundlicher Hinweis von Peter Wollny; vgl. dazu Michael Maul, Johann Adolph Scheibes Bach-Kritik. Hintergründe und Schauplätze einer musikalischen Kontroverse, in: BJ 2010 S. 153–198, hier S. 163 und 183 f.

292 Werner Braun, Deutsche Musiktheorie des 15. bis 17. Jahrhunderts, Zweiter Teil von Calvisius bis Mattheson (Geschichte der Musiktheorie 8/2), Darmstadt 1994, S. 200 f.

293 Vgl. Carl Dahlhaus, Die Musiktheorie im 18. und 19. Jahrhundert, Erster Teil: Grundzüge einer Systematik (Geschichte der Musiktheorie 10/1), Darmstadt 1984, S. 17 und 35, sowie Zweiter Teil: Deutschland (Geschichte der Musiktheorie 11), hrsg. von Ruth E. Müller, ebd., 1989, S. 142 f.

294 Vgl. Rifkin, a. a. O., S. 83 (im Blick auf T. 18 f., 25 f., 86 f. und 93 f.; ebd., S. 84 zu den Akzentparallelen zwischen Kontrapunkt 2 und Continuo in T. 35, 56 und 117).

295 Ebd., S. 84, vgl. dort auch das folgende Zitat. Brahms führte den Satz I in Wien auf, ohne Bedenken gegen seine Echtheit oder gegen vermeintliche Parallelen zu äußern. Weder seine Partitur noch seine »Sammlung interessanter Stellen aus Alten Meistern« enthalten entsprechende Hinweise, vgl. Renate und Kurt Hofmann, Johannes Brahms als Pianist und Dirigent. Chronologie seines Wirkens (Veröffentlichungen des Archivs der Gesellschaft der Musikfreunde in Wien 6), Tutzing 2006, S. 135 f. Vgl. auch Heinrich Schenker (Hrsg.), Johannes Brahms, Oktaven und Quinten u. a., Wien 1933, sowie Siegmund Helms, Johannes Brahms und Johann Sebastian Bach, in: BJ 1971, S. 13–81, hier S. 47 und 77 f.

296 Vgl. Rifkin, BJ 2000, S. 84.

297 Vgl. BWV 21:6b, T. 69 bis 71. Weder Scheide noch Rifkin zogen den doppelchörigen Satz aus BWV 215 »Preise dein Glücke« heran, der sowohl verdeckte Parallelen als auch Akzentparallelen enthält, die später nicht

Rifkins Hinweis auf die Sonderstellung des Satzes trifft jedoch in anderer Hinsicht zu. Dass der Oboenchor mit zwei Oboi d'amore und einer Oboe rechnet, ist insofern unbedenklich, als singuläre Besetzungen bei Bach keine Ausnahme sind.[298] Ein Sonderfall ist aber nicht nur die »betont paarige Konstruktion« des Satzes. Vielmehr handelt es sich in BWV 50 um den einzigen Satz, der sich auf eine Permutationsfuge beschränkt. Während die Permutationsfugen der frühen Kantaten Teile größerer Formkomplexe waren, erwiesen sich die Fugen des ersten Jahrgangs als Teilglieder von Kombinationsformen. Dagegen besteht BWV 50 aus zwei getrennten Permutationsfugen, die dasselbe Thema verwenden und in freien Zusatzteilen enden. Aus dem folgenden Schema geht hervor, dass die erste Fuge acht Permutationsphasen mit jeweils sieben Takten umfasst, denen sieben Phasen in der zweiten Fuge gegenüberstehen. Ergeben sich damit 15 siebentaktige Permutationsphasen, so verbleiben den freien Anhängen insgesamt 26 Takte.

1. Durchführung

Periode	1	2	3	4	5	6	7	8	Anhang I
Block	A	B	A	B	A	A	A	A	–
Stufen	D → A	A → D	D → A	A → D	D → A	A → e	e → h	h → fis	fis
Takte	1–7	8–14	15–21	22–28	29–35	36–42	43–49	50–56	56–68

2. Durchführung

9	10	11	12	13	14	15	Anhang II
A	B	A	B	A	B	B	–
D → A	A → D	D → A	A → D	D → A	A → D	D → G	g^b → A – D
69–75	76–82	83–89	90–96	97–103	104–110	111–117	118–136

Konrad Küster hat geltend gemacht, dass »ungewöhnliche Satzkonzeptionen« kein Grund zu Misstrauen seien, weil gerade »das Außergewöhnliche […] stets auch auf Bach zurückgehen« könne.[299] Zur ungewöhnlichen Konzeption des Satzes BWV 50 zählt nicht zuletzt seine harmonische Disposition. In den Weimarer Permutationsfugen hatte Bach damit begonnen, den stereotypen Wechsel zwischen der I. und V. Stufe durch die Reihung analoger Phasen zu modifizieren. In Leipzig suchte er den Phasenwechsel durch mehrfache Kopplungen zu erweitern, wobei aber »Themeneintritte im jeweils anderen Tongeschlecht ausgespart« blieben.[300] In BWV 50 dagegen

durchweg getilgt wurden, als Bach den Satz zum Osanna der h-Moll-Messe umformte (vgl. BWV 215:1, T. 50 f. und 130 und analog BWV 232[IV], T. 17 f., 20 f., 44 f. u. a.).

298 Beispielsweise begegnet die Kombination zweier Oboi d'amore mit einer Traversflöte nur einmal (BWV 146:5), vgl. Ulrich Prinz, J. S. Bachs Instrumentarium, S. 347. Rifkins Bedenken gegen das »reihenweise« Auftreten der Figura corta – der Folge von einer Achtel und zwei Sechzehnteln – sind ebenso unbegründet. Zum einen ist die rhythmische Konzentration eine Kehrseite des Permutationsprinzips, zum anderen lässt sich für den Themenblock in BWV 50 nicht von rhythmischer Monotonie reden. Das gehäufte Auftreten der Figura corta liegt vor allem an den instrumentalen Fanfarenmotiven, die aber nicht auf Bach zurückgehen müssen.

299 Konrad Küster, Bach-Handbuch, S. 342.

300 Ebd., S. 341.

beginnen beide Fugen in D-Dur, um in fis-Moll bzw. G-Dur zu schließen. Während das Kadenzglied der zweiten Fuge über g-Moll und A-Dur zur Tonika D-Dur zurückführt, endet die erste Fuge in fis-Moll. Befremdlicher noch wirken die vorangehenden Phasen, die jeweils eine Quinte höher in den entsprechenden Mollvarianten eintreten.[301] Durch die Kombination dieser Maßnahmen erreicht der Satz eine harmonische Vielfalt, die in Bachs früheren Permutationsfugen keine Parallele findet.

Trotz ihrer unterschiedlichen Ausgangs- und Zielpunkte basieren die beiden Anhänge auf einer analogen Konstruktion. Am Beginn stehen Quintketten, die durch eingeschobene Terzschritte erweitert werden (T. 57–61: Cis-Fis-h/Cis-fis, T. 118–124: G-H-e-A/Cis-fis + A- D-g^b). Die anschließenden Kadenzglieder beginnen auf der IV. Stufe mit der Sixte ajoutée, die von verminderten Akkorden abgelöst wird, während die V. Stufe durch eine »neapolitanische« Wendung gefärbt wird (T. 61–68 bzw. 125–136). Der zweite Anhang wird durch die Verlängerung der Quintfolge und der Kadenzgruppe erweitert, um als abschließende Coda zu fungieren. Dass die Kontrapunkte 5 und 6 nicht ebenso regelmäßig wie die vier ersten eintreten, muss nicht heißen, dass sie erst nachträglich eingeführt wurden. Vielmehr dürften sie auf den Plan zurückdeuten, das Permutationsschema durch zwei zusätzliche Themen zu erweitern. Es kann kein Zufall sein, dass die Kontrapunkte 5 und 6 in der ersten Fuge dort eintreten, wo die aufsteigende Quintkette beginnt, während sie in der zweiten Fuge nicht den zweifachen Comes-Block, sondern den vorangehenden Einsatz des Comes ergänzen.

Der Satz macht also den Eindruck, der unbekannte Autor habe sich darum bemüht, das Permutationsschema mit allen verfügbaren Mitteln zu erweitern. Dazu zählt nicht nur die Verdoppelung der Formanlage, sondern auch die Erweiterung der Zahl der Stimmen und der Kontrapunkte, die Verlängerung der Permutationsperioden und die harmonische Erweiterung der letzten Phasen. Die Kombination dieser Maßnahmen lässt auf einen Autor schließen, der die Permutationstechnik virtuos beherrschte. Da kein anderer Komponist bekannt ist, der dieses Verfahren derart konsequent verwandte, drängt sich die Folgerung auf, dass als Autor nur Bach in Betracht kommt. Das muss nicht heißen, die von Gerlach überlieferte Fassung habe als authentisch zu gelten. Vor allem muss offenbleiben, ob die instrumentalen Fanfarenmotive auf Bach selbst oder auf einen Bearbeiter zurückgehen.

Muss man also davon ausgehen, dass der Satz von Bach stammt, so stellt sich zugleich die Frage, wann er entstanden sein kann. Die Jahre nach 1729, in denen Bach kaum noch neue Kantaten schrieb, dürften von vornherein ausscheiden. Da an den Michaelistagen 1724 und 1726 die Kantaten BWV 130 und 19 aufgeführt wurden, kämen nur die Jahre 1723, 1725 und 1727 in Frage. Das Permutationsverfahren begegnet aber nach der Reihe der Choralkantaten nur noch in Binnensätzen oder Kombinationsformen.[302] Weil in der Weimarer Zeit nur die Kantaten 21 und 182 Permutationsfugen enthalten, bliebe allein das Jahr 1723 übrig. Wie die Übersicht über den ersten Jahrgang zeigte, fielen die motettischen Sätze, die Sätze mit

---

301 Dagegen sprach Neumann von einer »Entwicklung […] in Quinten von D über A und E nach H-Dur«, vgl. Neumann, a. a. O., S. 38.
302 Vgl. BWV 108:4, 68:5 und 103:1 (1725), BWV 16:3, 43:1 und 187:1 (1726) sowie BWV 232:II/5 (1733) und 248:54 (1735).

instrumentalen Choralzitaten und die ersten Kombinationsformen mit integrierten Permutationsfugen in die Trinitatiszeit 1723. In die Kette dieser Experimente könnte sich die Fuge BWV 50 insofern einfügen, als sie in mehrfacher Hinsicht als Experiment zu gelten hat.

12. Resümee

Der Eindruck eines Füllhorns, den der erste Jahrgang erwecken kann, ist ebenso zutreffend wie trügerisch. Nicht unbegründet ist er, wenn man ihn auf die außerordentliche Vielfalt der Werke bezieht, die binnen eines Jahres entstanden. Er täuscht jedoch über die Systematik hinweg, mit der Bach seine Aufgabe verfolgte. Da sie sich ebenso wenig wie die Fülle der einzelnen Lösungen zusammenfassen lässt, sei abschließend nur an einige Kennzeichen der Strategien erinnert, die Bachs Arbeitsweise charakterisierten.

Offenbar ging Bach von Anfang an höchst planvoll vor. Die Wiederaufführungen der Weimarer Werke zeigen ebenso wie die Rückgriffe auf Köthener Vorlagen, dass er darauf bedacht war, Zeit für die Komposition neuer Werke zu gewinnen. Da der Weihnachtszeit, in die neben den Festkantaten auch das Magnificat fiel, das tempus clausum der Adventszeit vorausging, ist es kein Zufall, dass an den vorangehenden Sonntagen auf frühere Werke zurückgegriffen wurde. Entstanden nach Sexagesimae – mit Ausnahme der Kantate zu Mariä Verkündigung – zunächst keine neuen Werke, so verfolgte Bach offenkundig das Ziel, sich auf die Johannes-Passion zu konzentrieren. Wenn sich zu Ostern und Pfingsten die Parodien häuften, so dienten sie der Absicht, neben den nächsten Werken den anschließenden Jahrgang in den Blick zu nehmen. Noch deutlicher wird Bachs Planung, wenn man damit rechnet, dass ihn die Eingangschöre die meiste Zeit kosteten. Dann nämlich wird sichtbar, dass er vor Weihnachten zum 2. Oktober letztmals ein Werk mit einem umfangreichen Chorsatz schrieb, während der letzte Satz vor Ostern zum 6. Februar entstand. Wenn also rund zwei Monate lang keine großen Chorsätze entstanden, so erweiterte sich damit der Zeitraum, der den Hauptwerken zugutekam.

An den Chorsätzen ist abzulesen, wie planvoll sich Bachs Arbeit auf die Aufgaben richtete, die er sich gestellt hatte. Die eröffnenden Spruchtexte forderten zwar nicht immer eine chorische Fassung, sondern konnten auch – wie in manchen Binnensätzen – als solistische Ariosi vertont werden. Zwischen dem 8. und 21. Sonntag nach Trinitatis komponierte Bach jedoch zwölf anspruchsvolle Eingangschöre, die von der Kombination konzertanter und fugierter Schichten ausgingen. Dazwischen entstanden die motettischen Chöre im strengen Satz, die Spruchvertonungen mit instrumentalen Choralzitaten und die rezitativisch erweiterten Choralchorsätze, während die Arbeit an der Paarung konzertanter und kontrapunktischer Verfahren fortgeführt wurde, die in den Sätzen aus dem Frühsommer 1724 ihren Abschluss fand. In dieser Zeit entstanden auch einige solistische Eingangssätze mit Bibeltexten, die dann aber aufwendiger als die entsprechenden Binnensätze ausfielen.

Ein weiteres Indiz für Bachs Vorgehen ist die Veränderung der Schlusschoräle. In den ersten zehn Kantaten wurde der vokale Kantionalsatz durch Ritornelle zu einer Form erweitert, die auf die Kopfsätze des nächsten Jahrgangs vorausdeutete. Zur Norm jedoch wurde seit dem 11. Sonntag nach Trinitatis der Kantionalsatz, dessen Stimmführung aber so differenziert ausgearbeitet wurde, dass es sich verbieten sollte, vom »schlichten« Schlusschoral zu reden. Daneben entstanden gelegentlich besonders bemerkenswerte Sätze, durch die aber die prinzipielle Entscheidung für den »Bachchoral« nicht relativiert wurde. Sie fällt mit dem Beginn der Reihe jener Eingangssätze zusammen, die seit dem 13. Sonntag nach Trinitatis durch zusätzliche Choräle erweitert wurden. Erst am Ende des Jahrgangs begegneten vier solistische Choralbearbeitungen, die auf die Folge der Choralkantaten vorandeuten.

Während die Rezitative vielfach ariose Abschnitte bieten, wie sie schon in Weimar vorkamen, enthalten gerade die Werke, die besonders kunstvolle Eingangschöre aufweisen, mehrfach umfängliche Accompagnati. Dabei fallen zumal ein paar Sätze auf, deren Instrumentalpart sich durch einheitliche Motivik auszeichnet. Wie im Probestück BWV 22 wird auch in BWV 70 ein Rezitativ mit einem instrumentalen Choralzitat verbunden, während das erste Rezitativ aus BWV 190 zwei Zeilen aus dem Te Deum zitiert. So isoliert diese Fälle sind, so deutlich gehören sie an die Seite der Experimente mit Choralkombinationen.

Obwohl sich in den Arien nicht ebenso eindeutige Tendenzen wie in den Chorsätzen abzeichnen, bestätigte sich nicht nur der Zusammenhang zwischen Besetzung und Satzstruktur, der schon in den letzten Weimarer Werken zu beobachten war. Vielmehr zeigte sich, dass der Continuo-Satz, der in Weimar regelmäßig vertreten war, zunehmend an Bedeutung verlor. Zugleich traten ostinate Bassmodelle zurück, auf die nur im Magnificat nochmals zurückgegriffen wurde. Dagegen wuchs die Zahl der Sätze mit vollstimmigem Instrumentalpart, die eine weitere Unterscheidung erforderlich machten. Die Sätze mit konzertanter Violine oder Trompete hoben sich deutlich von den Arien mit Streichern ab, die zur Einbautechnik tendierten und im Sommer 1724 eine weitere Differenzierung erfuhren.

Dazwischen standen die Arien mit einem Soloinstrument, das entweder als kontrapunktische Gegenstimme oder als virtuose Umrahmung des Vokalparts eingesetzt wurde. Ihnen traten die Sätze mit zwei oder drei Instrumenten gegenüber, die nicht mehr in gleichem Ausmaß wie in Weimar zu kanonischen Verfahren tendierten, sondern zwischen imitierender oder paralleler Stimmführung vermittelten. Dagegen war der Charakter der Arien, die durch Tanzmodelle gekennzeichnet waren, nicht von der Besetzung abhängig. Gleichzeitig wurden die tänzerischen Modelle zunehmend stilisiert, bis sie nach der Jahreswende ihre prägende Bedeutung verloren. Weitere Sonderfälle waren die Arien senza basso und die Sätze, die sich durch ungewöhnliche klangliche oder strukturelle Konstellationen auszeichneten.

Während am Ende des Jahrgangs das Parodieverfahren in die Kirchenkantate einzog, wurden einzelne Sätze später in den sogenannten Lutherischen Messen verwendet. Die konzertanten Sätze BWV 136:1 (»Erforsche mich, Gott«) und BWV 40:1 (»Darzu ist erschienen«) dienten in den Messen als Vorlagen der Sätze »Cum Sancto Spiritu« (BWV 234:6 bzw. 233:6), während der motettische Satz BWV 179:1 (»Siehe zu, daß deine Gottesfurcht«) zum Kyrie der G-Dur-Messe BWV 236:1 umgearbeitet wurde. Der Kantate BWV 179 wurden zudem zwei Arien entnommen: Wurde Satz 5 (»Liebster Gott, erbarme dich«) im »Qui tollis« der A-Dur-Messe BWV 234:4 verwendet, so lag Satz 3 (»Falscher Heuchler Ebenbild«) dem »Quoniam« der G-Dur-Messe BWV 236:5 zugrunde. Während die Arie BWV 138:4 (»Auf Gott steht meine Zuversicht«) im »Gratias« der G-Dur-Messe BWV 236:4 verarbeitet wurde und die Binnenteile des Satzes 67:6 (»Friede sei mit euch«) zum »Et in terra« der A-Dur-Messe BWV 234:2 umgeformt wurden, wurde der erste Teil des Satzes »Schauet doch und sehet« (BWV 46:1) später in die h-Moll-Messe übernommen (BWV 232^I:9 »Qui tollis peccata mundi«).

*

Insgesamt bildet der erste Jahrgang keine so geschlossene Reihe wie der Zyklus der Choralkantaten (den Bach vorzeitig abbrechen musste und später zu ergänzen suchte). Er kann nur dann als annähernd vollständig gelten, wenn man die Parodien der Köthener Werke und die Rückgriffe auf die Weimarer Kantaten einbezieht. Es gibt zu denken, dass Bach – im Unterschied zu den Zeitgenossen – in seinem ersten Amtsjahr nicht rund 60, sondern nur 36 neue Werke schrieb. Dazu kamen zwar neben der Johannes-Passion die Werke mit lateinischen Texten, doch hatten andere Komponisten genauso viele Pflichten zu erfüllen. Da der dritte Jahrgang nur teilweise erhalten ist, kann lediglich der zweite Jahrgang als fast vollständig gelten. Das deutet darauf hin, daß Bach seine Werke in äußerst konzentrierter Arbeit komponierte, für die er immer wieder Zeit zu gewinnen suchte. Zieht man die Angaben des Nekrologs heran, so bleibt zwischen den fünf dort genannten Jahrgängen und der Zahl der erhaltenen Werke ein Widerspruch, der nicht leicht zu erklären ist.

Teil IV

**Erster Rückblick:
Die Johannes-Passion (1724/25)**

Dem Nekrolog zufolge hinterließ Bach »fünf Passionen, worunter eine zweychörige befindlich ist«.[1] Während die beiden Passionen nach Johannes und Matthäus vollständig erhalten sind, liegt für die Markus-Passion immerhin der Textdruck Picanders vor, der darauf schließen lässt, dass die Arien und Chöre des Werks weithin auf Parodien basierten. Die Frage nach dem Verbleib der zwei weiteren Werke hat zwar Anlass zu ausgedehnten Diskussionen gegeben, trägt aber wenig zum Verständnis der kompositorischen Maßnahmen bei, die in den erhaltenen Werken zu verfolgen sind. Anders stünde es, wenn eine frühere Passion nachweisbar wäre, die schon vor Bachs Wechsel nach Leipzig und dann wohl in seiner Weimarer Zeit entstanden wäre. Da sich aber die Argumente, auf die sich diese Hypothese stützen kann, zumeist auf Sätze beziehen, die in der zweiten Fassung der Johannes-Passion überliefert sind, lässt sich auf die Frage erst später zurückkommen.

In historischer Sicht repräsentieren Bachs Passionen den Typus der »oratorischen Passion«, in der der biblische Wortlaut beibehalten und durch Kirchenlieder und Arien mit gedichteten Texten ergänzt wird (während der Passionsbericht im »Passionsoratorium« umgedichtet wird). Trotz gleicher Voraussetzungen zeigen beide Werke tiefgreifende Differenzen, die von der Überlieferung über die Textvorlagen bis zu den kompositorischen Strukturen reichen. Gegenüber der Matthäus-Passion, deren Disposition die Zusammenarbeit zwischen dem Librettisten und dem Komponisten bekundet, wirkte die Johannes-Passion wie ein Konglomerat von Texten verschiedener Herkunft. Weil sie zudem in wechselnden Fassungen vorliegt, erschien sie gegenüber dem Hauptwerk als nicht ebenso vollkommene Lösung, deren Mängel durch die Zwänge in Bachs erstem Leipziger Amtsjahr bedingt seien.

1. Quellenlage und Textbasis

Für die komplizierte Quellenlage, die Alfred Dürr im Anschluss an Arthur Mendels Edition musterhaft zusammenfasste, mag hier eine knapp gefasste Übersicht genügen.[2]

---

1 Dok. III, S. 86. Die Angabe wurde von Forkel wiederholt, der unter den ihm vorliegenden Vokalwerken Bachs nur die Matthäus-Passion eigens nannte (»Eine zweychörige Passion. Der Text ist von Picander«) und die Johannes-Passion möglicherweise nicht mehr kannte, vgl. Forkel, a. a. O., S. 61 f.

2 Vgl. Alfred Dürr, Die Johannes-Passion von Johann Sebastian Bach. Entstehung, Überlieferung, Werkeinführung, Kassel und München 1988, S. 27–43, besonders S. 33–40; BG 12/1, hrsg. von Wilhelm Rust, Leipzig 1863; Arthur Mendel, Johannes-Passion, Kritischer Bericht, NBA II/4, Kassel u. a. und Leipzig 1974 (zitiert fortan: Mendel, KB). Eine Einführung, die weithin ohne historische und strukturelle Kriterien auskam, schrieb Martin Geck, Johann Sebastian Bach, Johannespassion BWV 245, München 1991 (Meisterwerke der Musik 55). Erst nach Abschluss dieses Textes erschien die Darstellung von Hans Darmstadt, Johann

A. Quellen: Staatsbibliothek zu Berlin Preußischer Kulturbesitz[3]

1. Partitur (P 28), 1739 ff.:
a) autograph S. 1–20 (bis Satz 20, Takt 42a)
b) Hauptkopist H (= Johann Nathanael Bammler) S. 21–92 (späte 1740er-Jahre)

2. Stimmen (St 111), 1724 a[4]

Datierung nach:	Rust (BGA 1863)	Dürr/Mendel (NBA 1973/74)
a) einfacher Stimmensatz	»älteste«	Fassung II 1725
b) Dubletten (Ripienstimmen S., A., T., B., V. I–II, Bc.)	»mittlere«	Fassung I 1724
c) Zusatzstimmen und Einlagen	»neuere«	später
d) Einlagen [in Stimmen a) und b)]		Fassung III 1728/32

Die Divergenzen der Datierung beruhten weniger auf der von Bach begonnenen Partitur, deren Hauptteil einem Kopisten überlassen wurde, als auf der Bewertung der Stimmen, in denen sich die wechselnden Fassungen spiegeln. Während Rust den einfachen Stimmensatz für die älteste und die Dubletten für eine mittlere Schicht hielt, erkannten Mendel und Dürr aufgrund der beteiligten Schreiber und verwendeten Papiere die umgekehrte Folge. Daraus ergeben sich die nachfolgend genannten Unterschiede in der Zuordnung der Sätze zu den Fassungen.[5]

B. Fassung I (7. April 1724, St. Nikolai)
Satzfolge analog Fassung IV (mit Satz 1 »Herr, unser Herrscher« und Satz 40 »Ach Herr, laß dein lieb Engelein«)

Sebastian Bach, Johannes-Passion BWV 245. Analysen und Anmerkungen zur Kompositionstechnik mit aufführungspraktischen und theologischen Notizen, Dortmund 2010 (Dortmunder Bach-Forschungen 10). Ohne eine systematische Frage zu verfolgen und die neuere Forschung zur Kenntnis zu nehmen, verbindet das Buch in der Reihenfolge der Sätze satztechnische Bemerkungen mit deutenden Kommentaren.

3 Vgl. dazu vor allem Mendel, KB S. 13–22. Auf Johann Nathanael Bammler als Hauptkopisten der Partitur machte mich freundlicherweise Peter Wollny aufmerksam, vgl. ders., Neue Bach-Funde, in: BJ 1997, S. 7–50, hier S. 47–49.

4 Vgl. KB, S. 24–30 (zu den originalen Stimmen), S. 36–48 (zu den Stimmen für Fassung II) sowie S. 48 f. und 49 ff. zu den Stimmen für die Fassungen III–IV). Hauptschreiber der Stimmensätze (in heutiger Anordnung):
I. 1724: Dubletten: Anonymus 1a, Johann Andreas Kuhnau und Christian Gottlob Meißner;
Ripienstimmen: S., A., T., B., V. I–II, Bc.: Johann Christian Köpping u. a.; Änderungen durch Streichungen, Rasuren, Deckblätter und Verweise.
II. 1725: Johann Andreas Kuhnau, Johann Heinrich Bach: S., A., T., B. concertante, Fl. I–II, Ob. I–II (teilweise), V. I–II, Va., Bc.; Änderungen nach 1725 (zu den Fassungen III–IV).
III. Einlagen um und nach 1729 (meist von Johann Sebastian Bach).
IV. Stimmen und Einlagen von Johann Sebastian Bach, Johann Christoph Friedrich Bach und Hauptkopist H.

5 Mendel, a. a. O., S. 67–72 (»Allgemeines zur Chronologie«).

Fassung II (30. März 1725, St. Thomae)
a) Satz 1^{II} Chor »O Mensch, bewein dein Sünde groß«, Es-Dur (statt »Herr, unser Herrscher«)
b) Satz 11$^+$ Arie »Himmel, reiße, Welt, erbebe« (dazu »Jesu, deine Passion«)
c) Satz 13^{II} Arie »Zerschmettert mich« (statt »Ach, mein Sinn«)
d) Satz 19^{II} »Ach, windet euch nicht so« statt Satz 19–20 (»Betrachte, meine Seel« – »Erwäge, wie sein blutgefärbter Rücken«)
e) Satz 40^{II} Choral »Christe, du Lamm Gottes« (aus BWV 23, 1723) (statt »Ach Herr, laß dein lieb Engelein«)

Fassung III (11. April 1732, St. Nikolai)[6]
a) Satz 1 »Herr, unser Herrscher« (statt »O Mensch, bewein dein Sünde groß«)
b) Sätze 12c und 33: Matthäus-Interpolationen eliminiert (»und weinete bitterlich« bzw. »Und siehe da«)
c) daher Sätze 13 und 34–35 ersetzt durch verschollene Arie (Satz 13) und verschollene Sinfonia (Satz 33^{III})
d) Abschluss mit Satz 39 »Ruht wohl« (ohne Choral »Ach Herr, laß dein lieb Engelein«)

Fassung IV (4. April 1749, St. Nikolai)
Änderungen der Fassungen II und III rückgängig gemacht, Satzfolge wie in Fassung I, jedoch mit Textänderungen (in den Sätzen 9, 19, 20 und 39)

Kehrte Bach also bei der letzten Aufführung zur Satzfolge der ersten Fassung zurück, so nahm er für die zweite Fassung, die innerhalb des Jahrgangs der Choralkantaten stattfand, eingreifende Änderungen vor, die in der dritten Aufführung größtenteils rückgängig gemacht wurden. Bevor auf diese Differenzen eingegangen werden kann, sei die Textbasis des Werkes skizziert. Im Zentrum steht der Passionsbericht nach Kapitel 18–19 des Johannes-Evangeliums. Er wird einerseits durch Choralstrophen und andererseits durch Arien und Ariosi zu gedichteten Texten ergänzt, deren Vorlagen sich wie folgt zusammenfassen lassen:[7]

I. **nach Barthold Hinrich Brockes** (1680–1747), *Der für die Sünde der Welt Gemarterte und Sterbende Jesus*, Hamburg 1712, ^{2}1713 (vertont von Reinhard Keiser 1712, Georg Philipp Telemann 1716, Georg Friedrich Händel 1716 und Johann Mattheson 1718)
    7. Von den Stricken meiner Sünden
    19. Betrachte, meine Seel
    20. Erwäge, wie sein blutgefärbter Rücken
    24. Eilt, ihr angefochtnen Seelen
    32. Mein teurer Heiland, laß dich fragen
    35. Zerfließe, mein Herze, in Fluten der Zähren
    39. Ruht wohl, ihr heiligen Gebeine

---

6   Das Datum folgt der Neuausgabe des BWV, während Dürr in seiner Monographie die Datierung »um 1730« nannte (wie Anm. 2, S. 20).
7   Bei Mendel, KB, S. 162–172, lässt sich der Wortlaut der Vorlagen mit dem ihrer Umformung vergleichen.

II. nach Christian Heinrich Postel (1658–1705), Abdruck bei Christian Friedrich Hunold (1681–1721), *Der Blutige und Sterbende Jesus*, Hamburg 1704 (Arien vertont von Händel [?] und Mattheson, 1723)
22. Durch dein Gefängnis, Gottes Sohn (hier als Aria, bei Bach als Choral)
30 Es ist vollbracht

III. nach Christian Weise (1642–1708), *Anleitung zur Dicht- und Redekunst*, 1675
20. Ach, mein Sinn, wo wollt du endlich hin
(Textierung einer verschollenen Intrada von Sebastian Knüpfer)

IV. teilweise unbekannt
1. Herr, unser Herrscher (nach Psalm 8:2 und 10 mit freier Ergänzung)

V. Herkunft unbekannt
9. Ich folge dir gleichfalls mit freudigen Schritten
sowie die Einlage-Arien zur Fassung II, 1726:
11[+] Himmel, reiße, Welt, erbebe
13[II] Zerschmettert mich, ihr Felsen und ihr Hügel
19[II] Ach, windet euch nicht so, geplagte Seelen

Die Texte wurden nicht im ursprünglichen Wortlaut übernommen, sondern fast durchweg – und teilweise entscheidend – umgeformt. Will man nicht annehmen, Bach selbst habe die Umdichtung vorgenommen, so müsste ihm bereits im ersten Leipziger Amtsjahr ein kompetenter Textautor zur Seite gestanden haben, der dann auch an der gesamten Planung beteiligt gewesen könnte sein.

Philipp Spitta hatte sich – mit manchen Modifikationen – der Sicht Wilhelm Rusts angeschlossen, der in der alten Bach-Gesamtausgabe die Stimmen als »älteste« Quellenschicht mit der Erstaufführung verband, während sie nach heutiger Kenntnis erst für die zweite Aufführung angefertigt wurden.[8] Dagegen vermutete Spitta, Bach habe mit dem baldigen Ruf nach Leipzig gerechnet und deshalb das Werk bereits 1723 in Köthen geschrieben, aber infolge der verzögerten Berufung erst im nächsten Jahr aufführen können. »Wollte der Componist recht zeitig fertig sein, so war Eile nöthig«, die auch die mehrfache Verwendung mancher Turbae erkläre.[9] Zudem hielt Spitta die drei Arien, die in der zweiten Fassung die ursprünglichen Sätze vertraten, für Bestandteile einer ersten Fassung, die ihre definitive Gestalt erst später gefunden habe. »Die zahlreichen Veränderungen, denen er [Bach] das Werk immer wieder unterzog, bekunden, daß es ihm selbst nicht genügen wollte.«[10] Der nachträgliche Austausch von Sätzen, dazu das wiederholte Vorkommen einiger Turbae und schließlich die Feststellung, dass die freien Texte auf unterschiedliche Vorlagen zurückgehen – all das veranlasste Spitta zu dem Urteil, die Johannes-Passion

---

8   Spitta II, S. 348–367, besonders S. 348 ff. und 353 ff.
9   Ebd., S. 348.
10   Ebd., S. 354.

stehe hinter der nach Matthäus »an Lebendigkeit und Mannigfaltigkeit« zurück: »Ihr hoher, bleibender Werth liegt nicht in der Gesammtgestaltung. Als Ganzes hat sie etwas trüb-einförmiges und nahezu verschwommenes«.[11]

2. Symmetrie oder Drama?

Die Einwände und Bedenken, die Spitta formuliert hatte, haben nicht nur die Geltung des Werkes geschmälert, sondern die wissenschaftliche Diskussion selbst dort bestimmt, wo eine Gegenposition begründet werden sollte. Das gilt zumal für die Studien Friedrich Smends[12], die sich auf die Anordnung der Sätze richteten, um die von Spitta und Schweitzer geäußerten Zweifel auszuräumen.[13]

(26b) 16e Rezitativ *Da ging Pilatus zu ihnen heraus*

(27) 17 **Choral** *Ach großer König*

(28) 18a Rezitativ *Da sprach Pilatus zu ihm*

(29) 18b Turba *Nicht diesen, sondern Barrabam*

(30) 18c Rezitativ *Barrabas aber war ein Mörder*

(31) 19 **Arioso** *Betrachte, meine Seel*

(32) 20 **Arie** *Erwäge, wie sein blutgefärbter Rücken*

(33) 21a Rezitativ *Und die Kriegsknechte flochten eine Krone*

(34) 21b Turba *Sei gegrüßet, lieber Judenkönig*

(35) 21c Rezitativ *Und gaben ihm Backenstreiche*

(36) 21d Turba *Kreuzige, kreuzige*

(37) 21e Rezitativ *Pilatus sprach zu ihnen*

(38) 21f Turba *Wir haben ein Gesetz*

(39) 21g Rezitativ *Da Pilatus das Wort hörete*

(40) 22 **Choral** *Durch dein Gefängnis, Gottes Sohn*

(41) 23a Rezitativ *Die Juden aber schrien*

(42) 23b Turba *Lässest du diesen los*

(43) 23c Rezitativ *Da Pilatus das Wort hörete*

(44) 23d Turba *Weg, weg mit dem! Kreuzige ihn!*

(45) 23e Rezitativ *Spricht Pilatus zu ihnen*

(46) 23f Turba *Wir haben keinen König*

(47) 23g Rezitativ *Da überantwortete er ihn*

(48) 24 **Arie (mit Chor)** *Eilt, ihr angefochtnen Seelen*

(49) 25a Rezitativ *Allda kreuzigten sie ihn*

(50) 25b Turba *Schreibe nicht: der Juden König*

(51) 25c Rezitativ *Pilatus antwortet*

(52) 26 **Choral** *In meines Herzens Grunde*

(53) 27a Rezitativ *Die Kriegsknechte aber*

---

11   Ebd., S. 356.

12   Friedrich Smend, Die Johannes-Passion von Bach. Auf ihren Bau untersucht, in: BJ 23, 1926, S. 105–128 (auch in ders., Bach-Studien. Gesammelte Reden und Aufsätze, hrsg. von Christoph Wolff, Kassel u. a. 1969, S. 11–23). Smend ging von dem Urteil in der französischen Erstausgabe aus, vgl. BJ 1926, S. 106, sowie Albert Schweitzer, J. S. Bach, Paris ³1913, S. 253.

13   Der heute geltenden Satzzählung wird in Klammern die von Smend verwendete Zählung vorangestellt.

Bei den Turbae setzte auch Smend in der Absicht an, an ihrer Position eine Symmetrie der Satzfolge nachzuweisen, die überdies die Arien und Choräle erfasse.[14] In den Sätzen 16e bis 27a, dem »Herzstück« des ganzen Werks, schließe sie sogar die Rezitative des Evangelisten ein und finde ihr Zentrum in dem Choral »Durch dein Gefängnis, Gottes Sohn« (Satz 22). Das »Herzstück« werde von zwei »Rahmenstücken« eingefasst, in deren Symmetrie zwar nicht die Rezitative, wohl aber die Turbae, Arien und Choräle einbezogen seien.[15] Dass sich Satz 22 als »Mittelpunkt des ganzen Werkes« erweise, sei theologisch durch das »Glück« begründet, »sich durch Jesu Bande von den eigenen Banden befreit zu wissen«. Steige die »Handlung« bis dahin an, so falle sie nach diesem »Höhepunkt« ab.[16]

Auf den ersten Blick besticht Smends Schema durch eine Symmetrie, die von Satz 26b bis Satz 53a (nach traditioneller Zählung) reicht und damit einen wesentlichen Teil des Werkes erfasst. Während in den Außengliedern (Nr. 26b–28 und 51–53a) jeweils ein Choralsatz von zwei Rezitativen umrahmt wird, werden im »Herzstück«, in dessen Mitte der Choral Nr. 40 steht, eine Arie mit Arioso und eine Arie (mit Chor) von je zwei Rezitativen umgeben. Zudem werden Beginn und Ende des »Herzstücks« durch Turbae markiert, während Turbae und Rezitative sonst regelmäßig wechseln. Das Gerüst der Symmetrie bilden die acht Turbae, die in dieser Sicht wiederum symmetrisch angeordnet sind.

Die drei Choräle, die in den Außenteilen und im Zentrum stehen, haben freilich kaum gleiches Gewicht wie das genannte Arienpaar. Und sehr verschiedenes Format haben auch die scheinbar symmetrisch angeordneten Rezitative, die teilweise – wiewohl nicht immer – dialogische Partien einschließen. Fraglich bleibt ferner, wieweit von Symmetrie zu reden ist, wenn einem aus Arioso und Arie bestehenden Satzpaar (Nr. 31–32) eine einzelne Arie mit Chor (Nr. 48) gegenübergestellt wird. Ebenso willkürlich wie der Beginn der postulierten Symmetrie erscheint – auch unter den Bedingungen der alten Zählung – ihr angenommener Endpunkt. Setzt sie in Takt 7 des Rezitativs Nr. 26b mitten in einem Satz ein, so soll sie im Rezitativ Nr. 53a enden, obwohl die alte Zählung nur einen zusammenhängenden Satz 53 kennt. Dem Einwand, eine Symmetrie, die nicht hörbar sei, bleibe abstrakt, wäre entgegenzuhalten, dass Hörbarkeit kein taugliches Argument für die Triftigkeit einer intendierten Ordnung ist. Zweifelhafter ist die Basis der Satzzählung, die Smend zugrunde legte. Die symmetrischen Verhältnisse, die er postulierte, setzten die Zählung der alten Bach-Gesamtausgabe voraus, in der die Turbae von den zugehörigen Rezitativen getrennt und als gesonderte Sätze bezeichnet wurden. Die Einsicht, dass dabei Teilsätze getrennt wurden, die sprachlich und kompositorisch zusammengehören und in den Quellen ohne Trennungsstriche notiert sind, veranlasste die heute geltende Zählung, die statt einzelner Sätze zusammengehörige Satzkomplexe unterscheidet. Akzeptiert man sie als eine Basis, die dem Bericht des Evangeliums und zugleich der Notierung Bachs angemessen ist, so vermehrt sich das Gewicht der Einwände. Wie Smends Konstruktion mitten in solchen Komplexen beginnt oder endet, so rechnet sie mit Entsprechungen

---

14   Zu den Turbae vgl. Smend, a. a. O., S. 107–112, zum »Herzstück« ebd., S. 113 f. sowie 126.

15   Ebd., S. 114 f. und die Übersichten S. 127 f.

16   Ebd., S. 120 f.

zwischen Sätzen, die Bestandteile größerer Satzkomplexe bilden. Zwar ließe sich einwenden, Bach könne lediglich den Wechsel von Rezitativen, Chören und Arien im Sinn gehabt haben. Der Einwand beruht jedoch auf einer Interpretation, die insofern spekulativ ist, als sie dem Komponisten eine Absicht unterstellt, ohne sich auf weitere Zeugnisse zu stützen. Denn es ist schwer vorstellbar, dass Bach eine Ordnung beabsichtigt hätte, die in der Partitur keinen Niederschlag gefunden hätte.

Obwohl sich Smend nur an der Folge der Sätze orientierte, ohne auf ihre Struktur einzugehen, fand seine Sicht weite Resonanz. Nachdem sie frühere Studien zur Tonartenfolge des Werkes veranlasst hatte,[17] wirkte sie noch in einem Beitrag von Eric Chafe nach.[18] Gestützt auf theoretische Äußerungen von Johann Kuhnau (1710) und Georg Muffat (1699), beschränkte sich Chafe auf die Zuordnung der Sätze zu tonalen Bereichen, die entweder ohne Vorzeichen notiert oder durch Kreuz- bzw. ♭-Vorzeichnung gekennzeichnet seien.[19] Auf diese Weise erreichte er eine Gliederung in neun Segmente mit einer symmetrischen Satzfolge, die der heute geltenden Satzzählung folgte. Im Unterschied zu Smend umfasste sie das gesamte Werk, war aber zugleich dazu geeignet, die These vom »Herzstück« erneut zu stützen.[20]

Nr. 1–10	10–14	15–18c	19–21 f	21g–23g	24–27a	27b–27c	27c–34	35–40
♭	#	ohne	♭	#	♭	ohne	#	♭
1	2	3	4	5	6	7	8	9
			(Herzstück nach Smend)					

Im »Herzstück« (vom Satzpaar Nr. 19–20 bis zum Rezitativ Nr. 27a) wäre demnach das Zentrum mit Kreuzvorzeichnung zu sehen, das von zwei Gruppen mit ♭-Vorzeichnung umrahmt sei, die ihrerseits spiegelbildlich von Satzgruppen ohne Vorzeichnung sowie mit Kreuz- bzw. ♭-Vorzeichnung flankiert seien. Doch sind dabei mehrfache Unstimmigkeiten in Kauf zu nehmen. Dürrs Einwand, die Sätze 16b und 18b stünden faktisch in d-Moll und seien nur aus Konvention »dorisch« ohne Vorzeichen notiert, wäre unter Chafes Prämissen partiell zu relativieren.[21] Das dürfte auch für Dürrs Bedenken gegen die »formalistische Interpretation des Tonartenverlaufs« gelten, in der »die natürlichen Verwandtschaftsgrade ignoriert« würden. Allerdings

17 Vgl. Hans Joachim Moser, Zum Bau von Bachs Johannespassion, in: BJ 1932, S. 255–157, sowie Dieter Weiss, Zur Tonartengliederung in J. S. Bachs Johannes-Passion, in: Musik und Kirche 40, 1970, S. 33; vgl. auch Dürr, a. a. O., S. 114 ff.
18 Eric Chafe, Key Structure and Tonal Allegory in the Passions of J. S. Bach: An Introduction, in: Current Musicology 31, 1981, S. 39–54, hier S. 55. Vgl. ders., The St John Passion: Theology and Musical Structure, in: Bach Studies, hrsg. von Don O. Franklin, Cambridge 1989, S. 75–112. Vgl. auch ders., J. S. Bach's St Matthew Passion: Aspects of Planning, Structure, and Chronology, in: JAMS 35, 1982, S. 49–114. (Die Aufsätze werden fortan mit Autornamen und Jahreszahl ihres Erscheinens zitiert.)
19 Den theoretischen Hintergrund entfaltete Chafe erst in späteren Arbeiten, vgl. ders., Aspects of durus / mollis Shift and the Two-system Framework in Monteverdi's Music, in: Schütz-Jahrbuch 12, 1990, S. 171–206, hier S. 173 ff.; vgl. ferner ders., Monteverdi's Tonal Language, New York 1992.
20 Vgl. Chafe 1981, S. 41–48 und besonders die Übersichten S. 42 und 47. Seine Argumentation ergänzte Chafe später um weitere theologische Aspekte, vgl. Chafe 1989, besonders S. 89 ff. und 95 ff.
21 Vgl. hierzu und weiterhin Dürr, S. 117.

fragt sich, wieweit man in einer Zeit, in der sich bei Heinichen und Mattheson das spätere Verständnis der Tonarten durchsetzte, die traditionelle Denkweise voraussetzen kann, die für die Komponisten früherer Generationen galt. Zu Recht wies Dürr aber darauf hin, dass das »Herzstück« nach Smend »nicht erst bei Satz 19« beginne, »sondern in Satz 16e (T. 63)«, womit sich die von Chafe postulierten Bereiche überschneiden. Auffällig ist ferner, dass die Segmente nach Zahl und Umfang der Sätze höchst ungleiches Gewicht haben. So umfasst das erste Segment neben dem Eingangschor je zwei Arien, Turbae und Choräle, während das zweite nur eine Arie und drei Choräle enthält.[22] Dasselbe gilt für das Verhältnis der Segmente, die Chafe in symmetrischer Folge ordnen wollte. Am klarsten wird das am Verhältnis der das »Herzstück« umrahmenden Segmente. Wird das dritte, das neben zwei Chorälen drei Turbae und fünf rezitativische Abschnitte umfasst, dem siebten mit nur einer Turba und einem Rezitativ gegenübergestellt, so ergeben sich Verhältnisse, »die eine Symmetrie nur auf dem Papier vorspiegeln«.[23] Dass sich Chafes Gliederung im Anschluss an Smend über die zusammenhängenden Komplexe hinwegsetzt, die durch die Komposition vorgegeben sind, muss kaum noch gesagt werden.[24]

3. System der Turbae

Die Debatten über die Symmetrieverhältnisse richteten sich weniger auf die Anlage und Faktur der Sätze als auf die Texte und ihren theologischen Gehalt. So war es 1985 einem grundlegenden Beitrag von Werner Breig vorbehalten, erstmals die Struktur der Turbae unter Einschluss ihrer Entsprechungen und Differenzen genauer zu prüfen.[25]

Demnach basieren die Sätze 2b und 2d sowie 18b und 23f auf einem analogen Bassmodell, das durch die Figuration der instrumentalen Oberstimmen ausgefüllt wird, während der eingefügte Vokalpart dem Text entsprechend differenziert wird.[26] Ferner finden sich drei Paare von Turbae, »die durch weitgehend gleiche musikalische Substanz miteinander verknüpft sind« (Sätze 21b und 25b, 21d und 23d sowie 21f und 23b).[27] Komplizierter verhält es sich mit Satz 16d »Wir dürfen niemand töten«, der sich sowohl auf Satz 16b »Wäre dieser nicht ein Übeltäter« als auch auf den vierfach verwendeten Modellsatz bezieht. Außerhalb dieses Bezugssystems blei-

---

22 Wechselhaft verhält es sich auch mit der Abgrenzung der Segmente. Einerseits wird das Rezitativ Nr. 21c, das in a-Moll beginnt und endet, zum siebten wie auch zum achten Segment gezählt (ähnlich auch das von g-Moll nach E-Dur modulierende Rezitativ Nr. 10 zum ersten und zum zweiten Segment). Andererseits wird der Zusammenhang des Arioso Nr. 34 und der Arie Nr. 35 durch ihre Verteilung auf die letzten Segmente gekreuzt.

23 Dürr, S. 117.

24 Vgl. dazu Konrad Küster, Text und Musik in der Gesamtform von Bachs Johannes-Passion, in: J. S. Bach, Schaffenskonzeption – Werkidee – Textbezug. Konferenzbericht Leipzig 1989 (Beiträge zur Bachforschung 9–10), hrsg. von Andreas Glöckner u. a., Leipzig 1991, S. 20–28.

25 Werner Breig, Zu den Turba-Chören von Bachs Johannes-Passion, in: Geistliche Musik. Studien zu ihrer Geschichte und Funktion im 18. und 19. Jahrhundert (Hamburger Jahrbuch für Musikwissenschaft 8), Laaber 1985, S. 65–96.

26 Ebd., S. 69–74.

27 Ebd., S. 74–80.

ben nur die beiden Chöre 12b »Bist du nicht seiner Jünger einer?« und 27b »Lasset uns den nicht zerteilen«, die als Worte der Diener und der Kriegsknechte außerhalb des christologisch zentrierten Verlaufs stehen.[28]

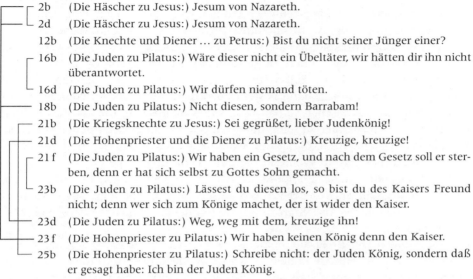

2b (Die Häscher zu Jesus:) Jesum von Nazareth.
2d (Die Häscher zu Jesus:) Jesum von Nazareth.
12b (Die Knechte und Diener ... zu Petrus:) Bist du nicht seiner Jünger einer?
16b (Die Juden zu Pilatus:) Wäre dieser nicht ein Übeltäter, wir hätten dir ihn nicht überantwortet.
16d (Die Juden zu Pilatus:) Wir dürfen niemand töten.
18b (Die Juden zu Pilatus:) Nicht diesen, sondern Barrabam!
21b (Die Kriegsknechte zu Jesus:) Sei gegrüßet, lieber Judenkönig!
21d (Die Hohenpriester und die Diener zu Pilatus:) Kreuzige, kreuzige!
21f (Die Juden zu Pilatus:) Wir haben ein Gesetz, und nach dem Gesetz soll er sterben, denn er hat sich selbst zu Gottes Sohn gemacht.
23b (Die Juden zu Pilatus:) Lässest du diesen los, so bist du des Kaisers Freund nicht; denn wer sich zum Könige machet, der ist wider den Kaiser.
23d (Die Juden zu Pilatus:) Weg, weg mit dem, kreuzige ihn!
23f (Die Hohenpriester zu Pilatus:) Wir haben keinen König denn den Kaiser.
25b (Die Hohenpriester zu Pilatus:) Schreibe nicht: der Juden König, sondern daß er gesagt habe: Ich bin der Juden König.
27b (Die Kriegsknechte untereinander:) Lasset uns den nicht zerteilen, sondern darum losen, wes er sein soll.

Stellt man der Abfolge der Turbae ihre Korrespondenzen gegenüber, so wird eine symmetrische Ordnung erkennbar, die jedoch zu der von Smend und Chafe postulierten Symmetrie quersteht. Denn Satz 22 »Durch dein Gefängnis«, der in Smends »Herzstück« die Mitte bildete, erscheint in der Reihe der Turbae erst nach der Mittelachse. In der Anordnung von Chafe bildet dieser Choral nicht die Mitte, sondern den zweiten Satz des mittleren Segments. Dennoch sah Breig in Chafes neunteiliger Gliederung insgesamt eine »taugliche Abbreviatur für die realen Verhältnisse«.[29] Zwar wies er darauf hin, dass »die Systeme ›Tonartensegmente‹ und ›Turba-Symmetrie‹ exzentrisch zueinander« stehen, ohne dass die »Mittelpunkte beider Systeme zusammenfallen«.[30] Doch ließ er die von Smend und Chafe vertretene These der »Herzstück-Symmetrie« gelten: »Tonartendisposition und Turba-Korrespondenzen stehen also gleichsam kontrapunktisch zueinander. [...] Die eine Art der Kommentierung führt zur Gliederung in Werksegmente, die andere zur Heraushebung und weiträumigen Zusammenfassung markanter Einzelstationen. Und gerade die Verschiedenheit der Kommentare erweist, daß das textgebundene Formfundament in keiner speziellen musikalischen Überformung aufgeht«.[31] Die »symmetrische

---

28 Ebd., S. 80–85.
29 Ebd., S. 91.
30 Ebd., S. 93.
31 Ebd., S. 94. Breigs Übersicht über die Korrespondenzen der Turbae zeigt, dass vor Satz 22 neun Turbae stehen, während ihm nur fünf folgen, sodass von keiner Symmetrie zu reden ist. Noch deutlicher werden die Differenzen in einer Übersicht, die neben den Chorpaaren die Tonartverhältnisse erfasst, vgl. ebd., S. 68 und 93.

Anordnung« der Turbae sei zwar »ein nicht unwesentliches Teilmoment«, doch wäre es »eine unangemessene Sichtverengung«, in ihr den »einzigen Sinn der Korrespondenzbildungen« zu sehen.[32]

Einen Schritt weiter ging Dürr mit der Frage, ob Bach überhaupt »ein musikalisch determiniertes Ordnungsgefüge« intendiert habe, das »unabhängig vom Hörer existieren oder vom Hörer wahrgenommen werden soll«.[33] Smends Suche nach verdeckten Ordnungsprinzipien wurde durch das skeptische Urteil Spittas veranlasst, das seinerseits durch die frühere Bewertung der Quellen bedingt war. Wenn aber nach heutiger Kenntnis der Makel entfällt, das Werk habe erst nachträglich seine definitive Form gewonnen, dann besteht auch nicht mehr der gleiche Bedarf zur Konstruktion symmetrischer Verhältnisse. Wieweit man sie für konstitutiv hält, scheint eine Glaubensfrage zu sein. Anders jedoch verhält es sich mit den von Breig belegten Korrespondenzen, die in der Struktur der Sätze gründen und auf Bachs Disposition zurückweisen. Während die eine Sicht eine Frage der Interpretation bleibt, ist die andere in der Komposition selbst begründet. Welche Perspektive man für glaubhafter hält, muss jeder für sich entscheiden. Unabhängig davon sollte es möglich sein, nach den Verfahren zu fragen, mit denen Bach sein erstes zyklisches Projekt bewältigte.

Die Studien von Breig, die erstmals die konstruktiven Prinzipien der Turbae einsichtig machen konnten, brauchen hier nicht wiederholt zu werden. Ergänzend ist nur darauf hinzuweisen, dass die Quintschrittsequenzen in Sätzen, die dem sogenannten »Viertaktmodell« verpflichtet sind, mit dem figurierenden Instrumentalpart verbunden werden, sodass sie das Fundament des Choreinbaus bilden (vgl. 2b, 2d, 18b und 23f). Das ist nicht nur bei der Erweiterung dieses Modells der Fall (in 16d), sondern auch in anderen Sätzen, die bei anderem Material auf abschließende Quintketten zulaufen (in 21b und 25b). In nuce bilden diese Sätze die Quintessenz des Arbeitsstadiums, das Bach im ersten Jahrgang erreicht hatte und in den Kantaten nach Ostern fortführte. Das betrifft partiell auch die komplizierte Kreuzung in Satz 16d (»Wir dürfen niemand töten«), nicht in gleichem Maß aber die primär kontrapunktisch geprägten Satzpaare. Während in den Sätzen, denen die Rufe »Kreuzige« gemeinsam sind (21d und 23d), die figurierenden Instrumente eine zusätzliche Schicht bilden, werden sie in dem vom Worte »Judenkönig« bestimmten Satzpaar (21b und 25b) colla parte eingesetzt.[34] Das gilt ähnlich für die fugierten Turbae 21f »Wir haben ein Gesetz« und 23b »Lässest du diesen los«, denen die Paarung der Themen und Kontrasubjekte gemeinsam ist.[35]

Wie variabel dabei verfahren wird, zeigen exemplarisch die beiden Sätze 12b und 27b, die aus dem System der Turbae herausfallen und bei Breig deshalb außer Betracht blieben. Dass sie am Rande des Geschehens stehen, bedeutet nicht, dass sie weniger konzentriert gearbeitet sind. Gemeinsam ist ihnen neben der hellen Tönung in Dur auch die straffe, fast spielerische Rhythmik, die vom Kontext der Passion so

---

32 Ebd., S. 91.

33 Dürr, a. a. O., S. 119; vgl. auch die abwägenden Gedanken ebd., S. 118–123.

34 Breig, S. 74 ff.

35 Ebd., S. 78 ff.

Notenbeispiel 1

wenig zu wissen scheint wie die Worte der Diener und Kriegsknechte. Der knappen Frage in Satz 12b »Bist du nicht seiner Jünger einer?« entspricht ein Thema, dessen syllabische Textierung auf dem Wechsel von Tonika und Dominante basiert. Den Achteln und Vierteln, die im ersten Takt die Dominante umkreisen, stehen im zweiten vier Viertel gegenüber, die von der Dominante aus die Tonika erreichen und nach Quintfall die Frage des Textes mit einem Sextsprung aufwärts artikulieren. Obwohl der Satz in E-Dur beginnt und endet, erweist sich A-Dur als tonales Zentrum, das um je eine Quinte ab- und aufwärts erweitert wird. Dass das zweitaktige Thema in 17 Takten elfmal erscheinen kann, wird durch seine mehrfache Engführung erreicht (Notenbeispiel 1). Die ersten fünf Einsätze im Bass, Tenor (zweimal), Alt und Sopran (T. 1–6) wechseln zwischen E- und A-Dur, weisen aber bereits die ersten Varianten auf. Der zusätzliche Einsatz des Tenors wird im Kopf- und im Kadenzglied verändert und vom Bass so imitiert, dass sich eine kurze Quintkette ergibt (T. 4–7). Während die weiteren Einsätze durch eine Stimme in Terzabstand ergänzt werden, wird der Sextsprung, auf den das Thema anfangs zielte, im Tenor durch eine übermäßige Quinte ersetzt und zugleich in Engführung mit einem Basseinsatz gepaart (T. 10–17). Wird danach auf die erste Themenvariante zurückgegriffen (T. 13–14), so kehren die letzten Einsätze der Außenstimmen wieder zur Grundform des Themas zurück. Seine schlagende Wirkung verdankt der Satz den Gegenstimmen, die durch ihre Einwürfe das Initium vervielfachen und damit der Frage »Bist du nicht« ihren drängenden Charakter geben.

Davon unterscheidet sich der Chor der Kriegsknechte (Satz 27b), der mit 55 Takten ungewöhnlich umfangreich ist. Den beiden Textgliedern entsprechen zwei deutlich verschiedene Motive. Während die Tonrepetitionen der ersten beiden Takte durch eine synkopische Wendung ergänzt werden (»Lasset uns den nicht zerteilen«, s. Notenbeispiel 2), wird das steigende Melisma der Fortsetzung mit breiten Vierteln gepaart (»sondern darum losen, wes er sein soll«). Die beiden Textglieder, die hier als

Notenbeispiel 2

326 Teil IV · Erster Rückblick: Die Johannes-Passion (1724/25)

A und B bezeichnet werden, lösen sich mehrfach wechselseitig ab. Die Einsätze des Themas (A) beanspruchen bei eintaktigem Abstand je vier Takte und kreisen anfangs um Tonika und Dominante, um später in Quintschrittsequenzen angeordnet zu werden. Dagegen wirkt die zweite Gruppe (B) zunächst nur wie ein Einschub, doch wird sie danach erweitert, sodass sie schließlich den Umfang der Kerngruppe (A) übertrifft, bis beide Themen zweimal kombiniert und in einer knappen Coda gerafft werden.

A^1	B^1	A^2	B^2	A^3	B^3	A^4	$A^5 + B^4$	A^6	$A^7 + B^5$	Coda
1–5	5–7	8–12	12–15	15–19	19–23	23–28	29–39	39–43	43–48	49–55

Das Schema kann freilich nicht wiedergeben, dass die beiden Gruppen von vornherein miteinander verzahnt werden. Während die Gruppe B bereits im zweiten Takt des jeweils vierten Themeneinsatzes beginnt, werden beide Motive mit der sequenzierten Sechzehntelfigur zum Wort »losen« gepaart, die zunächst als verbindendes Kontrasubjekt dient. Sie verdrängt schließlich die prägnanten Viertel (»wes er sein soll«), die ohnehin eher rhythmisch als intervallisch definiert sind. Überdies wird die Deklamation dadurch verschärft, dass die erste Achtelnote des Initiums durch eine Sechzehntel ersetzt wird.

4. Bericht und Rede

Bildet demnach das System der Turbae das Gerüst der Disposition, so verweist es zugleich darauf, dass dem Evangelientext in der Johannes-Passion eine tragende Funktion zufällt, weil die Zahl der gedichteten Texte deutlich geringer ist als im Schwesterwerk nach Matthäus. Da sich der Bericht mit »dem für Bach charakteristischen Secco-Rezitativstil« begnügt, ohne die Worte Christi durch Streichersatz abzuheben, konnte Dürr von der »rezitativischen Schlichtheit« des Werkes sprechen.[36] Was dabei als Einschränkung erscheint, wird jedoch durch andere Maßnahmen wettgemacht. Zwar folgt die Textgliederung in der Regel der Verseinteilung des Evangeliums, doch kann von ihr ausnahmsweise abgewichen werden, wenn andere Texte an entsprechende Schlüsselworte anschließen.

1. Um die Interpolation der Arie Satz 9 »Ich folge dir gleichfalls« sinnfällig zu machen, wird im vorangehenden Rezitativ Satz 8 der Halbvers Joh. 18:15a (»Simon Petrus aber folgete Jesum nach und ein ander Jünger«) von der zugehörigen Fortsetzung in Vers 15b abgetrennt, die erst in Satz 10 folgt (»Derselbige Jünger war dem Hohenpriester bekannt …«).
2. Der Anschluss der Sätze 19–20 (»Betrachte, meine Seel« – »Erwäge, wie sein blutgefärbter Rücken«) war offenbar der Anlass, den letzten Vers aus Joh. 18 im Rezitativ 18c (»Barrabas aber war ein Mörder«) mit einem Vorgriff auf den ersten Vers aus Kapitel 19 zu koppeln (»Da nahm Pilatus Jesum und geißelte ihn«),

[36] Dürr, a. a. O., S. 72.

dessen weitere Worte erst in Satz 21a folgen (»Und die Kriegsknechte flochten eine Krone von Dornen«).

3. Im Rezitativ 27 werden die Worte aus Joh. 19:26 (»Da nun Jesus seine Mutter sahe«) mit dem anschließenden Vers 27a verbunden (»Darnach spricht er zu dem Jünger«) und damit vom zweiten Halbvers getrennt (»Und von Stund an nahm sie der Jünger zu sich«). Den Anlass gab hier offenbar die Einfügung des Chorals Satz 28 »Er nahm alles wohl in acht«.

4. In Satz 29 wird der erste Halbvers aus Joh. 19:30 abgetrennt, um an die Worte »Es ist vollbracht« die Arie Satz 30 anzuschließen (»Es ist vollbracht«); die Ergänzung des restlichen Bibelverses folgt danach in dem kurzen Rezitativ Satz 31 (»Und neigte das Haupt und verschied«), an das sich die Arie Satz 32 anschließt (»Mein teurer Heiland, laß dich fragen«).
Ähnliche Erwägungen sind auch für die Disposition der Einschübe aus dem Matthäus-Evangelium maßgeblich.

5. Die Arie Satz 13 (»Ach, mein Sinn«) setzt die Erweiterung des vorangehenden Rezitativs (Satz 12c) um Mt. 26:75e voraus (»Da gedachte Simon Petrus an die Worte Jesu und ging hinaus und weinete bitterlich«). Das gilt nicht nur für die Fassungen I und IV, sondern auch für die Fassung II mit der alternativen Arie »Zerschmettert mich«, die ebenfalls an den Matthäus-Text anschließt. Der Zusatz hat zur Folge, dass der Evangelientext, der am Ende des ersten Teils erklingt, nicht dem Johannes-Evangelium entstammt. In Fassung III dagegen, in der die Einschübe aus dem Matthäus-Evangelium entfielen, stand an dieser Stelle eine verschollene Arie. Sie folgte dem Bericht des Johannes, mit dem Satz 12c in h-Moll endet (T. 30), während der Choral Satz 14 von A-Dur nach G-Dur transponiert wurde.[37]

6. Das Arioso Satz 34 (»Mein Herz, indem die ganze Welt«), das zur Arie 35 »Zerfließe mein Herze« hinführt, schließt an das vorangehende Rezitativ an, dessen Text dem Matthäus-Evangelium entstammt (»Und siehe da, der Vorhang im Tempel zerriß«, Mt. 27:51–52). Das galt allerdings nur für die Fassungen II und IV, während in Fassung I eine dreitaktige Version mit Worten aus dem Markus-Evangelium verbunden war (Mk. 15:18). In Fassung III entfiel mit der Streichung der Interpolationen der Zusammenhang mit den Sätzen 34–35, die vielleicht durch eine verschollene Sinfonia ersetzt wurden.[38]

Gegenüber diesen Interpolationen wirken die zuvor genannten Abweichungen zwar geringfügig, doch setzte die Platzierung der Arien voraus, dass die Disposition des Evangelientextes festliegen musste, bevor Bach seine Arbeit beginnen konnte. Zugleich

---

37 Vgl. Mendel, KB, S. 84–89, sowie Dürr, a. a. O., S. 21 und 140. Der entsprechende Passus endet bei Johannes mit den Worten »Da verleugnete Petrus abermal und alsobald krähete der Hahn« (Joh. 18:27), während die Ankündigung Jesu früher und in anderem Kontext steht (Joh. 13:28b: »Wahrlich, wahrlich, ich sage dir: Der Hahn wird nicht krähen, bis du mich dreimal verleugnest«). Der Passionsbericht setzt demnach die Erinnerung an den Zusammenhang voraus.

38 Vgl. Mendel, KB, S. 102 und das Notenbeispiel ebd., S. 270 (der dreitaktigen Erstfassung ist hier hypothetisch der gekürzte Text nach Matthäus unterlegt). Zur Unterlegung der entsprechenden Worte nach Markus vgl. dagegen Dürr, a. a. O., S. 21 f.

dürfte auch die tonartliche Disposition – zumindest in den Grundzügen – entworfen worden sein, da die End- oder Teilklauseln der Rezitative für den Anschluss der Folgesätze maßgeblich waren.

Die Aufgaben, die sich mit dem Passionsbericht stellten, dulden keinen Vergleich mit Bachs früheren Werken. Nicht nur der Umfang des Textes, sondern auch der Wechsel zwischen dem Evangelienbericht und den Worten der Soliloquenten ging über das hinaus, was zuvor in den Kantaten gefordert war, in denen nur ausnahmsweise berichtende oder dialogische Texte vorkommen. Dass die Rezitative der Johannes-Passion die klangliche Abstufung der Matthäus-Passion noch nicht kennen, wird durch ihre interne Differenzierung ausgeglichen. Der zeitgenössischen Theorie zufolge, die von Mattheson zusammengefasst wurde, war die syntaktische Gliederung des Textes für die Bildung der Binnen- und Schlussklauseln maßgeblich, von denen zugleich der Verlauf der internen Modulationen abhing.[39] Für die Stimmführung gewinnt die »Richtigkeit der Einschnitte« – anders als in einer Arie – den Vorrang vor der »angenehmen Melodie«.[40] Die Wahrung des Nachdrucks und der Affekte wird dabei ebenso gefordert wie die Beachtung der Wortakzente innerhalb des geltenden Taktmaßes. Da nur ausnahmsweise Wiederholungen und Melismen zu verwenden sind, bleibt es der »wichtigste Punct«, die »eingeführte Schreib-Art« einzuhalten und zugleich »immer was neues und unbekanntes in der Abwechslung mit den Tonen« zu suchen. Dass damit der modulatorische Verlauf gemeint ist, geht aus dem Hinweis hervor, für die »Veränderung in den Gängen und Fällen der Klänge« sei die Bassführung zuständig.[41]

Dass Bachs Rezitative den Erwartungen der Zeit nicht widersprechen, mag selbstverständlich wirken. Doch gehen sie in keinem generellen Normensystem auf, sondern zeichnen sich durch weitere Aspekte aus, die von Mattheson nicht erwähnt wurden. Sie lassen sich freilich eher als Tendenzen statt als Regeln beschreiben und hier nur an wenigen Beispielen einsichtig machen. Maßgeblich ist die Unterscheidung der »Einschnitte«, die allerdings nicht nur von der Syntax, sondern ebenso vom Sinn des Textes abhängen. Dabei wird die direkte Rede in harmonisch kohärenten Zusammenhängen gefasst, die nicht selten als kantable Melodiebögen angelegt sind. Dagegen werden die Modulationsprozesse in den Evangelistenbericht verlagert, der zugleich stärkere harmonische Zäsuren aufweist. Wo die Abschnitte in direkter Rede modulieren, ist das weniger durch den Affekt des Redenden als durch die Wirkungen oder Reflexe des Geschehens veranlasst. Signifikant sind hingegen die ausgreifenden Modulationen der Rezitative, die zwischen voneinander entfernten tonalen Zentren vermitteln (wie in den Sätzen 10, 18, 21g und 27c).[42] Soweit die Wortbetonung nicht »natürlich« im Sinn Matthesons erscheint, wird sie durch die Hervorhebung eines

---

39 Johann Mattheson, Der vollkommene Capellmeister, Hamburg 1739, Faksimile-Nachdruck hrsg. von Margarete Reimann (Documenta musicologica I/5), Kassel und Basel 1954, S. 190 ff., wo die Funktion der Klauseln als »Einschnitte der Klangrede« verstanden und auf die Interpunktionszeichen bezogen wird.

40 Vgl. ebd., S. 214, die Formulierung der Regeln für das Rezitativ (hier Regel 5).

41 Ebd., Regeln 9–10 mit dem Zusatz »als kämen sie von ungefehr, und ja nicht wieder [!] den Sinn der Worte.«

42 Es sind gerade jene Rezitative, die Chafe auf verschiedene Segmente seines Schemas aufteilte.

Wortes oder durch einen übergreifenden Skopus des Textes motiviert. Doch lassen sich die Kriterien nicht trennen, sondern greifen innerhalb der Sätze ineinander.

In den kurzen Rezitativen, die sich aus der Abtrennung einzelner Verse ergeben, lässt sich keine kantable Melodik erwarten. Obwohl der dreitaktige Satz 8 »Simon Petrus aber folgete Jesum nach«) nur eine B-Dur-Kadenz umschreibt, bildet der Vokalpart einen melodischen Bogen, der vom Grundton aufsteigt und an die Devise einer Arie erinnert. Die maßgeblichen Worte (»Petrus«, »folgete« und »nach«) werden in Hochtönen gestaffelt, um die Rede von der Nachfolge Christi zusammenzufassen, auf die sich die anschließende Arie bezieht. Satz 31 (»und neiget das Haupt und verschied«) beschränkt sich auf eine fis-Moll-Kadenz, die im Grunde nur die Folge von Dominante und Tonika umschreibt. Innerhalb der sinkenden Linie jedoch wird das Wort »Haupt« durch einen Sprung akzentuiert, bevor die Kurve zur Kadenz hin abfällt. Und die ersten Worte aus Satz 29 (»Und von Stund an«), die zu demselben Vers wie die Schlussworte aus Satz 27c gehören, werden als D-Dur- Kadenz vom weiteren Verlauf abgetrennt.

Wenn in Satz 2e die Worte Christi beginnen (»Ich habs euch gesagt, daß ichs sei«), werden sie zu einem melodischen Bogen zusammengefasst. Während der Bericht vom Verrat in g-Moll endet (T. 36–39), geht ihm bei der Nennung Jesu ein nach B-Dur führender Kadenzbogen voraus (T. 14–16). Statt sein Ziel zu erreichen, öffnet er sich zur Frage Jesu (»Wen suchet ihr?«) mit chromatischem Bassschritt nach D-Dur, um von der Turba in g-Moll beantwortet zu werden (T. 18–22, »Jesum von Nazareth«). Zu den Worten Jesu, die den Satz beschließen (2e, »Ich hab euch gesagt … so lasset diese gehen«), zeichnet eine Folge fallender Quintschritte die hinweisenden Worte nach (T. 36–38: G-C, F-B). Dagegen wird die Rede vom Schwert des Petrus in Satz 4 mit verminderten Quintschritten aufwärts verbunden, die in verminderten Septakkorden von c-Moll nach d-Moll führen und damit auf das erregte Geschehen reagieren (T. 5–10).[43] Und die abschließende Frage Jesu, die sich an Petrus richtet, läuft statt in d-Moll mit einem Halbschluss in A-Dur aus (T. 14–15).

Das ungewöhnlich umfangreiche Rezitativ Satz 10 umfasst eine Folge von Dialogen, ohne durch eine Turba unterbrochen zu werden. Im Zentrum stehen die Worte Jesu, die hier länger als sonst ausfallen (T. 25–36). Sie sprechen zu Beginn und am Ende vom Handeln Christi und enden in melodischen Bögen, die in C- und G-Dur kadenzieren (T. 27 bzw. T. 36). Verweisen sie dazwischen auf die Juden oder auf die Frage des Hohepriesters, so erweitert sich der harmonische Ambitus nach F-Dur einerseits und nach e-Moll andererseits (T. 30 f. bzw. T. 33 f.), während die bogenförmige Melodik hier von weiten Intervallsprüngen abgelöst wird. Sobald der Evangelist den »Backenstreich« des Dieners erwähnt (T. 41), setzt sich die Akkordfolge fort, bis sie zur abschließenden Frage Jesu in E-Dur ausläuft (T. 46). Sinnfälliger lässt sich der Wortwechsel nicht wiedergeben.

Satz 18 dagegen beginnt in F-Dur und endet mit einem Melisma zum Wort »geißelte«, mit dem auf den Beginn von Vers 19 vorgegriffen wird. Dem entspricht

---

43   Fasst man die Akkordfolge in Takt 5–9 mit der vorangehenden in Takt 3 zusammen, so ergibt sich eine Kette, die die gesamte chromatische Skala erfasst.

es, dass die eingefügte Turba in d-Moll steht. Desto auffälliger ist der Wechsel, der sich innerhalb der Rede Jesu vollzieht (T. 4–9). Beginnend in G-Dur, wird der Basston *G* zur Septime eines Sekundakkords, der sich nach D-Dur auflöst, sobald die durch Christus bezeugte »Wahrheit« erwähnt wird (T. 7). Wendet sich der Satz dann nach h-Moll, so kehrt zur Frage des Pilatus (»Was ist Wahrheit«) der D-Dur-Klang wieder (T. 11), während der weitere Verlauf in einer Quintkette von e- nach d-Moll und am Ende bis g-Moll absinkt (T. 27).

Der mehrgliedrige Satz 21 beginnt in g-Moll, um am Ende in E-Dur zu schließen. Die berichtenden Teile (21a, 21c und 21e) führen auf die anschließenden Turbae hin (21b, 21d und 21f), die in B-Dur, g-Moll und F-Dur stehen, ohne den bisherigen Rahmen zu überschreiten. Desto auffälliger ist das abschließende Rezitativ (Satz 21g), das sich auf die Worte zwischen Pilatus und Jesus bezieht (T. 90–106). Der Dialog lenkt eingangs von d- nach a-Moll, sobald Pilatus aber auf seine Macht verweist, Jesus zu »kreuzigen« oder »loszugeben«, wechselt er binnen eines Taktes über Fis-Dur nach h-Moll (T. 98). Über dem Basston *d* weist ein Sekundakkord nach a-Moll, doch wird er überraschend durch einen Sextakkord über *cis* abgelöst, der über Fis-Dur nach h-Moll leitet. Der Prozess führt um zwei weitere Quinten aufwärts bis zur Antwort Jesu in einem E-Dur-Sextakkord, um danach jedoch in fis-Moll zu kadenzieren (T. 100–104). Die Schlussklausel in E-Dur bleibt dagegen der Erwähnung des Pilatus vorbehalten, der danach »trachtete …, wie er ihn losließe«. Indem der anschließende Choral (Satz 22) vom »Gefängnis« als Bedingung der »Freiheit« spricht, markiert er den Scheitelpunkt der Disposition in E-Dur, dem in der Turba »Kreuzige ihn« (Satz 25a) als Gegenpol b-Moll gegenübersteht. Unabhängig von den Thesen zur »Symmetrie« oder zum »Herzstück« kommt also dem Choralsatz Nr. 22 in der Anlage des Werks eine herausgehobene Stellung zu.

Der umgekehrte Prozess vollzieht sich im Satz 23g, dem wiederum drei Turbae mit vorangestellten Rezitativen vorausgehen. Ausgehend von H-Dur, bleiben die in E-Dur bzw. h-Moll stehenden Sätze 23b (»Lässest du diesen los«), 23d (»Weg, weg mit dem«) und 23f (»Wir haben keinen König«) in dem tonalen Bereich, der zuvor in den Sätzen 21–22 erreicht worden war. Die Rückwende wird in das abschließende Rezitativ verlagert, das sich von h-Moll nach g-Moll und damit um fünf Quinten absenkt. Der Schaltpunkt in Takt 80 f. wird mit dem Wort »gekreuziget« verknüpft, zu dem von G-Dur aus zunächst D-Dur erreicht wird, bevor der weitere Weg nach g-Moll führt (T. 81–88).

Über weite Abstände hinweg werden die Verweise auf die Befreiung in Christus und den Vollzug der Kreuzigung durch konträre Tonarten aufeinander bezogen. Erneut zeigt sich, dass Bachs Kunst durch ihre Paarung kontrapunktischer und harmonischer Maßnahmen die Normen der Zeit einzulösen und gleichzeitig zu transzendieren vermochte. Dass die »Veränderung in den Gängen und Fällen der Klänge« dem Sinn des Textes folgt, entsprach den Vorschriften Matthesons. Doch besagen sie nichts über die Konsequenzen für die Tonarten der vorangehenden oder folgenden Sätze und die tonartliche Disposition eines derart umfangreichen Werkes. Man muss kein Anhänger der Tonartensymbolik sein, um dennoch die wechselvolle Schattierung der Tonarten zu erfassen, die sich in den Rezitativen vollzieht und im Kontext der umrahmenden Sätze wirksam wird.

4. Bericht und Rede **331**

Dem Text der Johannes-Passion liegt zwar kein derart durchdachtes Konzept zugrunde, wie es später von Bach und Picander in der Matthäus-Passion entworfen wurde. Dass die Texte der Johannes-Passion auf ältere Quellen zurückgehen, war keine Verlegenheitslösung, sondern ein Ergebnis der wählerischen Haltung, die in den wechselnden Texten des ersten Jahrgangs sichtbar wird. Die Umformung der Textvorlagen setzt in der Johannes-Passion allerdings einen Autor voraus, der nicht ohne Abstimmung mit Bach vorgegangen sein kann. Dass sich die Arien am Ende beider Teile häufen, mag zunächst als Mangel wirken, der die Vorbehalte gegen den Text zu bestätigen scheint. In welchem Maß die Komposition aber eine Planung der gesamten Textgrundlage bedingt, zeigt sich bereits an der Gliederung des Berichts im Verhältnis zu den Interpolationen und könnte genügen, um die Bedenken gegen die angeblichen Mängel der Disposition zu zerstreuen.

5. Bericht und Betrachtung

Wenn der Wortlaut des Bibeltextes unantastbar war, so galt das nicht ebenso für seine Gliederung, die Bach durch das System der Turbae überformte. Hinzu traten die weiteren Texte, deren Funktion bisher nicht zur Sprache kam. Bereits die Tatsache, dass das Werk elf Kantionalsätze und zehn Solosätze mit madrigalischer Dichtung enthält, dürfte kein Zufall sein. Neben den umrahmenden Chorsätzen beruhen zwei Ariosi und acht Arien auf frei gedichteten Texten. In beiden Teilen erscheint jeweils eine Arie durch den Kontext von den anderen Einlagen entfernt: Satz 13 »Ach, mein Sinn« und Satz 24 »Eilt, ihr angefochtnen Seelen«. Ferner rücken – wiederum in beiden Teilen – je zwei Arien zu einem Satzpaar zusammen, das nur durch kurze Rezitative getrennt wird: in Teil I die Sätze 7 »Von den Stricken« und 9 »Ich folge dir gleichfalls« (dazwischen Satz 8), in Teil II die Sätze 30 »Es ist vollbracht« und 32 »Mein teurer Heiland« (dazwischen Satz 31). Überdies werden zwei weitere Arien mit vorangestellten Ariosi zu Satzpaaren verbunden, die der längeren Secunda pars vorbehalten sind. Schließlich werden zwei Arien – wiederum in Teil II – durch den Zutritt der Chorstimmen erweitert, die sich quasi dialogisch auf den jeweiligen Haupttext beziehen (Sätze 24 »Eilt, ihr angefochtnen Seelen« und 32 »Mein teurer Heiland, laß dich fragen«). Gegenüber Smends These vom »Herzstück« hat Dürr geltend gemacht, dass »die durch drei Arien und ein Arioso hervorgehobene Todesstunde Christi« den »Höhepunkt des Werkes« bilde.[44] Nimmt man die beiden Choralsätze hinzu, die dieses Zentrum umrahmen (Satz 28 »Er nahm alles wohl in acht« und Satz 37 »O hilf, Christe, Gottes Sohn«), so ergibt sich eine Gruppe von zehn Sätzen, unter denen sich vier Rezitative befinden. Anders gesagt: Wie keine andere Station wird der Bericht vom Sterben Christi durch Interpolationen geprägt, die das Evangelium reflektieren, um es dem Hörer nahezubringen.

Nicht ganz so augenfällig ist die Konstellation am Ende des ersten Teils, in dem die Arien Nr. 7 und 9 den Bericht über die Nachfolge Petri umrahmen, während zwi-

---

44 Dürr, a. a. O., S. 123.

schen diesem Satzpaar und der Arie Nr. 13, die an die Leugnung des Petrus anschließt, zwei längere Rezitative und ein Choral stehen. Gleichwohl ist nicht zu übersehen, dass sich die Interpolationen des ersten Teils auf das Verhalten Petri beziehen. Darin unterscheiden sich die Verhältnisse von denen in der Matthäus-Passion, deren Stationen durch die Paarung eines Accompagnato und einer Arie ausgezeichnet werden. Im Johannes-Evangelium fehlen die Berichte über die Salbung, das Abendmahl und Gethsemane, denen die vier ersten Satzpaare der Matthäus-Passion zugeordnet sind. In der Johannes-Passion dagegen beziehen sich die Einlagen auf folgende Phasen des Geschehens:

Parte prima
Satz 7   »Von den Stricken« – *Gefangennahme*
Satz 9   »Ich folge dir gleichfalls« – *Nachfolge Petri*
Satz 13   »Ach, mein Sinn« – *Petri Leugnung*

Parte seconda
Sätze 19–20   »Betrachte« – »Erwäge« – *Geißelung*
Satz 24   »Eilt, ihr angefochtnen Seelen« – *Kreuztragung*
Satz 30   »Es ist vollbracht« – *Kreuzestod*
Satz 32   »Mein teurer Heiland« – *Sterbestunde*
Sätze 34–35   »Mein Herz« – »Zerfließe mein Herze« – *Erdbeben*

Nicht ganz so deutliche Zäsuren werden durch die Choräle markiert, deren Position gleichwohl nicht willkürlich ist. Die Sätze 3 (»O große Lieb«) und 5 (»Dein Will gescheh«) werden im ersten Teil durch ein Rezitativ getrennt, während die auf Petrus bezogenen Arien von den Choralstrophen Satz 11 »Wer hat dich so geschlagen« und 14 »Petrus, der nicht denkt zurück« eingerahmt werden. Beschließt Satz 14 zugleich die Parte prima, so eröffnet Satz 15 (»Christus, der uns selig macht«) einerseits die Parte seconda, um andererseits zusammen mit Satz 17 (»Ach großer König«) das Verhör vor Pilatus zu umrahmen. Den Chorälen Satz 22 (»Durch dein Gefängnis«) und 26 (»In meines Herzens Grunde«), die voneinander noch weiter entfernt sind, steht sich mit den Sätzen 29 »Er nahm alles wohl in acht« und 37 »O hilf, Christe, Gottes Sohn«« ein Satzpaar gegenüber, das in ähnlicher Weise die Sterbestunde Christi umrahmt. Noch deutlicher werden die Relationen, wenn man die Blickrichtung umkehrt. Durch die geringe Zahl der Einlagen ergeben sich ausgedehnte Abschnitte, in denen das Geschehen voranschreitet, ohne durch Interpolationen unterbrochen zu werden. Mehrfach zeichnen sich dabei Satzkomplexe ab, die durch den Kontrast zwischen den Rezitativen und den Turbae geprägt werden, während sie durch Choralsätze getrennt und durch ausgedehnte Arien beschlossen werden. Eine Übersicht mag das Verhältnis zwischen diesen Satzkomplexen und den Einlagen verdeutlichen:

Parte prima
Satz 1:   Eingangschor
Sätze 2a–e   *Verrat des Judas*: drei Rezitative, zwei Turbae, danach Choral Nr. 3
Sätze 4–5   *Gefangennahme*: Rezitativ – Choral – Rezitativ
Sätze 6–9   *Nachfolge Petri*: Arie – Rezitativ – Arie
Sätze 10, 12a–c *Jesus vor Kaiphas*: drei Rezitative, eine Turba, dazwischen Choral Nr. 11
Sätze 13–14   *Petri Leugnung*: Aria Nr. 13, abschließender Choral Nr. 14

5. Bericht und Betrachtung   **333**

Parte seconda

Satz 15:	eröffnender Choral
Sätze 16a–e	*Verhör vor Pilatus*: drei Rezitative, zwei Turbae, danach Choral Nr. 17
Sätze 18a–c	*Verhör vor Pilatus*: zwei Rezitative, eine Turba, danach Arioso und Arie Nr. 19–20
Sätze 21a–g	*Pilatus und das Volk*: vier Rezitative, drei Turbae, danach Choral Nr. 22
Sätze 23a–g	*Pilatus und das Volk*: vier Rezitative, drei Turbae, danach Arie Nr. 24
Sätze 25a–c	*Kreuzigung*: zwei Rezitative, eine Turba, danach Choral Nr. 26
Sätze 27a–c	*Kreuzestod*: zwei Rezitative, eine Turba, danach Choral Nr. 28
Sätze 29–32	*Sterbestunde*: Rezitativ – Arie – Rezitativ – Arie
Sätze 33–35	*Erdbeben*: Rezitativ – Arioso – Arie
Sätze 36–38	*Grablegung*: zwei Rezitative, dazwischen Choral Nr. 37
Sätze 39–40	Schlusschor und Schlusschoral

Den ausgedehnten Satzkomplexen, in denen das Geschehen voranschreitet und nur wenige, zudem recht knappe Einlagen zulässt, stehen am Ende der Teile die Gruppen der betrachtenden Sätze gegenüber. Beides entspricht der Eigenart des Johannes-Evangeliums, dessen dramatischer Bericht – im Unterschied zum Matthäus-Evangelium – kaum Anlass zur meditativen Versenkung in die Leiden Christi gibt. Obwohl im ersten Teil die Berichte von Salbung, Gethsemane und Abendmahl fehlen, wäre es nicht unmöglich gewesen, die Szenen vor Kaiphas und Pilatus ähnlich wie in der Matthäus-Passion durch Arien zu unterbrechen. Dass das unterblieb, verweist auf die Absicht, den Ablauf zunächst voranzutreiben und erst danach größere Einschübe vorzusehen. Dass diese Disposition nicht nebensächlich war, geht aus weiteren Indizien hervor. Denn die Gliederung wird dadurch pointiert, dass die letzten Arien beider Teile an die Interpolationen anschließen, die nicht dem Johannes-Evangelium entnommen sind.[45] Das Verhältnis zwischen Bericht und Einlagen wurde auch durch die Änderungen der zweiten Fassung kaum tangiert. Während die Sätze 13 und 19 durch die Arien 13^{II} und 19^{II} ersetzt wurden, fiel mit dem Arioso vor Satz 19 ein madrigalischer Text aus, der aber durch die zusätzliche Arie 11^{+} ausgeglichen wurde. Anders stand es mit der dritten Fassung, in der die Matthäus-Texte und damit auch die anschließenden Sätze entfielen. Zwar wurde Satz 13 im ersten Teil durch eine verschollene Arie ersetzt, doch trat an die Stelle des Satzpaars 34–35 im zweiten Teil vermutlich eine instrumentale »Sinfonia«, sodass damit zwei Sätze mit madrigalischen Texten ausfielen. Insofern war es nur konsequent, dass die vierte und letzte Fassung zur anfänglichen Ordnung zurückkehrte und damit das ursprüngliche Verhältnis zwischen Bericht und Betrachtung wiederherstellte. Dass die Johannes-Passion gegenüber der Matthäus-Passion als »dramatischer« gilt, ist nicht nur in der Wirkungsmacht der Turbae und der geringeren Zahl der Arien begründet, sondern ebenso in der andersartigen Gewichtung der unterschiedlichen Bestandteile.

Dem zügigen Verlauf der ersten Phasen entspricht in beiden Teilen das zunehmende Gewicht der betrachtenden Sätze. Eine Gliederung, die vom Charakter und

---

45 Dies gilt auch dann, wenn in der ersten Fassung das Rezitativ Satz 33 nur drei Takte umfasste, die vermutlich mit dem entsprechenden Text des Markus-Evangeliums verbunden waren.

Verhältnis der Sätze ausgeht, dürfte daher den Intentionen des Komponisten näherkommen als die Suche nach einer abstrakt symmetrischen Ordnung.[46] Denn die Disposition des Passionsberichts war für die Platzierung und den Charakter der Einlagen entscheidend, deren Affektgehalt die Voraussetzung für die Formulierung und Ausarbeitung ihres thematischen Materials war.

6. Arien und Ariosi

Die Feststellung, dass nur eine Arie der Johannes-Passion dem Da-capo-Schema folgt, besagt nichts über die Struktur all dieser Sätze. Maßgeblich war das Prinzip des Vokaleinbaus, das Bach in Weimar erprobt und im ersten Jahrgang erweitert hatte. Statt den Begriff erneut zu erörtern, mag hier der Hinweis genügen, dass der Terminus »Einbau« missverstanden wäre, wenn man darunter eine bloße Zutat und nicht das kombinatorische Zentrum des Verlaufs verstünde. Im Unterschied zu den Kantaten stellte sich in den Arien der Johannes-Passion die Aufgabe, die kompositorischen Verfahren innerhalb des Werkes zu differenzieren, falls sich nicht die gleichen Strukturen mehrfach wiederholen sollten. Die kompositorischen Prinzipien werden leichter einsichtig, wenn man vom Einbauverfahren ausgeht, um anschließend seine graduellen Varianten zu verfolgen.

Als erstes Beispiel sei die Arie Nr. 30 »Es ist vollbracht« herangezogen, die als »Molt'adagio« an die letzten Worte Christi anschließt und neben dem Alt eine Gambe fordert.[47] Das ebenso knappe wie einprägsame Kopfmotiv bildet eine Variante der Töne, mit denen das vorangehende Rezitativ endet (Notenbeispiel 3a). Die fallende Linie, die dort von der oberen Sexte aus zum Grundton abfiel, wird im Kopfmotiv der Arie einen Ton tiefer sequenziert, sodass der betonte Vorhalt zur Terz der Dominante lenkt und durch eine Sequenz ergänzt wird, die zur Tonika zurücklenkt (Notenbeispiel 3b). Die Fortspinnung führt in punktierter Rhythmik zur Subdominante e-Moll (T. 1–2), während die beiden folgenden Einsätze in D-Dur und h-Moll enden, bevor das Ritornell auf der Tonika schließt (T. 2–5). Setzt die Altstimme vom Grundton aus mit dem Kopfmotiv ein (T. 5), so greift die Gambe auf dessen ursprüngliche Gestalt zurück. So expressiv der Vokalpart wirkt, so deutlich bildet er eine zusätzliche Schicht des Ritornells, das in ihm seine Ergänzung findet (T. 5–8). Kaum merklich vollzieht sich dabei eine Verschiebung um einen halben Takt, die erst dann ausgeglichen wird, wenn die Kadenz des Ritornells umgangen wird, um diesmal zur Durparallele zu führen (T. 8–10). Das kurze Zwischenspiel in D-Dur erweist sich als Variante der beiden ersten Takte und führt zur Subdominante G-Dur (T. 10–12). Während der nächste Vokaleinsatz in e-Moll beginnt, wird seine Fortführung mit

---

46 Eine symmetrische Anordnung, die sich dem vergleichenden Blick auf ein Bauwerk oder Gemälde erschließen kann, ist im sukzessiven Ablauf einer Komposition vom Hörer nicht gleichermaßen zu erfassen. Dagegen kann er durchaus einen musikalischen Prozess verfolgen, der von einem neutralen Bericht ausgeht und von erregten Chören durchbrochen wird, um danach in der Reflexion ausgedehnter Arien zu münden.

47 Vgl. dazu die Bemerkungen bei Dürr, S. 102 f.

Notenbeispiel 3a

Notenbeispiel 3b

dem nach fis-Moll transponierten Ritornell kombiniert (T. 13–17 ~ 1–5). Das zweitaktige Zwischenspiel, das den A-Teil beschließt, greift wiederum auf den Kopf des Ritornells zurück (17–19). Indem die Fortspinnung diesmal nach D-Dur führt, öffnet sie sich zum B-Teil, der jedoch als gänzlich unerwarteter Einbruch eintritt (T. 20–40). Denn im »vivace« setzt das Tutti der Streicher mit Dreiklangsbrechungen ein, vor deren Folie das Signalmotiv des Alts verkündet: »Der Held aus Juda siegt mit Macht.« Die instrumentalen Figuren, die an Trompetenklänge erinnern, wechseln dabei taktweise mit dem vokalen Motiv und seiner Fortspinnung, während die Tonrepetitionen des Generalbasses an Paukenschläge gemahnen. So überraschend, wie der B-Teil begann, bricht er im Halbschluss in Fis-Dur ab, um sich zum A'-Teil hin zu öffnen. Der Schlussteil beschränkt sich auf die Wiederholung des Ritornells, in dessen Kadenz der Alt mit einem letzten Rekurs auf das Kopfmotiv eintritt (T. 40–44). Dem B-Teil steht im A-Teil die extreme Steigerung des Vokaleinbaus gegenüber, der sich als ebenso kunstvolle wie expressive Verdichtung des Ritornells erweist. Beide Verfahren kontrastieren in dem Maß, wie sie sich wechselseitig bedingen.

Die Arie »Ach, mein Sinn« (Satz 13) bildet insofern eine Ausnahme, als die Dichtung von Christian Weise, die auf die Texturierung einer instrumentalen Intrada zurückgeht, als ein frühes Beispiel der deutschen »madrigalischen« Dichtung gelten darf, ohne jedoch der späteren Da-capo-Form zu entsprechen. Da die Vertonung im Schlussteil auf den Satzbeginn zurückgreift, ergibt sich dennoch ein dreiteiliges Schema:

Ritornell	T. 1–16	
A	T. 17–47	Ach, mein Sinn,
		Wo willt du endlich hin,
		Wo soll ich mich erquicken?
B	T. 47–62	Bleib ich hier,
		Oder wünsch ich mir
		Berg und Hügel auf den Rücken?
C (∼ A′)	T. 63–91	Bei der Welt ist gar kein Rat,
		Und im Herzen
		Stehn die Schmerzen
		Meiner Missetat,
		Weil der Knecht den Herrn verleugnet hat.

Obwohl sich die ersten Teile in ihrer Länge und Reimfolge vom Schlussteil unterscheiden, sind alle Teile durch den Vokaleinbau geprägt. Im Streichersatz des Ritornells zeichnen sich geschlossene Taktgruppen ab, die blockweise wiederholt oder versetzt werden können. Das hat zur Folge, dass der Verlauf fast durchweg vom Instrumentalpart beherrscht wird. Dass die Wiederholungen so wenig auffallen wie die ungleiche Länge der Textteile, ist im Material des Ritornells ebenso begründet wie in der Eigenart des Vokaleinbaus. Doris Finke-Hecklinger sah in dem Satz ein »Beispiel der Verwendung von Sarabandenrhythmik«, wobei der Generalbass als »Modifikation des ›Lamento-Basses‹« zugleich »die Nähe zur Chaconne oder Passacaglia erkennen« lasse.[48] Der Anschein eines Ostinatosatzes suggeriert allerdings ein Regelmaß, das dem Verlauf des Satzes völlig fremd ist.

Ritornell		A				
1–9	9–16	17–24 (∼ 1–8)	24–25 (∼ 7–8)	26–28 Kadenz	28–31 (∼ 8–11)	32–46 (∼ 1–16)
fis	fis – Cis – fis	fis – Cis		→ Cis	fis – Gis	cis – cis
»Periode« **1**		**2**				**3**

		B		C		
		47–51 (∼ 10–11)	52–62 (∼ 1–11)	63–73 (∼ 1–11)	74–88 (∼ 1–11)	89–91 (∼ 26–28)
		cis – E	E – Fis	h – Gis	fis	→ Fis
			4	**5**	**6**	

---

48   Doris Finke-Hecklinger, Tanzcharaktere in Johann Sebastian Bachs Vokalmusik (Tübinger Bach-Studien 6), Trossingen 1970, S. 62 f. Vgl. auch das abweichende Schema ebd., S. 64.

Wie das Schema zeigt, decken sich die drei Formteile nicht mit den sechs »Perioden« des Gerüsts, das durch mehrfache Transpositionen und Varianten verdeckt wird. Zwar fällt der Ansatz zweiten »Periode« mit dem Beginn des ersten Vokalteils zusammen, dessen zweiter Durchgang (ab T. 28) sich aber mit dem Einsatz der dritten »Periode« überschneidet (T. 32). Der Mittelteil scheint mit dem Eintritt der vierten »Periode« zu beginnen (T. 47), die aber nach fünf Takten abbricht, um anschließend in E-Dur ergänzt zu werden (ab T. 52). Der Schlussteil beginnt mit dem Ansatz einer fünften »Periode« in h-Moll, die sich aber auf elf Takte beschränkt (T. 63–74), während mit dem zweiten Textdurchgang die sechste und letzte »Periode« gekoppelt wird (ab T. 74), in der jedoch der chromatische »Lamento-Bass« entfällt.

Die Individualität der Arie gründet demnach weniger in Analogien zu formalen Modellen als in deren Umbildung, die bereits im Ritornell angelegt ist (Notenbeispiel 4). So bricht der chromatisch fallende Bassgang ab, bevor er die Unterquarte erreicht (T. 1–4: *fis-eis-e-dis-d*), und springt stattdessen zur Subdominante h-Moll, um eine Kadenz in fis-Moll zu eröffnen (T. 4–9). An sie schließt sich eine stufenweise Sequenz an (Fis-h, Gis-Cis), die zum Beginn der nächsten Gruppe in Cis-Dur führt und wiederum durch eine fis-Moll-Kadenz beschlossen wird. Zudem wechselt die Position der punktierten Achtel- und Viertelwerte schon in den ersten Takten, wäh-

Notenbeispiel 4

rend sie in den folgenden Takten vom Wechsel synkopierter Vorhalte und fließender Sechzehntel überlagert wird, sodass die drängenden Impulse zugleich gehemmt wirken, ohne in einem rhythmischen Schema aufzugehen (T. 10–14). All das trägt dazu bei, dass die Taktgruppen getrennt und transponiert werden können, während der die zweite Gruppe einleitende Sequenzgang als modulierendes Gelenk dient.

Dass sich die Wiederholung der Bausteine im Hören kaum aufdrängt, liegt vor allem am Einbau des Vokalparts.[49] Wie wechselvoll er formuliert ist, lässt sich bereits am Verhältnis zwischen der Zeilen- und der Taktzahl der Teile ablesen. Auf 30 Takte des ersten Teils entfallen drei Zeilen, während die längeren Texte des Mittel- und des Schlussteils in 15 bzw. 25 Takten absolviert werden. In der ersten Gruppe des A-Teils entspricht die Singstimme weithin der ersten Violine, um sich von ihr erst vor der Teilkadenz zu lösen, die durch einen Orgelpunkt markiert wird (T. 25–28). Volle Selbstständigkeit erreicht der Vokalpart, sobald er die punktierte Rhythmik der Mittelstimmen aufgreift. Der sprungreichen Melodik entspricht eine durchweg syllabische Deklamation, in der die einzelnen Silben vielfach auf nachschlagende Sechzehntel entfallen. Die gedrängte Diktion erlaubt es, dass die Textzeilen doppelt vorgetragen und einzelne Worte wiederholt werden können. Überdies wechselt die Gruppierung der Textglieder so vielfältig, als läge ein Prosatext statt einer Folge von Reimzeilen vor.

Aus der Fülle der Varianten seien exemplarisch die Taktgruppen hervorgehoben, die zwischen den »Perioden« vermitteln und für die harmonische Disposition maßgeblich sind. Die Satzglieder werden an den Nahtstellen durch modulierende Gelenke verkettet, die von der Sequenz zu Beginn der zweiten Gruppe des Ritornells ausgehen. Endet die zweite »Periode« (mit dem ersten Textdurchgang des A-Teils) nach acht Takten auf der Dominante, so wird durch die eingefügte Kadenz Cis-Dur als Ziel bestätigt (T. 25–28), bevor das Bassgerüst – nun wieder in fis-Moll – wie im Ritornell sequenzierend ergänzt wird (T. 28–32). Wo die Sequenz in Cis-Dur enden müsste, um damit nach fis-Moll zurückzuführen, tritt stattdessen cis-Moll als neue Tonika ein, um damit die dritte »Periode« zu eröffnen (T. 32–47). Vor der vierten »Periode« wird eine nach E-Dur führende Gruppe eingefügt (T. 47–52), wobei der vierte Ton des Bassgerüsts durch einen Ganztonschritt ersetzt (T. 50: *a* statt *ais*) und mit einem nach E-Dur leitenden Sekundakkord verbunden wird. Im Schlussteil bricht das Ritornellzitat nach elf Takten ab, um wiederum sequenzierend nach fis-Moll zu modulieren (T. 70–73).

All diese Maßnahmen sind für die Eigenart dieser Arie ebenso verantwortlich wie die gezackte Melodik, die treibende Rhythmik und die chromatische Harmonik. Sie tragen zur eigentümlichen Balance zwischen statischer Verfestigung und dynamischem Antrieb bei, die den Charakter des gesamten Satzes prägt. Der Einbau des Vokalparts überformt das anfangs klare Gerüst, in dessen letzter »Periode« sogar das Fundament des chromatischen Gangs entfällt. Pointierter lässt sich das Schwanken zwischen dem Drang und der Hemmung des reuigen Sünders kaum deutlich machen.

---

49   Die Feststellung, der »latente Ostinato-Charakter« greife »auf den ganzen Stimmenkomplex über« (ebd., S. 63), gilt zwar für den Instrumentalsatz, ohne aber den Vokalpart zu erfassen.

In den Arien 7 und 9, die nur durch ein kurzes Rezitativ getrennt sind, wird die Einbautechnik mit kanonischen Verfahren gekoppelt, die im thematischen Material angelegt sind. Der Arie Satz 7 »Von den Stricken meiner Sünden« liegt ein sechszeiliger Text zugrunde, dessen beide Hälften sich im Silbenmaß und in der Reimfolge entsprechen:

Von den Stricken meiner Sünden	8 a
mich zu entbinden,	5 a
wird mein Heil gebunden.	6 b
Mich von allen Lasterbeulen	8 c
völlig zu heilen,	5 c
läßt er sich verwunden.	6 b

Formal entspricht der Satz einer variierten Da-capo-Arie, deren A-Teil zur Dominante moduliert und für die Reprise deshalb eine Variante erfordert, die in der Tonika verbleibt. In Satz 7 übernimmt die Reprise zwar noch den ersten Textdurchgang (T. 73–88 = 9–24), der über die Dominante zur Tonika zurückkehrt. Neu gefasst wird dagegen die Taktgruppe, die zur Dominante moduliert (T. 25–81) und in der Reprise zur Tonika d-Moll zurückführt (T. 89–106). Wie die Taktgruppen des Ritornells greifen die Satzteile an den Nahtstellen ineinander, wobei zu Beginn des Mittel- und des Schlussteils jeweils ein modulierender Takt genügt (T. 47 bzw. T. 70).

Ritornell 1		A	Ritornell 2	B	Zwischenspiel	A′	Ritornell 3
1–5	5–9	9–39	39–47	47–66	66–70	70–106	106–114
d – A	A – d	d – a	a	a – g	g	g – d	d

Die formale Anlage ist der Rahmen eines Prozesses, der – wie Dürr zeigte – auf dem Material das Ritornells beruht.[50] Die beiden Oboen bilden mit dem motivisch geprägten Generalbass einen Triosatz, der sich bei Zutritt der Altstimme zum Quartettsatz erweitert. Der kanonische »Vordersatz« der Oboen kadenziert auf der Dominante (T. 5), während die Stimmen im »Nachsatz« zur Tonika zurücklenken (T. 5–9). Prägend ist vor allem das Incipit, dessen Quintfall im Alt zu einer umspielenden Variante umgeformt und durch die erste Oboe ergänzt wird. Mindestens ebenso bedeutsam ist jedoch die Bassstimme, obwohl sie nur aus repetierten Achtelwerten zu bestehen scheint. Wird dieses Modell in den ersten drei Takten sequenziert, so wird der vierte Takt durch dreifachen Wechsel einer Achtel mit zwei Sechzehnteln ausgefüllt, bevor die Dominante erreicht wird (Notenbeispiel 5). Varianten dieser Rhythmik bestreiten nicht nur den Nachsatz, sondern dringen ebenso in den Part der Oboen wie in die Altstimme ein, in der sich damit die zweite Textzeile verbindet (vgl. T. 13 f. und 15 ff.). So dicht die Motive im Ritornell verkettet sind, so flexibel können sie getrennt eingesetzt werden. Wie Dürr nachwies, entsprechen sich neben den genannten Phasen auch die Ritornelle zu Beginn und Ende des Satzes sowie – unter Quintversetzung – vor dem Mittelteil, der freilich »wesentlich freier gestaltet

---

50 Vgl. Dürr, a. a. O., S. 94–99.

Notenbeispiel 5

ist«.[51] Einen Sonderfall bildet das kurze Zwischenspiel, das zu Beginn des Schlussteils durch einen viertaktigen Einschub ergänzt wird, bevor sich der Rekurs auf den Satzbeginn anschließt (T. 66–69 und 69.73).

Die Abschnitte der Rahmenteile übernehmen den Vordersatz des Ritornells, in den die Altstimme eingebaut wird. Ein Schema kann freilich nicht die Fülle der Varianten erfassen, die sich durch den Vokaleinbau ergeben. Wiewohl kein Ostinatosatz vorliegt, lassen sich die Phasen – um das Wort »Perioden« zu vermeiden – der Bassstimme verfolgen, über deren Gerüst sich das Gefüge der Oberstimmen entfaltet. Auf die Ritornelle und die beiden Rahmenteile entfallen jeweils drei Phasen, während dem Mittelteil nur eine Phase bleibt, die zudem noch größere Abweichungen als die übrigen enthält. Die ersten Phasen der Außenteile (T. 9–21 bzw. 73–85) entsprechen weithin dem Ritornell, zwischen dessen Taktgruppen aber Einschübe treten, die das motivische Material variieren (T. 13–17 bzw. 77–81). Das rhythmische Modell der Bassstimme wird im Vokalpart textiert und von den Oboen aufgenommen, die ihrerseits im »Nachsatz« des Ritornells münden. In der zweiten Phase der Rahmenteile wird zwar der Kanon der Oboen beibehalten, doch wird das Incipit ähnlich wie im Vokalpart umspielt (T. 21 ff. bzw. 85 ff.). Einerseits werden die Partner damit enger verkettet, andererseits wird der »Nachsatz« durch modulierende Taktgruppen ersetzt (T. 25–38 bzw. 89–106). In sie fügt sich der Ansatz einer weiteren Phase ein, die von F-Dur ausgeht, aber schon im vierten Takt abbricht, um in Quintschritten nach a-Moll zu führen (T. 29–38). Ihr Gegenstück findet sie in den erwähnten Takten des

---

51 Ebd., S. 99.

Schlussteils, die zur Tonika zurückführen (T. 89–106). Besonders eindrucksvoll ist die letzte Variante, die mit einer B-Dur-Kadenz zusammenfällt und zum Sextsprung erweitert wird (T. 96 f.). Der Mittelteil dagegen spart den »Vordersatz« selbst dort aus, wo die einzige Phase des Bassgerüsts anzusetzen scheint (T. 55 ff.). Stattdessen zehren auch die Oboen von der Rhythmik des Basses, in die sich die Vokalstimme einfügt. Bachs Arbeit zielte also auf die Verlagerung der Glieder ab, die im Ritornell vorgegeben sind: Der klagende Gestus, den die Oboen und der Alt anstimmen, wird zunehmend durch die pochende Rhythmik des Basses übertönt, die in der Satzmitte auf die Oberstimmen übergreift.

In Satz 9 »Ich folge dir gleichfalls« zeigt sich erst bei Eintritt des Solosoprans, dass das Kopfmotiv des Ritornells durch Einklangskanon im Abstand einer Achtel erweitert werden kann. Wie sehr dieser Kanon zusammen mit den unablässigen Sechzehnteln der Flötenstimme dem Textsinn entspricht, bedarf keines Hinweises. Mit leichtfüßigem ⅜-Takt und im hellen B-Dur hebt sich diese Arie im ersten Teil – wie Satz 60 im zweiten – als einzige in einer Durtonart hervor. Im Duett zwischen Solosopran und zwei Flöten im Unisono ergibt sich über stützenden Achteln des Basses ein überaus transparenter Klang, der die Einbautechnik klarer als sonst zur Geltung bringt. Das Ritornell umfasst 16 Takte und gliedert sich in viertaktigen Kopf mit achttaktiger Fortspinnung und wiederum viertaktiger Kadenz. Das kanonisch bereicherte Incipit der Flöten wird im Vokalpart als Devise abgetrennt und durch die instrumentale Kadenz ergänzt, bevor seine Wiederholung mit der anschließenden Fortspinnung die Dominante erreicht (T. 17–24, 24–41). In der Reprise moduliert die Fortspinnung zunächst zur Subdominante Es-Dur, um mit einer dominantischen Kadenz den Abschluss in der Tonika zu erreichen (T. 129–138). Statt wie im A-Teil gleich das Ritornell anzuschließen, wird eine weitere Phase eingefügt, die den Verlauf sequenzierend erweitert (T. 138–156).

Weil die Figuren der Fortspinnung ständig als Begleitung dienen, fehlen sie in den späteren Ritornellzitaten, die sich demnach auf das Kopfmotiv und die Kadenzgruppe beschränken. Desto intensiver wird die Fortspinnung im Mittelteil verwertet, der ohne ein komplettes Ritornellzitat auskommt. Wie das instrumentale Kopfmotiv mehrfach versetzt oder wiederholt wird, dienen auch die Figuren der Fortspinnung als Rahmen der Sopranstimme, deren eigenständiger Führung es überlassen ist, mit syllabisch verkürzten Rufen und synkopisch verschobenen Melismen den Worten »höre nicht auf … zu ziehen, zu schieben, zu bitten« ihren Nachdruck zu geben. Dass sich aber der Vokalpart auf die Kontinuität des instrumentalen Rahmens verlassen kann, liegt am Vorrat der instrumentalen Figuren, die ebenso flexibel wie vielfach transponiert oder repetiert werden können. Mit ihrer Abspaltung hat die Satzmitte ihre motivische Arbeit zu leisten, wogegen die weit entspannteren Rahmenteile den geschlossenen Phasen des Ritornells folgen dürfen.

Den Bassarien Nr. 24 und 32 ist der Zutritt des drei- bzw. vierstimmigen Chorsatzes gemeinsam, der beidemal aber höchst unterschiedliche Funktionen erfüllt. Während in Satz 24 der Wechsel zwischen den chorischen Fragen und dem antwortenden Solopart im Text vorgegeben ist, bildet der dreistimmige Choralsatz in Satz 32 einen Zusatz zur Dichtung. Ob er vom Textautor geplant war oder auf Bachs Entscheidung zurückging, ist mangels eines gedruckten Librettos nicht zu entscheiden.[52] Bei allen Unterschieden ist beiden Arien der gleichsam potenzierte Vokaleinbau gemeinsam: Mit dem Vokalpart und dem instrumentalen Rahmen war gleichzeitig der Einbau der chorischen Anteile zu planen. Während in Satz 24 Violinen und Violen zum Solobass treten, begnügt sich Satz 32 mit dem motivisch geprägten Generalbass, während dem Choral die klangliche Auffüllung zufällt. Die geringstimmige Besetzung kam zwar der Erweiterung entgegen, während aber die Choralzeilen in Satz 34 erst bei der Ausarbeitung eingefügt werden konnten, war die Einfügung des Chores in Satz 24 bereits im Vorspiel angelegt.

Gemäß dem Aufruf »Eilt, ihr angefochtnen Seelen« (Satz 24) beginnt das Ritornell mit kettenweisen Sechzehnteln, die im Unisono über mehr als eine Oktave aufwärts führen und danach akkordisch aufgefächert werden. Sobald das Kopfmotiv im dritten Takt vom Generalbass imitiert wird, bricht die Figur der Oberstimme ab. Der anschließende Wechsel zwischen auftaktigen Sechzehnteln und betonten Achteln gewinnt durch seine mehrfache Wiederholung motivische Bedeutung. In seiner Sequenzierung verbindet sich die Ausweitung des Ambitus mit der wechselnden Position des Motivs, das sich – quasi auftaktig – zunächst auf die zweite, sodann auf die erste und schließlich auf die dritte Zählzeit des ⅜-Taktes richtet, während die Sechzehntelkette des Themenkopfes in Pausen abbricht. Der Kontrast zwischen der laufenden und der unterbrochenen Bewegung geht mit dem Wechsel zwischen Tonika und Dominante einher, während er in der Binnensequenz zur Subdominante erweitert wird. Er bildet die Voraussetzung der Möglichkeit, in die Pausen später die Fragen des Chores einzufügen. Die Konstruktion des Ritornells ist demnach gleichzeitig ein Paradigma für die Verschränkung der kontrapunktischen Schichtung und der harmonischen Planung, die Bach im ersten Jahrgang erreicht hatte.

Sobald der Vokalpart mit dem Themenkopf eintritt, wird er von den Streichern imitiert, sodass sich das Ritornell mit Vokaleinbau anschließen kann. Statt auf die Fortspinnung zurückzugreifen, lenkt die Bassstimme in einem Einschub zur Tonikaparallele (T. 26–31), auf der die Streicher mit dem Kopfmotiv einsetzen (T. 31–34). Wo der weitere Verlauf die Dominante erreicht, verdichtet sich die Konstruktion des Ritornells, indem die Fragen des Chores und die Pausen der Instrumente nun im Abstand einer Sechzehntel wechseln (T. 47–60 ~ 1–14). Die chorischen Fragen werden in die Imitation des Generalbasses und in die Fortspinnung des Ritornells eingeschoben, dessen Kadenz jedoch nach drei Takten unterbrochen wird. Erst nach drei instrumentalen Einwürfen kulminiert der Verlauf im überraschenden Eintritt des Chores, dessen Fragen durch Fermaten gedehnt werden, bis der A-Teil durch ein Ritornellzitat beschlossen wird. Die Reprise entspricht zwar prinzipiell dem ersten Teil, doch weist sie weitere Varianten als in anderen Da-capo-Arien auf. Anschließend an das Ende des Mittelteils, verharrt sie zunächst in Es-Dur (T. 125–144) und führt erst nachträglich in einem modulierenden Einschub über c-Moll und D-Dur zur Tonika zurück (T. 145–158). Eine zusätzliche Erweiterung bedeutet die zweiteilige Staffelung des Mittelteils, obwohl die Textglieder syntaktisch zusammenhängen. In

---

52 In der Textvorlage von Brockes sind zwar »Tochter Zion« und »Gläubige Seele« vorgegeben (vgl. Mendel, KB, S. 167), statt aber wiederholt abzuwechseln, folgen beide Textteile als geschlossene Blöcke nacheinander. Erst der Redakteur der Textvorlage formte also den Text zu dem von Bach vertonten Wechselgespräch um.

der ersten Hälfte bereitet ein Ritornellzitat die chorischen Fragen vor, die in einen nach c-Moll weisenden Halbschluss einmünden (T. 69–105). Die zweite Hälfte wendet sich stattdessen nach Es-Dur, da ihr Text aber keine Fragen enthält, begnügt sich die Begleitung mit den Figuren der Kopf- und der Fortspinnungsgruppe, ohne jedoch das Ritornell zu zitieren (T. 106–125). Dass dabei der Wechsel zwischen Fragen und Antworten entfällt, macht desto deutlicher, in welchem Maß der Satz auf den dialogischen Wechsel der Stimmen angelegt ist.

Auf das Wort »fragen« zielt auch die erste Textzeile des Satzes 32: »Mein teurer Heiland, laß dich fragen«. Statt eines Gesprächs ist die Frage des Gewissens gemeint, das auf Erhörung hofft. Dem intendierten Dialog entspricht der reale Zusatz des Chorals, der in der Arie eine eigene Ebene darstellt und vom Textautor vermutlich nicht vorgesehen war.[53] Dabei nehmen die acht Choralzeilen mit 16 von insgesamt 45 Takten mehr als ein Drittel des Satzes in Anspruch.[54] Von ihrem Ablauf ließ sich Bach bei der Entscheidung leiten, statt der Reprise am Ende auf die Eingangstakte des Generalbasses zurückzugreifen. Als genüge es nicht, die Arie mit dem Choral zu verbinden, legte er das Bassfundament überdies als variiertes Ostinatomodell an. Obwohl sich weder von einer Chaconne noch von einer Passacaglia reden lässt, kehrt der erste Zweitakter in wechselnden Varianten ständig wieder, sodass zumindest seine Teilglieder fast ununterbrochen präsent bleiben.[55]

Bei der kargen Besetzung kann es befremden, dass das Ostinatogerüst drei Kadenzen enthält. Umkreist es im ersten Takt zweimal den Tonikaklang, so endet es jeweils auf der Terz der Dominante, die anfangs durch Triller akzentuiert wird (Notenbeispiel 6). Erst die Fortspinnung umspielt die Doppeldominante, um danach auf der Dominante zu kadenzieren. Je deutlicher der Ostinato hervortritt, desto monotoner könnte der Satzverlauf werden. Indessen kommt die Konstruktion dem Einbau der Choralweise entgegen, die neben den Zeilenklauseln auch mehrere Binnenkadenzen enthält. Das ist nicht nur zu Beginn der ersten und innerhalb der zweiten Zeile zu verfolgen (T. 4 ff. und 11 f.), sondern gilt auch für die beiden folgenden (T. 17 f. und 21 f.) und die weiteren Zeilen (T. 27 f., 34 f. und 37 f.). Eine Ausnahme ist die sechste Zeile (T. 29–30), in der auch der Solobass aussetzt, sodass in ihrer A-Dur-Kadenz nur die chorische Anrede »o du lieber Herre« erklingt.

Neben der Einleitung bleiben nur wenige Takte dem Generalbass überlassen, sodass sich fast durchweg ein Duo zwischen zwei Stimmen gleicher Lage ergibt. Desto erstaunlicher ist Bachs Kunst, die ständigen Kadenzen des Generalbasses zu einem Vokalpart umzuformen, dessen Kantabilität das Bassgerüst zurücktreten lässt. Als läge eine Barform vor, werden den ersten Choralzeilen zwei solistische Abschnitte

---

53 In der Folge von zwei Doppelzeilen und einer Einzelzeile bietet auch die Vorlage von Brockes (vgl. Anm. 50) eine Kette von drei Fragen der »Tochter Zion«. Sie werden jedoch schon vorausgesetzt, wenn die »Gläubige Seele« resümierend beginnt: »Dies sind der Tochter Zion Fragen«, sodass der Text keine simultane Kombination seiner Teile nahelegt.

54 Nimmt man hinzu, dass die Zeilen 1, 4–5 und 7 um einen halben Takt versetzt werden und damit jeweils drei Takte betreffen, so ist sogar fast die Hälfte aller Takte vom Choraleinbau betroffen.

55 Im Generalbass in den Takten 1 f., 4 f., 7 f., 11 f., 13 f., 15 f., 17 f., 21 f., 25 f., 27 f., 31 f., 33 f., 37 f. und 43 f., ferner im Solobass in den Takten 3 f., 9 f. und 41 f. Vor dem 10. September 1724 erweiterte Bach die Kreuzung von Ostinato und Choralbearbeitung im Eingangschor der Choralkantate BWV 78 »Jesu, der du meine Seele«.

Notenbeispiel 6

vorangestellt, in denen der Vokalbass das Modell des Continuo wiederholt und fortspinnt (T. 1–4 und T. 7–10). Während seine subdominantische Wendung auf den Einsatz der zweiten Zeile hinführt, passt es sich entsprechend auch der dritten Zeile an, deren Halbschluss zur Mollparallele lenkt, wogegen sich die vierte Zeile zur Parallele der Subdominante wendet und damit am weitesten von der Tonika entfernt. In diesem begrenzten Rahmen erfahren die Worte ihre eindringliche, vielfach melismatisch erweiterte Deklamation.

Die Satzpaare Nr. 19–20 und Nr. 34–35 bilden in der Parte seconda die ersten und die letzten Solosätze zu freier Dichtung. Obwohl sie sich in der Koppelung von Arioso und Aria entsprechen, sind sie völlig verschieden angelegt. Der Einbautechnik in Satz 20 steht in Satz 35 eine Arie gegenüber, die ebenso intrikat gearbeitet ist wie Satz 7 in der Parte prima. Kann das Arioso Nr. 19 als Vorbote der entsprechenden Sätze in der Matthäus-Passion gelten, so meint die gleiche Bezeichnung in Satz 34 ein Recitativo accompagnato.

Der Angabe »Arioso« entspricht in Satz 19 »Betrachte, meine Seel« ein motivisch geprägter Instrumentalpart, in dessen Rahmen der Vokalpart den Text rezitativisch vorträgt.[56] Mit der folgenden Tenorarie teilt der Satz die Verwendung zweier Viole d'amore, doch wird er vom Bass gesungen und durch eine Laute bereichert. Die gebrochenen Akkorde der Laute haben zumeist bloß eine füllende Funktion, von der sich nur die fallenden Zweiunddreißigstel der umrahmenden Takte lösen. Die ersten Takte präsentieren ein instrumentales Gerüst, für das primär die Violen zuständig sind. Zur Sechzehntelbewegung der Laute, die im Generalbass zu Vierteln kontrahiert wird, beschränken sich die Violen auf Achtelwerte, die durch ihre Synkopierung motivische Prägnanz gewinnen. Nur die ersten und letzten Takte enthalten auf- oder abschreitende Linien, an deren Stelle sonst Sprünge oder umschriebene Akkorde

---

[56] Vgl. Rebekka Bertling, Das Arioso und das ariose Accompagnato im Vokalwerk Johann Sebastian Bachs, Frankfurt a. M. 1992 (Europäische Hochschulschriften, Reihe XXXVI, Bd. 86), S. 241–253.

treten. Die Synkopen fungieren einerseits als kontrapunktische Vorhalte während sie andererseits die Progression der Klänge verklammern, die durch quasi »dominantische« Stufen vorbereitet und durch verminderte Akkorde akzentuiert werden. Sie kommen auch im rezitativischen Solobass zur Geltung, der den Text in weiten Sprüngen deklamiert, ohne ausgedehnte Melismen zu benötigen. Ein anderes Bild bietet sich im Arioso 34 »Mein Herz, in dem die ganze Welt bei Jesu Leiden gleichfalls leidet«. Anders als die anschließende Arie wird es vom Sopran gesungen, während die Besetzung des Rezitativs auf zwei obligate Bläserstimmen reduziert wird. Der harmonischen Disposition kommt die Aufgabe zu, zwischen D-Dur (Nr. 32) und f-Moll (Nr. 35) zu vermitteln. Nach dem vorgeschalteten Rezitativ, das in e-Moll kadenziert, beginnt Satz 34 in G-Dur und endet in C-Dur, um damit dominantisch auf die f-Moll-Arie hinzuführen. Der scheinbar einfache Vorgang setzt eine interne Disposition voraus, die über verminderte Akkorde nach c- und d-Moll führt und damit den tonalen Bereich des Satzes 35 vorbereitet. Seinen Nachdruck gewinnt das Rezitativ durch Haltetöne der Holzbläser, während die Streicher mit Tremolo- oder Skalenfiguren die Deklamation der Tenorstimme unterstreichen.

Mit dem Schema der Da-capo-Form begnügt sich in der Johannes-Passion nur Satz 20 »Erwäge, wie sein blutgefärbter Rücken«. In c-Moll stehend, setzt sich das Ritornell fast durchweg aus »Seufzerfiguren« zusammen, die im Wechsel zwischen einer Sechzehntel und zwei Zweiunddreißigstelnoten einen steigenden oder fallenden Terzraum umgreifen. Dabei werden die Violen in parallelen Konsonanzen verbunden, und wo ihre Motivik in den stützenden Generalbass einzieht, wird sie von der einen Viola ergänzt, während sich die andere mit füllenden Tönen begnügt. Zwar können sich die Figuren kettenweise verlängern, doch dürfte es nicht leichtfallen, dem Urteil von Wustmann zu folgen, der in ihnen »erst das geduldige Erwägen, dann den weiten Himmel und den blutenden Rücken, darauf die Wasserwogen unsrer Sünden und schließlich den schönsten Regenbogen der Gnade« geschildert sah.[57] Abgesehen vom wechselnden Sinn der Worte würde man der Musik zu viel zumuten, wenn man von ihr die Wiedergabe derartiger Bilder erwarten wollte. Nach dem viertaktigen Ritornell werden Vokal- und Instrumentalpart derart verbunden, dass die obligate Führung der einen Schicht durch Pausen oder Haltetöne in der anderen erleichtert wird. Vielfach wird die Motivik des Ritornells eingeflochten, dessen Taktgruppen aber nur ausnahmsweise mit dem Vokalpart verbunden werden (so in T. 13–14 ~ 3–4). Da der Mittelteil nur zum Wort »Wasserwogen« punktierte Sechzehntel aufweist, ergibt sich insgesamt ein überaus geschlossener Verlauf.

Die Kunst, mit der die letzte Arie (Nr. 35 »Zerfließe, meine Herze, in Fluten der Zähren«) zum Pendant der ersten wird, gründet nicht in kanonischen Techniken, mit denen in Satz 7 bereits das Ritornell aufwartete.[58] In Satz 35 scheinen sich Flöte und Oboe da caccia zunächst zu stabilen Taktgruppen zu verbinden, in die der Vokalpart eingebaut wird.

---

[57] Rudolf Wustmann, Zu Bachs Texten der Johannes- und der Matthäus-Passion, in: Monatsschrift für Gottesdienst und kirchliche Kunst 15, 1910, S. 126–131, hier S. 131 (zitiert nach Mendel, KB, S. 171).

[58] Dürr meinte, die Arie Satz 35 sei »nur durch die Matthäus-Interpolation motiviert« und daher »mit ihr in Fassung III ausgeschieden worden« (Dürr, a. a. O., S. 105). Auch ohne diesen Einschub wäre aber ein

Ritornell I	A							Ritornell II
1–8	9–16	17–20	21–24	25–25	26–29 ~ 30–32	33–40	41–50	51–58
		(~ 1–4)	(~ 5–8)	(~ 1–2)	modul. Sequenz	(~ 1–8)	Kadenz	(~ 9–16)
f – C	C – f	f			f – G – c	c	G – c	c

B[1]	Zwischenspiel	B[2]	Ritornell III	A′		Nachspiel
49–73	74–78	79–87	88–96	97–107	108–118	124–127
neu	(~ 1–5)	neu	(~ 1–8)	(~ 17–22 + 25–29)	(~ 30–40)	(~ 13–16)
f – As	f – b	b	f	f	f	f

Innerhalb der modifizierten Da-capo-Form erklingt nur eingangs das vollständige Ritornell, das vor dem Mittel- und dem Schlussteil auf seine zweite bzw. erste Hälfte verkürzt wird. Während sich das Zwischenspiel des Mittelteils auf die ersten Takte beschränkt, umfasst das Nachspiel nur noch die letzten Takte. Besteht der erste Teil weitgehend aus Ritornellzitaten mit Vokaleinbau, so entspricht die Reprise dem A-Teil, dessen zur Dominante führende Taktgruppe entfällt, sodass die weiteren Takte auf der Subdominante folgen können. Neu gefasst werden – wie es scheint – nur die Textzeilen des Mittelteils, der in zwei Ansätzen nach As-Dur bzw. b-Moll führt. Könnte man also meinen, der Satz bestehe aus Wiederholungen und Transpositionen, so übersähe man die wechselnden Kombinationen der motivischen Partikel, die im Ritornell eingeführt werden. Obwohl die ersten Takte des »Vordersatzes« anfangs eine geschlossene Gruppe bilden, erscheinen sie in den Stimmen später als getrennte Motive (α und β). Die repetierten Sechzehntel der Bassstimme (γ) erhalten melodische Qualität, wenn sie im »Nachsatz« von Flöte und Oboe übernommen werden (δ), während Motiv β im Bass auf die Dominante versetzt wird.[59] Treten beide Instrumente in Takt 1 bzw. 3 mit Motiv α in Sextparallelen zusammen, so verbindet sich mit Motiv β in der Flöte ein Halteton der Oboe, während der Bass mit Motiv γ zur Unterquart fällt und einen Halbschluss auf der Dominante erreicht. Die gebundenen Sechzehntel der Flöte, die in Takt 5 zum Motiv β in der Oboe treten und beide Stimmen in Takt 7 füllen (ε), verweisen auf die melodische Fassung von γ, die in beiden Stimmen ab Takt 9 folgt (δ).

Wenigstens für den ersten Teil des Vokalparts seien ein paar Beispiele dieser Kombinatorik genannt. Dass das Kopfmotiv (α) im Sopran als »Devise« wiederholt wird, macht eine Änderung des Instrumentalparts erforderlich. Während die Flöte die füllenden Sexten übernimmt (T. 17–20), pausiert der Bass, dessen Repetitionsmotiv (γ) in die Oboe verlagert wird (Notenbeispiel 7). Indem der Bass auf dem Grundton statt auf der Quinte eintritt, entsteht aus dem verminderten Klang ein Dominantseptakkord, den der Sopran durch die verminderte None verschärft

---

Klagelied wie diese Arie zwischen der Sterbestunde und der Grablegung hinreichend motiviert. Zudem hat die Satzgruppe 33–35 eine vermittelnde Funktion zwischen den tonalen Bereichen der vorangehenden und der folgenden Sätze.

59 Um den Vergleich zu erleichtern, folgen die Abbreviaturen der Formanalyse bei Dürr, a. a. O., S. 105 f.

Notenbeispiel 7

(vgl. T. 20 mit T. 44). Entsprechend ändern sich auch die folgenden Takte, in denen die fallende Basslinie umgebildet wird (vgl. T. 25–27 mit T. 1–3). An die Takte, die im Ritornell zur Dominante weisen (vgl. T. 27–29 mit T. 4–6), schließt eine dreitaktige Sequenz an, die nach c-Moll führt (T. 30–32 ~ 27–29), sodass der transponierte »Vordersatz« des Ritornells folgen kann, in den zugleich der Vokalpart eingebaut wird (T. 33–40). Von dieser Motivik zehrt ebenso die Kadenzgruppe, die weithin auf einem Orgelpunkt basiert (T. 41–50).

Wieweit die Ritornelle dem A-Teil entsprechen, kann der Hörer über den Abstand hinweg kaum wahrnehmen. Desto deutlicher sind die Differenzen des Mittelteils, obwohl er die Motivik des A-Teils aufgreift. Im ersten Ansatz ergänzen repetierte Töne der Bläser die vokalen Varianten des Kopfmotivs, das im Instrumentalsatz anfangs nur gelegentlich und erst vor der Zäsur in As-Dur etwas häufiger erscheint. Mehr noch tritt die Kopfgruppe im zweiten Ansatz zurück, in dem sie eingangs vom Sopran zu einer fallenden Variante umgeformt wird, während der Bass später auf das Motiv β zurückgreift. Dem fassungslosen Ruf »mein Jesus ist tot« entspricht die Reduktion der Motive, die den Satz bestimmen. Aus den knappen Partikeln, die das Ritornell entfaltet, entsteht eine vielfältige Kombinatorik, die auf die motivische Arbeit in den Sätzen der Matthäus-Passion hinführt. Es mag unentschieden bleiben, wieweit diese Motive als Ausdruck der Klage oder der Tränen zu gelten haben. Obwohl sie in den Rahmenteilen allgegenwärtig sind, erzeugen sie keine Monotonie, weil sie wechselnd verkettet werden können. Dass sie auf solche Kombinationen hin erfunden sind, macht deutlich, in welchem Maß die Begriffe »Affekt« und »Struktur« hier zusammenfallen.

Die Untersuchung der Arien und Ariosi richtete sich auf Sätze, die durch ihre Position oder Textbasis ähnliche Voraussetzungen teilen. Am Ende bleibt die Einsicht, dass der expressive Charakter jedes einzelnen Satzes in seiner individuellen Struktur gründet. Ihre Eindringlichkeit verdankt die Johannes-Passion nicht nur den Rezitativen und den Turbae, sondern ebenso dem besonderen Gepräge der Arien. Dass einige von ihnen in der zweiten Fassung gegen andere ausgetauscht wurden, legt die Frage nahe, ob für die neu eingefügten Arien die gleichen Kriterien gelten.[60]

7. Arien der zweiten Fassung

In der zweiten Fassung der Johannes-Passion wurde Satz 13 – wie erwähnt – durch die Arie 13[II] »Zerschmettert mich« ersetzt. Während in die Parte prima zusätzlich die Arie 11[+] »Himmel, reiße, Welt, erbebe« einrückte, entfiel mit der Einfügung des Satzes 19[II] »Ach windet euch« neben der Arie Nr. 19 auch das vorangehende Arioso Nr. 18. Stattdessen erhielt der Choralzusatz in Satz 32 ein Pendant in der Arie 11[+], die einen solistischen Choral aufweist, während von den Arien mit vorgeschaltetem Arioso nur das Satzpaar 34–35 übrig blieb. Mit der Arie 11[+] erhielt die zweite Fassung einen zusätzlichen Satz mit der Weise »Jesu, deine Passion«, die in drei weiteren Sätzen begegnet (Satz 14 »Petrus, der nicht denkt zurück«, Satz 28 »Er nahm alles wohl in acht« und Satz 32 »Jesu, der du warest tot«). Dabei wurde hingenommen, dass die sechste Zeile in Satz 11[+] eine Fassung zeigt, die eher in Thüringen als in Leipzig verbreitet war.[61] Zwar ist die Anlage des Textes so singulär wie die Art der

---

60 Vgl. Ulrich Leisinger, Die zweite Fassung der Johannes-Passion von 1725, in: Bach in Leipzig – Bach und Leipzig. Konferenzbericht Leipzig 2000 (Leipziger Beiträge zur Bach-Forschung 5), hrsg. von dems., Hildesheim 2002, S. 29–44.
61 Vgl. Johannes Zahn, die Melodien der deutschen evangelischen Kirchenlieder, Bd. I–VI, Gütersloh 1889–1893, Nr. 6288 a-b. Zahn teilte die Melodie aus dem von Gottfried Vopelius besorgten *Neuen Leipziger Gesangbuch* von 1682 in der von Bach sonst bevorzugten Fassung mit, fügte aber als Variante zur sechsten Zeile die

Vertonung, doch gewinnt die zweite Fassung mit nunmehr vier Strophen aus dem Lied »Jesu Kreuz, Leiden und Pein« ein Beziehungsnetz, das an die vorangegangene Serie der Choralkantaten anschließt.

Teil I Satz 11$^+$	Arie »Himmel, reiße, Welt, erbebe« + Choral »Jesu, deine Passion« (Vers 10)
Teil I Satz 14	Choralsatz »Petrus, der nicht denkt zurück« (Vers 20)
Teil II Satz 28	Choralsatz »Er nahm alles wohl in acht« (Vers 34)
Teil II Satz 32	Arie »Mein teurer Heiland« + Choral »Jesu, der du warest tot« (Vers 33)

Zum madrigalischen Text des Solobasses tritt in Satz 11$^+$ die Sopranstimme mit dem Choralvers hinzu. Die Dichtung besteht aus 16 Zeilen, die paarweise angeordnet sind, sodass sich acht Doppelzeilen ergeben, deren letzte Worte sich auf die entsprechenden Choralzeilen reimen. Gemäß der achtzeiligen Form des Chorals ist die Arie zweiteilig angelegt (T. 7–27: Zeilen 1–8 mit den Choralzeilen 1–4, T. 29–57: Zeilen 9–16 mit den Choralzeilen 5–8). Die gemeinsamen Reimsilben erscheinen nur am Anfang der Satzhälften simultan, während sie sonst gegeneinander versetzt werden (nach den Zeilen 3–4 und 5–8). Die Gliederung wird jedoch durch den Instrumentalpart verdeckt, der einen Basso quasi ostinato mit zwei obligaten Flöten verbindet. Die ersten und letzten Takte sind ebenso wie das kurze Zwischenspiel dem Generalbass vorbehalten (T. 1–4, 27–28 und 57–59), während die Flöten in beiden Satzhälften erst bei Eintritt der jeweils ersten Choralzeile einsetzen, um am Ende des letzten Zeilenpaars wieder auszutreten. Obwohl sie mit dem Generalbass ein Gerüst voller Vorhaltsdissonanzen bilden, in das sich der Choral und die Bassstimme einfügen, sind die Flöten satztechnisch nicht so essentiell, dass die Arie nicht auch ohne sie denkbar wäre. Wie Dürr wahrnahm, ließe sich die Anlage durch die Annahme klären, Bach habe auf die Substanz einer früheren Arie zurückgegriffen.[62] Auf sie könnte die erwähnte Melodievariante zurückgehen, doch müsste die Erweiterung um die Flötenstimmen einen solchen Aufwand gefordert haben, dass die Umformung fast einer Neufassung gleichkam.

Beide Satzteile beginnen mit dem Generalbass, um sich dann schrittweise zum fünfstimmigen Satz zu entfalten. Komplizierter wird die Gliederung durch das Verhältnis zum Bassmodell, dessen Grundform aus drei Segmenten besteht (T. 1–6). Einer gezackten Figur, deren aufwärts gerichtete Sprünge mit einem jähen Absturz zu Tonrepetitionen verbunden werden, folgen Sechzehntel und Zweiunddreißigstel, die eine fallende Linie umschreiben, während die Figuren im kadenzierenden Schlussglied umgestellt werden. Ausgehend vom Incipit,[63] lassen sich zehn Phasen dieses Modells erkennen, dessen Segmente vielfach gekürzt oder verlängert werden.[64] Die

---

Fassung des Weißenfelser Gesangbuchs bei, die in Satz 11$^+$ vorliegt. Unter Hinweis auf Dürrs Aufsatz aus BJ 1989/90 fasste Mendel, KB, S. 172, zusammen, die Melodie erscheine »in einer Fassung, wie sie zu Bachs Zeit in Weimar gebräuchlich war, nicht dagegen in Leipzig«. Zu Satz 11$^+$ vgl. ferner Alfred Dürr, Die Johannes-Passion, S. 18 und 108 ff., sowie Bach-Compendium (BC), Vokalwerke III, Leipzig 1988, S. 988.

62   Dürr, ebd., S. 109, vgl. auch Leisinger, a. a. O., S. 43 f.

63   Dass das Initium des Bassmodells wechselnd den Rahmen einer Sexte oder Oktave umspannt, erlaubt kaum Rückschlüsse auf »eine gewisse Entwicklung«, die der Satz »durchgemacht« habe (so Dürr, a. a. O., S. 109). Vielmehr wird das Bassmodel variabel dem wechselnden Kontext angepasst.

64   Vgl. T. 1, 7, 12, 16 und 25 in der ersten, ab T. 29, 33, 40, 50 sowie 55 in der zweiten Hälfte. Nur die zweite Phase stimmt mit dem Grundmodell nahezu überein, doch beginnt mit ihrer Kadenz auch die dritte Phase (T. 12 ff.), die

Abgrenzung der Phasen deckt sich jedoch nicht mit dem Umfang der gedichteten Zeilenpaare und der entsprechenden Choralzeilen, sodass sich die Schichten mehrfach mit der Gliederung des Basso quasi ostinato kreuzen. Das Modell umgreift zwar kaum mehr als eine Kadenz, die anfangs durch Nebenstufen erweitert wird. Gerade darum aber ist es dazu geeignet, sich dem harmonischen Verlauf anzupassen, der durch die Zeilen und Klauseln des Chorals bestimmt wird.

So starr der Grundriss anmuten mag, so variabel verhalten sich die Teilmomente zueinander. Zu Recht betonte Dürr, der Vokalpart sei – bei »vereinzelten motivischen Entsprechungen« – insgesamt »unthematisch« und folge stattdessen »dem Textinhalt mit entsprechenden Figuren«.[65] Weder diese Figuren noch die weiteren Entsprechungen und Varianten müssen hier genannt werden. Auffällig sind jedoch die Takte, in denen die sechste Choralzeile mit der erwähnten Melodievariante eintritt (T. 36. ff.). Nur hier werden die Tonrepetitionen, die im ersten und letzten Segment des Bassmodells einen halben und sonst nur einen Takt ausfüllen, auf vier Takte erweitert. Sie eröffnen eine Basslinie, die chromatisch steigend eine Terz ausfüllt, bevor sie mit einem Ganztonschritt zur Quinte des Grundtons abfällt. Damit paart sich die Choralzeile, die in der sonst üblichen Fassung einen steigenden Quartgang mit einer Klausel abschließt. In der Version aus Satz 11$^+$ wird sie hingegen auf zwei Töne und damit auf eine schlichte Kadenzfolge reduziert, die in Bachs Transposition in E-Dur stehen würde (e^2-e^2-dis^2-e^2-e^2-dis^2-e^2). Sie verbindet sich jedoch mit der chromatischen Basslinie zu einer erweiterten e-Moll-Kadenz, die über die Subdominante und Doppeldominante in E-Dur schließen könnte. Zur Choralzeile »wenn ich dran gedenke« treten im Bass die Worte »mich in deine Wunden senke«, die durch verminderte Intervalle akzentuiert werden. Wiewohl diese Konstruktion durch die karge »Thüringer« Version der Choralzeile veranlasst war, dürfte die erhaltene Fassung der Arie erst 1725 durch eine weitreichende Umarbeitung entstanden sein.

Ganz anders ist die dramatische Tenorarie 13^{II} angelegt, die in A-Dur steht und in Fassung II den fis-Moll-Satz 13 »Ach, mein Sinn« ersetzte. In einer regulären Da-capo-Form wird der Text des A-Teils syllabisch deklamiert, während die Schlusszeile des B-Teils durch auffällige Melismen ausgezeichnet wird.

A   Zerschmettert mich, ihr Berge und ihr Hügel,
       Wirf, Himmel, deinen Strahl auf mich!
       Wie freventlich, wie sündhaft, wie vermessen
       Hab ich, o Jesu, dein vergessen!

B   Ja, nähm ich gleich der Morgenröte Flügel,
       So holte mich mein strenger Richter wieder;
       Ach! fallt vor ihm in bittern Tränen nieder!

Während die ersten Zeilen beider Teile durch Reim verbunden werden, bilden die beiden Folgezeilen im B-Teil ein Reimpaar, sodass die zweite Zeile des A-Teils isoliert bleibt. Stattdessen folgen ihr zwei Reimzeilen, die Bach als rezitativische

---

somit anfangs erweitert und dann um das mittlere Segment verkürzt wird. Fallen die nächsten Phasen wiederum kürzer aus, so verlängern sich die folgenden, während die letzten enger ineinander verschränkt sind.

65   Dürr, a. a. O., S. 110.

Einschübe vertonte und durch instrumentale Einwürfe mit dem Ritornell verknüpfte.[66] Das sechstaktige Ritornell der Streicher verbindet fallende Dreiklänge, die in repetierte Sechzehntel zerlegt werden, mit aufschießenden Zweiunddreißigsteln, mit denen auch die Sequenzfiguren der Fortspinnung enden.[67] Wie das Ritornell beschränkt sich der erste Abschnitt des A-Teils darauf, mehrfach die Grundstufen zu umkreisen. Wo er im Halbschluss auf der Dominante innehält, bricht in Gis-Dur das erste Rezitativ ein, dessen Deklamation über eine Quintschrittsequenz zum »phrygischen« Schluss in Cis-Dur führt (T. 12–16). Zwar erweitert sich der zweite Abschnitt durch eine Quintkette, statt aber zu modulieren, läuft er wiederum in einem Halbschluss aus. Im zweiten Rezitativ das auf der Dominante endet, wird die Tonika durch ihre Mollvariante vertreten, vor der die »neapolitanische« Stufe B-Dur eingeschoben wird (T. 23–27). Effektvoll werden die rezitativischen Abschnitte durch instrumentale Figuren durchbrochen, die dem Ritornell entnommen sind, sodass sich die Abschnitte im »allegro« und im »adagio« auf engstem Raum ablösen. Dass der A-Teil ausnahmsweise nicht moduliert, macht deutlich, dass er auf den Kontrast zum harmonisch ausgreifenden Rezitativ angelegt ist. Ohne auf den Beginn der Arie zurückzukommen, endet der Vokalpart des A-Teils im Rezitativ mit der Frage »hab ich, o Jesu, dein vergessen?«, an die sich das Ritornell anschließt. Seinen Figuren entstammt auch die Begleitung des B-Teils, dessen Phasen in cis- bzw. fis-Moll kadenzieren. Beidemal setzt die Figuration zur Schlusszeile aus, deren Melismen von Seufzerfiguren« der Streicher begleitet werden (T. 40 f. und T. 50 ff.). Der Schluss wird zum Worte »Tränen« durch ein expressives Melisma erweitert, das der melismatischen Wendung am Ende des vorangehenden Rezitativs ähnelt (Satz 12c, T. 33–38 »und weinete bitterlich«).[68] Was der Arie an kontrapunktischer Kunst abgeht, macht sie durch die Fülle der internen Kontraste wett, die zugleich miteinander verkettet werden.

Nicht ganz so eigenartig ist die Arie Satz 19[II], die zwar wie Satz 19 eine Tenorarie in Da-capo-Form darstellt, aber mit zwei Oboen statt Violen besetzt ist. Nicht weniger als 30 der 42 Takte des A-Teils werden mit dem Ritornell bestritten, das nicht nur am Beginn und Ende (T. 1–10 und T. 33–42), sondern dazwischen nochmals mit Vokaleinbau abläuft (T. 17–26). Da die ersten Takte als Devise abgespalten und von den Oboen mit der Kadenzgruppe des Ritornells fortgeführt werden (T. 11–15 ~ 1–2 und 7–10), bilden nur die letzten Takte des Vokalparts einen Zusatz, der den Teilschluss durch den Einschub der »neapolitanischen« Stufe erweitert (T. 27–32). Der zweizeilige Text kann in 16 Takten zweimal ablaufen, da er weder durch Melismen

---

66   Vgl. den Abdruck des Textes bei Dürr, Bachs Johannes-Passion, Beiheft, S. 21 f. Mangels des originalen Textdrucks ist nicht zu entscheiden, ob die rezitativische Vertonung der Zeilen erst auf Bachs Entscheidung zurückging. Da die Zeilen aber schon im Text hervorgehoben sind, liegt die Annahme nahe, dass sie bereits vom Librettisten als rezitativische Einschübe vorgesehen waren.

67   Der »musikalische Eindruck« ließ für Leisinger, a. a. O., S. 34, »keinen Zweifel daran, daß die stark durch die Concerto-Form beeinflußte Arie [...] in ihrer Grundsubstanz aus der vor-Leipziger Zeit stammen muß«. Wer aber seinem »Eindruck« weniger traut als analytischen Kriterien, wird einsehen, dass ein nur sechstaktiges Ritornell so wenig wie der Einschub von Rezitativen zu einer »Concerto-Form« passt.

68   Auch Leisinger, ebd., S. 41 f., verwies auf die Analogie beider Melismen, suchte sie aber mit der These des Weimarer Ursprungs der Arie durch die Annahme zu vereinbaren, ihr letztes Melisma sei erst 1725 hinzugefügt worden. Plausibler erklärt sich der Sachverhalt, wenn man davon ausgeht, dass die Arie erst 1725 entstand.

Notenbeispiel 8

noch durch Zwischenspiele ausgeweitet wird. Bei der Übernahme des Ritornells bzw. seiner Teile bildet weniger die Tenorstimme als der Generalbass eine zusätzliche Stimme. Während der Vokalpart zumeist einer der beiden Oboen folgt, entspricht die andere Oboenstimme weithin dem zuvor motivisch geführten Generalbass, der hier nur als zusätzliche Bassstütze fungiert. Das Verfahren gründet in einem latent kontrapunktischen Satzgerüst, das durch die Parallelführung der Oboen kaschiert wird. Seine motivische Qualität erweist sich erst im B-Teil, der mit 34 Takten deutlich kürzer ist als der A-Teil, obwohl ihm drei Textzeilen zugrunde liegen. Da sie doppelt durchlaufen werden, wächst der Anteil der vokalen Satzteile, zumal im Zwischenspiel nur die vier ersten Takte des Ritornells wiederholt werden (T. 51–54). Sie trennen zwei Phasen des Vokalparts (T. 43–50 und 59–76), in denen das frühere Verfahren differenziert wird, sodass nochmals auf den Kopf des Ritornells zurückzukommen ist (Notenbeispiel 8).[69]

Im ersten Takt wiederholen die Oboen einen fallenden Quartgang (α), dessen Varianten den gesamten Satz durchziehen. Dazu umspielt der Generalbass den Grundton mit einer synkopischen Wendung, die in den Oboen gelegentlich abgewandelt wird (T. 17 ff.). Zur Transposition des ersten Motivs tritt in Takt 3 ein chromatisch steigender Quartgang der Oberstimme (β), der in der Kadenz wiederkehrt und im Tenor entsprechend textiert wird (T. 19 und 31 »bei eurer Kreuzesangst«). In der ersten Phase des B-Teils, die von Es-Dur nach f-Moll führt, setzen die Stimmen leicht verschoben ein. Unterläuft dabei ein chromatischer Schritt (T. 44 in Oboe I), so kehrt danach die synkopische Paarung aus dem A-Teil wieder (T. 46–48). Die zweite Phase, in der die Oboen pausieren, lenkt dagegen nach g-Moll (T. 55–58). Bei ihrem erneuten Einsatz verbinden die Oboen das Synkopenmotiv mit dem Quartfall

[69] Zu den Motiven des Ritornells und ihrer Wiederkehr vgl. auch Dürr, Bachs Johannes-Passion, S. 110 f.

(α), während in der letzten Zeile der chromatische Quartgang (β) die Stimmen in Engführung durchläuft (Oboe I–II, Tenor und Bc. in T. 61–63: »ihr werdet diese größer [finden]«). Wo er nochmals in der zweiten Oboe eintritt, verbindet er sich mit der Engführung und Umkehrung zur letzten Textzeile (T. 64 f.). Zwar kehrt er danach noch zweimal wieder (T. 71 und 73), doch tritt in seiner Engführung eine kontrapunktische Struktur zutage, die bei Beginn des Satzes kaum zu erwarten war.

8. Zur »Weimarer Passion«

Insgesamt zeichnen sich die Arien, die nur in der Zweitfassung der Johannes-Passion erhalten sind, durch eine höchst individuelle Struktur aus, die nicht den Gedanken nahelegt, sie könnten schon vor den Leipziger Jahren entstanden sein. Mit ihnen hängen aber weitere Fragen zusammen, die die sogenannte »Weimarer Passion« betreffen. Dass Bach in die Arie 11[+] einen Choral einführte, ließ sich als Indiz für die Vermutung auffassen, er habe damit den Versuch unternommen, die zweite Fassung an den Jahrgang der Choralkantaten anzupassen. Ein weiteres Argument bestand darin, dass der Eingangs- und der Schlusschor gegen zwei Choralchorsätze ausgetauscht wurden. Während an die erste Stelle der Satz »O Mensch, bewein dein Sünde groß« trat, wurde der Schlusschor durch die Choralbearbeitung »Christe, du Lamm Gottes« ersetzt. Dass Bach den Satz zuvor am 7. Februar 1723 in seiner Bewerbungsmusik BWV 23 »Du wahrer Gott und Davids Sohn« verwendete, darf als gesichert gelten.[70] Ebenso steht fest, dass der Satz »O Mensch, bewein«, der in der zweiten Fassung der Johannes-Passion in Es-Dur stand, später in E-Dur als Schlusssatz des ersten Teils der Matthäus-Passion verwendet wurde. Fraglich blieb jedoch, ob Bach den Satz im Kontext der Choralkantaten 1725 komponiert oder ob er auf eine frühere Passion zurückgegriffen habe, die dann schon in Weimar entstanden sein müsste. Die Datierung wäre für das Postulat einer »Weimarer Passion« ebenso wichtig wie für das Verhältnis zwischen den Choralkantaten und der zweiten Fassung der Johannes-Passion.

Nach ersten Hinweisen von Dürr[71] wurden im Bach-Compendium (D 1) der »Weimarer Passion« neben den drei Arien aus der Zweitfassung der Johannes-Passion auch die zuletzt genannten Choralchorsätze und ein einzelner Kantionalsatz zugeordnet.[72]

---

70 Vgl. BC, Vokalwerke I, Leipzig 1985, S. 212, wonach die ersten drei Sätze aus BWV 23 noch in Köthen entstanden wären, während der letzte Satz erst in Leipzig ergänzt worden sei. Dagegen ließ Dürr offen, ob BWV 23 schon 1723 oder erst 1724 aufgeführt worden sei, vgl. Dürr, Die Kantaten, Bd. 1, S. 217, sowie Leisinger, a. a. O., S. 36 ff.

71 Vgl. Alfred Dürr, Zu den verschollenen Passionen Bachs, in: BJ 1949/50, S. 92–99.

72 BC, Vokalwerke III, Leipzig 1988, S. 983 f. Allerdings enthält der Kommentar so viele Einschränkungen, dass nicht leicht verständlich ist, warum das Werk – anders als im BWV – eine eigene Nummer erhielt, als handle es sich um ein Faktum statt um eine Vermutung. Unsicher ist, ob Bach 1717 am Gothaer Hof eine Passionsmusik aufführte, vgl. Andreas Glöckner, Neue Spuren zu Bachs »Weimarer Passion«, in: Passionsmusiken im Umfeld Johann Sebastian Bachs (Leipziger Beiträge zur Bach-Forschung 1, Konferenzbericht Leipzig 1994), Hildesheim 1995, S. 33–46. Die fragliche Quelle enthält nur einen Zahlungsbeleg vom 12. April 1717, ohne eine Komposition zu nennen, vgl. Dok. V, Nr. 81a, S. 126 (für einen Meinungsaustausch danke ich Peter Wollny).

1. Chor: »O Mensch, bewein dein Sünde groß« (D-Dur) [BWV 245, Satz 1[+]]
2. Aria: »Himmel, reiße, Welt, erbebe« [BWV 245, Satz 11[+]]
3. Aria: »Zerschmettert mich, ihr Hügel und ihr Felsen« [BWV 245, Satz 13[II]]
4. Aria: »Ach windet euch nicht so, geplagte Seelen« [BWV 45, Satz 19[II]]
5. Chor: »Christe, du Lamm Gottes« [BWV 245, Satz 40[II]]
6. Choral: »Christus, der uns selig macht« [Kantionalsatz BWV 283]

Für die Hypothese einer »Weimarer Passion« konnte man sich auf Hilgenfeldt berufen, der die Feststellung, von fünf im Nekrolog erwähnten Passionen seien nur zwei erhalten, durch den Hinweis ergänzte: »Eine der drei übrigen soll Bach im Jahre 1717 komponiert haben«.[73] Die Formulierung ist zwar vage genug, doch galt sie als Grund, um die Annahme einer »Weimarer Passion« zu stützen. Da die drei Arien im Quellenbestand der Johannes-Passion überliefert sind, ließ sich ihre frühere Entstehung nur vermuten. Wenn aber BWV 23 schon 1723 vorlag, dann hinge desto mehr von der Datierung des Satzes »O Mensch, bewein« ab. Zwar ist er erst in Verbindung mit der zweiten Fassung der Johannes-Passion 1725 überliefert, doch galt es als wahrscheinlich, dass er schon früher – und dann wohl in Weimar – entstanden sei, seit Mendel 1974 dafür philologische Gründe genannt hatte.[74] Da die Quellen zur Johannes-Passion keine Rückschlüsse erlauben, zog Mendel die autographe Partitur der Matthäus-Passion heran. In ihr sah er Anzeichen für die These, Bach habe bei der Niederschrift Versehen korrigiert, die ihm bei der Transposition einer in D-Dur stehenden Vorlage unterlaufen waren. Dürr hielt diese Indizien für nicht schlüssig genug und meinte, »vom quellenkritischen Standpunkt aus betrachtet« sei die Entstehungszeit des Satzes »weiterhin offen«.[75] Im Blick auf die Johannes-Passion konstatierte er, der Weimarer Ursprung des Satzes sei »nicht gesichert«, sodass seine Entstehung im Jahre 1725 »nicht völlig ausgeschlossen werden« könne.[76]

Allerdings ist kein Choralchorsatz – schon gar nicht dieses Formats – aus der Weimarer Zeit erhalten, in der Bach erst während der letzten Jahre auf den Typus des instrumental erweiterten Choralsatzes zurückgriff. Bei genauerer Prüfung zeigte sich jedoch, dass die Bearbeitung von »O Mensch, bewein« einen ungewöhnlich polyphonen Vokalsatz enthält, der zugleich mit einem motivisch geprägten Instrumentalpart verkettet ist.[77] Daher drängt sich die Folgerung auf, dass der Satz als Krönung der langen Reihe der Choralchorsätze gelten muss, die Bach 1724 am ersten Sonntag nach Trinitatis begonnen hatte und zu Mariä Heimsuchung 1725 abbrechen musste, weil wohl der Dichter nicht mehr verfügbar war, der die Texte dieser Werke geliefert hatte. Wenn der Satz aber mit an Sicherheit grenzender Wahrscheinlichkeit

---

73 Carl Ludwig Hilgenfeldt, Johann Sebastian Bach's Leben, Wirken und Werke, Leipzig 1850, Reprint Hildesheim 1965, S. 114. Nach Glöckner, a. a. O., S. 38, könnte sich der Hinweis auf Bachs Gothaer Passion bezogen haben.

74 Mendel, KB, S. 172. Vgl. Arthur Mendel, Traces of the Pre-History of Bach's St. John and St. Matthew Passions, in: Festschrift Otto Erich Deutsch, Kassel 1963, S. 31–48; ders., More on the Weimar Origin of Bach's »O Mensch, bewein« (BWV 244/35), in: JAMS 17, 1964, S. 203–206.

75 So Dürr im Kritischen Bericht zur Edition der Matthäus-Passion (1974), S. 172.

76 Dürr, Die Johannes-Passion, S. 18, mit dem Zusatz, die Anlage sei zwar »ungewöhnlich weiträumig«, aber »für die Zeit um 1716/17 […] nicht undenkbar«.

77 Vgl. dazu die nähere Darstellung in Teil V, Kap. 1, sowie Verf., Bachs Zyklus der Choralkantaten, S. 88 ff. (vgl. entsprechend auch Leisinger, a. a. O., S. 39 f.).

erst 1725 entstand, dann kann er nur für die Zweitfassung der Johannes-Passion bestimmt gewesen sein. Da er deshalb nicht für eine »Weimarer Passion« in Betracht kommt, bleibt nur zu konstatieren, dass auch die Bearbeitung von »Christe, du Lamm Gottes« lediglich in der Fassung von BWV 23 überliefert ist.

Das Bach-Compendium vermerkte, dass neben den »stilistischen Kriterien«, die auch für die anderen fraglichen Sätze geltend gemacht wurden, die »Besonderheiten des c. f. […] auf eine Entstehung […] vor Bachs Amtsantritt« schließen ließen, wobei der Satz zunächst wohl »in satztechnisch einfacherer Form« vorgelegen habe.[78] Man müsste jedoch weit zurückgreifen, um im Schlusssatz des »Actus tragicus« (BWV 106) das einzige Beispiel zu finden. Doch scheidet dieses Werk für einen Vergleich aus, da es gattungsgeschichtlich in einen anderen Kontext gehört. In Weimar schrieb Bach nach heutiger Kenntnis nur einige Kantionalsätze mit zusätzlichen Instrumentalstimmen, nicht aber einen polyphonen Choralsatz mit einer instrumentalen Motivik, die mit den Choralzeilen kombiniert und ebenso in den Zwischenspielen verwendet wird. Sätze dieses Typus begegnen erst in der frühen Leipziger Zeit, in der sie mehrfach auch in Wiederaufführungen von Weimarer Kantaten eingefügt wurden.[79] In BWV 23 wird der Typus mit der motivischen Differenzierung der Verse verbunden. Während Versus II durch einen Unterquartkanon der Violinen ausgezeichnet wird, bezieht sich die Basslinie der Zwischenspiele in Versus III auf die erste Zeile aus »O Haupt voll Blut und Wunden«. Wenn der Satz also nicht auf die Weimarer Zeit deutet, so bildet er eher einen Vorgriff auf das erste Leipziger Jahr. Selbst wenn er auf eine einfachere Frühform zurückginge, ist aber nur die Leipziger Gestalt greifbar. Auch die Fassung der Choralweise gibt zu keiner früheren Datierung Anlass, zumal Bach in BWV 127 (»Herr Jesu Christ, wahr' Mensch und Gott«) zu Estomihi 1725 – nicht lange vor der zweiten Fassung der Johannes-Passion – dieselbe Melodiefassung als instrumentales Zitat verwendete. Insgesamt bleibt also festzuhalten, dass kein zwingender Grund vorliegt, um für den Choralchorsatz BWV 23:4 eine hypothetische »Weimarer Passion« zu vermuten.

Das gilt auch für den Kantionalsatz BWV 283, der allerdings nicht in die zweite Fassung der Johannes-Passion einging. Er liegt zwar nur in postumen Abschriften vor, doch wurde er in die von Kirnberger und Carl Philipp Emanuel Bach besorgte Sammlung der »Choralgesänge Bachs« aufgenommen (und dabei versehentlich doppelt wiedergegeben).[80] Die hier benutzte Melodie zu »Christus, der uns selig macht« unterscheidet sich jedoch von der Fassung, die Bach verwendete, und dürfte

---

78 BC III, S. 983. Die »Besonderheiten« der Choralfassung beschränken sich auf den vierten Ton der zweiten Zeile, der in BWV 23:4 ohne Erhöhung (als b) erscheint, während er als instrumentales Zitat im Rezitativ Satz 2 erhöht wird (zu h). Das dürfte darauf hindeuten, dass Satz 2 vielleicht schon in Köthen entstand, während Satz 4 erst in Leipzig ergänzt wurde, vgl. auch Leisinger, a. a. O., S. 36–39. Während hier in einer Kantate dieselbe Weise in zwei Versionen begegnet, griff Bach im Kyrie der Missa F-Dur BWV 233 auf eine frühere Fassung BWV 233a zurück, benutzte aber beidemal die Melodie von »Christe, du Lamm Gottes« mit der Erhöhung des fraglichen Tons, vgl. dazu Verf., Bachs Zyklus der Choralkantaten, S. 143 mit Anm. 119. Dass diese Varianten derselben Weise in Weimar wie in Leipzig möglich waren, sollte zur Vorsicht bei Versuchen mahnen, die entsprechenden Kriterien für Datierungszwecke zu benutzen.

79 Vgl. Verf., Die Tradition in Bachs vokalen Choralbearbeitungen, in: Bach-Interpretationen, hrsg. von Martin Geck, Göttingen 1969, S. 29–56, hier S. 45 f.

80 Teil III, 1786, Nr. 198 und Teil IV, 1787, Nr. 307, vgl. BC IV, Leipzig 1989, S. 1301.

auf den thüringischen Raum weisen.[81] Kann das aber ein Grund sein, den Satz mit einer »Weimarer Passion« zu verbinden? Ebenso gut wäre er in einer Kantate zur Passionszeit oder als Unterrichtsmodell denkbar, mit dem Bach seine Schüler – wie Carl Philipp Emanuel bezeugte – nach der Generalbasslehre sogleich »an die Choräle« heranführte.[82] Wie auch immer: Ein einzelner Kantionalsatz gibt keinen Anlass für Rückschlüsse auf eine »Weimarer Passion«.

Sucht man nach Sätzen, die für eine »Weimarer Passion« in Frage kämen, so blieben nur die drei Arien, die in der zweiten Fassung der Johannes-Passion erhalten sind. Da sie nicht schon vor Bachs Leipziger Zeit entstanden sein können, bliebe die in Satz 11[+] benutzte Melodiefassung das einzige Indiz, das auf eine Weimarer Herkunft deuten könnte. Für die beiden anderen Arien müsste man sich mangels weiterer Belege mit einem Analogieschluss oder mit »stilistischen Kriterien« behelfen, die im Bach-Compendium aber nicht näher erörtert wurden.[83] In den Weimarer Kantaten finden sich zwar sieben Arien mit hinzugefügten Choralweisen, da es sich aber durchweg um instrumentale Choralzitate handelt, entfällt von vornherein die Mehrschichtigkeit der Texte, die eine Voraussetzung für die Struktur des Satzes 11[+] bildet.[84] Allenfalls könnte man auf die Choralzitate in früheren Werken verweisen, die aber schon deshalb nicht vergleichbar sind, weil sie die Choralmelodien mit Bibeltexten kombinieren.[85] Vergeblich wird man in den Weimarer Kantaten auch nach einer Arie suchen, in der die eingefügten Rezitative eine ähnlich konstitutive Funktion wie in Satz 13[II] haben. Zu nennen wäre allenfalls die Arie BWV 199:4, deren B-Teil mit einem kurzen »adagio« in quasi rezitativischer Diktion ausläuft.[86] Am Ende des Mittelteils stehend, greifen diese Takte jedoch – anders als in Satz 13[II] – nicht in den Satzverlauf ein.[87]

Die beiden Arien verweisen also keineswegs eindeutig auf Bachs Weimarer Zeit. Ihre eigenartigen Texte – mit zusätzlichem Choral oder rezitativischen Zeilen – deuten eher in Bachs Leipziger Jahre und hier vor allem auf die Vorlagen der Choralkantaten des zweiten Jahrgangs. In ihnen hatte der Librettist nicht nur eine Reihe von Rezitativen geliefert, in die er einzelne Choralzeilen einfügte.[88] Vielmehr hatte

---

81   Vgl. Johannes Zahn, a. a. O., Nr. 6283 a-b. BWV 283 folgt der älteren Fassung 6283a, wogegen Bach sonst die jüngere Version 6283b verwendete.

82   Dok. III, Nr. 803, S. 288.

83   Vgl. BC III, S. 983.

84   BWV 12:5, 172:3, 31:8; 185:1, 161:1, 163:5 und 80a:1 (die instrumentale Choralweise in BWV 80a wurde erst nachträglich in Leipzig textiert). Vgl. die Übersicht bei Verf., Gespräch und Struktur: Über Bachs geistliche Dialoge, in: Johann Sebastian Bach. Schaffenskonzeption – Werkidee – Textbezug (Beiträge zur Bach-Forschung 9–10), Leipzig 1991, S. 45–59, hier S. 58 f. Nur in BWV 158:2 erscheint zusätzlich eine vokale Choralweise, doch muss der Satz hier außer Betracht bleiben, da die Kantate BWV 158 »Der Friede sei mit dir«, deren Sätze nur in einer Kopie von Christian Friedrich Penzel vorliegen, laut BWV[2a] »vielleicht auf eine Weimarer Urform« zurückgeht, in der erhaltenen Fassung aber wohl erst »in Leipzig« entstanden ist.

85   BWV 71:2, 106:3 und 131:2 und 4.

86   Die Kantate BWV 199 »Mein Herze schwimmt im Blut« gibt durch ihre erstaunliche Reife manche Rätsel auf, da sie wohl schon 1713 entstand und damit den Weimarer Werken voranging.

87   Beide Zeilen erscheinen am Ende des ersten Teils als Reimpaar, vgl. den Abdruck des Textes bei Dürr, Die Johannes-Passion, Beilage, S. 21.

88   Vgl. die Übersicht bei Verf., Bachs Zyklus der Choralkantaten, S. 162, sowie besonders BWV 93:2, 178:5, 113:5 und 7 sowie 94:3 und 5. Dagegen enthält der erste Leipziger Jahrgang keine Arien mit Choralzitaten,

er auch Arientexte vorgelegt, die Bach die Möglichkeit boten, einzelne Choralzeilen mit der zugehörigen Melodie zu zitieren.[89] Zu nennen wäre beispielsweise das Terzett BWV 122:4, das mit der Dichtung vier Choralzeilen verbindet, die sich allerdings nicht in die Reimfolge der gedichteten Zeilen einordnen. Näher noch an Satz 11[+] führt die Arie BWV 127:5, in der die Choralzitate in den Textverlauf integriert sind.[90] Zwar lassen sich für Satz 19[II] nicht ebenso klare Argumente nennen, doch rückt er durch seine kontrapunktische Struktur, näher an die Konstruktion von Satz 11[+] heran als an den Bestand der Weimarer Arien, in denen die Einbautechnik noch ohne vergleichbare Komplikationen verwendet wird.[91] So dürfte es naheliegen, Satz 19[II] in die Nähe der beiden anderen Arien zu rücken und nicht in die Weimarer Zeit zu verlegen. Ein solcher Analogieschluss wäre plausibler als der umgekehrte Weg, der von der Choralvariante in Satz 11[+] ausginge, um von ihr aus auf die Weimarer Entstehung dieser Arie und die entsprechende Datierung der anderen Sätze zu schließen.

Löst man sich von der These, die genannten Sätze entstammten einer »Weimarer Passion«, so wird man an die Situation erinnert, in die Bach im März 1725 – nur wenige Wochen vor Karfreitag – geraten war. Mit den Kantaten BWV 127 und BWV 1, die am 2. Februar und am 25. März aufgeführt wurden, brach damals der Jahrgang der Choralkantaten ab, weil offenbar der Autor der Texte nicht mehr verfügbar war. Hans-Joachim Schulze hat vorgeschlagen, diesen Dichter mit dem einstigen Konrektor Andreas Stübel zu identifizieren, der am 31. Januar 1725 verstarb.[92] Ohnehin ist anzunehmen, dass Bach 1725 nicht freiwillig auf die Johannes-Passion zurückgriff, die er erst ein Jahr zuvor aufgeführt hatte. Musste es für ihn nicht naheliegen, sich der Hilfe des Librettisten zu versichern, der ihm zuvor die Texte der Choralkantaten geliefert hatte? Und müssten dann nicht die Planungen begonnen haben, bevor der Autor unerwartet verstarb? Kein anderer Librettist war so erfahren mit Choralzitaten und Textmischungen, wie sie in den beiden Arien aus der zweiten Fassung der Johannes-Passion vorliegen. Wenn die Planungen schon früher als im Februar oder März einsetzten, dann dürften wenigstens einzelne Arien schon vor dem Tod dieses Autors entworfen worden sein.

Wäre es demnach auszuschließen, im Verfasser der Choralkantaten den Autor der Texte zu vermuten, die in die zweite Fassung der Johannes-Passion eingefügt wurden?[93] Zwar hatte er zuvor keine Arien geliefert, deren Reime wie in Satz 11[+] auf die eingefügten Choralzeilen hin berechnet waren. Hatte er aber schon Rezitative

---

während das liturgische Choralzitat in dem Terzett »Suscepit Israel« aus dem Magnificat BWV 243a:10 einen Sonderfall darstellt.

89   Vgl. ebd., S. 160.

90   Der Satz besteht aus dem Wechsel von Rezitativen und ariosen Abschnitten, zu denen eine mehrfach wiederkehrende Textzeile mit der zugehörigen Choralweise zählt.

91   In den Sätzen 34:3 (Oculi 1714) und 162:1 (20. Sonntag nach Trinitatis 1715 oder 1716) beginnen die instrumentalen Abschnitte zwar fugiert, münden jedoch rasch in Parallelführung der Stimmen. Nur in 161:1 (Trinitatis 1715) liegt ein dreistimmiges Fugato der Instrumente vor, in das dann auch die Sopranstimme einbezogen wird.

92   Hans-Joachim Schulze, Texte und Textdichter, in: Die Welt der Bach-Kantaten, hrsg. von Christoph Wolff, Bd. III, S. 190–126, hier S. 116.

93   Vgl. dazu Leisinger, a. a. O., S. 40 ff.

mit Reimen zwischen Dichtung und Choral geschrieben, so hatte er entsprechende Versuche bereits in den Arien begonnen. Beide Maßnahmen mussten nur kombiniert werden, um zu einem Text wie in Satz 11[+] zu führen. War der Autor zu derartigen Textkombinationen fähig, so konnte es ihm auch nicht schwerfallen, eine Arie zu entwerfen, in der sich einzelne Zeilen für eine rezitativische Vertonung eigneten. Spinnt man den Gedanken fort, so ließen sich auch weitere Fragen beantworten. Mehrfach wurde vermutet, Bach habe die zweite Fassung der Passion durch die eingefügten Sätze dem Jahrgang der Choralkanten angleichen wollen. Das könnte nicht nur für den Chorsatz »O Mensch, bewein« gelten, sondern ebenso auch für den Schlusschor »Christe, du Lamm Gottes« zutreffen. Setzt man voraus, dass der neue Eingangssatz 1725 entstand, so könnte er auf eine Planung zurückgehen, die mit dem Librettisten der Choralkantaten begonnen worden war.[94] Dasselbe würde dann für Satz 11[+] und vielleicht auch für 13[II] gelten, während die Vorgaben für Satz 19[II] weniger sicher wären. Dagegen dürfte die Bearbeitung von »Christe, du Lamm Gottes« aus BWV 23 erst dann herangezogen worden sein, als die ursprüngliche Planung aufgegeben werden musste.

Als letzter Einwand blieben die fraglichen Töne der sechsten Choralzeile in Satz 11[+], auf die daher noch einmal zurückzukommen ist. Wenn die Konstruktion, die Bach hier entwarf, nur zur »Thüringer« Fassung dieser Zeile möglich war, so ist die Datierungsfrage wohl nur mit der Annahme zu lösen, dass der Satz 1725 eine eingreifende Umarbeitung erfahren hat. Offenbar war es möglich, in Leipzig eine andere Melodiefassung als die allgemein übliche zu verwenden. Dass sie nicht zu den übrigen Sätzen der Johannes-Passion passte, war nicht vorauszusehen, als die Arie in anderem Zusammenhang geschrieben wurde. Die Ausnahme ließ sich hinnehmen, da sie einen Zusatz zu einer Arie und keine reguläre Choralbearbeitung betraf. Genügen aber drei Töne einer Choralfassung, um nicht nur für diese Arie, sondern auch für die anderen Sätze eine frühere Datierung zu postulieren und damit die Hypothese der »Weimarer Passion« zu begründen?

In dem Maß, wie sich die Umrisse einer »Weimarer Passion« verflüchtigen, gewinnt die zweite Fassung der Johannes-Passion klarere Konturen. Für sie wurden offenbar vier Sätze neu komponiert oder erweitert, während nur ein früherer Chorsatz übernommen wurde. Zu wünschen wäre daher, dass die Zweitfassung des Werks nicht als Notlösung verstanden würde. Wer aber an der Hypothese einer »Weimarer Passion« festhielte, müsste weitere Argumente vorbringen.

9. Chorische Rahmensätze

Dass Bach in späteren Aufführungen auf die ursprüngliche Fassung zurückkam, wird im Blick auf die Rahmensätze und auf das Verhältnis der Arien zum Kontext verständlich. Besonders die Choralchorsätze zu Beginn und am Ende der zwei-

---

94 Weiter noch ging Leisinger, ebd., S. 40, mit der Vermutung, Bach könne mit dem Librettisten einen Text geplant haben, in dem das Lied »O Mensch, bewein dein Sünde groß« als Rückgrat diente. Dagegen dürfte sprechen, dass dieser Choral eine gedichtete Passionsharmonie bildet und sich deshalb nicht für eine oratorische Passion eignete, die dem Evangelienbericht zu folgen hatte.

ten Fassung deuten auf ihren Zusammenhang mit den Choralkantaten. Trotz des Gewichts, das dem Satz »O Mensch, bewein« zukommt, ist nicht zu übersehen, dass die Anrufung des verherrlichten Herrschers im früheren Eingangschor weit eher auf den Bericht des Johannes-Evangeliums hinführt. Auch der Schlusschor »Ruht wohl, ihr heiligen Gebeine« entspricht dem Ende der Leidensgeschichte genauer als das deutsche Agnus Dei der zweiten Fassung. Beide Sätze hat Dürr derart eingehend erörtert, dass seine Darstellung hier nur durch wenige Hinweise zu ergänzen ist.

Der Text des Eingangschors beginnt mit den ersten bzw. letzten Worten aus dem 8. Psalm, um die Anrufung des Herrschers auf die Leidensgeschichte zu beziehen (»Zeig uns durch deine Passion«). Überdies wusste der Autor die Psalmworte so zu ergänzen, dass die Schlusswendung (»verherrlicht worden bist«) zugleich auf den Beginn zurückweist (»Herr, unser Herrscher«). Der Disposition entspricht eine dreiteilige Anlage, in der zwei identische Außenteile einen Mitteilteil umrahmen, dessen Struktur sich von der Konstruktion der Rahmenteile abhebt.

A   Herr, unser Herrscher,
     dessen Ruhm in allen Landen herrlich ist!
B   Zeig uns durch deine Passion,
     dass du, der wahre Gottessohn,
     zu aller Zeit,
     auch in der größten Niedrigkeit,
     verherrlicht worden bist!
A   Herr, unser Herrscher (Da capo)

Die weiträumige Disposition des Satzes ist ebenso bewundernswert wie seine »ungeheure Beziehungsfülle«, die Alfred Dürr als »ungewöhnlich« erschien.[95] Seine Beschreibung orientierte sich am Vokalpart und den aufeinander bezogenen »Themen«, denen im A-Teil die beiden ersten Zeilen zugeordnet seien (α und β). Während die Akkordblöcke, die den Chorsatz des A-Teils eröffnen, in den Beginn des Vorspiels eingebaut und in Sechzehnteln fortgeführt seien (Abschnitt a), bilde ihre synkopisch verschobene Wiederholung den »Ausgangspunkt für ein neues Thema (γ)«, das den nächsten Abschnitt (b) präge und im B-Teil wiederkehre. Der Schlussteil (c) erweitere als Einbau in die letzten Takte des Vorspiels die dort vorgegebene Quintschrittsequenz durch einen Zirkelkanon. Der B-Teil hingegen beginne mit dem doppelten Rückgriff auf das »Thema γ« (»Zeig uns« bzw. »daß du«), dem ein Einschub folge (»zu aller Zeit«), während in die letzten Takte des Vorspiels eine Variante des Zirkelkanons eingefügt werde.

Dürrs Schema vermittelt eine Vorstellung von der Verteilung der Textglieder auf die motivischen Segmente, deren Vielfalt die Voraussetzung für das Netzwerk der Beziehungen bildet, während »die zahlreichen Entsprechungen« sich »schematisch nur schwer verdeutlichen« lassen. Sie werden vielleicht verständlicher, wenn man von dem Satzmodell des Vorspiels ausgeht. Um den Vergleich zu erleichtern, werden in der folgenden Übersicht Dürrs Bezeichnungen der Motive mit grie-

---

95   Dürr, a. a. O., S. 90 und 92. Zu den folgenden Zitaten und dem Formschema vgl. ebd., S. 91 f. und 93. Vgl. ferner die Beobachtungen von Hans Darmstadt (wie Anm. 2), S. 13 ff, und 21 ff.

360   Teil IV · Erster Rückblick: Die Johannes-Passion (1724/25)

chischen Buchstaben übernommen. Statt die Teile mit lateinischen Buchstaben zu bezeichnen, wird zudem auf die Klangfolgen verwiesen, die auf die Rückgriffe auf das Vorspiel hindeuten. Zwar kehren seine zwei ersten Takte nur in einem Zwischenspiel wieder,[96] dass es aber ähnlich wie ein Ritornell fungiert, wird dann sichtbar, wenn in seine Glieder der chorische Satz eingebaut wird. Die Hauptteile beginnen mit ausgedehnten Orgelpunkten, die in repetierte Achtel aufgelöst werden und die Basis für die Sechzehntelketten der Streicher bilden. Die Orgelpunkte enden in Quintschrittsequenzen, deren letzte Glieder in erweiterten Kadenzen münden (im Vorspiel: E-Es-D-Cis-D-g). Der chromatische Halbtonschritt wird in der Übersicht gesondert bezeichnet, um die dadurch markierten Klauseln von anderen Kadenzen abzuheben. Auf Orgelpunkten basieren auch die chorischen Hauptphasen, und wenn in die Quintschrittsequenzen jeweils Kanons eingefügt werden, so verbindet sich im B-Teil die vorletzte Zeile mit dem chromatischen Endglied (»auch in der größten Niedrigkeit«). Ebenso sinnfällig ist – wie Dürr hervorhob[97] – die Zuordnung der übrigen Textteile. Während die Anrufung »Herr, unser Herrscher« durch drei Motive ausgezeichnet wird (T. 19–23, 33–39 und 47–49), werden die Textglieder über die Teilgrenzen hinweg durch gleiche Motivik verkettet. Sie verweisen damit auf den Herrscher, der auch im Leiden der Sohn Gottes bleibt (im A-Teil: »Herr unser Herrscher«, T. 33–36, im B-Teil: »Zeig uns durch deine Passion«, T. 58–62 und T. 78–80 bzw. »daß du der wahre Gottessohn« T. 62–68 und T. 80–82).

A-Teil T. 1–57

Vorspiel T. 1–18

1–9	9–16	16–18
Orgelpunkt	Quartkanon + Quintkette	Kadenz
g – g	D-G-C-F-B-E	Es-D-Cis-D
I		

1. Chorblock

19–23ᵃ	23ᵇ–27ᵃ	27ᵇ–30 (~ 6–9)
α + β	α′ + β′	Choreinbau
Orgelpunkt		
g – g		
II		

Zwischenspiel

31–32 (~ 1–2)
Orgelpunkt
D

2. Chorblock T. 31–57

33–36	37–39	40–44ᵃ	44ᵇ–46	47–49	49–55 (~ 1–18)	55–57
Kanon γ	Kanon S. A. + Quintkette	α″ + β	(~ 5ᵇ–7)	Imitation	Zirkelkanon + Quintkette	Choreinbau Kadenz
		Orgelpunkt				
D – g	D-G-c-F-B-E-A-D	g – g			D-G-C-F-B-E	Es-D-Cis-A-D-g
		III				

Die stringente Satzanlage wird deutlicher, wenn man sich nicht an den Oberstimmen, sondern am Bassgerüst orientiert. An den tonalen Relationen lässt sich dann ablesen, dass der Verlauf – der in keinem Schema aufgeht – einen fluktuieren-

---

96 Wohl deshalb bei Dürr, ebd. S. 93, als »Sinfonie« bezeichnet.
97 Ebd., S. 92.

9. Chorische Rahmensätze **361**

den Prozess umgreift, dessen motivischer Satz vom Fundament aus gesteuert ist. Zugleich wird sichtbar, dass das Modell des Vorspiels den Vokalpart weit mehr als in anderen Sätzen prägt. Im A-Teil wird der Chorsatz zweimal in das Vorspiel eingebaut, das demnach – mit manchen Varianten – insgesamt dreimal abläuft. Im ersten Chorblock wird der eröffnende Orgelpunkt von neun auf zwölf Takte erweitert (T. 19–30), während die zweifache akkordische Anrufung in ausgedehnten Koloraturen mündet (α und β). Die Melismen entsprechen dem Muster der begleitenden Figuren des Vorspiels (T. 19–27, »Herr, unser Herrscher«) und schließen zugleich an die Deklamation der zweiten Zeile an (T. 27–30, »dessen Ruhm in allen Landen herrlich ist«).[98] Im Zwischenspiel wird der Orgelpunkt auf die Dominante versetzt, während der zweite Chorblock mit zwei vierstimmigen Einklangkanons beginnt, die auf dem Wechsel von Dominante und Tonika im Bass basieren (T. 33–36). Erst mit dem Kanon der Außenstimmen wird das dem Vorspiel entnommene Bassmodell abgeschlossen, vor dessen Kadenz jedoch der chromatische Bassschritt ausbleibt (T. 37–39). Ein drittes Mal setzt es mit einem Orgelpunkt zur eröffnenden Anrufung an, doch verbindet es sich diesmal mit der Quintschrittsequenz der vierstimmige Zirkelkanon, mit dem der erste Teil kulminiert. Wie Werner Neumann sah, bedingen sich die Quintkette und der Zirkelkanon gegenseitig.[99] Gleichzeitig steigern sich die Kanons vom zweistimmigen Quartkanon des Vorspiels über die Einklangkanons des ersten Chorblocks bis zum vierstimmigen Zirkelkanon des Schlussglieds. Eine ähnliche Staffelung enthält der B-Teil, in dem das Bassgerüst dadurch verdeckt wird, dass seine Glieder nicht nur transponiert, sondern zugleich umgestellt und verkettet werden.

B-Teil T. 58–95

3. Chorblock T. 58–78			**4. Chorblock T. 78–95** (86–95 ~ 10–18)			
58–66ᵃ	66ᵇ–69	70–78ᵃ	78ᵇ–82	83–85	86–92	92–95
Kanon γ + Kette	Imitation ε + Kadenz	(~ 25–30) Orgelpunkt	Kanon γ′ Quinten	Imitation ε + Kadenz	Zirkelkanon δ + Quintkette	Choreinbau + Kadenz
Es-c, C-f, F-d	D-g-A	d – d	A-D-g	**B**-A-Gis-A	a-d-g-c-F-H	**B**-A-Gis-A-d
IV			V			

Der B-Teil beginnt in Es-Dur mit einer Modulationsfolge, in der die Quintkette durch den Einschub paralleler Tonarten verdeckt wird, während der chromatische Schritt vor der Kadenz entfällt. Zudem folgt danach erst ein Orgelpunkt, der sofort in die nächste Kadenzgruppe übergeht, sodass die Grenze zwischen dem vierten und fünften Durchlauf des Bassmodells durchlässig wird. Dem entspricht es, dass diesmal ein Zwischenspiel fehlt und die letzte Phase weitere Varianten aufweist. Statt mit einem Orgelpunkt scheint sie mit einer Kadenzfolge zu beginnen, die den zuvor fehlenden chromatischen Schritt nachholt. Erst am Ende zeichnet sich ab, dass zugleich eine letzte Quintkette ansetzt, die mit dem zweiten Zirkelkanon verbunden ist, während ihr Ende durch einen chromatischen Halbtonschritt betont

---

98 Dürr, S. 93, bezeichnete den Verlauf als Barform aus »2 Stollen und Coda«.

99 Werner Neumann, J. S. Bachs Chorfuge. Ein Beitrag zur Kompositionstechnik Bachs, Leipzig ³1953, S. 11. Vgl. auch Dürr, a. a. O., S. 91 f.

wird. Ginge man von dem Halbtonschritt aus, so könnte man versucht sein, lediglich zwei Abläufe des Bassmodells anzunehmen. Da dann aber die Orgelpunkte und Quintketten außer Betracht blieben, ist eher von einer vierfachen Gliederung zu reden. Ohnehin kann ein solches Schema nur ein Versuch sein, um die internen Korrespondenzen deutlich zu machen. Sie beruhen primär auf den Orgelpunkten, die durch die Klangfolgen überlagert werden, und auf den Quintketten, die den Kadenzen vorangestellt werden.

Die Skizze bliebe unvollständig, würde nicht wenigstens auf die Fülle der Dissonanzen verwiesen, die ebenfalls im Vorspiel vorgegeben sind. Sie ergeben sich vor allem zwischen den Oboen und den Flöten, deren synkopische Vorhalte ein Muster des zweistimmigen Kontrapunkts darstellen (T. 1–8). Indem sie die Grund- und Nebenstufen umkreisen, entstehen über dem Orgelpunkt schneidende Dissonanzen (*fis*/*es* bzw. *h*/*as* über *G*), die ihre Auflösung erzwingen. Sie setzen sich im Quartkanon der Bläser fort (T. 9–15), während die chromatisch fallende Linie der Unterstimme anschließend mit der chromatischen Basskadenz gekoppelt wird (T. 16–18). Ebenso wirksam ist die Figuration der Violinen und Violen, die keine bloße Begleitung ist. Sie besteht aus der Wiederkehr einer viertönigen Figur, die jeweils einen zentralen Ton umkreist. Dabei bilden die jeweils ersten und dritten Töne gegenüber dem Bass Konsonanzen, während die Nebennoten in der Regel dissonieren. Das kommt freilich nur dann zur Geltung, wenn der Instrumentalpart nicht durch übereiltes Tempo zur bloßen Begleitung degradiert wird.

Quintketten und chromatisch erweiterte Kadenzen waren Bach natürlich ebenso geläufig wie Klangfolgen über Orgelpunkten. Die Eigenart des Satzmodells liegt also weniger in den Verfahren selbst als in ihrer Verbindung und Ausarbeitung. Dazu zählen nicht nur die motivischen Beziehungen, sondern ebenso die systematisch gestaffelten Kanonbildungen. Maßgeblichen Anteil hat vor allem der obligate Instrumentalpart, der in den Kanongruppen auf skalare Viertel bzw. akkordische Achtel reduziert wird. Ohne einen regulären Ostinato darzustellen, prägt das Bassgerüst mit seiner inhärenten Klangfolge den Verlauf derart, dass es Bachs Erfahrungen mit Ostinatoformen voraussetzt. Einen entsprechenden Satz hatte er 1714 im Eingangschor aus BWV 12 geschrieben (der später zum »Crucifixus« der Missa h-Moll umgearbeitet wurde). Der Vergleich macht zugleich deutlich, wie sehr sich der satztechnische Fundus seitdem erweitert hatte. Dort entfaltete sich der Vokalpart über einem chromatisch fallenden Tetrachord von getrennten Einsätzen der Stimmen zum vierstimmigen, zumeist akkordischen Satz, der seinen Widerpart in den Einwürfen der Streicher fand. Gegenüber dem Ablauf dieses Satzes wird der kombinatorische Reichtum sichtbar, der den Eingangschor der Johannes-Passion auszeichnet. Dem flexiblen Bassmodell, das drei verschiedene Segmente verbindet, steht der Vokalpart gegenüber, dessen akkordische Melismen mit kontrapunktischen Phasen wechseln. Er setzt zugleich den Instrumentalpart voraus, dessen Gerüst auch dort noch wirksam bleibt, wo nicht vom Choreinbau im gewohnten Sinn zu sprechen ist. Bereits der Eingangschor macht damit deutlich, dass in der Johannes-Passion die Erfahrungen zusammentreffen, die Bach im ersten Leipziger Amtsjahr gesammelt hatte.

Der Schlusssatz greift dagegen auf einen Typus zurück, den Bach erstmals 1714 (oder 1713) im Schlusschor der »Jagdkantate« und später in den Chorsätzen der weltlichen Kantaten verwendet hatte. Neben der festlichen Besetzung gehörten dazu die tänzerische Rhythmik, die periodische Gliederung und die dreiteilige Anlage, die mitunter zur Fünfteiligkeit erweitert werden konnte. Der zumeist akkordische Chorsatz erwies sich dann weithin als Vokaleinbau in das instrumentale Ritornell, das vorangestellt und wiederholt werden konnte. Mit dem Rückgriff auf diesen Typus endet die Passion im Gefüge einer Form, die zugleich ein Gegengewicht zur Komplexität des Eingangschors darstellt. Ihm gegenüber wirkt der Schlusschor in der Tat »sehr viel einfacher«, wenn man sich auf seine Form beschränkt.[100] Der A-Teil kehrt zwar gekürzt in der Mitte, komplett aber erst am Ende der fünfgliedrigen Anlage wieder, während sich die dazwischenliegenden Teile B und B′ entsprechen und zugleich durch ihre Transposition und Besetzung unterscheiden.

Ritornell	A	Ritornell	B	Ritornell	A′	B′	A
1–12	13–48	49–60	61–72	73–76	77–112	113–124	1–60

Trotz der Tonart c-Moll bliebe der tänzerische Impuls der weltlichen Gegenstücke spürbar, wenn ihm nicht weitere Maßnahmen entgegenwirkten, die in den zwölf Takten des Ritornells vorgebildet sind. Dabei wird nicht nur auf Koloraturen und kleinere Notenwerte verzichtet, vielmehr werden die Auftakte, die für die weltlichen Modelle bezeichnend sind, durch fallende Achtel modifiziert. Sie richten sich auf die betonten Zählzeiten, die in den ersten Takten durch halbe Noten in tiefer Lage besetzt sind. An ihre Stelle tritt im vierten Takt eine fallende Linie, die den verlängerten Auftakt fortführt und zugleich die beiden ersten Viertakter verkettet. Auch in den anschließenden Takten werden die anfänglichen Halben durch Achtelketten ersetzt, während die auftaktigen Achtel in die Unterstimmen abwandern. Im ersten Viertakter schreitet der Bass vom Grundton aufwärts, um über einen chromatischen Schritt die Dominante zu erreichen. Nachdem der zweite Viertakter zweimal die Dominante und die Tonika umkreist, folgt im letzten die »neapolitanisch« erweiterte Schlusskadenz. Demgemäß umspielt die Oberstimme im Mittelglied die Dominante, bevor ihr melodischer Bogen im Schlussglied weiter ausgreifen kann. Das Ritornell wird nach dem Abschluss des A-Teils und seiner Wiederholung am Satzende vollständig wiederholt, während es im Mittelteil (A′) auf die ersten vier Takte verkürzt wird und vor dem B-Teil ausfällt.

Dass die chorischen Partien komplizierter sind, war kaum vom Text bestimmt, dessen Da-capo-Form zwei metrisch analoge Teile mit insgesamt sechs Zeilen umfasst.

A Ruht wohl, ihr heiligen Gebeine
   die ich nun weiter nicht beweine
   ruht wohl und bringt auch mich zur Ruh.
B Das Grab, so euch bestimmet ist
   und ferner keine Not umschließt,
   macht euch den Himmel auf und schließt die Hölle zu.

---

100 Dürr, ebd., S. 92 ff., sowie Darmstadt, a. a. O., S. 210–218.

Auf zwei Reimzeilen mit vier Hebungen folgt jeweils eine dritte Zeile, doch obwohl diese Schlusszeilen durch Reim verbunden sind, enthalten sie anfangs vier und später sechs Hebungen. Dem entspricht eine periodische Gliederung, in der zwischen den analogen Hauptteilen zwei ungleich kürzere Binnenteile stehen. Sofern ein periodischer Vokalsatz an die Normen erinnert, die einst die strophische Aria und später das geistliche Lied prägten, kann man im A-Teil – eher als im Eingangschor – zunächst »zwei Stollen a und a'« unterscheiden, von denen der erste auf der Dominante und der zweite auf der Tonika kadenziert.[101] Die beiden »Stollen« unterscheiden sich aber sowohl in ihrer Länge als auch in ihrer Gliederung. Der ersten Gruppe mit einem doppelten viertaktigen Vorbau und zweimal sechs (zwei plus vier) Takten steht eine zweite gegenüber, die (mit einer Ausnahme) aus Viertaktern besteht. Beiden ist zwar gemeinsam, dass sie zu Beginn und am Ende auf den vier ersten und acht letzten Takten des Ritornells basieren. Nur hier wäre von modifiziertem Choreinbau zu reden, dazwischen aber liegen modulierende Binnenglieder, die erheblich umfangreicher sind.

Ritornell			a			a'				Ritornell
1–12			13–32			33–48				49–60
1–4	5–8	9–12	13–20	21–26	27–32	33–36	37–40	40–44	45–48	
			(13–16 ~ 1–4)					(40–48 ~ 9–12)		(= 1–12)
c	G	c	c – Es	As – B	G – D – G	c – G – c – f	G – c – G	G – c	G – c	
4 +	4 +	4	4 + 4	2 + 4	2 + 4	4 +	4 +	4 + 1 + 4	4 + 4	

Die Übersicht kann nur die Gliederung der Teile andeuten, ohne den Binnenverlauf des Satzes erfassen zu können. Zur Verkettung der Teilglieder trägt vor allem die Abstufung der Kadenzen bei: Zwei Halbschlüssen in Es- und B-Dur folgt am Ende des ersten »Stollens« ein Ganzschluss in G-Dur (T. 32), analog enden die Taktgruppen des zweiten »Stollens« mit Halbschlüssen, während die letzte Gruppe durch die erweiterte Kadenz des Ritornells abgeschlossen wird. Der Choreinbau beginnt bereits in Takt 40 (statt in 41) und wird durch einen Zusatztakt erweitert (T. 42–43), der die periodische Gliederung unterläuft. Überdies wird die Gruppierung durch den wechselnden Einsatz der Instrumente differenziert, die zwar in der Regel colla parte geführt sind, mitunter aber pausieren (T. 12–20 und 37–39), um danach an das Ritornell anzuschließen (T. 20 ff., 26 ff. und 38 ff.)

Obwohl die Zwischenteile (B und B') nur zwölf Takte umfassen, wird ihre metrische Gliederung durch die harmonische Disposition variiert. Beide Teile bestehen aus drei viertaktigen Gliedern, die jeweils Quintabstände umgreifen. Den ersten Viertaktern, die sich als steigende Sequenzen entsprechen, stehen die Kadenzgruppen im Terzabstand gegenüber.

B (61–72)			B' (113–124)		
61–64	65–68	69–72	113–116	117–120	121–124
F – B	G – C	Es – As	C – f	D – g	B – Es

---

101 Dürr, a. a. O., S. 92 f.

Die Kadenzen entsprechen einer Konvention, die im Mittelteil einer Da-capo-Form tonale Kontraste erwarten ließe. Dabei entfallen die Teilschlüsse in Durtonarten auf die Zeilen, die von der Öffnung des Himmels und der Schließung der Hölle sprechen (T. 72 und 124). In den beiden ersten Gliedern werden die Takte synkopisch verkettet und gleichzeitig gedehnt, während die erheblich längere Schlusszeile in syllabisch deklamierten Achteln gerafft wird, um danach zur Kadenz in tiefer Lage abzufallen. Die Phasen des Mittelteils werden gleichzeitig auch klanglich differenziert. Während der B-Teil primär dem Chor zufällt, werden die Grenzen der Taktgruppen durch die Einwürfe der Instrumente verdeckt, die das Schlussglied colla parte begleiten. Im B'-Teil dagegen werden die Instrumente in repetierten Vierteln zusammengezogen, während sich der Generalbass auf kurze Einwürfe beschränkt.

Es bedürfte einer gesonderten Studie, um das Verhältnis zwischen der Melodik und der Deklamation zu verfolgen. Während der anfängliche Vokaleinbau mit Vierteln und Halben in mittlerer Lage das Muster für die ersten Worte bildet (»Ruht wohl«), steigen die melodischen Bögen der weiteren Zeilen wechselnd auf- und abwärts. Werden dabei zentrale Begriffe durch Hoch- oder Tieftöne ausgezeichnet, so werden die Textglieder mehrfach durch interne Synkopierung verkettet. Das gilt sowohl für die fallende Linie der ersten Zeile (»ihr heiligen Gebeine«) als auch für die steigende Kurve der zweiten Zeile (»nun weiter nicht beweine«), wogegen die Worte der Schlusszeile vor dem melodischen Höhepunkt zweifach verlängert werden (»ruht wohl und bringt auch mich zur Ruh«).

Sollte dem komplexen Eingangschor im Schlusssatz eine strukturelle Alternative gegenübertreten, dann konnte sie nur in dem einfachsten Typus bestehen, über den Bach verfügte. Unter diesen Voraussetzungen ist der Schlusschor in seiner Weise ein ebenso reich geformter Satz. Die Kunst, mit der hier Bach eine periodische Konstruktion entwarf, um sie dann metrisch und harmonisch zu überspielen, greift auf satztechnische Prinzipien voraus, die erst weit später in der Lehre von der Taktordnung erörtert wurden.[102] Nicht zufällig erinnerte sich Bach an diesen Satz, als er später die Matthäus-Passion mit einem ähnlichen Chorsatz abschloss.

10. Resümee

Mit dem Schlusschor schließt sich der Bogen um ein Werk, das alles zusammenfasst, was Bach bis dahin erreicht hatte. Natürlich ist das Werk weit mehr als nur ein Meilenstein auf Bachs kompositorischem Weg. Sein ästhetischer Rang liegt weniger in den symmetrischen Verhältnissen als in der Disposition des Evangelienberichts, der strukturellen Vielfalt der Arien und der abgestuften Alternativen der Rahmensätze. Dazu gehört nicht zuletzt die Sorgfalt, mit der die »schlichten« Kantionalsätze ausgearbeitet werden. Gegenüber den Schlusschorälen des ersten Jahrgangs repräsentieren die Sätze der Johannes-Passion – wie Werner Breig gezeigt hat – ein Stadium

---

102 Josef Riepel, Anfangsgründe zur musicalischen Setzkunst, Bd. 1: De Rhythmopoia Oder von der Tactordnung, Frankfurt und Leipzig 1752.

des Bach'schen Kantionalsatzes, das erst später nochmals verfeinert werden sollte.[103] Beispielhaft sind nicht zuletzt die beiden ersten Choräle, die im Teilautograph der Partitur nochmals redigiert wurden (Sätze 3 und 5). Es ist daher kein Zufall, dass das Werk nicht mit dem gewichtigen Chorsatz endet, sondern mit dem kostbaren Choralsatz »Ach Herr, laß dein lieb Engelein«. Die beiden Chorsätze, die den Leidensbericht umrahmen, belegen in exemplarischer Weise, wie obsolet die Rede vom Erben der Tradition oder vom Wegbereiter der Zukunft ist. Dass beide Perspektiven ineinander verschränkt sind, zeigt sich in der harmonischen Fundierung der kontrapunktischen Verfahren ebenso wie in der Differenzierung des periodischen Gerüstsatzes. Auch eine Analyse, die sich um historisch angemessene Termini bemüht, gerät durch Bachs Musik in die Verlegenheit, ihre Zuflucht in den Kategorien der periodischen Taktordnung und der funktionalen Harmonik zu suchen. Diese Schwierigkeiten machen aber auch die Wirkungsmacht des Werkes begreiflich. Das dramatische Geschehen, von dem das Johannes-Evangelium berichtet, wird einerseits durch die komplexe Verschränkung der Turbae strukturiert. Es fügt sich andererseits in die genau durchdachte Disposition ein, die sich in der Position der Arien und der Choräle bekundet. Die Eigenart der Johannes-Passion liegt nicht zuletzt im Ausgleich zwischen derart unterschiedlichen Dimensionen.

---

[103] Werner Breig, Grundzüge einer Geschichte von Bachs vierstimmigem Choralsatz, in: AfMw 45, 1988, S. 165–185 und 300–319, hier besonders S. 315–318.

Der opulente Bildband zu
Johann Sebastian Bach

Christoph Wolff
Bach · Eine Lebensgeschichte in Bildern

Bach-Dokumente Band IX
Neue Bach-Ausgabe – Revidierte Edition (NBA^{rev})
Band 5. Herausgegeben vom Bach-Archiv Leipzig. 470 S., dt./engl.,
über 600 größtenteils farbige Abb.; Hardcover mit Schutzumschlag
ISBN 978-3-7618-2280-7 · € 298,–

NEU

**Wie sah Johann Sebastian Bachs Lebenswelt aus?
Welche Menschen standen ihm nahe, mit wem arbeitete er zusammen?
Welche Schriftstücke dokumentieren sein Leben und Arbeiten?**

Dieser Bildband hilft, die historische Distanz von dreihundert Jahren
zu überbrücken, und macht Bachs Lebensgeschichte anschaulich.
Das größtenteils farbige Bildmaterial präsentiert diese Geschichte von den
Anfängen in Eisenach, Ohrdruf und Lüneburg über die Organistenjahre in Arnstadt,
Mühlhausen und Weimar, die Kapellmeisterperiode in Köthen bis in die Zeit
als Thomaskantor und Musikdirektor in Leipzig.
Erweiterte Legenden erschließen die Bedeutung jeder Abbildung unmittelbar,
ohne Nachschlagen an anderer Stelle. Kurze Einleitungen zu den verschiedenen
Lebensabschnitten, ein Essay zu Fragen der Bach-Ikonographie sowie ein
umfangreicher Anhang begleiten den Band.

€ = gebundener Euro-Preis in Deutschland – Irrtum, Preisänderung und
Lieferungsmöglichkeiten vorbehalten.

Bärenreiter
www.baerenreiter.com